ГАЛИЯ ГЕОРГИЕВА

СВЕТЛИНИ И СЕНКИ

психологически роман за силата на танца,
свободата на духа и пътя на любовта

Галия Георгиева
СВЕТЛИНИ И СЕНКИ

ISBN 978-1-9997365-1-4

На Колин

ЧАСТ I

КОГАТО МУЗИКАТА ГОВОРИ

Има свят, в който докато ходиш, всъщност танцуваш,
докато танцуваш – всъщност рисуваш,
докато рисуваш – чувстваш,
а докато чувстваш, се отдаваш.

Свят, в който мъжът е мъж,
а жената – жена.

Този свят се нарича Танго.

I

АННА

За Анна този ден започна като всички останали. Голяма чаша сутрешно кафе, делови костюм, елегантни обувки, обичайното задръстване до кантората и умът ú, който през цялото време подреждаше в главата ú задачите за деня. Днес в 10:00 часа имаше съдебно заседание в Софийски градски съд. След това трябваше най-сетне да се заеме с делото за средната телесна повреда, което вече трети ден стоеше недокоснато на бюрото ú. Надяваше се съдебното заседание да приключи до 16:00 часа, а за обедната почивка на съда беше предвидила да напише възражението до Апелативна прокуратура, което по-късно щеше да подаде.

Паркира на обичайното място както всеки ден. Кантората имаше собствен служебен паркинг, което представляваше огромно удобство на фона на препълнените с автомобили малки улички по целия център.

Все още беше редови адвокат, макар че след повече от десет години, прекарани в кантората, вече беше претендент за съдружник. Започна работа като студентка трети курс и постепенно забеляза как с всяка изминала година има все по-голяма тежест на работното си място. Имаше адвокати, които идваха и напускаха, но тя успя да се задържи благодарение на старанието, отдадеността и лоялността си.

Да бъде адвокат беше детската ú мечта, силно повлияна от множество адвокатски романи и филми, които бяха създали във въображението ú образа на една независима, успяла и модерна жена, към който тя и до ден днешен се стремеше да се придържа.

Беше си изградила стил на живот съобразно представите си за успех: собствен апартамент в южните квартали, гардероб със скъпи костюми, луксозно бельо, масаж всяка седмица. Хранеше се в най-добрите ресторанти, пътуваше в чужбина през отпуските и обикаляше с колеги нощните клубове петък и събота вечер.

Повечето адвокати имаха неудовлетворителен личен живот и тя не беше изключение от правилото. Анна беше повярвала, че "цената" за успешна кариера е недотам успешен личен живот. Така че за ужас на майка си, тя прекарваше вечерите или в кантората, работейки до късно върху някое дело, или излизайки с колеги, които се бяха превърнали вече в нейно "семейство".

Да бъде адвокат изглеждаше много по-интересно, когато мечтаеше за това, отколкото когато ú се случи на практика. Юридическият свят беше своего рода математика, следваше свои правила, теореми и аксиоми. В университета се постараха да я научат да мисли "юридически", което на техен език означаваше да забрави житейската логика и да следва модела, създаден от законите, подзаконовите нормативни актове и съдебната практика.

Когато започна работа в адвокатската кантора на "Стоилов и Сие", нямаше по-щастлив човек от нея. Ден след ден даваше най-доброто от себе си и попиваше жадно необходимите практически познания, които днес бяха създали от нея успешен адвокат.

Политиката на "Стоилов и Сие" беше да вземат на работа предимно студенти от университета, да ги обучават, да им плащат курсове по чужди езици, ако е необходимо, за да може един ден да създадат от тях подготвени професионалисти. Не всеки издържаше на крайно изцеждащите и уморителни работни условия, но Анна така силно се беше идентифицирала с правото, което учеше, че дори не забеляза как от Анна се превърна в адвокат Христова и кога всички започнаха да се обръщат към нея не по малко име, а по фамилия.

След завършване на университета, много от състудентките ú поставиха като свой приоритет сключването на брак и раждането на деца. Анна забеляза, че правото някак трудно се съвместява с идеята за истинска връзка, по-скоро даваше възможност за компромисни бракове между хора, движещи се в едни и същи професионални среди. Адвокати се женеха за разследващи, прокурори, съдии или за други адвокати. Сякаш "юридическото мислене" беше създало определен модел на "юридическо живеене", в който НК ("не ка" – наказателен кодекс), ГПК ("ге пе ка" – гражданско процесуален кодекс) и т.н. се бяха превърнали в кодекси на съществуване. Помежду си юристите водеха редица важни дебати като как да се тълкува даден текст от закона, каква съдебна практика има, какви законодателни решения са необходими, за да се преодолеят несъответсвията и празнотите в нормативните актове.

На всеки извън юридическите среди тези теми бяха меко казано скучни, но за всеки студент по право и завършил юрист беше въпрос едва ли не на чест да има мнение по редица спорни в правната теория положения, което да излага и доказва пред останалите в бранша. Затова не беше чудно, че постепенно кръгът от познати на всеки юрист се затваряше между другите юристи, които напълно го разбираха и всички заедно създаваха консенсусната реалност на изключителната значимост на юридическата професия, която даваше на разследващи, адвокати, прокурори и съдии правото да решават човешки съдби.

Адвокат Анна Христова също мислеше, че благодарение на университетското си образование и дългогодишен опит има такова право и сигурно щеше да продължи да мисли така още години наред, дори до самата си смърт, ако не беше днешният ден.

Когато влезе в кантората, се усмихна на секретарката – Илина, студентка по право, която учеше задочно в Софийски университет "Св. Климент Охридски", владееше английски, френски и испански език - езиците, които бяха необходими за работата с клиентите и притежаваше изключително позитивно излъчване. Анна предчувстваше, че Илина ще се задържи, тъй като беше изключително мека в подхода си към съдружниците, адвокатите и клиентите, което заедно с езиковите ú умения я правеше незаменим кадър.

Структурата на адвокатската кантора не беше сложна. Имаше трима съдружници – Явор Стоилов, Васил Касабов и Юлияна Желева, чиято основна задача беше набирането на клиенти.

Освен тях имаше пет редови адвокати, сред които беше Анна. Тя и още един колега поемаха наказателноправни дела, а другите се занимаваха с търговско и гражданско право.

При съдружниците търговското право беше стихията на Желева, а наказателното – на Касабов.

Стоилов основно се занимаваше с набирането на значими клиенти, които да поддържат реномето на кантората като една от най-добрите в столицата.

Касабов беше състудент на Анна в университета, заедно бяха стояли на банките по време на лекциите и упражненията и той я беше завел в кантората. За кратко бяха имали връзка, но отношенията помежду им бяха по-скоро от братско-сестрински тип. Той беше човекът, който най-много ú беше помагал през всичките тези години и който и до ден днешен я поддържаше на сто процента в кантората. Въпреки че имаше възможност да се профилира в което право си избере, тя реши да се насочи към наказателното право, защото Васко беше избрал него.

В юридическата професия беше много важно да имаш до кого да се допитваш и от днешна гледна точка Анна осъзнаваше, че изборът ú беше мъдър, защото Васил на сто процента оправда очакванията ú. Беше умен, умерен и с изключителен усет и изобретателност, които бързо го издигнаха до съдружник. Имаше един провален брак и беше колкото успешен, толкова и самотен.

Провалените бракове бяха често срещано явление в юридическите среди, по-често от успешните, така че юристите си бяха повярвали, че хората със сериозни професии като тяхната, обикновено не сполучваха в семейния живот. Истината беше, че недостигът на време, алкохолът (изключително силно застъпен като форма на забавление) и потискането на емоциите не можеха да подпомогнат създаването на успешна връзка.

Анна се беше "научила" да пие в университета и макар че не прекаляваше, пиеше достатъчно редовно, за да нарече себе си истински адвокат.

В офиса изпи още едно кафе (до края на деня щеше да изпие още поне две), прегледа набързо основните си бележки по делото, което ѝ предстоеше и излезе. Клиентът ѝ, млад мъж, обвинен в разпространение на наркотични вещества, беше с мярка за неотклонение "задържане под стража" и беше доведен в съда от конвоя на съдебна охрана. Оказа се, че свидетелят – "купувачът" според прокуратурата – не се яви, поради което делото се отложи за след месец. Анна не очакваше подобен развой на деня и реши, че след като свърши със "средната телесна" и "възраженията до Апелативна", може да се възнагради с фризьор. Запази си час за 15:00 часа, след което тръгна обратно към кантората, за да успее да приключи заплануваната работа навреме.

Фризьорският салон, който се намираше в малка уличка в центъра на града, беше част от голямо студио за козметични и фризьорски услуги. Като модерна и делова жена Анна беше подбрала салона за разкрасителни процедури в близост до работното място. Беше решила да поосвежи косата си с лека подстрижка. Естественият цвят на косата ѝ беше кестеняв, но тя я боядисваше в пепеляво русо, което подчертаваше мекия кафяв цвят на очите ѝ. Косата ѝ беше дълга до лактите, но следвайки дрескода на своята професия, Анна я носеше прибрана на кок и толкова беше свикнала да се вижда с прибрана коса, че за нея беше напълно неестествено, дори неудобно, да я носи свободно пусната.

Във фризьорския салон имаше плазмен телевизор, на който обикновено течаха рекламни клипове на студиото, но днес някой от персонала беше пуснал женско токшоу. Анна рядко гледаше телевизия, предимно новини и почти никога женски предавания. Но тъй като беше подранила, а списанията ѝ се струваха недотам интересни, все пак се загледа. Гост в студиото беше млад мъж на около 26-27 години, който явно беше инструктор по танци. Говореше на български с испански акцент и обясняваше за силата на музиката и танца.

"Хората се чудят защо не могат да създадат успешни връзки – удари по болното място на всеки юрист коментарът му – не могат, защото не умеят да танцуват. Танцът е магия, която ти помага да общуваш с тялото си, със себе си и с другия, свързва те с него. Дори думата "танго"♪ произхожда от латинския глагол "tangere" и означава "докосвам".

Водещата го помоли да направи демонстрация на танго и той заедно с момичето, седящо до него, вероятно негова ученичка, започна да танцува страстно танго под звуците на "Tango - Argentino paso".

Анна гледаше в телевизора като хипнотизирана. В момента беше изключително модерно да се ходи на латино танци, повечето хора избираха салса или бачата, но в това танго имаше толкова ритъм, чувственост и страст, че на нея мигновенно ѝ се прииска да може да танцува така. Почувства се ощетена, че не може да общува с тялото си и със самата себе си по такъв начин.

На екрана отново изписаха името на инструктора, казваше се Естебан Амаринго, и тя го запомни.

Влезе в сайта на танцовата школа, където инструкторът преподаваше, през телефона си. Школата се намираше на петнадесетина минути пеша от салона. Анна прие това като знак. В сайта бяха публикувани телефоните на инструкторите и след фризьора тя реши да позвъни на посочения номер.

– Да – прозвуча вместо "Ало" от другата страна.

– Бих искала да разговарям с Естебан Амаринго – обоснова се Анна.

– На телефона.

– Искам да се науча да танцувам танго – простичко изложи искането си тя.

– Можете да се включите в някоя от групите ми.

– Не, предпочитам индивидуален час. Колко ще струва?

– Цената на индивидуален час е 30 лева за 50 минути.

– Добре.

– Кога е удобно да започна?

♪ Има множество версии за произхода и значението на думата "tango". Една от тях е, че произлиза от латинския глагол "tangere" – "докосвам", тъй като докосването е основен и задължителен елемент от танца танго – Бел. а.

– Кога бихте желали?

– Сега.

– Само секунда да проверя дали ще имам възможност да ви вместя днес. Колко време ще ви отнеме да дойдете?

– Да кажем петнадесетина минути.

– Ако успеете да дойдете до половин час, можем да го уредим.

– Супер. Ще съм при вас след петнадесет минути.

– Знаете ли адреса на школата?

– Да, видях го в интернет.

– Записвам ви за четири часа днес.

– Благодаря.

♪♫♪

Школата се намираше на партерен етаж в бизнес сграда. Състоеше се от четири просторни зали и свързващо фоайе със съблекални между тях. Явно с цел привличане на клиенти една от залите беше с френски тип прозорци, гледащи към улицата. По желание на клиента урокът можеше да се проведе при спуснати щори. Вратите към всяка от четирите зали бяха стъклени. Подът беше корков, а стената срещу френските прозорци беше покрита с огледала.

Инструкторът по танци я чакаше пред школата. Тя не забеляза други хора освен него. Беше млад мъж, четири-пет години по-млад от нея, висок, с много тъмна, почти черна коса и светло сини очи.

– Анна Христова, чухме се преди малко. Уговорих си час.

– Естебан Амаринго.

Естебан я въведе в школата. Показа ѝ съблекалните, след което залата, в която щеше да се проведе урокът:

– Защо искате да се научите да танцувате танго?

– Просто искам да опитам – несигурно отговори Анна. За миг ѝ се прииска да обясни, че всъщност не знае как да създаде истинска връзка, но прецени, че подобно изявление би било твърде компрометиращо.

Естебан я погледна изпитателно, без да коментира думите ѝ.

– Добре – продължи той – Може да се преоблечете и да започваме.

Анна се смути.

– Не си нося други дрехи. Не може ли да започнем така?

Мъжът огледа деловия костюм, съставен от класическа права пола до коленете, сако и риза и неудобните ѝ обувки на висок ток, и категорично отсече:

- Не.

- Тогава да уговорим друг час.

- Свободен съм другия вторник, отново в 16:00 часа – каза, без да я попита дали на нея ѝ е удобно.

- Добре, но този път ми кажете какво точно да си нося, за да проведем урок.

- За дрехите – трябва да сте облечена в нещо, което ви е удобно и мога да имам поглед върху тялото ви. Не е препоръчително да сте с тежки бижута, претенциозни аксесоари или колан с катарама, тъй като при близък хват това би създало неудобство за мен като ваш партньор. Изберете нещо, в което да ви е удобно, да се чувствате красива и което няма да се закача в мен или да отклонява мен или вас от танца. Аз лично бих предпочел в часовете ми да избягвате използването на силни, или натрапчиви парфюми. Обувките в танго са вашата връзка с тялото и танца. Ако изберете да си купите танцови обувки, нека да са специално за аржентинско танго. Изработката на такава обувка не е просто красив дизайн, тя е предназначена да балансира съвършено кракът ви върху пода, тъй като в tango argentino през цялото време вие сте на единия си крак. Подметката е достатъчно гладка, за да може краката ви плавно и елегантно да се приплъзват по пода.

- Следващият път ще бъда напълно подготвена – отговори въодушевено Анна и добави: - Радвам се, че се запознахме.

- Аз също – отвърна Естебан, след което спокойно ѝ каза – Дължите ми 30 лева за днешния урок.

Намерението за следващ урок мигом се изпари във въздуха. От изумление Анна изтърси единствено:

- Моля?!

- Следва да ми заплатите днешният урок – повтори той със същия спокоен тон, сякаш се подразбираше, че трябва да се платят.

- Но ние не сме провели урок.

- Проведохме толкова, колкото беше възможно. Дължите ми 30 лева за днешния урок.

- Аз съм адвокат – натърти тя, опитвайки се да го предупреди да не продължава по-нататък.

Естебан я погледна въпросително. Анна се почувства неудобно, осъзнавайки че за него факта, че тя е адвокат, всъщност нищо не означава. Беше свикнала хората да приемат професията ѝ като заплаха за предстоящи проблеми.

– Не можете да очаквате да ви заплатя час, в който не сме танцували – тонът ѝ стана делови.

Естебан не отговори. Само настойчиво я гледаше с невъзмутим поглед. За миг Анна се почувства като дете, което се инатеше безпричинно. Ядоса се на чувството, което я обзе, че може би той има право и е длъжна да заплати часа, след като е уговорен. За да отхвърли тази мисъл и да се убеди в правотата на изказаната от нея теза, Анна заяви:

– Беше редно да ми кажете по телефона в какъв външен вид следва да се явя.

– Или Вие да попитате – небрежно ѝ прехвърли топката Естебан.

С намерение да излезе от положение, без да накърни гордостта си, Анна извади 30 лева и му ги подаде високомерно.

Той ги взе и продължи да я гледа. Анна едва отклони погледа си от неговия, тръгна към вратата и смънка на излизане:

– Ще се видим другия вторник.

Можеше да има дело другия вторник, изобщо не знаеше защо се съгласи на такава уговорка. После реши, че не е длъжна да ходи. Ядосваше се на самата себе си, че привличаше такива ситуации в живота си. Вървенето я поуспокои и тя започна да мисли по-трезво. Припомни си младото момиче, което танцуваше с Естебан в предаването, как само танцуваше тя, сякаш тялото ѝ беше флуидно.

В този момент сякаш от само себе си смени посоката и вместо към кантората, тръгна в посока ЦУМ, за да си купи танцов екип за урока.

За миг забрави за делата, кантората и клиентите. Представи си как танцува танго като момичето, с което танцуваше Естебан и ѝ се стори, че няма нищо по-красиво от това.

В магазина имаше най-различни модели обувки и Анна си хареса сатенени танцови обувки с цвят шоколад. За да е в тон с обувките, купи танцов екип от трико и клин в цвят мока.

Продавачката, която я наблюдаваше как избира, се приближи до нея и любезно попита:

– Мога ли да ви предложа нещо?

– Разбира се – усмихна се Анна.

– Пробвайте това – подаде ѝ танцова рокля в бледорозово.

Анна я погледна и отклони с думите:

– Твърде смела е за за мен. Не съм фен на розовото.

– Розовото е мек и предразполагащ цвят – настоя продавачката.

– Благодаря – отговори Анна, но поклати отрицателно глава.

Започна да разглежда останалите танцови артикули и погледът ѝ моментално се спря върху невероятно красива виненочервена рокля за танго. Роклята беше прилепнала по тялото, като леко се разкрояваше в задната си част, покривайки изцяло ханша. За своя изненада Анна реши да я пробва.

В момента, в който се видя облечена с роклята, се почувства като истинска танцьорка на танго. Обу шоколадовите танцови обувки и остана замечтана пред огледалото за няколко мига. Представи си как танцува като момичето от предаването.

Излезе от пробната и в някакъв унес купи и червената роклята заедно с розовата.

Вече знаеше, че работната ѝ програма за следващия вторник нямаше никакво значение.

В 16:00 часа тя имаше записан урок по танго.

Едва когато излезе от магазина, извади от чантата си адвокатския си бележник с графика си за следващите седмици. Знаеше, че ако има дело, щеше да го прехвърли на Васко. Всичко друго можеше да се отложи.

Програмата ѝ се оказа свободна. Прелисти няколко вторника напред. Нямаше дела във вторник следобяд чак до края на следващия месец.

Прие това като знак. Сякаш съдбата ѝ беше отворила прозорец, за да може да се научи да танцува танго.

Онова, което в този ден Анна не знаеше е, че съдбата всъщност ѝ беше отворила врата.

За да почувства какво е да си жена.

II

АННА

От сутринта денят ѝ вървеше накриво. Попадна в невероятно задръстване на бул. "България", а трябваше по най-бързия начин да стигне до Първо Районно Управление, където беше задържан новият ѝ клиент. Александър, курсист в НСА, син на известен предприемач, беше заподозрян в извършването на нападение срещу негов съкурсист и кражбата на златен ланец. На юридически език това престъпление се квалифицираше като грабеж и беше наказуемо с лишаване от свобода от три до десет години.

Надяваше се да приключи бързо, за да може да бъде точна за урока си.

Спомни си, че не беше потвърдила урока си и прати бърз смс на Естебан - "Потвърждавам урока си. Днес – 16:00 часа. Анна Христова." Не получи обратен отговор, което я върна към арогантното отношение на инструктора от миналия път.

В Районното управление я посрещна нахакан оперативен работник, който ú каза, че не може да се срещне с клиента си, защото той "работел" с него.

В обичайна ситуация Анна би скъсала нервите на всички, работещи по случая, настоявайки незабавно да срещне клиента си, но днес не ú се влизаше в никакви разправии.

За сметка на това Васко ú звънеше почти през пет минути.

– Освободиха ли го вече?

– Не. Оперативните работят с него.

– А ти защо не си вътре?

– Какво значение има? Без мое присъствие така или иначе всичко, което каже няма да има никакво значение пред съда. Чакам да ме срещнат с разследващия.

– А баща му чака да го освободят. И плаща за това. Така че вкарай чара си и следващият път като се чуем ми дай нещо, което да мога да кажа на баща му. Как да му обясня, че си пред Районното и не те допускат вътре? При положение, че нямат право да не те допуснат до клиента ти.

– Обясни му, че полицията си върши работата и е въпрос на процедура.

– Той плаща ние да си вършим работата. И то достатъчно добре, за да накараш полицията да спазва закона.

– Слушам, шефе! – саркастично оттовори Анна и затвори.

Загледа се в падналите златистожълти листа по улицата. Вече беше септември и времето беше захладняло. Небето беше мрачно и сиво, което допълнително я потискаше. Отиде до най-близкото кафе и си взе кафе.

В един момент видя разследващия полицай и оперативният работник да се насочват към служебната кола.

Звънна на Васил.

– Излязоха. Златева е разследваш. Току що ги видях как с оперативния тръгнаха. Мисля, че отиват в прокуратурата да вземат "работно обвинение". Кажи на Стоилов да звънне на районния, за да не му вземат "седемдесет и двойка".

– Не е осъждан, така че няма кой прокурор да рискува с подобна мярка. А и Стоилов вече се погрижи. Районният е дал делото на Маринкова.

Анна се усмихна. Прокурор Маринкова определено беше "техен човек". Предполагаше, че за тази "дребна" услуга щеше да вземе поне 5000 лева бонус от бащата на момчето.

– Ти успя ли да се срещнеш с него? – върна я обратно Васил.

– Още не.

– Ами хайде де, Анна. Какво се мотаеш?

– Сега отивам.

Отиде при постовия и настоя да се срещне незабавно с главния разследваш.

– След две минути я въведоха в Районното и я срещнаха с Александър.

– Аз съм адвокат Анна Христова, ще ти бъда защитник.

Оставиха ги да поговорят насаме, седнали на една от пейките в коридора на Районното, като постовият беше достатъчно далече от тях, за да не се нарушава конфиденциалността на разговора им.

– Давал ли си някакви обяснения? – попита Анна.

– Не – отговори момчето. – През цялото време настоявах за адвокат.

– Добре. На този етап и на всеки следващ етап в производството няма да даваш никакви обяснения. Досега с теб са разговаряли оперативни работници – цивилни полицаи, които са проверявали дали има данни за извършено престъпление.

– И една жена говори с мен. Казаха ми, че много съм загазил и, че затворът не ми мърда.

– Жената е разследваш, нейната работа е да събира доказателства, ако има данни, че си извършил престъпление. Сега тя е в прокуратурата и най-вероятно ще се върнат с "работно обвинение" от прокурора.

– Какво означава това?

– Означава, че от това, което им е известно прокурорът ще ти повдигне обвинение и оттук нататък ще се водиш "обвиняем". Дължен си да се явяваш, когато те повикат и да ги уведомяваш, ако си сменяш местожителството. Няма да е окончателното ти обвинение, защото тепърва започва разследване по случая. След два месеца като разследването приключи прокурорът вече ще е наясно дали да прекрати делото, ако няма достатъчно доказателства или да го внесе в съд с обвинителен акт, ако прецени, че има такива. Най-важното засега е да не ти вземат седемдесет и двойка, тоест прокурорът да не те задържи за още седемдесет и два часа.

– Снощи беше ад. Държаха ме в някаква миризлива клетка, едва не умрях от студ и мизерия.

– Имаше ли други задържани?

– Не, бях сам.

– Извадил си късмет. Понякога по седем-осем човека задържат на вечер и всичките в тази клетка стоят.

– То и за един няма въздух.

– Анна видя как Златева и оперативния се върнаха в Районното.

– Имаш огромен късмет – каза Златева на Александър. – Ще те освободят срещу парична гаранция от 1000 лева.

– Това добре ли е? – попита Александър Анна.

Маринкова добре си беше измила ръцете, помисли си Анна. Парична гаранция от 1000 лева за златен ланец и шамар в лицето. Анна щеше да оспори размера пред съда, но днес гаранцията трябваше да се плати, за да може Александър да бъде освободен.

– Баща ти ще ги плати и си тръгваш веднага.

Докато подписваха протоколите за привличането на Александър като обвиняем, Анна се надяваше гаранцията да бъде внесена до 14:00 часа, за да може да си тръгнат до 15:00 часа от районното. Явно беше, че друга работа нямаше да може да свърши днес.

Радваше се, че все още нямаше журналисти пред районното, но радостта ѝ не продължи дълго. Докато платят гаранцията и донесат квитанцията, пред Районното се бяха позиционирали множество камери и репортери.

Началникът на Районното излезе да обясни случая. Анна се отдалечи максимално, надяваше се никой да не я забележи, не ѝ се даваха интервюта.

След малко ѝ донесоха квитанцията за платената гаранция и тя влезе и я представи. Цялото ѝ старание да избегне журналистите се сгромоляса.

Наложи се да застане пред камерите:

– Разбирам интереса по случая, но става въпрос за недоразумение, което в съвсем кратък срок ще бъде изяснено. В интерес на правосъдието е, когато се взема мярка за неотклонение, тя да е адекватна на предполагаемото деяние и личността на обвиняемия. Подзащитният ми е студент, с известно местожителство, чисто съдебно минало и без никакви индикации, че желае да се укрива или да възпрепятства работата на разследващите органи. Размерът на постановената парична гаранция по никакъв начин не показва прокуратурата да е съобразила тези обстоятелства. Сега, ако обичате трябва да представя квитанцията за внесената гаранция. Клиентът ми ме очаква.

Отстрани се от камерите и журналистите. За нейна радост още преди два часа бяха изцяло приключили работата си в Районното. Знаеше, че родителите на Александър са в кантората и сега беше най-удобният момент да поговорят.

Като влязоха в колата ѝ, го предразположи да ѝ разкаже какво се е случило. Искаше да го чуе насаме. Под въздействието на страха, той щеше да е напълно искрен.

– Уча за борец в Спортната. С едно момче Явор се казва, Явката му викаме, след едно състезание заедно си купихме едни и същи златни ланци. Един вид инвестиция, злато, нали се сещате? Само че после той ми взе назаем пари и не ми ги връща. А аз не мога да си позволя да ме правят на идиот. С двама авери – Вик и Ванката, от нашия курс, го причакахме една вечер. Той ми се кълне, че ще ги върне, ама няма пари. Ама аз знам, че има, нали съм го виждал как пръска по дискотеките. Изпуснах си нервите, сцепих му устата и му взех ланеца като гаранция. Вик и Ванката ме спряха да не го помеля. А тоя страхливец дори не отвърна. При куките отишъл да се жалва, това мъжко ли е? Хем дължиш пари, хем на жертва се правиш.

– Счупил си му преден зъб – отбеляза Анна. – Това означава, че си му нанесъл средна телесна повреда, което прави по-тежко престъплението.

– Целият щях да го изпочупя аз, ама ме спряха. Да го бях изпочупил, да не ме е яд сега.

Александър замълча и след секунди мълчание попита.

– Ще лежа ли?

– Няма да лежиш – успокои го Анна.

– Но ще ме съдят, нали?

– Къде е този ланец?

– В мен беше, като ме хванаха. Отде да знам, че тоя ще търси полиция? Бях на дискотека, като излязох и ме задържаха.

– Колко пари ти дължеше?

– 500 лева. Тоя скапан ланец не струва толкова. Очаквах да намери парите, за да му го върна. Просто исках по мъжки да се оправя.

– Добре си се оправил. Ти съвсем същия ланец ли имаш?

– Да.

– А документ имаш ли за него?

– Имам някакъв.

– Твоите приятели разпитвани ли са?

– Не знам. Не съм ги виждал. Не бяхме заедно като ме задържаха. Дадоха ми право на един телефонен разговор и аз се обадих на майка ми.

Изведнъж пред Анна се отвори толкова много работа, че урокът ѝ по танци ѝ се видя като мираж, който се отдалечава на светлинни години.

– Ти сигурен ли си, че ми разказа всичко? – попита накрая тя.

– Кълна се. Ще се обадя на Вик и Ванката. Те ще го потвърдят. Просто исках сам да се оправя.

– Обади им се. И искам да си намериш документа за ланеца, а ако не го откриеш, отиди в златарското ателие и от датата, на която си го купил, извади копие на квитанцията, с която са ти го продали. Искам в 17:30 часа всички да сте в канторара – ти и приятелите ти.

– Нали ще ми помогнете? – попита наивно той.

– Да – отговори тя. Знаеше, че милото му отношение веднага ще се промени след срещата с баща му. На следващата им среща баща му вече щеше да му е обяснил, че всичко ще се уреди или ще смени "тези некадърници" с по-добри адвокати. Той щеше да се държи с нея като с наемница, каквато на практика беше.

♪♫♪

– Има шанс да докажем, че ланецът, с който са го задържали е неговият собствен. – изказа на глас плана си за действие пред Васил – Твърди, че има документ, но и да няма, ще го вземем от златарското ателие. Бил е с двама приятели, които са го спрели. Да се надяваме, че полицията още не е стигнала до тях. Казах на Александър да ги доведе. Ако те заявят, че нищо не са видели, остават думата на този Явор срещу думата на Александър. А ако потвърдят, че Явор е дължал пари на Александър, излиза и мотив за набеждаване. Чудя се дали по врата на Явор има зачервявания от дърпането на ланеца и дали си е извадил медицинско. Не ми дадоха да погледна делото. Маринкова дали ще се навие да го видя, като е при нея? В общи линии – много тичане.

– Да не бързаме със стратегиите – сряза я Васил. – Искам да поговоря с тези прятели, защо си им насрочила среща чак за пет и половина?

"Защото имам урок по танци" – наум си каза Анна.

– Ще им трябва технологическо време, за да се организират – обясни на Васил.

– Добре.

– Аз тръгвам. Имам малко работа навън – каза Анна, за да оправдае излизането си.

Васил не ѝ обърна внимание. Върна се обратно при клиентите. Анна си взе екипа за танци и излезе. Беше избрала този с цвят мока, розовата рокля ѝ се видя твърде предизвикателна.

В 15:50 часа беше пред школата. Отново беше само Естебан.

Преоблече се в съблекалнята и влезе триумфираща в залата.

– Спазих всичките ви изисквания – клин, трико, обувки за танго, никакви бижута и аксесоари.

– Впечатляващо – сухо отвърна Естебан и попита: - Танцувала ли сте някога?

– Само в дискотеката – пошегува се тя. Естебан пренебрежително се усмихна.

– Значи танго? – погледна я въпросително.

– Да.

Естебан пусна уредбата и залата се изпълни с невероятно красива мелодия. Тя стоеше права с поглед към огледалната стена. Естебан застана зад гърба ѝ и сякаш застина зад нея. Усещаше дъха му в ухото си. Очакваше да я хване за ръка, но той не помръдваше.

Стана ѝ нервно и я досмеша. В момента, в който се засмя, Естебан спря музиката:

– 42 секунди. Повече, отколкото очаквах – заяви той.

– Какво означава това?

– Вие не чувате музиката.

– Чувам я, но съм тук, за да се науча да танцувам.

Естебан я погледна.

– За да танцувате трябва да можете да чувате музиката.

– Кога ще започнем с танците?

– Когато видя, че чувате музиката.

Това започваше да звучи като параграф 22.

– Няма ли да ми покажете някакви стъпки? – попита Анна възмутено. Беше зарязала цялата си работа, за да бъде тук. Този подиграваше ли се с нея?

– Достатъчно за днес. Нервна сте и няма да можете да танцувате – отсече Естебан. – Дължите ми 30 лева. Урокът приключи. Другия път се постарайте да сте в кондиция.

– 30 лева за какво? За да ви слушам как дишате в ухото ми, ли? – ядоса се Анна.

Той я погледна с поглед, който сякаш я прикова на място и ѝ заговори с изключително нисък и леден тон:

– Навън може да важат вашите правила. Но в тази зала става това, което кажа аз. И ако искате да танцувате, трябва да можете да чувате музиката. Така че следващия път елате спокойна и в състояние да чуете музиката. В сегашното ви състояние не мога да работя с вас. Дължите ми 30 лева за урока.

Анна не можа да реагира адекватно. Знаеше, че днес ѝ беше лош ден. Но толкова ли много ѝ личеше?

Извади 30 лева и му ги подаде. Тръгна към изхода на залата.

– Няма нужда да потвърждавате часа със смс. Знам, че ще дойдете. Следващият вторник, 16:00 часа.

Почувства се нищожна, че изобщо се намира в тази зала и плаща, за да я унижават така. В момента, в който излезе от школата, отиде и си купи кафе, за да прояси мислите си. Насочи се към кантората, където я очакваха хората с истински проблеми. Това беше хубавото да си адвокат по наказателно право. Беше достатъчно да видиш някой от клиентите си, за да разбереш, че ти всъщност си човек без проблеми.

III

АННА

Беше пренаредила цялата си програма така, че днешният ден да е спокоен. Започна сутринта с обичайната си чаша кафе, затвори се на спокойствие в уютния си кабинет и се зае цял ден да отхвърля писмена работа.

Кабинетът ѝ се намираше на ул. "Княз Борис I" и прозорецът ѝ гледаше срещу Съдебната палата. Мебелите се свеждаха до огромно махагоново бюро и библиотека с подредена по лавиците юридическа литература. Имаше няколко юридически списания, които беше запазила заради интересните статии в тях.

Беше се настанила удобно в кожения си стол, а на компютъра пред нея беше заредена правно-информационна система. На бюрото стояха папките с делата, няколко бели листи, на които си водеше бележки и двата кодекса – НК и НПК.

Обичаше кабинета си, чувстваше се напълно неуязвима в него. Сякаш външният свят нямаше достъп до нея.

Спомняше си колко дълго беше работила в обща стая с останалите стажанти, за да получи този кабинет накрая. Влюби се в него от деня, в който за пръв път седна на стола пред бюрото си.

Времето навън беше отвратително. Валеше дъжд, който барабанеше по прозорците, усещаше се настъпването на есента. Ароматът на току-що приготвено кафе заедно с барабаненето на дъжда по прозорците ѝ създаваше усещане за паралелна вселена, в която времето беше спряло. Потопена в делата си, не забелязваше как минават часовете. Толкова се беше увлякла, че изпусна обедната си почивка.

Васил влезе при нея.

– Делото ти за грабежа приключи.

– Явор оттегли ли си показанията?

– Да. Днес беше в Районното. "Призна", че е набедил Александър, тъй като имал да му връща пари. Всичко мина като по конец. Иван и Виктор, приятелите на Александър свидетелстваха, че ударите по лицето Явор ги е получил заради сбиване за момиче пред нощен клуб. Приятелката на Александър свидетелства, че си е скъсал ланеца пред нея, докато танцували в дискотеката.

– А самият ланец?

– Явор представи ланеца на Александър за свой. Каза, че случаят със сбиването бил изгоден, за да сплаши Александър да спре да си иска парите.

Васил беше намерил най-интелигентното решение в такива случаи - обвиняемият и пострадалият се разбираха помежду си и пострадалият си оттегляше показанията. Тъй като законодателството не позволяваше да си оттегляш показанията, пострадалият го беше отнесъл с насрещно дело за набеждаване.

– Образуваха ли му дело за набеждаване?

– Да, но и за него съм се погрижил. Поставих му като условие да върне парите. Така е честно, нали?

– Александър е извършил престъпление. Не е ли по-честно да забрави за парите?

– Не го мисли повече. Прекратено. Хонорарът ти е в джоба, повече не е твоя грижа. Стоилов е много доволен от работата ти. След като се върна от Бали ще му предложа да те направи съдружник.

Васил излезе. Анна осъзнаваше, че от онзи уплашен и мил Александър в колата ѝ повече нямаше да има и следа. След връзките на баща му и "печените" адвокати, занапред щеше да се чувства недосегаем и да се "оправя сам" все по-често. Така или иначе тя се радваше, че делото приключи.

Днес си беше обещала да е спокойна. Искаше да се научи да танцува. Цяла седмица в главата ѝ от време на време звучеше прекрасната мелодия от залата. Снощи беше сънувала как танцува като момичето от предаването.

Когато стана 15:00 часа, изпи още едно кафе – трето за днес, за да потисне пораждащото се чувство на глад, и се насочи към залата по танци.

Естебан я очакваше и ѝ кимна в поздрав, когато влезе в сградата. Тя се насочи директно към съблекалнята и се преоблече възможно най-бързо. От трите кафета на гладно адреналинът и настроението ѝ се бяха повишили.

В момента, в който влезе, попита с ведър тон:

– Какво да правя сега?

В отговор Естебан пусна същата музика. Анна му хвърли отегчен поглед и зачака да види какво ще последва. Той отново мина зад гърба ѝ и историята от предишния урок започна да се повтаря. Отново усети дъха му в ухото си и отново ѝ стана нервно. Изнервяше я, че стои зад гърба ѝ, чувството беше отвратително, сякаш беше в капан. Единствено огледалата срещу тях ѝ даваха вътрешно спокойствие, защото го виждаше. В един момент Естебан спря музиката и отиде при дистанционното на уредбата. Смени парчето с друго.

Сега в залата се разнесе инструментал на "El Tango de Roxanne"[♪].

Анна познаваше композицията от "Мулен Руж". Очакваше Естебан да застане пред нея, но той отново застана зад гърба ѝ. Анна не издържа и се отмести напред.

Естебан я изгледа изпитателно и спря музиката.

– Кафе ли сте пила? – попита той

– Това каква връзка има? – сопна се Анна. Цялата тази работа започваше да ѝ изглежда абсурдна.

– Пречи ви да чувате музиката – отсече той.

– Кафето ми пречи? – повиши глас несъзнателно. – Сигурен ли сте, че някога сте обучавал хора да танцуват?

– Казах ви да дойдете в кондиция за урока – уточни той. – Следващият път без кафе.

– Следващ път няма да има – тросна се Анна. – Да не очаквате да си губя времето с вас? Не сте единственият инструктор в София, ако изобщо сте инструктор.

– Виждате ли колко сте превъзбудена? – меко каза той, без да обърне внимание на думите ѝ. Мекотата в тона му я вбеси допълнително. Сякаш снизходително ѝ се подиграваше.

– Кафето ви пречи да танцувате – каза го, сякаш беше някакъв физичен закон, който току-що бе извел.

Анна дори не можа да реагира след последния му коментар. Никой никога не я беше унижавал така. И то три пъти подред. Чувстваше се като глупачка. Плати му 30 лева и влезе в съблекалнята. Усети как от обида беше започнала вътрешно да трепери. Преоблече се и тръгна почти на бегом към вратата.

Естебан излезе от залата и с ироничен тон каза: "До следващия път".

♪ *"Roxanne" е хитова песен на рок бандата "The Police". Песента е написана от Стинг и през 1978г. е издадена като част от албума "Outlandos d"Amour". През 2001 г. на песента е направен поредният ремикс във филма "Мулен Руж", наименувана "El Tango de Roxanne", комбинирана с танго композицията "Tanguera" от Мариано Морес - Бел.а.*

Нямаше да я види никога повече. За какъв се мислеше? Може би беше добра идея да отиде да поработи още, но нямаше сили. Толкова хубав беше днешният ден. Как можеше за пет минути този мъж така да я изкара от равновесие? Искаше стабилност в живота си. Имаше хубава работа, собствен апартамент, стандарт. Този беше никой.

Нейна консултация струваше 150 лева, а той работеше за 30 лева на час, от които кой знае колко вземаше. Сигурно нямаше нещо повече от средно образование. Беше никой. Явно и школата нямаше много клиенти, тъй като всеки път, когато отидеше, бяха сами. Никой нямаше преди нея, никой не чакаше за урок. Останалите зали бяха празни. Явно всичко беше някакъв медиен трик и тя като пълна глупачка се беше подвела.

Продължаваше да вали като из ведро, улиците бяха мокри и навсякъде под нея се стичаше кална вода. Беше ужасно гладна. Спомни си, че срещу залата имаше ресторант, който изглеждаше прилично, но не искаше да се връща обратно до там. Иначе ѝ се хапваше нещо топло, беше ужасно гладна. Влезе в една малка пекарна за френски кроасани и си взе един. Изяде го буквално наведнъж, след което усети как стомахът ѝ реагира на топката бяло тесто, което погълна с лека болка.

Ядоса се още веднъж на себе си. За какво изобщо ѝ трябваше тангото? Никой в днешно време не танцуваше танго. Може би трябваше да помисли за салса или бачата.

IV

АННА

Миг преди да натисне копчето на кафе машината, погледът ѝ се спря на календара. Беше вторник. Без сама да знае защо, не си направи кафе. Под душа се опита да помисли на какво се дължи реакцията ѝ. Нямаше намерение да ходи повече на глупавите уроци в школата, защо тогава ѝ беше толкова трудно да пристъпи безумните инструкции на самодоволния испанец?

През тази седмица се беше опитала да не мисли за унижението си, затрупвайки се с повече работа. Точно в такива моменти много ѝ се искаше да има мъж до себе си, който да я кара да се чувства закриляна и обичана. Когато не знаеше какво да прави с живота си, винаги се насочваше към работата. Там имаше смисъл, имаше кауза, там беше полезна и продуктивна. Колегите ѝ я уважаваха, имаше прекрасни отношения с тях. Спомни си, че другия вторник една от стажанките има рожден ден и Стоилов щеше да организира цялата кантора да отидат заедно в един от най-хубавите пиано барове в града.

Преди вторник беше обикновен ден, а сега всеки вторник ли щеше да си мисли, че днес е вторник?

Облече се и излезе. В колата, докато шофираше, продължи да обмисля ситуацията. Всички потискани мисли през последната седмица сякаш изведнъж нахлуха в главата ѝ.

Тя беше адвокат. Как можеше да позволи на някакъв нахален испанец така да се подиграва с нея? Какво можеше да направи?

Не ѝ беше за парите. Беше ѝ за унижението, на което този мъж я подлагаше.

Вариантите бяха няколко:

Да се откаже. Това беше първоначалната ѝ идея. Забравя за него, за тангото, изхвърля всички накупени танцови парцали и продължава напред, все едно не се е случвало. Така или иначе никой не знаеше, че е ходила на танци. Предвидливо беше запазила тази информация само за себе си.

Да подаде жалба срещу него. Можеше да подаде жалба в прокуратурата за измама. Но никой прокурор не би си направил труда да образува дело за 90 лева и при подобна фактическа обстановка.

Освен това как можеше да докаже, че е била там? Нямаше свидетели, никой не знаеше, че е ходила. Имаше един изпратен смс за потвърждение на урока, но нямаше отговор, че такъв ще се състои. Нямаше документ за парите, които беше дала. Този вариант окончателно отпадаше.

И все пак трябваше да има начин да се защити.

Можеше да подаде жалба до Българска Професионална Танцова Асоциация, но тук отново стоеше въпросът с доказателствата. Как да докаже, че наистина е имала час?

Реши да смени тактиката. Не беше обръщала внимание на никакви детайли в самата школа. Отиваше там като ученичка, която чакаше учителя си за урок и сякаш забравяше, че отдавна не беше вече в училище. Знаеше как да се защитава.

На първо място урокът беше 50 минути. Досега не бяха карали и 10 реални минути. Можеше да го посочи като основание да не му плати целия час.

На второ място, ако беше измамник, имаше възможност да го докаже. Все още нямаше реални доказателства, но можеше да набави такива.

И на трето място, ако не беше измамник, щеше да я научи да танцува. В крайна сметка не губеше нищо.

Около 10:00 часа сутринта ѝ се приспа ужасно много. Васко ѝ беше стоварил някакво дело за жилищна измама. Клиентът, Боян, четиридесетгодишен мъж беше видимо притеснен.

– В момента сте призован като свидетел в Столична Дирекция – не ви е необходим адвокат – поясни Анна.

– Работя в издателство, занимавам се с предпечатната подготовка на книги – отново се опита да разкаже случая си Боян. – От известно време започнах страничен бизнес – купувам имоти на публична продан и ги продавам на мой приятел с агенция за недвижими имоти. Вземам ги почти на безценица, той ги купува на цена по данъчна оценка и после ги препродава. И двамата излизаме на печалба, така да се каже.

Анна започна да се отегчава, но се опита да не го показва.

– Всичко започна като исках да си взема жилище. Тогава открих, че има такава процедура, ако не си си плащал ипотеката, банката взема имота ти и го продава на публична продан на много ниска от реалната му цена, за да покрие от него остатъка от неплатената ипотека. Стана ми ясно, че мога да направя добри пари, ако купувам такива имоти и ги продавам на реалната им цена. Споделих с един приятел – Делян Такев се казва, той има Агенция за недвижими имоти. Имоти “ДЕТА”, ако ги знаете.

Анна не отговори и Боян продължи:

– Делян ми предложи да ги закупува от мен чрез Агенцията на цена по данъчна оценка, а после да ги продава на свои клиенти на пазарна цена. Така хората по-лесно се доверяваха да ги купят, защото имаше двама купувачи след загубилия имота си и изглеждаше по-безопасно. Никой не иска да си навлича проблеми. Скоро успях да си купя луксозен апартамент, парите спряха да са проблем. Имам две деца, за пръв път видях как мога да им дам истинско бъдеще[♪].

[♪] *В България има разлика между стойността на един имот, съгласно експертна справка – т.нар. данъчна оценка и пазарната му равностойност. При апартаменти в по-стари жилищни кооперации цената по експертна справка е много по-ниска от пазарната, тъй като се отчита амортизацията на*

– Не виждам причина да се притеснявате – прекъсна го Анна. – Няма нищо незаконно в закупуването на имот на публична продан и препродажбата му. Никой не е ощетен. Плащани ли са някакви данъци за тези сделки?

– Да, от Агенцията мисля, както си му е реда.

– Не сте имали проблем с данъчните?

– Не, никога.

– Отново не виждам никакъв повод за притеснение.

– Вие не разбирате – продължи Боян. – Един ден ме извикаха в полицията, в дирекцията. Един полицай ми се обади по телефона и ме повика за справка. Пита ме за някакви нотариални актове, в които аз фигурирам като купувач на апартаменти, закупени с договор за издръжка и гледане.

Анна съвсем започна да се обърква от неясните обяснения на Боян. Умишлено замълча, за да се почувства свободен да разкаже повече.

– Аз се консултирах с адвокат по вещно право. Обясни ми какво е договор за издръжка и гледане. Това е договор, с който купуваш имот, да кажем апартамент, но не плащаш цената, а се задължаваш да се грижиш до живот за човека, който ти го продава. И като умре, получаваш имота. Ако правилно съм разбрал.

– Може и така да се каже – отговори Анна, без да се задълбочава върху естеството на договора за издръжка и гледане. Искаше да намери някакъв смисъл в обясненията на Боян.

– Да, но аз такива договори никога не съм сключвал. А сега се оказва, че хората са починали, а имотите аз съм ги продал – познайте на кой – на Делян. И на всичкото отгоре се оказва, че имотите са били на болни възрастни хора, беззащитни хора, които са умирали в болницата. Въпрос на дни е била смъртта им. И, че техните подписи са фалшиви, тоест те не са искали да продават апартаментите си.

– Имаш ли някакво обяснение за случая?

– Имам естествено. Делян е използвал името ми, за да прави машинации и да забогатява. И то, с умиращи хора. Каква гадост.

– Ти говори ли с него след като те извикаха в полицията?

– Звънях му, той каза не било вярно. Скарахме се по телефона.

– Вие сте закупували имотите на публична продан един по един?

самата сграда. При новопостроени жилищни комплекси, не се наблюдава голяма разлика в цените – Бел.а.

– Да. Винаги. Така имаше най-малък риск. Купуваш. Продаваш. Купуваш следващия. Винаги си на печалба.

– Делян да е споменавал, че има нужда от пари?

– Не и пред мен.

– Да е искал да разширите бизнеса, да купувате повече имоти?

– Не, никога не го е казвал. Но и защо да го казва? През цялото време ме е използвал.

– Къде се подготвяха документите за тези покупко-продажби, които сте правили? Адвокат ли ги съставяше?

– Не, в агенцията ги подготвяха, брокерите му, мисля.

– Имена можеш ли да посочиш?

– Единият се казва Георги, в началото с него работех. Но после и с останалите. Шестима са общо. Имената им фигурират по сделките като пълномощници на Делян.

– Колко имота сте купили и продали с този ваш бизнес?

– 50-60. Осем години го правихме. Аз ходих да оглеждам имотите, аз се срещах със съдебните изпълнители, аз вършех едва ли не цялата работа. И сега какво? Икономическа полиция и Наказателен кодекс, член 210 за благодарност. Какъв е този член?

– Имотна измама в особено големи размери. Ако никога не сте подписвал такива договори, това лесно ще се потвърди от графологичната експертиза на подписа ви. Най-вероятно затова сте призован. Може би искат да вземат сравнителен материал от подписа ви, за да докажат измамата.

Боян сякаш се успокои.

– Нали ще дойдете с мен в полицията? – попита той. – Не съм направил нищо незаконно.

– Анна взе призовката и си записа датата в тефтера.

– Ако искаха да ви задържат, нямаше да ви бавят – опита се да го успокои отново тя.

След като се уговориха за датата и часа на следващата им среща, Анна го изпрати. Усети пристъп на главоболие.

Васил влезе при нея.

– Какъв е случаят? – попита той

– Васко ще ми се пръсне главата. Тоя ме изцеди.

– Изпий едно кафе и ще се оправиш.

– Ще ми стане лошо – излъга Анна. – По-добре да хапна нещо. Искаш ли да обядваме заедно?

– Супер. Ще отидем в италианския ресторант, ще пийнем вино и ще ми обясниш всичко.

– Аз може би ще съм на вода.

Анна поръча спаначени талиатели, а Васил – салата "Капрезе" със спагети "Болонезе" и чаша Мерло. Анна отказа да пие алкохол. Спазваше дисциплината, наложена от следобедната ѝ среща. Не ѝ се искаше да чуе "Пила ли сте? Виното ви пречи да танцувате".

Замисли се как изглеждат измамниците. Беше повярвала на Боян, но нали изманиците затова бяха измамници – защото можеха да убедят всеки в искреността си. Реши, че Васил ще погледне обективно на стуацията. Отдавна не бяха излизали просто така. Първоначално се заговориха за други неща.

– Как е Катя? – позаинтересува се Васил. – Отдавна не сме се чували.

– Да, откакто Симеон се издъни. Наранена е, но се справя. Тя е силна.

Васил тактично замълча. Катерина беше сестра на Анна, а Симеон му беше приятел. Не беше редно да заема страна.

– А майка ти? – смени темата той.

– Майка е все така. Самотна и се моли някоя от нас двете да си хване гадже. Тъй като аз съм вече омъжена за кариерата си, честта се пада на сестра ми.

– Бракът по сметка винаги е по-подължителен от този по любов – поде шегата ѝ Васил. – Можеш да си спокойна, че правото няма да ти изневери.

Анна се засмя.

– Досега не ме е подвеждало. Ти кога заминаваш за Бали?

– След две седмици, в петък, на 3-ти. Десет дни плажове и спокойствие. На 14-ти, вторник, пътувам обратно.

– Почини си. Заслужаваш.

– Определено заслужавам. Не съм почивал от векове. Ти няма ли да си вземеш отпуск, отдавна не си почивала?

– Аз си почивам като работя.

– Ами дай да си почиваме заедно тогава. Какъв му е случаят на този хубостник, дето два часа се обяснявахте?

– Накратко. Искал да си купи жилище. Обърнал се към свой познат – собственик на Агенция за недвижими имоти. Открил, че може да купи евтино имоти на публична продан, после да ги продададе по данъчна оценка и да забогатее. Агенцията също печелила, тъй като след това пускала за продан същите имоти на реалната им цена.

– И какъв е проблемът? Някой от предишните собственици ли се заяжда с него?

– Не. Нещата се развивали добре, със спечелените пари си купил хубав апартамент и решил да продължи бизнеса.

– А иначе какво работи?

– Служител в издателство.

– Аха. Предприемчив, значи.

– Да.

– Женен ли е?

– Да, с две деца.

– И какъв е проблемът?

– Проблемът е, че един ден го викат за справка в полицията, където установява, че с неговото име са закупувани имоти с договори за издръжка и гледане, а прехвърлителите до един починали малко след това. На всички сделки нашият човек е първоначалният купувач, а Агенцията последващ и сега са му пратили призовка като свидетел. И за капак подписите на прехвърлителите са фалшиви.

– А той не е участвал в схемата, така ли?

– По неговите думи – не е. Другият се бил възползвал от него. Но откъде да знам, по какво разбираш, че един човек е измамник?

Очакваше отговор от Васко, някакъв съвет. Искаше ѝ се да му разкаже за Естебан, но не се осмели.

Васил прие въпроса за риторичен.

– Каза ли му, че ще се прави графологична експертиза?

– Да.

– Сякаш се успокои.

– Може би ти казва истината. А той лично ли е сключвал сделките?

– По неговите думи – да.

– Ако е така, можеш да бъдеш спокойна. Проверих при кого е делото. Разследващ ти е Събинов, а прокурор ти е Николаев от Градска.

– Работила съм само със Събинов.

– И двамата не са "наши хора", но са точни и си гледат работата. Мислех си, че по това дело изтеглихме късата клечка и с двамата, но ако е така, както казваш, сме извадили късмет.

Анна се усмихна. Събинов беше рядко принципен и старателен разследващ полицай. Често се засичаха с него по дела. Васко не обичаше много икономическите престъпления, така че това беше почти изцяло нейният ресор.

Първата ú среща със Събинов беше преди четири години. Още тогава сякаш се разбраха без думи, че ще играят по правилата. И до ден днешен беше така. Радваше се, че точно по това дело бяха заедно.

Анна погледна часовника си. Наближаваше 15:00 часа. Бяха приключили с обяда и Васко я закара до кантората. Тя взе екипа за танци и тръгна към школата. Времето беше слънчево и Анна усети как първоначалното чувство на сънливост, което изпитваше, беше изчезнало. Не се притесняваше, че беше яла, защото едва ли щеше да танцува наистина. Отиваше, за да открие начин да докаже, че Естебан е мошеник.

Когато пристигна в школата, беше невероятно спокойна. Естебан само я погледна, без да коментира заричането ú от предишния път. Преоблече се по-бавно от обикновено, влезе в залата и го попита надменно:

– Какво да правя сега?

Естебан я погледна и отново пусна "El Tango de Roxanne". Този път не застана зад нея, а се облегна на една от страничните стени и скръсти ръце. Започна да я наблюдава. Ситуацията беше още по-нелепа от миналия път. Анна имаше чувството, че вече съвсем открито ú се подиграва.

Въпреки това реши да запази самообладание и остана неподвижна. Стана ú неудобно от погледа му. Гледаше я с насмешка как стои сама в центъра на залата, без да знае нито една танцова стъпка. Усети, че кръвното ú пада, защото не беше пила кафе. Всячески се опита да остане неподвижна, за да не му достави удоволствието да прекъсне урока. В един момент музиката спря. Той продължаваше да я гледа как стои в центъра на залата. Искаше ú се никога да не беше идвала в тази школа.

Независимо от това събра в себе си цялата останала гордост и попита:

– Стоенето в центъра на залата явно ми помага да се науча да танцувам, след като не го прекъсвате – гласът ú прозвуча доста предизвикателно.

– Мислех си дали, след като не чувате музиката, можете да чувате тишината – отговори Естебан. – Ще трябва да продължим с музиката. Със слушането на тишината сте още по-трагична.

В стаята отново се разнесе първоначалната мелодия, която беше пуснал преди две седмици.

Анна го погледна с досада. Естебан издържа погледа ѝ с такава увереност, че се наложи тя да отклони нейния. В него имаше някаква огромна сила, която не можеше да си обясни. Сякаш беше напълно неуязвим. Нищо не го ядосваше, нищо не го докачаше.

В един момент той тръгна към вратата.

– Къде отивате? – безпомощно попита тя.

– Не мога да работя с вас, преди да започнете да чувате музиката.

– Часът ни е 50 минути, нали така? – попита тя, готова да му плати 6 лева за десетте прекарани минути в залата.

– Точно така – отговори невъзмутимо Естебан. – Имате 40 минути, за да се научите да чувате музиката. Аз нямам какво да вися тук.

Онова, което Анна си беше обещала да не прави, се случи в този момент. Тя избухна. Изпусна си нервите и се разкрещя:

– Вие ли висите тук? Аз вися тук и си губя времето с вас. Очаквате да вися още 40 минути и да слушам музика. Плащам ви да ме научите да танцувам. До момента не сте свършили нищо. Знаете ли колко по-важна работа имам, която в момента ме чака, вместо да стоя тук и да гледам колко импотентен сте като инструктор?

Очакваше и той на свой ред да избухне. Очакваше да я изгони. Вместо това той се приближи и с насмешка ѝ каза:

– Явно не сте и добър адвокат. Часът ви е планиран отпреди седмица и след като имате друга работа по същото време, това не говори добре за организационните ви умения.

Анна се смрази. Беше я жегнал по-дълбоко, отколкото тя него. Разбираше му главата от юридическа работа. Вбеси я начинът, по който я беше накарал да избухне. Беше се държала напълно неадекватно и още не можеше да се съвземе от унижението. А той ѝ отвърна със същата монета, оспорвайки напълно професионализма ѝ. Само че без обиди и без гняв.

Хвана я яд колко добре разбираше и се изразяваше на български език този испанец. Думите му винаги я жегваха точно, където искаше. Българският му беше точен и прецизен, боравеше с думите по-добре от някои българи. Къде го беше научил така добре?

Тъй като не знаеше какво да направи, извади 30 лева и му ги подаде. Не искаше и минута повече да остава в залата.

Естебан взе парите и я изпрати с поглед.

Анна излезе от школата объркана и разстроена. Всеки път унижението ставаше все по-голямо. Нямаше никакво значение в какво настроение влиза в школата. Винаги се повтаряше едно и също – той безобразно я унижаваше. Вече знаеше, че няма да подаде жалба срещу него. Нямаше смелостта да разкаже на никого колко противно се е държал с нея, нито обяснение защо продължаваше да ходи там. Естебан се беше превърнал във вреден навик, всеки вторник от 16:00 часа.

V

АННА

Вторник, 16:00 часа. Анна стоеше на бюрото си, загледана в сградата на Съдебната палата. С всички усилия на волята се беше задържала в кантората. В 20:00 часа Стоилов беше запазил маса в един пиано бар за рождения ден на една от стажанките.

Стоилов винаги държеше да поема почерпките за рождените дни на служителите си. Тези поводи, заедно с Коледното парти и два тийм билдинга годишно, бяха задължителни за сплотяване на колектива. Винаги запазваше най-хубавите маси в заведенията и винаги доплащаше от себе си за подаръка. Желева се занимаваше със закупуването на подаръка и подробностите около партитата. Тя умееше да подбира най-доброто и имаше топло отношение към всички стажанти в кантората.

Анна не можеше да се съсредоточи върху работата си. Чакаше часовника да отмери 18:00 часа, за да се прибере и приготви за вечерта. В този момент чу гласове в заседателната зала, разбра, че купонът вече е започнал и реши да се присъедини.

– Хайде, Христова, да не се преработиш – Стоилов ѝ наля мартини.

Анна се усмихна и се включи в купона.

Към 19:00 часа отскочи до апартамента си, за да се изкъпе и преоблече. Избра стилна тъмносиня рокля, която комбинира с лек копринен шал през раменете. Толкова се зарадва, че днес не беше ходила в онази школа. Сякаш тези четири вторника бяха някакъв нереален кошмар. Явно тангото не беше за нея.

♪♫♪

Вечерта протичаше по най-добрия начин. Беше ѝ забавно, отпусна се и за пръв път от много време насам имаше възможност да потанцува. Музиката беше изключително мелодична, предимно златни рок и поп парчета. Когато излезе на дансинга, се почувства толкова свободна. Сякаш тялото ѝ не познаваше граници. Музиката в пиано бара ѝ се видя невероятна на фона на вече омразното ѝ танго. Васил също се включи в танците. Подхвърли ѝ, че тази вечер няма равна на себе си. В този момент прозвуча песента на Роби Уилямс "Feel"♪. Анна само надигна чашата си и се върна на дансинга. Чувстваше се красива и танцуваше с неимоверно удоволствие. Васко също беше на дансинга, но тази песен сякаш всички бяха оставили за нея. Бяха я наобиколили в кръг, докато танцуваше. Когато песента приключи, Анна слезе победоносно от дансинга и заедно с Васил тръгна към масата.

И в този момент го видя. Най-големият ѝ кошмар – Естебан. Беше в същия пиано бар на маса с някакво момиче и двама изключително популярни актьори от Народния Театър. Откъде изобщо познаваше такива хора? Погледът му беше насочен право в нея.

Анна едва сега забеляза колко тесен е пиано барът и как за да стигне до своята маса, трябваше да мине покрай неговата. Как не го беше видяла на отиване? Колко ли пъти беше минала от там? Реши, че може да се справи. Погледна Васко сякаш, за да ѝ вдъхне увереност, и тръгна покрай масите. Надяваше се да върви по права линия въпреки алкохола. Нямаше да понесе Естебан да забележи колко пияна е всъщност.

В момента, в който стигна до неговата маса, той се изправи и застана точно срещу нея. Прииска ѝ се да го убие. Гледаше я със същия насмешлив и арогантен поглед, както винаги.

– Пропуснахте си часа – каза той.

Анна усети неудобство едновременно от Васил и от всички на масата.

– Искаше ми се да *потанцувам* – отговори му язвително тя.

– Вие изобщо не умеете да танцувате – отвърна ѝ иронично той. – Освен ако не бъркате танца с неравномерно кълчене в такт с музиката.

Беше я наблюдавал. Допусна, че ѝ се е подигравал през цялото време. Анна искаше да му отвърне, но той я изпревари.

♪ *"Feel"* – песен, изпълнявана от популярния британски поп певец Роби Уилямс, първи сингъл в издадения от него през 2002 година албум *"Escapology"*. Песента е написана от Уилямс и Гай Чембърс и се превръща в един от най-големите хитове на певеца, обявена за номер 1 в края на 2002г. в Италия и Холандия и влизаща в топ 10 на почти всички европейски държави. – Бел. а.

– Ако все още искате да се научите, имам свободен час за вас във вторник от 16:00 часа.

– Ще се видим тогава – каза го само, за да се освободи от ситуацията. Стана ѝ неудобно от актьорите на масата му, които също я гледаха. Както и от момичето до него. Зачуди се дали му е гадже или колежка.

– Коя е тази? – попита Саня, в момента, в който Естебан седна на масата.

– Адвокатката – отговори сухо той.

– Ученичка на Естебан – обясни Саня на клиентите.

Насочиха вниманието си към подготовката им за предстоящето представление.

– Този е ... ? – многозначително я погледна Васил.

– Учителят ми по танго – отвърна просто Анна.

– Ходиш на танго? – позаинтересува се той.

Не му отговори. Вместо това каза:

– Ще си взема такси. Пих много, а утре рано сутринта имам дело.

В таксито се отпусна и благодари на количеството алкохол в кръвта си, че ѝ помага да не ѝ пука особено от нищо.

В понеделник сутринта отиде заедно с Боян в СДВР (Столична дирекция на вътрешните работи). Събинов я допусна на разпита. Боян и Анна бяха оттренирали предварително всички детайли, така че сега Боян свързано и ясно обясни ситуацията. Събинов го слушаше внимателно, като записваше всяка негова дума. След като приключи с разпита, разпечата показанията му. Боян и Анна ги прочетоха. Боян подписа показанията си, даде сравнителен материал от подписа си и си тръгнаха.

– Не болеше, нали? – попита шеговито Анна, когато излязоха от Районното.

– Не – съгласи се Боян. – Сега какво?

– Сега ще изчакаме да излезе графологичната експертиза, тя ще докаже, че си невинен и ако има нещо за доуточняване, пак ще ни повикат.

– Ще го опандизят ли онзи? – попита той.

– Зависи какви доказателства имат срещу него – честно отговори Анна.

– Това нашето не е държава, да знаеш. Много ти благодаря. Нали ще ми се обадиш за експертизата?

- Да – обеща Анна. Събинов беше поел ангажимент да ѝ каже резултатите извън протокола.

Тръгна пеша към кантората, въпреки че беше студено и пътят щеше да отнеме около 40 минути. Искаше ѝ се този ден да не приключва. Надяваше да не засече Васко, знаеше, че следобяд има дело. Забеляза, че той прояви нескрито любопитство към Естебан. Вече няколко дни Анна се преструваше на заета, само и само за да не отвори темата.

Вечерта се прибра рано, легна на канапето в хола, зави се с одеяло, изтегли си филм и дори не усети как е заспала пред телевизора. Събуди се към 4:00 часа, премести се в спалнята и до 6:00 часа не успя да заспи. Въртеше се в леглото и не можеше да повярва, че страда от безсъние заради накакъв тъп испанец, инструктор по танци. Имаше връзки, заради които се беше измъчвала по-малко.

♪♫♪

Точно в 15:50 часа влезе в школата. Естебан, както винаги, я чакаше. Този път само я проследи с поглед как влиза в съблекалнята. Когато излезе, я погледна сериозно без следа от насмешка в погледа.

- Какво ще правя сега? – попита язвително Анна – ще слушам музиката, ще слушам тишината или какво?
- Ще танцувате – насмешливият му поглед се завърна.

Той взе дистанционното и пусна уредбата. В залата най-неочаквано се разнесе не танго, а "Feel" на Роби Уилямс. Песента, на която беше танцувала в пиано бара.

Анна усети, че ситуацията вече става непоносима.

- Хайде танцувайте – подкани я той. – Защо не танцувате сега? Тук няма пред кого да се кълчите и да правите пиянско шоу. Само аз и вие сме. Аз съм ваш учител и работата ми е да ви науча да танцувате. Но вие понеже умеете, покажете ми как танцувате, когато никой освен мен не ви гледа.

Анна не му обърна внимание. Вече нямаше никакви сили да се бори с него. Каквото и да отговореше, той щеше да намери по-силни думи, по-подходящ тон и по-неоспорими аргументи от нейните. Вече твърде дълго играеше тази игра. Заслуша се в текста на песента.

Погледна към Естебан и неочаквано за себе си започна да приглася на уредбата. Вече изобщо не я интересуваше какво ще си помисли той.

Предаде се. Седна на пода в залата и запя високо, макар че знаеше, че пее фалшиво:

I sit and talk to God
And he just laughs at my plans,
My head speaks a language,
I don't understand.
I just wanna feel real love,
Feel the home that I live in.
that I live in 'cause I got too much life,
Running through my veins,
going to waste...

Седя и говоря с Господ
А той просто се смее на плановете ми,
В главата си чувам език,
който не разбирам.
Аз просто искам да почувствам истинска любов,
Да почувствам дома, в който живея
А аз живея, защото имам толкова много живот,
Течащ по вените ми,
който се похабява...

Естебан я гледаше известно време и изключи уредбата.

– Защо не танцувате? – попита той

– Не желая да се унижавам повече пред вас – откровено му отговори Анна. Почувства истинско облекчение, като най-накрая капитулира пред него. Играта свърши, помисли си тя.

– А защо пеете? – отново въпрос. Намек колко зле пея, помисли си тя.

– Защото знам песента и ми харесва – отговори ледено тя.

– Знаете ли защо пеете, а не танцувате, Анна?

Анна го погледна. За пръв път усети топли нотки в гласа му. При произнасянето на името ѝ. Никога не беше чувала името си да звучи така красиво. Даже за момент ѝ се стори, че е друг човек.

Тя не отговори. Естебан отговори вместо нея:

– Защото чувате думите, а не чувате музиката. А без да можете да чувате музиката, никога няма да се научите да танцувате.

Анна усети как очите ѝ се навлажняват. Изправи се, за да не забележи сълзите ѝ. Извади 30 лева от портфейла си, подаде му ги мълчаливо и тръгна към вратата.

– Трябва да ми заплатите и пропуснатия час. Нямам вина, че не знаете как да организирате времето си.

Извади още тридесет лева, сложи му ги в ръката и излезе. В момента, в който стигна до колата си, влезе в нея и се разплака. Цялата горчивина, която беше таяла в душата си през последните седмици, просто изригна от нея под формата на ридание.

Извади телефона си и намери "Feel" – инструментал. Сложи слушалките и се заслуша. В началото ѝ липсваха думите, музиката беше еднообразна и някак прекалено дълга. Все едно не слушаше същата песен. В този момент си спомни, че през цялото време Естебан пускаше само инструментал в залата. И прозря: той беше прав – тя не чуваше музиката. Музиката за нея беше звуков фон за думите, които правеха песента хубава. Толкова беше свикнала със света на думите, че не можеше да си представи свят без думи. Толкова дълго се беше опитвала да го уязви с подходящите думи, че не беше обърнала внимание на истината зад думите му – тя не чуваше музиката. Целият ѝ свят беше вътрешен диалог. Очакваше той да я научи как се танцува с обяснения и показване на стъпки, а той през цялото време се опитваше да ѝ покаже, че има свят без думи. Музика, танц, движение, преживяване.

Пусна музиката още веднъж. А след това още веднъж. И още веднъж. В един момент сякаш звуците проговориха. Те имаха свой собствен език, който докосваше емоциите.

Анна толкова се страхуваше от собствената си емоционалност. Беше я страх, че Естебан ще види сълзите ѝ. Беше я страх да сподели на някого как се беше чувствала през последните няколко седмици. Беше я страх да прояви слабост, уязвимост. През целия си живот се беше опитвала да бъде силна, да следва логиката, да взема правилните решения, да играе по мъжки правила в един изцяло мъжки свят, какъвто беше светът на правото. Беше се научила да не влага емоции в работата, във връзките, в живота си.

Излезе от колата и пое пеша към кантората със слушалки на уши. Инструменталът на "Feel" се въртеше непрекъснато. Вървеше и знаеше, че светът никога повече нямаше да бъде същият. С всеки звук нещо в нея се променяше. Дълбоко, невидимо, необратимо.

Наблюдаваше хората. За пръв път забеляза колко бяха дистанцирани един от друг, колко бяха откъснати от света, в който живееха. Виждаше как част от тях разговарят, но в очите им се четеше безмерна самота. Колко хора от тези искаха да изживеят истинска любов? Колко мислеха, че Господ се подиграва с мечтите им?

Винаги беше вярвала, че може да постигне всичко, което пожелае. Докато не се появи Естебан. Той сякаш свали някаква маска от очите ѝ и ѝ каза "Ти не танцуваш, ти не чуваш музиката, толкова си затворена в мислите си, че не различаваш нищо освен собствения си глас".

Анна прозря нещо, което никога не беше осъзнавала: не чуваше нищо освен своя глас. Целият ѝ свят беше един вътрешен диалог. Вътрешен диалог, който не спираше никога – течеше, докато вървеше, шофираше, танцуваше, дори докато правеше секс. Нямаше сетива за свят извън себе си. Затова не можеше да изпита любов, затова не можеше да даде любов. Беше поставила граници между себе си и любовта. И понеже тя беше сложила границите, вярваше че всеки има граници спрямо нея.

Тя се предубеди към Естебан още от първия ден. Дори да мислеше, че не ѝ беше за парите. Беше ѝ точно заради парите. Вътрешно не можа да преглътне 30-те лева, които му плати без основание. Дребнавото отношение към основанията и писаните и неписани правни норми не ѝ позволяваше и за миг да забрави, че е адвокат.

Той нито веднъж не я нагруби по време на урок. Просто я смазваше с безпощадната си обективност.

Вървеше като в унес. В един момент потокът от мисли спря. Няколко мига наблюдаваше света, отдадена на звуците. Не разбра как е стигнала до кантората. Вече се беше стъмнило.

Влезе, подмина Илина и се затвори в кабинета си. Разчисти напълно бюрото, прибирайки в шкафа всички папки, закони и записки. Изгаси лампата, седна и качи крака върху празното бюро. Намери тангото, което ѝ пускаше Естебан – "El Tango de Roxanne" – instrumental. Музиката беше същата като в залата. Сякаш отново беше там – застанала права пред огледалото, а Естебан зад гърба ѝ. Усещаше дъха му, долавяше парфюма му. Възстанови картината в съзнанието си до най-малките детайли. За пръв път в огледалото видя как е облечен. Черен панталон и прилепнала към гърдите тениска. За пръв път забеляза колко красив беше Естебан. Вече не я беше страх от него. Не чувстваше омраза. Не изпитваше гняв. Усещаше само музиката.

Сякаш той беше по-възрастният от двамата, а тя отново беше станала момиче, тийнейджърка, която не разбира нищо от живота. Той продължаваше да е на 26, но тя вече не беше на 31, а отново стана на 15. Видя се как седи в парка с най-добрата си приятелка и обяснява какъв трябва да бъде мъжът, който ще обича. Тогава беше сигурна, че любовта е за цял живот. Вярваше, че има идеални половинки, че някъде по света има мъж отреден специално за нея. За пръв път си даде сметка, че и да има такъв мъж, от онова петнадесеттодишно момиче не беше останала и следа.

Пусна музиката отново. Естебан отново беше зад гърба ú. Невъзмутим, спокоен, безупречен. И тя, която стоеше пред него. Объркана, нервна, дори уплашена. Уплашена от неспособността си да чуе музиката. От неспособността си да го накара да танцува с нея.

През цялото време тя сякаш му се молеше да танцува с нея. А той – отказваше. Дори фактът, че му плащаше, не можеше да го застави да танцува с нея. Затова искаше индивидуални уроци, а не да бъде част от група. Беше безкрайно самотна и имаше отчаяна нужда някой да я прегърне и да танцува с нея.

Ролята на "Желязната лейди" рухна пред очите ú.

Усещаше се провалена като жена. Сякаш цял живот беше просила и изисквала уважение от мъжете около себе си.

Толкова много се бе стремяла да се доказва на мъжете, че беше прекъснала всякаква връзка с жената в себе си. Не познаваше тази жена. Не знаеше коя е тази жена. Не знаеше какво чувства и какво мисли тази жена. Нейният език ú беше напълно непознат, защото беше гласът на емоционалността ú. Един глас, който имаше мелодия, но нямаше думи.

Изведнъж Естебан изчезна. Остана само тя. И призраците от миналото. И музиката. Музиката, която проникваше във всяко кътче на съзнанието и въображението ú. Музиката, която рисуваше цветове и картини

Остана Анна, която се доказваше на родителите си. Анна, която се доказваше на учителите си, професорите си, приятелите си. Анна, която се доказваше пред колегите си, шефовете си, клиентите си. Желязната Анна, която цял живот се доказваше.

Нищо не беше останало от онова момиче. Сега тя беше Анна, която следваше статуквото, за да може да се впише в света. Анна, която се стремеше да бъде като другите. Анна, която изпитваше неописуем срам от различността си.

Остана Анна, която плачеше в тъмния си кабинет, с прозорец, гледащ към Съдебната палата. Анна в нейната крепост – най-самотното място на света.

VI

АННА

Прибра се и по целия път до вкъщи слушаше "El Tango de Roxanne" – instrumental. Заспа със слушалките на ушите. Събуди се и пусна инструментала отново. Слушаше го в колата, в обедната си почивка, във всяка свободна минута. Забеляза, че колкото повече го слушаше, толкова по-дълбоко го усещаше.

Всеки звук беше чисто преживяване, което изпълваше Анна с отношение към цветовете. По тази причина избра розовата танцова рокля за следващия си урок. Нямаше търпение да се върне в залата и Естебан да пусне танго. Можеше да стои часове и само да слуша. Нямаше търпение да остане сама лице в лице със себе си, потопена в магията на звуците.

Вече дори не я интересуваше, че може никога да не се научи да танцува танго. Беше готова цял живот да плаща по 30 лева седмично, за да стои лице в лице със себе си и да преживява тангото.

Жената в нея, потискана толкова дълго, беше проговорила. И нейният глас беше най-вълшебният и най-мелодичният глас, който Анна беше чувала в живота си.

Телефонът иззвъня и я върна обратно на Земята. Днес беше вторник и Анна не беше пила кафе. Не искаше нищо да ѝ пречи да слуша музиката.

Беше Събинов. Явно експертизата беше готова. След това трябваше да звънне на Боян, за да му каже резултата.

– Удобно ли е? – попита я Събинов.

– Да, казвай.

– Христова, автентични са. Всичките подписи са негови.

– Не може да бъде! – възкликна Анна.

От другата страна се възцари мълчание.

– Нарушавам протокола, като ти казвам. Просто винаги си била точна и ти бях обещал. Разчитам, че няма да ми правиш някакви адвокатски мизерии.

– Аз не играя така.

– Разчитам на това, че сме работили заедно и преди.

– Ще му повдигнете ли обвинение?

– Още не знам. Но според мен са били комбина с Делян Такев. И онзи, като го питаш, също нищо не знае.

– Виж, няма да има мизерии. Ако решите да го задържите, лично ще го доведа.

– Срещу какво?

– Искам да прочета делото. Всичко, което каза пред теб, го каза и пред мен. Ако лъже теб, значи лъже и двама ни.

– И ще ми го доведеш, ако реша да го задържа?

– Да – обеща Анна.

– Ако ме издъниш, Христова – край. Да знаеш, че занапред ще е по-друго.

– Знам.

– Ела в Районното в 12:00 часа.

Анна затвори телефона. Седмица по-рано щеше да е убедена, че Боян е виновен. Но сега почувства нещо различно. Имаше някакво вътрешно усещане, че той ѝ беше казал истината. Или просто изпитваше отчаяна нужда да повярва, че не всички в този свят бяха мошеници. Имаше нужда да вярва, че Боян и Естебан не бяха.

Обади се на Боян и го попита дали може да дойде в кантората. Той ѝ каза, че може чак след работа – към 18:30 часа. Анна осъзна, че това щеше да е след урока ѝ по танци. За миг ѝ мина през ума мисълта, че може да е неадекватна след урока, но после отхвърли тази мисъл. Съгласи се на среща в 18:30 часа.

– Готова ли е експертизата? – попита Боян.

– Днес ще е готова – бе отговорът ѝ.

В друга ситуация щеше да поиска Васко също да присъства на срещата с Боян. Но не и днес. Днес се чувстваше напълно сигурна в себе си. Часът беше 11:00 часа. Беше началото на октомври, но денят беше толкова топъл и слънчев – като ден, откраднат от лятото. Реши да се поразходи до СДВР и тръгна под звуците на "El Tango de Roxanne". Когато стигна, купи два сандвича – един за себе си и един за Събинов, кафе за него и бутилка минерална вода за себе си.

– Това може да мине за подкуп – пошегува се той.

– Ще го прекратят по чл. 9 ал.2 пради малозначителност – отвърна на шегата му.

Събинов се усмихна и ú подаде папката.

Анна седна срещу него и също се усмихна. След което се зачете внимателно. Делян Такев бе задържан за 24 часа, но не му бе повдигнато обвинение. Бяха го разпитали и освободили. Явно Николаев беше от малкото прокурори, които не повдигаха обвинение без твърди доказателства. Разпитът беше детайлен и задълбочен. В него Такев абсолютно потвърждаваше версията на Боян.

Бяха разпитани всички брокери – общо шест. От тях петима фигурираха в продажбите с проблемните имоти. И шестимата брокери твърдяха, че не знаят нищо.

Делян подробно беше обяснил каква е практиката на продажби на имоти от Агенцията. За всяка сделка се подписваше първо предварителен договор с депозит от десет процента, който се плащаше на ръка в Агенцията и месец по-късно окончателна сделка пред нотариус.

Бяха разпитани нотариусите – никой, както се и очакваше, не си спомняше сделките.

Бяха разпитани и пострадалите – наследниците на възрастните хора. Както и техни съседи. Никой не можеше да даде информация.

Имаше графологични експертизи на подписите на починалите въз основа на представени от наследниците им като сравнителен материал техни писма, сметки, декларации. Експертизите по делото доказваха неистинността на техните подписи. Както и истинността на подписите на Боян.

Бяха приложени нотариалните актове.

Анна затвори делото. Погледна Събинов и каза:

– Ако добиеш някаква яснота, няма да ти се разсърдя, ако ми подскажеш.

– Не ми се доверявай толкова. Аз съм адвокат.

– Цяло чудо е, че си адвокат. Онзи Васил Касабов е истинска хиена. На него не бих се доверил, но на теб знам, че мога. Ти, аз и Николаев сме от един отбор. Вярваме в правото.

Анна се усмихна и излезе.

Нещо не се връзваше с това дело. Показанията на Делян и Боян напълно си кореспондираха. Колкото единият казваше истината, толкова и другият. Или и двамата бяха виновни, или и двамата бяха невинни. Искаше да изслуша още веднъж Боян. Дотогава не искаше да си прави никакви заключения.

По пътя към кантората получи смс от Събинов. "Вече сме медийни звезди. Тази вечер делото влиза в новините. Един от наследниците е сигнализирал медиите."

Анна въздъхна. Нещата вместо да се разплитаха, се усложняваха.

♪♫♪

Влезе в школата по танци точно в 15:50 часа. Естебан беше в залата, както обикновено. Забеляза, че е облечен с мръснобял спортен панталон и сивосиня тенска без ръкави. Беше с бели танцови обувки. Влезе в съблекалнята и облече розовата си рокля. Усети леко притеснение при влизането си в залата. От него. Нямаше търпение да я остави сама.

Естебан я изгледа отгоре до долу, без да каже нищо. Беше със сериозно изражение на лицето.

– Ще танцувате ли днес? Или пак ще пеете? – попита той.

Анна не отговори.

Естебан пусна музиката.

– Когато сте готова, искам да видя как танцувате.

В стаята отново се разнесе "Feel" на Роби Уилямс. Анна не помръдна от мястото си. Забрави за Естебан. Погледна себе си в огледалото. Облечена в светлорозово, не можа да се познае.

Пренесе се в своя магичен свят. Свят на звуци и красота, свят на дълбочина и емоции, свят на чистота и непринуденост.

Внезапно музиката спря. Тишината я прониза като с нож. Сякаш някой насила ѝ отне магията на звуците.

– Правила сте нещо – въпросително я погледна Естебан.

– Слушах музиката – призна тя.

Той се усмихна. Без насмешка, без ирония, без грам арогантност.

– Мога ли да предложа нещо? – искаше да ѝ пусне "El Tango de Roxanne".

– Тук предложенията ги правя само аз – прекъсна я Естебан. И пусна мелодията, която беше изпълнила залата при второто ѝ идване.

– Да пробваме с това – каза той и застана зад гърба ѝ.

Анна го погледна в огледалото. Но образът му изчезна в момента, в който музиката се докосна до нея. Изчезна и нейният образ. Останаха звуците, дъхът му, парфюмът му. Остана розовият цвят на роклята ѝ, нейният парфюм, слънчевата светлина, която обливаше залата.

Изведнъж усети как очите ѝ се пълнят със сълзи и те потекоха по лицето ѝ. Не помръдна. Знаеше, че той я вижда в огледалото, но вместо със слабост, сълзите я изпълниха със сила. Беше разчупила личните си граници. Беше позволила на друго човешко същество да види истинското ѝ лице. И това друго човешко същество не беше побягнало. Беше останало. Стоеше като стълб зад гърба ѝ, усещаше дъха му и близостта му. Усещаше силата и стабилността му, дори без да я докосва. Усещаше подкрепата му.

Това друго човешко същество беше в същата зала. Чуваше същата музика и също като нея различаваше езика на звуците. Беше до нея в по-интимен момент от разголването на тялото. Беше до нея, когато за пръв път разголваше душата си. Беше на нейната първа среща с женствеността.

Застанала лице в лице със себе си, Анна не беше сама. И осъзна, че никога повече няма да е сама. Усети прилив на чиста женска енергия, която с мекотата си завладя всяка частица от тялото ѝ. Сърцето ѝ се изпълни с непознато досега усещане за лекота, сила и споделеност.

Не беше мисъл, беше дълбоко чувство, което се проявяваше с пределна яснота в душата ѝ. Тя беше създадена да обича. Беше създадена да бъде обичана, желана, боготворена. И тангото беше връзката ѝ с останалия свят.

"Хората се чудят защо не могат да създадат успешни връзки – чу отново думите на Естебан – не могат, защото не умеят да танцуват. Танцът е магия, която ти помага да общуваш с тялото си, със себе си и с другия, свързва те с него."

Музиката спря. Анна изтри с ръце лицето си.

– Бяхте чудесна – каза неочаквано Естебан. – Следващият път започваме с танго.

Анна отиде до портмонето си и извади 30 лева. Сториха ѝ се толкова малка цена за преживяването.

Подаде му ги и каза:

– Благодаря!

Естебан ги прие и в отговор само се усмихна.

– Коя е тази мелодия? – попита тя.

– Лара Фабиан, "Танго" – инструментал.

Когато излезе от залата, сякаш летеше. Искаше да намери тази мелодия и да я слуша денонощно. Видя, че има неприето повикване от Боян.

– Може ли да не идвам днес, а друг ден. Днес ще работя до късно – каза той, като му се обади.

– Може – спокойно му отговори Анна. – Ела в петък след работа. Ще имаме време да поговорим спокойно.

– Излезе ли експертизата? – попита той.

– Още не – излъга Анна.

– Нещо спешно ли имаше?

– Тази вечер ще говорят за случая в новините. Исках да ти го кажа лично – бързо отреагира тя.

– Ужас. Как ще погледна хората в очите?

Анна не отговори.

– Ще се обадя утре – каза Боян.

– Добре.

За пръв път след урок се чувстваше добре. Реши да го отпразнува и отиде в ресторанта отсреща. Поръча си магданозени кюфтенца със салата от домати, авокадо, кедрови ядки и босилек. Намери инструментала "Танго" на Лара Фабиан и се потопи в света на музиката.

През цялото време, докато се хранеше, се усмихваше. На себе си. За пръв път нейната собствена компания ѝ беше по-интересна от компанията на който и да е друг. За пръв път показваше истинското си лице на света. Беше без граници, без предубеждения, без страхове.

Осъзна, че детското доверие и любопитство, които някога носеше в себе си, се възвръщаха в душата ѝ. Беше абсолютно сигурна, че Боян е невинен. Но този път трябваше да докаже невинността му не пред институциите, а пред самата себе си.

VII

АННА

– Експертизата не е добра. Подписите са твои.

– Как мои? – каза Боян. – Никога не съм подписвал тези документи. Станала е грешка. Може ли да поискаме нова експертиза?

Анна се отчая. Очакваше някакво обяснение, но Боян не ѝ помагаше изобщо. Беше убеден, че експертизата е фалшифицирана.

– Вижте, Делян сигурно е подкупил всички – и полиция, и прокуратура. Ще ме закопаят! Аз нищо не съм направил, трябва да ми повярвате – продължи с отчаян глас той. - Нищо не съм подписвал. На никого нищо не дължа. Ако искате и парите от другите имоти ще върна. Знам, че са законни, но вече не ги искам. Имам две деца. Всичко, което искам е да им дам бъдеще.

Анна се почувства неудобно. Нямаше никакво понятие защо му вярваше. Той изобщо не ѝ помагаше с никаква информация.

Ще изляза да се успокоите. Вземете колкото време ви е необходимо.

Отиде в заседателната зала. Беше петък вечер и всички си бяха тръгнали. Остана за малко сама, за да обмисли делото отново. Васко вече беше заминал за Бали.

Върна се след около десет минути и започна отначало.

– Разкажи ми за документите. Кой ги изготвяше?

– Откъде да знам? В Агенцията ги правеха. Аз отивах и ги подписвах.

– Къде ги подписваше?

– В Агенцията.

– Не сте ли ходили при нотариус?

– Ходих при първоначалните сделки. Но за другите – като ги прехвърлях на Делян – не. Нямаше как. Аз работя, а там се чака много. Нямаше как толкова често да отсъствам от работа. Делян имаше свои нотариуси и аз подписвах документите в Агенцията.

– Четеше ли ги?

– В началото от край до край. Но после – 8 години са това. В един момент отивах, подписвах и си тръгвах

– Когато ходеше в Агенцията, кои бяха там?

– Ами служители, Делян, откъде да знам? С всички брокери съм работил. Всички ме познават.

Анна разбра как се е случило, но сега делото ѝ изглеждаше още по-обречено. Нямаше как да пипнат нотариусите. С цел да се прикрият, те биха свидетелствали, че Боян е ходил в кантората им.

Минаваше 22:00 часа, когато го отпрати. В главата ѝ беше абсолютен хаос. Реши, че тази вечер повече нищо не може да направи по това дело.

Васко се прибираше във вторник. След урока по танци щяха да се видят и да я посъветва как да действа.

♪♫♪

Васил се прибра от Бали рано сутринта. Уговориха се Анна да отиде при него след работа. Каза ú, че е напълно изтощен от пътя и няма да ходи в кантората. Така или иначе днес Анна беше на съвсем друга вълна. Тъй като цяла събота беше работила – отмяташе изостанала седмична работа, реши днешния ден да си почине. Отиде на масаж, фризьор и козметик. Нямаше търпение да стане 16:00 часа, за да отиде на урок по танци. Естебан ú беше казал, че днес започват с танго. Беше въодушевена като малко дете.

Точно в 15:50 часа беше там. Той – също. Както винаги.

Преоблече се, влезе в залата и го погледна жадно.

Той ú се усмихна. Застана зад нея и пусна "Танго" на Лара Фабиен.

Музиката изпълни стаята. Естебан се приближи до нея и дясната му ръка обгърна тялото ú през корема. Усети как я придърпа към себе си.

– Отпуснете се – каза тихо в ухото ú. – Слушайте музиката.

Анна усети как вместо да се отпусне, се скова в ръцете му. Знаеше, че всеки момент ще я обърне с лице към него. Никога досега не беше я докосвал. Все едно примря в ръцете му.

Изведнъж той спря.

– Откога не сте правила секс?

Анна се стъписа.

– Какво значение има сексът тук? – тросна се тя.

– Редовният секс позволява на хората да имат усещане за собственото си тяло. Вие изобщо нямате усещане за тялото си. Как да ви науча да танцувате?

Анна се шокира. Отказваше да я учи, защото отдавна не беше правила секс. Тъкмо беше започнала да се преоткрива и от най-подкрепящото същество, той отново се беше превърнал в задник.

Сега невинността на Боян ú изглеждаше абсурдна. Можеше всичко да е просто театър. Също така осъзна, че Естебан няма да я научи да танцува. Използваше я.

Извади 30 лева и му ги подаде. Той ги взе.

Погледна го озадачено и си тръгна.

Нямаше да падне толкова ниско, че да прави секс с незнайно кого заради един урок по танци. Влезе в първия магазин за алкохол и си купи бутилка мартини. Реши да я отвори при Васко, но в момента, в който влезе в колата, не издържа. Изпи около 50 грама, след това още 50 и още 50. Вече беше пияна. Усети как всичко ѝ стана безразлично, най-вече Естебан.

Не посмя да пие повече. Слезе от колата и изхвърли бутилката в един контейнер. Взе си такси и отиде право при Васил. Ако имаше късмет, можеше да си легне с него още тази вечер.

– Какво празнуваме? – попита я, като я видя колко е пияна.

– Идвам да пийнем по нещо и после да... нали се сещаш. По съвет на учителя ми по танци. Оказва се, че ако не правя секс, не мога да танцувам.

Васил се отмести и Анна влезе. Просна се на дивана му и го попита:

– И така какво силно имаш за пиене?

– Силно кафе – предложи той.

– Не мога да пия кафе. Естебан ми е забранил. Пречи ми да танцувам.

Васил не каза нищо. Анна реши, че сега е моментът да се изповяда.

– Всичко ми пречи да танцувам. Кафето, стресът, не чувам музиката, не правя секс. Танците били много сложна работа, да знаеш.

– Анна, каква е тая работа с тия танци?

– Пълна измама. – Анна започна да се хили неадекватно.

Васил я гледаше озадачено.

– Знаеш ли колко урока по танци съм взела досега – 10. Знаеш ли колко пари съм платила – 300 лева. И знаеш ли колко стъпки от тангото знам? Нито една.

Тя продължи да се смее.

– Нито една. Защото специалитетът на моя инструктор е да ме унижава. И да ми открива причини, които ми пречат да танцувам. Кажи ми, Васко, мога ли да го осъдя тоя? За измама, например.

– Можеш да станеш за смях с такова дело, например – върна я на Земята той. – особено ще му се зарадва Стоилов. Ще е много имиджово. Като не те учи, защо си даваш парите? Заеби го.

– Да го заеба? – повтори Анна. – Точно това трябва да направя. Ще го заеба. Още сега ще му се обадя и ще му кажа, че е пълен задник.

Васил взе телефона от ръката ѝ.

– Искаш ли да поспиш? Явно си изморена. Утре ще му звъннеш. Ако искаш, аз ще му звънна. И няма повече да те закача.

– Кажи ми нещо... Ти си спал с мене. Аз дърво ли съм в леглото? Ако е така, искам да знам.

Васил не ѝ оттовори. Застели ѝ дивана.

– И аз съм изморен. До утре.

Анна остана будна на дивана. Искаше да се смее, но се разплака.

На сутринта я болеше главата и дори силното кафе не помогна. Нямаше сили да говори за дела или да мисли за работа. Анна установи, че я болеше душата. Беше паднала толкова ниско да се предложи на Васил. Беше ѝ неудобно дори да го гледа. Той не каза нищо за снощната вечер, закара я до тях и си тръгна.

Потънала в дебрите на самосъжалението, Анна реши, че всичко това трябва да свърши. Трябваше да спре с уроците.

Цяла седмица беше затрупана с дела. Васил се беше заинтригувал от делото с измамата. Дори ведъж останаха цяла вечер заедно и на вино и пица обсъдиха случая. Радваше се, че приятелските им отношения не бяха пострадали от онази вечер на откровения.

Оставаше Естебан. Беше решила лично да отиде и да прекрати уроците очи в очи.

Вторник точно в 15:50 часа Анна влезе в школата. Реши да не се преоблича, но в този момент видя в съседната зала момичето от пиано бара. Явно и тя беше инструктор по танци. Показваше базови стъпки от танго на едно момче. Вероятно му беше първи урок. Очите на Анна се насълзиха. Беше изтеглила късата клечка. Момчето хвана инструкторката си за едната ръка и неуверено я поведе. От пет минути той знаеше повече за тангото, отколкото тя за десет урока.

– Урокът ви започва точно в 16:00 часа – чу гласа на Естебан зад гърба си. – Ако не сте преоблечена, не може да започне.

– Искам да ви кажа нещо.

– Запазете го за себе си – отряза я той. – И се преоблечете.

– Имаме работа за вършене.

Анна се подчини по навик. После си помисли, че след като колежката му е тук, може най-накрая и той да почне да я учи на стъпки.

Когато влезе в залата, видя как беше наредил на пода бутилки с алкохол.

– Онази вечер бяхте пияна. Може би алкохолът ви помага да танцувате. Изберете си – водка, уиски, вино.

– Позволено ли ви е да пиете по време на работа? – ядосано попита тя.

– Аз няма да пия. Аз нямам нужда от алкохол, за да танцувам. Вие имате. Какво ще пиете?

– Пия мартини.

Естебан я погледна.

– Какво ще пиете? – повтори той.

– Уиски – отвърна Анна. Той ѝ наля. Тя изпи чашата на екс. Наля си още една. Изпи и нея.

Естебан пусна отново "Feel". Анна го погледна и изведнъж започна да танцува. Той не каза нищо, просто я наблюдаваше. След като песента свърши, пусна Лара Фабиан. Застана зад нея, пое я в обятията си и започна да движи тялото ѝ заедно с неговото. Анна се отпусна напълно. В един миг ѝ се стори, че собственото ѝ тяло вече го няма. Той направляваше движенията ѝ, музиката се вливаше като енергия в нея и в този момент сякаш пределна яснота изпълни съзнанието ѝ.

Видя цялата схема. Делян беше невинен. Както и Боян. На едно място в делото, Делян свидетелстваше, че брокерите са подготвяли документи за имотите. Брокерите. Шест на брой. Само един не фигурираше – Георги. Този, който стоеше зад всичко. Имал е възможност да съставя документи, познавал е нотариусите, знаел е с кои номерът ще мине. По делото бяха приложени нотариалните актове, но не и предварителните договори. В началото Георги е бил единственият брокер, който е движил имотите с Боян. Стори ѝ се, че някаква завеса се вдига и целият пъзел се подрежда късче по късче. Най-вероятно той е бил брокерът, подписал предварителните договори. Получавал е десетте процента от цената на имота на ръка, а останалата сума е била трансферирана по сметка на Агенцията, за да може при евентуална грешка да няма доказателства срещу него. Помисли си, че напълно е изтрезняла. Все още беше в ръцете на Естебан, но не чуваше музиката изобщо. Той спря и я попита какво става.

– Разкрих схемата – каза Анна приповдигнато.

– Коя схема? – объркано попита Естебан.

Анна престана да мисли. Влезе в съблекалнята, взе роклята, с която беше облечена преди урока и влезе в залата. Съблече тренировъчния си екип и остана по бельо пред Естебан, облече роклята си и го помоли да ѝ закопчае ципа. Объркан Естебан вдигна ципа на роклята ѝ.

– Знам как е направена жилищната измама – опита се да му поясни тя. – Колко е часът?

– 4:25 – отговори сухо той.

– Трябва да тръгвам. Имам важна работа.

– Не мога да ви пусна да си тръгнете така. Пияна сте. Ще ви закарам, където трябва да ходите.

Анна го последа невярващо, но бе твърде въодушевена от откритието си, за да се впечатли. Махна с ръка и взе телефона си. Обади се на Събинов и си уговори среща с него и Николаев в Градска прокуратура. Каза, че може да се забави – да я изчакат. След това звънна на Васил и го помоли да се обади на негов познат оперативен и да види какво може да разбере за брокера Георги. Каза, че до половин час ще е в кантората.

Естебан се беше преоблякъл и заедно минаха паркинга.

Спряха пред някакъв мотор, след което го чу да казва "Качете се". Анна го погледна стъписана.

– Може би е по-добре да използваме колата ми.

Той ú подаде каска. Не ú се занимаваше с него в момента, имаше по-важна работа. Даде му адреса на кантората. Като стигнаха, заедно се качиха до горе.

Когато влязоха, Анна забеляза как всички я погледнаха странно – секретарката, стажантките и Желева не сваляха очи от Естебан. Анна се насочи към Васил.

– Разбрах схемата, Васко. Нямам време за обяснения. Какво откри за Георги?

– Нищо особено. Жена му работи като санитар в Окръжна болница. Имат закупена къща с ипотечен кредит. Само веднъж са забавили вноската, сега ипотеката е почти изплатена.

– Кога е забавената вноска?

– 2010, февруари.

– Златен си! – каза Анна и излезе. Никога не беше виждала с такава яснота. Ето как Георги е разбирал за починалите и откъде е вземал данните им – чрез жена си. Тя го е снабдявала с информация за изоставени и умиращи възрастни хора. Явно в периода на болничния им престой той беше фабрикувал сделките.

– Сега трябва да отида в Градска прокуратура. – Естебан не каза нищо. Отвори ú вратата и тръгна след нея.

Когато пристигнаха в Градска прокуратура, вратите вече бяха заключени. Съдебната охрана ги пусна предвид уговорката им с прокурора. Естебан влезе с Анна. На втория етаж Анна се обърна към Естебан и каза:

– Трябва да се кача сама.

Естебан не отговори, само я проследи с поглед как се качи по стълбите.

Анна влезе при Николаев и Събинов и им разказа откритията си. Те внимателно я изслушаха, след което около два часа коментираха делото от всички страни. Без съмнение това беше схемата.

Анна влезе при Николаев и Събинов.

– Заповядай Христова, слушам те – подкани я прокурор Николаев.

– И така – Делян и Боян решават да правят бизнес заедно. Боян купува имоти на публична продан, продава ги на по-висока цена на Делян, който след това ги препродава отново чрез Агенцията си. Този бизнес започва преди осем години и първоначално Георги – брокер в Агенцията търси всички купувачи за имотите на Боян. Впоследствие самият Георги си закупува къща с ипотека. През февруари 2010 г. забавя една от вноските, заради което замалко не губи имота.

С жена си са отчаяни и решават да действат. Тя му осигурява данни на пациенти, които са възрастни и никой не ги поглежда в болницата. С тях правят проверки кои от тях са собственици на имоти. Боян и Делян се ползват с пълното доверие на Георги. Към подготвените комплекти с документи за истински сделки Георги прибавя допълнителни страници, които Делян и Боян на доверие подписват.

Така подготвя две фиктивни сделки – една, с която имота да се прехвърли от умиращия в болницата на Боян и една, с която Боян да продаде имота на Агенцията. Оттам нататък вече е лесно – намира реален купувач, който му плаща десет процента на ръка при предварителния договор и деликатно праща някой от другите си колеги на окончателните сделки.

Това е моята хипотеза.

Николаев се обърна към Събинов:

– Отиваш незабавно в Агенцията и ми звънни когато видиш кой е брокерът на предварителните договори. Иззимаш договорите и ги носиш тук.

– Ще пратя колегата, който е дежурен сега – каза Събинов. – Ще стане по-бързо.

Николаев отвори делото и прегледа още веднъж нотариалните актове.

– Как е успял да убеди нотариусите да подпечатат фиктивните сделки?

– Той е брокер. Непрекъснато работи с нотариуси и им води клиенти със сериозен материален интерес. Колко му е веднъж или два пъти просто да подпечатат някой документ между другото?

– Това е сериозно обвинение, Христова.

– Ти си прокурор, Николаев, и го знаеш по-добре от мен. Нотариусите се чувстват недосегаеми от съдебната система. Може ти да направиш нещо по въпроса – с това дело.

Телефонът звънна. Събинов пое обаждането, след което се обърна към Анна.

– Хипотезата ти е вярна. Георги Асенов е бил брокер на предварителните договори.

– Искам утре да разпиташ пред съдия всички – Боян, Делян, брокерите – нареди Николаев на Събинов – не искам после някой в съдебна зала да се отрече от показанията си. Аз утре сутринта отивам в болницата и ще иззема цялата документация, свързана с починалите и трудовия договор и длъжностната харектеристика на жената на Асенов.

Николаев се обади на главния разследващ в Столична Дирекция на вътрешните работи и издейства да му се осигури екип.

– Обади се на Иванов да си вземе утре почивен ден, защото с него ще започна – обърна се Събинов към Анна.

– Добре – съгласи се Анна.

Когато приключиха, Събинов предложи да я закара, но в този момент тя видя Естебан. Бяха минали повече от два часа, а той не си беше тръгнал.

– Той чака мен. Благодаря ти.

Приближи се до него и от неудобство каза само адреса си.

Естебан я закара до тях. Когато пристигнаха, Анна пресметна четири часа и му подаде 120 лева.

– Урокът ви е 30 лева, не 120 – рязко каза той, като ѝ върна 90. – И по-добре не си давайте повече парите за уроци. Безсмислено е. При вас светът е жилищни измами, полиции и прокуратури. Танцът няма нищо общо с вашия свят.

Анна го наблюдаваше как се отдалечава с мотора. Спомни си допира на тялото му, залата, музиката. С болка откри, че всичко, което наистина иска, беше да се научи да танцува.

Изведнъж Боян, делата и цялата ú работа ú се сториха далечни и лишени от смисъл. Като въздушни кули, които Естебан с един замах току-що беше разрушил.

VIII

АННА

Мислеше, че няма да успее да заспи след събитията от вчерашния ден, но умората я надви напълно. Днес беше сряда. Денят се очертаваше да е напрегнат и едно силно кафе щеше да ú се отрази добре. Вместо това, Анна седна на кухненския плот и извади работния си тефтер. Отвори го на празна страница и я разчерта на две графи. Над едната графа записа: Проблеми. Над другата – Решения. Правеше този малък трик още от студентските години. Знаеше, че всеки проблем съдържа решението в себе си.

В графата с проблеми записа:

→ Стрес

→ Кафе

→ Неспособност да чувам музиката

→ Липса на секс

→ Право

В другата графа, срещу всеки проблем записа решенията, които бе открила:

→ Спокойствие

→ Минерална Вода

→ Слушане на инструментали

Срещу "Липса на секс " не написа нищо, но за последния проблем видя решението – отпуск.

Знаеше, че ако отиде в кантората, работата щеше я увлече и нямаше да си вземе отпуск.

Обади се на Васил и му разказа всичко по делото.

– Браво! – каза Васил. – Вече със сигурност Стоилов ще те направи съдружник.

– Васко, мога ли да те помоля за една услуга?

– Да, слушам.

– Ти да поемеш делото оттук нататък. Аз днес не мога да дойда на работа.

– Какви са тия глупости? Ти къде ще си? Какво ти става?

– Излизам в неплатен отпуск от днес. Сега ще изпратя имейл на Стоилов.

– За колко време?

– Месец.

Васил не можа да отреагира

– Да не си болна?

– Напълно здрава съм. Но за мен е по-добре днес да не идвам в кантората. По някакъв начин от това зависи целият ми живот.

– Анна, какви са тия глупости? Вземай се в ръце и идвай. Пак ли си в някаква мистична криза заради испанеца?

Анна затвори телефона. Написа кратък имейл до Стоилов, че си взема неплатен отпуск.

Изкъпа се, облече се, взе танцовите си принадлежности и излезе. Искаше да говори с Естебан. Реши да не му звъни по телефона. Ако Естебан не беше в школата, щеше да чака в ресторанта отсреща, докато не се появи. Дори и днес да не дойдеше, все щеше да се появи в някой от следващите дни. В миг почувства невероятно спокойствие. Имаше цялото време на света, за да сбъдне мечтата си.

Отиде в школата около десет часа и за нейна най-голяма изненада Естебан беше там. Танцуваше със същото момиче от телевизионното предаване. Анна се загледа в тях в някаква непозната за нея омая.

В съседната зала беше другата инструкторка. Тя също имаше урок. Разликата в класите беше потресаваща. Естебан танцуваше с момичето, което явно изучаваше нови фигури и грешеше почти непрекъснато. И въпреки това човек не можеше да откъсне поглед от залата, в която беше Естебан. Докато другата инструкторка прецизно повтаряше една и съща фигура с ученика си, Естебан продължаваше да танцува, без да прекъсва тангото. Момичето продължаваше да греши стъпките, но той не спираше да танцува с нея.

Анна застана пред вратата на залата, в която танцуваше Естебан. В този момент забрави за всичко. Разпити пред съдии, измами, схеми, решения. Каква връзка имаха те с нейния живот? Какво я интересуваше, че някакви хора решили да забогатеят, а други – да ги измамят? Към тях ли носеше по-голяма отговорност или към собствения си живот? На тях ли трябваше да бъде на разположение или на себе си? Отвъд тази врата можеше да опознае тялото, душата си, жената в себе си. Можеше да се научи да общува с най-съкровените частици от същността си.

Насочи телефона си към вратата и на дисплея се изписа "Tango Argentino Paso".

Анна се заслуша. Усети как музиката сякаш я пренесе в един виртуален свят на изригващи чувства, изгаряща страст и неудържимо привличане. Гледаше танца като омагьосана. Имаше чувството, че тя е тази, която танцува с Естебан. Поглъщаше всяка стъпка, всяко движение, всеки такт. Съпреживяваше всяка фигура, всяко завъртане, всяко докосване на телата.

В един момент погледите им с Естебан се срещнаха. Той прекъсна танца с момичето, остави я да танцува сама и излезе.

– Какво правите тук? – кратко попита.

Анна изключи пред него телефона си.

– Взех си отпуск. Искам да се науча да танцувам.

Тя извади тефтера си, отвори го на страницата с проблемите и решенията и му го подаде. Естебан погледна графите, погледна нея, влезе в залата, взе химикал и срещу реда "Липса на секс" написа "алкохол", след което ѝ го върна.

– Алкохолът ми помага да танцувам? – попита тя.

Той се усмихна.

– Кога сте готова да започнете?

– Веднага.

– До 13 часа имам часове. Ако искате, поразходете се и елате тогава.

Като проблясък през съзнанието ѝ мина мисълта, че има време да проведе разпита пред съдия и да се върне, но Анна веднага изтри тази мисъл. Знаеше, че ако отиде в кантората, няма да се върне. Щяха да я обримчат хиляди детайли, които в момента не предвиждаше.

И избра себе си.

– Мога ли да остана тук и да гледам?

Естебан я въведе в залата.

– Милена, това е Анна – моя ученичка. Иска да се научи да танцува танго. Би ли имала нещо против тя да присъства на урока?

Милена се съгласи. Музиката отново се разнесе из залата и Анна напълно ѝ се отдаде.

♪♫♪

Събинов чакаше за зала, за да започне разпита на свидетелите по делото, когато неочаквано научи, че делото е прехвърлено на друг прокурор – Ганчева. Тя му се обади и поиска незабавно да докладва.

Събинов звънна на Христова, но телефонът ѝ беше изключен. Обади се в кантората. Васил Касабов пое разговора.

– Давай по същество – подкани го Касабов.

– Къде е Христова?

– Днес ще работиш с мен – беше отговорът.

– Махнаха Николаев от делото. Пое го Ганчева.

– Какво иска Ганчева?

– Не знам, сега се качвам при нея. Доведете вашия да го разпитам пред съдия, преди да е опропастила делото.

Стоилов се имаше с Ганчева, така че Касабов отсече:

– Ганчева няма да прави проблеми по това дело.

♪♫♪

– И с какви доказателства разполагаме срещу този Георги? – попита Ганчева, разглеждайки материалите.

– Работил е в Агенцията, имал е възможност да подготвя цялата документация. Иззехме предварителните договори. Всичките са сключвани от него.

– Но не и окончателните.

– Ще разпитам останалите брокери. И те ще свидетелстват, че депозита в Агенцията се е плащал на ръка.

– Още нямаме банковата информация, за да сме сигурни. Какво е това бързане по това дело? Това са само предположения.

Събинов осъзна, че неслучайно Ганчева беше поела делото.

По принцип Георги е брокерът, който е търсил купувачи за имотите на Боян Иванов. За това ще свидетелстват и Такев, и Иванов. Друг брокер е поемал такава сделка само по изключение. Жената на Георги работи като санитар в Окръжна болница. Всички лица са починали там. Имала е достъп до данните им и информация за здравословното им състояние.

– И как ще докажем, че Иванов е подписвал документите в Агенцията?

– Брокерите ще свидетелстват, че такава е била практиката. Освен това колегите на Иванов ще свидетелстват, че той е бил на работа по същото време.

– Те колегите на Иванов час по час са го следили кога ходи на работа последните осем години. А ако брокерите свидетелстват, че е практика, аз на сума ти нотариуси в София трябва да повдигна обвинение. Как ще ги докажа после тия неща? Ти и Николаев мислихте ли го въобще това дело? Доказателствата сочат един човек – Боян Иванов. Да е гледал какво подписва.

– Не е имал достъп до данните... – наивно се противопостави Събинов.

– Абе, Анатоли, какви глупости ми говориш? Какво ме интересува откъде си е набавил данните?

– Така или иначе подписите на починалите са фалшиви. Това прави документите неистински. Нотариусите само на това основание можем да ги пипнем.

– Доказателствата срещу Георги Асенов са косвени, но непротиворечивата верига от косвени доказателства води до...

– Виж, тия теории не ми ги развивай на мен. В зала си влизал само да разпитваш пред съдия. Аз през ден съм в зала и знам кое издържа и кое не в съда. И това с косвените доказателства, един добър адвокат и делото замина.

Телефонът на Ганчева звънна. Тя излезе в коридора и след малко се върна. Сякаш забравила предишните си разсъждения, тя го попита със сериозен тон:

– Колко хора мислиш днес да разпиташ пред съдия?

– 7.

– Започваш от Боян Иванов. След това Делян Такев и всички брокери. Искам да намериш и да разпиташ и поемните лица, присъствали на изземването на всички документи от Окръжна болница.

Боян пристигна в кантората към 12:00 часа. Явно не беше разбрал колко важно бе да дойде още сутринта.

След разговора с Ганчева, Събинов звънна на Васил.

– Къде сте с Иванов? С вас започваме.

– След малко сме при теб.

Васил обясни на Иванов, че трябва да го разпитат пред съдия.

– Къде ми е адвокатката? – попита Боян.

– В момента е заета.

– Как така е заета? Никъде няма да ходя без нея. Вас не ви познавам. Само на нея вярвам.

– Договорът ти е подписан с кантората, а не с конкретен адвокат. Всеки може да те представлява.

– Искам си моята адвокатка. Не искам всеки да ме представлява.

Васил излезе бесен от заседателната зала. Звънна на Събинов и го попита:

– Имаш ли идея в колко часа ще започнат разпитите?

– Има мерки в момента. Може би в 14:00 часа.

– Добре, ще бъдем там.

Стоилов дойде при него.

– Къде е Христова? Какви са тия имейли за неплатен отпуск? Аз си заложих задника пред Ганчева. Оня Килиферов, нотариусът, е възроптал срещу делото. Искам Христова незабавно тук. Да не я пратя в доживотен неплатен отпуск.

Васил отново звънна на Анна. Телефонът ѝ беше изключен.

– Анна не е у тях – докладва му шофьорът. – Ходих, звънях, и колата ѝ я няма.

– Мерси – отвърна с половин уста Васил.

– Илина – отиде при секретарката той. – Искам да ми намериш телефона на онзи инструктор по танци.

– Кой инструктор по танци? – попита тя.

– Онзи, дето вчера Анна го домъкна в кантората. Нали се запознавахте с него?

– Естебан ли? – подхвърли тя

– Същият.

– Как да му намеря телефона?

Васил още повече се вбеси.

– Виж дали чичко Гугъл няма да ти помогне – язвително ѝ подметна и се завърна в заседателната зала.

Трябваше да убеди Иванов да свидетелства. Толкова маневри по това дело и тоя тъпак да откаже да го разпитат.

♪♫♪

– Тук няма да е удобно да танцуваме – подхвърли Естебан.

– Така ли? – попита Анна.

– Нямаме мартини – шеговито вметна той. – Ще ви заведа на друго място.

Анна не възрази. Беше ѝ все едно, дори да я заведеше да танцуват в центъра на Съдебната Палата.

Качи се отново на мотора му. Едва сега си даде сметка колко пияна е била снощи. Дори не знаеше как не ѝ беше прилошало по пътя. Притисна се към него по-силно, отколкото беше необходимо. Сега той беше единствената ѝ реална опора и не желаеше да се отдели от него.

Естебан спря мотора до един от близките магазини, от който купи бутилка мартини и двеста грама зелени маслини.

Анна мълчаливо разглеждаше множеството офис сгради по улица "Фредерик Жолио-Кюри". Повечето бяха сиви и скучни. Между тях имаше и безброй стари жилищни кооперации с олющени фасади и неугледен вид, а по протежението на улицата бяха разпръснати гаражи, превърнати в малки магазинчета. Анна се запита какво ли впечатление правиха на Естебан старите сгради и претъпканите с коли тесни улички.

– От коя част на Испания сте? – попита го, докато вървяха, все още унесена в мислите си.

– Севиля – кратко отговори той.

– Аз съм ходила в Мадрид и Барселона.

– Всички българи ходят или в Мадрид, или в Барселона – шеговито отбеляза той.

Анна се почувства неудобно. Ходеше на екскурзии само в най-популярните и модни дестинации. Почувства се толкова безлична и от неудобство замълча.

Вместо към някоя от офис сградите, Естебан се насочи към стара жилищна кооперация. Качиха се заедно на последния етаж. Анна разбра къде всъщност я водеше той – водеше я у тях.

Спомни си как му беше подала тефтера с празното място срещу секс. Почувства се ужасно.

Мина ѝ през ум как при жените мисленето се свежда до формулата проблем→споделяне→хиперболизация→решение, а при мъжете формулата беше проста – проблем→решение.

И какво щеше да последва сега? Щеше да я напие, щеше да преспи с нея и накрая тя щеше да му плати по час?

Влязоха в двустаен апартамент с антре, огромен хол, който се явяваше преходно помещение към две други стаи – вероятно кухнята и спалнята. Всички мебели в хола се свеждаха до малък кожен диван, опрян до стената, със стъклена масичка пред него, плазма, окачена на отсрещната стена и професионална музикална уредба, разположена в другия ъгъл на стаята. Под стъклената плоскост на масичката се виждаше цял куп списания за мотори, а върху нея имаше малък лаптоп. Нямаше нито една книга. Подът беше беше покрит с луксозна винилова настилка също като в спортна зала. Прозорците бяха с алуминиева дограма, без пердета и завеси, а една от стените беше изцяло покрита с дизайнерско пано с дзен мотиви.

Интериорът беше толкова семпъл и изчистен, че Анна се почувства напълно откъсната от външния свят. Между антрето и хола нямаше врата. Антрето беше с размерите на малък коридор. От едната му страна имаше вграден гардероб, а от другата – врата, която водеше към сервизните помещения. Вратите към кухнята и спалнята бяха затворени.

– Отидете в банята да се преоблечете – подкани я Естебан.

Всякакви мисли, че целта на поканата е секс, изчезнаха в този момент.

Банята изобщо не се оказа малка. Имаше голяма вана, а вътрешната страна на вратата беше огледална. На Анна ѝ се прииска да купи този апартамент. Нейният огромен стоквадратов апартамент с отделна гардеробна и професионално оборудвана кухня (която тя никога не беше използвала), обзавеждан по дизайнерски проект, ѝ се стори като клиширана картинка от лъскаво списание без грам въображение.

Тук сякаш влизаше в друго измерение. Анна извади розовата си рокля. Беше я избрала, защото когато я беше облякла за пръв и последен път, беше чула от Естебан: "Бяхте чудесна". Може би ѝ носеше късмет.

Естебан набързо се преоблече в спалнята. Премести лаптопа при списанията с мотори, а върху масичката постави бутилката мартини и голяма прозрачна кана с минерална вода. От кухнята донесе малка купичка с лед, паничка за маслините и три чаши – две водни и една за мартини.

Анна влезе обратно в хола. Естебан вдигна паното и под него се разкри огледална стена. Направи знак на Анна да застане в центъра на импровизираната танцова зала и без музика хвана дясната ѝ ръка, повдигайки я свита в лакътя.

– Вашата дясна ръка е в моята лява ръка – започна Естебан. Анна невярващо го гледаше право в очите. Нима най-накрая беше заслужила привилегията да танцува танго?

– Единият ви крак винаги е свободен. Балансът е върху крака, който служи за опора. Когато преместим тежестта върху другия крак, върху него се пренася и оста на баланса. Тàнго е танц, в който сякаш ходите, а всъщност танцувате. Когато се танцува тàнго, мъжът винаги води, а жената го следва. Той се грижи за безопасността ѝ, така че нейната задача е единствено да му се отдаде. Аз водя, вие ме следвате. Аз греша, вие грешите заедно с мен. Нямате своя воля, изцяло се подчинявате на мен.

Естебан пусна "Bahia Blanca" на Carlos di Sarli.

– Хайде сега – подкани я той.

– Не знам нито една стъпка – умолително промълви Анна

– Аз водя – меко отвърна Естебан. – Аз ги знам всичките.

Анна се предаде. Остави го да направлява краката ѝ. Някак от само себе си краката ѝ започнаха да се местят по пода. Анна се страхуваше да погледне в огледалата. Нямаше никакъв контрол над този танц. Изобщо не знаеше какво прави. И за пръв път осъзна колко е вкопчена в желанието си да контролира всичко. Ужасяваше се да изгуби контрол и да се отдаде. Ужасяваше се, че не знае следващата стъпка. Ужасяваше се, че трябва сляпо да го следва.

– В тàнго ръцете са връзката ми с цялото ви тяло – опита се да я окуражи Естебан. – Прегръдката е начина, чрез който да мога да стигна до Вас. Аз вземам ръцете ви, а с тях вземам цялото ви тяло.

Естебан отново пое Анна в обятията си и ѝ демонстрира как тялото ѝ самò поемаше в посоката, в която той желаеше да я води. Анна се почувства като кукла на конци.

– Тàнго е танц corazón a corazón (сърце в сърце). Телата ни са винаги едно срещу друго. Под сърце се разбира сърдечната Ви чакра, която е в центъра на гърдите Ви. Там се приема, че е духовното Ви сърце. И то е обърнато към моето. Не е нужно да мислите. Просто ме следвайте.

От най-прекрасното нещо тангото отново беше приело формата на чудовище, което искаше от нея да се откаже от желанието за контрол.

Сякаш някаква част от нея пропадаше дълбоко в ръцете на Естебан. Имаше чувството, че може напълно да се изгуби, да полудее. Мислите се блъскаха в главата ѝ и не ѝ позволяваха да се отпусне. Усети невероятен страх, че отдавайки му контрола, ще го допусне изцяло в себе си и повече никога няма да има волята да му се противопостави. Ужаси се, че може да изгуби волята си.

– Явно няма да минем без алкохол – Естебан я пусна, наля ѝ повече от 100 грама и ѝ подаде чашата.

– Наведнъж – каза, сякаш ѝ даваше лекарство, а не алкохол.

– Ще ми стане лошо – замаяно отговори тя.

– Ако ви стане лошо, ще ви оставя да се наспите и като се събудите, ще продължим с по-малко. Нали сте в отпуск, за никъде не бързаме.

Проблем→Решение.

Анна го изпи наведнъж. Главата ѝ се замая. Сега установи, че нищо не беше яла. Стори ѝ се, че може да повърне. Естебан ѝ подаде маслина. Соленият и кисел вкус на маслината я освести.

Естебан я хвана отново. Сега сякаш беше по-лесно. Мислите започнаха да намаляват. Продължаваше да не контролира нищо, но като че ли не ѝ пукаше. Какво изобщо контролираше в живота си?

– Искам да чуете музиката – чу гласа му в ухото си.

И се подчини. Отдаде се. Всичките ѝ съпротиви паднаха. Позволи му да подчини мислите ѝ, тялото ѝ, въображението ѝ. За няколко мига беше изцяло негова. Краката ѝ следваха стъпките му, танцуваше или си въобразяваше, че танцува. Опита се да обърне глава към огледалото, но Естебан рязко смени позицията на тялото ѝ. Не ѝ позволи да поеме контрола отново.

В този момент се чу звън на джи ес ем. Сигурно нещо се е объркало с делото, беше първата ѝ мисъл. После си спомни, че мобилният ѝ е изключен. Звънеше телефонът на Естебан.

Естебан прекъсна танца, намали музиката, вдигна и простичко каза:

– Да, моля.

След това се приближи с телефона до Анна, подаде ѝ го и сухо отбеляза:

– За Вас е.

Анна пое телефона. Отсреща беше Васил.

– Идвай веднага – изкомандва я той. – Иванов не иска да свидетелства, ако не му държиш ръката. Опитах какво ли не да го убедя – нищо не помага. Искал си неговата адвокатка, само на нея вярвал. Отстраниха Николаев, Събинов също още по чудо води това дело. Прокурор е Ганчева и ако днес не разпитаме Иванов, ще го привлече като обвиняем. Каза на Стоилов, че ни дава още един час отсрочка и после кой откъде е. Цялата нотариална камара е проглушила прокуратурата и СДВР. Дала си клетва, Анна. Ако не дойдеш и обвинят Иванов, ще си за дисциплинарно, разбираш ли го това? Стоилов е на косъм да те уволни. Да не говорим, че могат да те лишат от права.

Анна стоеше в центъра на апартамента на Естебан, който я гледаше невъзмутимо. Можеше да се извини и да си тръгне, но знаеше, че той повече никога няма да се съгласи да я учи. Можеше да бъде точна към него и да предаде професията си, колегите си, клиента си, да пристъпи думата, която беше дала на Събинов и адвокатската си клетва. Или да бъде точна към всички, които винаги са били на нейна страна, които винаги са я ценяли и които дори и в този момент до последно проявяваха разбиране и ѝ даваха шанс да поправи нещата.

На върха на езика ѝ беше "Идвам веднага", но вместо това невъзмутимо каза: "В отпуск съм" и затвори телефона. Върна го на Естебан. Той усили музиката и я пое обратно в обятията си. Сега вече Анна знаеше, че танцува. Нямаше контрол над нищо в живота си. Алкохолът беше обримчил като в мъгла съзнанието ѝ, а в главата ѝ нямаше мисли. Усещаше как разумът все още се бунтуваше под формата на гадене в устата ѝ, но гласът на душата ѝ заглушаваше бунта му. Сякаш във вените ѝ вместо кръв потече водопад от звуци, които я свързваха с усещането за тялото ѝ, напълно овладяно от Естебан. Погледът ѝ беше сведен към центъра на гърдите му, вече нямаше никакво желание да погледне към огледалото. Беше я страх да погледне как изглеждаше жената, която избира себе си пред всички останали.

Естебан смени "El Tango de Roxanne" с "Argentino Paso".

Сега вече наистина танцуваше с него. Не момичето, което се казваше Милена, не някоя друга, танцуваше тя. Вече не ѝ пукаше, че не знае нито една стъпка, краката ѝ се преплитаха с неговите, тялото ѝ се въртеше в прегръдките му, дори беше започнала да се усмихва. Естебан също се усмихваше. Знаеше, че той чува музиката така, както я чува тя. Усещаше го по синхрона на телата им. От време на време в съзнанието ѝ се прокрадваха мисли, но бяха толкова далечни, че изобщо не знаеше дали са нейни. Безпогрешно обаче разпознаваше емоциите си. И колкото по-свързана се чувстваше с емоционалната си страна, толкова повече се усмихваше. В един момент цялата се превърна в една голяма танцуваща усмивка.

Музиката спря. Чу Естебан да казва:

– Гладна ли сте?

Анна отговори: "Малко".

– Добре, аз ще направя нещо за хапване, а вие си починете.

– Естебан, мога ли да продължа?

Той ведро ѝ се усмихна. Донесе един стол от кухнята, сложи го в центъра на стаята и каза:

– Опитайте с това.

Пусна ѝ инструментала на Tango 2 на Алберто Розенблит.

Анна остана сама в стаята. Приближи се до стола и започна да танцува за себе си. Правеше стъпки, без изобщо да е сигурна, че танцът, който танцува, е танго. Столът беше толкова пасивен, но някак именно в пасивността му се съдържаше силата му. Осъзнаваше, че столът е като мъжа – стабилен и пасивен, непроменящ се и здраво стъпил на земята, а тя беше жената до него – активна, динамична, променяща се, нагаждаща се. Тя беше тази, която сядаше в скута му и му се отдаваше, след което се изправяше и се облягаше на него, израстваше, стъпила здраво върху него или отпускаше тяло върху облегалката, доверявайки му се, че ще я задържи, без да пропадне. Никога не беше предполагала колко дълбоко интимен можеше да бъде танцът с един обикновен и празен стол. Сякаш столът беше собствената ѝ мъжка страна, която толкова добре познаваше и сега балансираше мъжа и жената в себе си, запознаваше ги. И си позволяваше да бъде жена.

Забеляза, че не е сама в стаята. Естебан се беше облегнал на стената и мълчаливо я наблюдаваше, без да я прекъсва. Анна не усети никакво смущение. Продължи да танцува, сякаш никой не я гледа.

Естебан бавно тръгна към нея. Анна очакваше да я поеме в обятията си, но вместо това той застана пред нея с прикован в очите ѝ поглед, след което отиде до стола и седна на него. Отпусна се, като леко разтвори краката си.

Анна се смути. Отново изгуби контрола върху ситуацията. Мисълта да танцува в скута му или да ляга върху коленете му, я накара да почувства, че ще размие всякакви граници между тях. Знаеше само един начин да прогони мислите си. Отиде, наля си 50 грама мартини и ги изпи на екс. След около минута щеше да е достатъчно пияна, за да не ѝ пука дали танцуват или правят секс. Приближи се до Естебан и започна да танцува.

Естебан не я докосваше – само я наблюдаваше. В един момент хвана ръката ѝ, притегли я и постави седнала върху коленете му с лице на около 5 сантиметра от неговото.

Усети как дясната му ръка придържаше кръста ѝ, а с лявата - държеше нейната дясна ръка. Анна осъзна, че дори сега, седяща върху краката му, без да помръдва тялото си, тя танцуваше танго. Той я изправи и нежно я поведе в такт с музиката. За пръв път Анна усети с всяко движение на тялото си чувствено-опияняващата страст на аржентинското танго. Затвори очите си и напълно се остави на музиката и ритъма, задаван от Естебан. Усещаше тонуса на телата им и го следваше с необяснима за самата нея лекота. В момента, в който музиката спря, ѝ се стори, че светът без танго е напълно нереален.

Естебан се върна в кухнята, извади от хладилника приготвеното гаспачо и го разсипа в две чаши. Анна седна на дивана, а той взе възглавничката от стола, сложи я на пода и седна върху нея.

– Има теории, според които тангото се е родило в края на 19-ти век в бордеите на Буенос Айрес като танц между проститутки и клиентите им – предизвика я той.

– Не знаех – Анна само му се усмихна в отговор.

– Всъщност истината е, че по това време в Буенос Айрес единственият начин да впечатлиш жена е бил да умееш да танцуваш наистина добре. Казват, че в тàнго мъжът води, а за жената остава единствено да се забавлява.

Анна продължаваше да се усмихва.

– Позата на жената в tango argentino изразява силата на нейното присъствие. Тя е с изправен гръб и стегнат ханш, като краката ѝ рисуват по пода. Мъжът има достъп единствено до ръцете ѝ чрез прегръдката. Стегнатият ханш на жената показва колко горда и недостъпна е истинската ѝ природа, а горната част на тялото ѝ, която е винаги обърната към мъжа, засвидетелства, че му е безпределно отдадена в сърцето си.

– А какво изразява позата на тялото на мъжа? – предизвика го на свой ред Анна.

– Водачът. Ако вие сгрешите, докато танцуваме, аз винаги ще знам как да ви намеря и да ви върна при себе си, но ако аз сгреша, вие сте длъжна да ме последвате. В танго, когато мъжът греши, жената също греши заедно с него. Тя не е там, за да поправя грешките му, а за да му даде сила да я води правилно.

– Явно не само танцувате добре – неловко смени темата Анна. – Превъзходно е – каза, поглеждайки към гаспачото.

– Само това мога да правя – ухили се Естебан.

– А вие как започнахте да танцувате?

– Бях на осем и майка ми ми каза, че ако мога да танцувам, нито едно момиче няма да може да ми устои.

Той я погледна настойчиво. Анна искаше да го попита за майка му, но ѝ се стори неуместно и замълча.

– Онова телефонно обаждане – прекъсна мислите ѝ Естебан – беше нещо важно, нали?

– Толкова важно, че за това, че не се отзовах, могат да ми образуват дисциплинарно производство и да ме лишат от права.

– И какво ще правите, ако това се случи?

– Ще танцувам.

– А какво ще правите, когато ви свършат парите? – попита шеговито.

– Ще си продам колата и с парите ще си плащам уроците по танци – сериозно отговори Анна.

И двамата за миг потънаха в мълчание, всеки със собствените си мисли.

– Забелязах, че с останалите си ученички говорите на "ти" – възстанови разговора Анна – Защо с мен е тази официалност?

– Защото те ми вярват, а Вие – не. – сериозно отговори Естебан.

– А ако съм готова да Ви повярвам? – Анна наблегна на "готова". Естебан моментално поде. Изправи се, нагласи уредбата и се приближи до нея:

– Готова ли си да ми повярваш, Анна? – подаде ѝ ръката си, канейки я на танц. – Ще танцуваш ли с мен?

– Да.

Анна очакваше в стаята да зазвучи танго, но вместо това Естебан пусна "Camina y Ven" (Тръгни и ела) на Давид Бисбал.

Естебан притисна Анна към себе си и тихо ѝ каза: "Пусни си косата".

Анна се подчини. Знаеше, че косата ѝ напълно ще се разроши, но изобщо не я интересуваше.

"Довери ми се" – прошепна той.

Анна усети, че краката ѝ се подкосяват. Беше разбрал колко е привлечена от него.

– Танцувала ли си някога мръсни танци? – прошепна отново в ухото ѝ. Усети как цялата се разтопи.

– Не – призна тя.

– Сега ще танцуваш.

Естебан я притисна толкова плътно до себе си, че Анна можеше да се закълне, че е възбуден. Или ѝ се искаше да е възбуден. Ръцете му започнаха да я опипват и тялото му да търси все по-голяма физическа близост с нейното. И въпреки всичко не преминаваше към нещо повече от танц. В миг Анна си помисли, че нарочно я измъчва, показвайки ѝ че знае колко много го иска.

Анна гледаше в очите му и съзнаваше, че започва поредната игра между тях. Танцът, който преминаваше границата между телата им, но не стигаше до секс. За първи път в живота си Анна усети колко сила се криеше в танца между мъжкото и женското тяло. Чувстваше се лека, въздушна, опиянена от подлудяващия ритъм на горещата испанска песен. Усещаше ръцете си, които по детски плахо и неуверено беше опряла на гърдите на Естебан. Присъстваше толкова осезаемо в тялото си, че за секунда ѝ се стори, че не тя, а петнадесеттодишното момиче в нея цял живот беше чакало именно този танц. Стори ѝ се, че никога досега не беше танцувала. Почувства се необяснимо чиста и невинна в ръцете на Естебан. Сякаш докато обгръщаха тялото ѝ, ръцете му я възпламеняваха с непознат за нея заряд. Зарядът на взаимодействащите помежду си мъжка и женска енергия, които заедно имаха силата да сътворят самия живот.

Естебан я обърна с гръб, притискайки я още по силно към себе си. Завъртя я няколко пъти, след което повдигна левия ѝ крак и неочаквано за самата нея тялото ѝ свободно се отпусна назад. Придърпа я обратно към себе си и постави ръцете ѝ така, че да обвият врата му, след което опря чело в нейното и продължи да направлява тялото ѝ в синхрон с неговото.

Анна се остави на повика на собственото си тяло. Сякаш чрез този танц в душата ѝ се пробуждаше една жена, неподвластна на общоприетите норми за благоприличие, жена, която беше истински свободна и свързана с инстинктите си. Ръцете ѝ жадно и все по-уверено търсеха близостта на Естебан, завладяни от потребността да докоснат, да създават, да свързват, да преоткриват... От цялото ѝ същество бликаше невероятна енергия, която чрез тялото ѝ разкриваше красотата на танца като самобитен ритуал на прелъстяване, себеотстояване, сливане...

Естебан обгърна кръста ѝ с ръце и нежно повдигна тялото ѝ нагоре във въздуха, след което бавно я остави да се свлече по неговото тяло, докато стъпи на земята. В един момент устните ѝ бяха толкова близо до неговите, че усещаше дъха му. Въпреки това не я целуна. Продължи да танцува с тяло, плътно прилепнало към нейното, когато песента изведнъж свърши.

Той я погледна, отдалечи я от себе си и каза:

– Достатъчно за днес. Можеш да отидеш да се преоблечеш.

Анна кимна и влезе в банята. Когато излезе, той също се беше преоблякъл.

– Ще те закарам. Пи много.

– Не, аз ще си взема такси – отхвърли предложението му. Страхуваше се, че ако му позволеше да я закара, можеше да го покани да се качи и щеше да оплеска всичко.

– Добре, както искаш – съгласи се той.

Анна погледна часовника си и му подаде 180 лева.

– 6 часа – обясни тя.

Естебан стисна ръката ѝ и я прибижи към гърдите ѝ.

– Нека първо да видим дали няма да те лишат от права. Може да ти потрябват.

Анна смутено кимна и тръгна към входната врата.

– Как ще се разберем за утре? – попита тя.

– Наспи се добре и ми се обади – меко каза той. – И още нещо. Утре можем да опитаме без алкохол, готова си.

Анна се усмихна и излезе. Стори ѝ се, че отвъд входната врата на апартамента на Естебан започва адът.

Естебан погледна часовника си. Минаваше 19:00 часа. Изобщо не беше усетил кога бяха минали повече от шест часа. Утре имаше тренировка с актьорите от "Народния театър", а вечерта имаше две групи една след друга. Ако поемеше и Анна, означаваше да направи четиринадесет часа без почивка, но всичко извън уроците на Анна, му се струваше между другото.

Седна на дивана, качи краката си върху масичката пред него и започна да прехвърля каналите с дистанционното. Внезапно спря на вечерните новини.

"Неочакван развой по нашумялото дело с жилищната измама – започна репортерът – Днес сутринта научихме, че прокурорът по делото е сменен, като от прокуратурата заявиха, че новият прокурор Анета Ганчева имала по-голям опит в такъв тип дела. Изненадващо на ключовия свидетел по делото – Боян Иванов – му повдигнаха обвинение за измама. Той пък обвини за случилото се адвоката си Анна Христова, която по неговите думи, отказала да го представлява. Новият му защитник адвокат Мартин Рангелов вече е подал жалба до Софийска Адвокатска колегия. На излизане от съда той се аргументира така:

– Никога в цялата си професионална кариера не съм срещал подобна некомпетентност. Текстът на Закона за адвокатурата е пределно ясен – според чл. 35 ал. 1 от същия, защитникът не може да се откаже от поетата защита, освен ако стане невъзможно да изпълнява задълженията си по независещи от него причини. А ако случаят е такъв, е длъжен да уведоми подзащитния си, за да може клиентът му да организира защитата си. Работа на Софийска Адвокатска Колегия и излъчената от нея Дисциплинарна Комисия е да прецени по какъв начин се упражнява адвокатската професия в нейния район, но подобно поведение лично аз бих заклеймил като крайно непрофесионално, престъпващо най-елементарните правила на адвокатската и човешка етика.

Наш репортер успя да вземе ексклузивно интервю от прокурор Анета Ганчева за неочаквания обрат по делото:

– Прокурор Ганчева, обяснете ни как така изведнъж от ключов свидетел по делото Боян Иванов се оказва обвиняем?

– Българската прокуратура никога не е повдигала обвинение без доказателства, а по делото има безспорни доказателства за вината на Боян Иванов. Нямам представа откъде черпите информация, че Иванов е бил "ключов" свидетел, но моля занапред да се придържате към официалните изявления на прокуратурата, а не към външни и недотам достоверни източници.

– Говори се, че с обвинението на Боян Иванов прокуратурата цели да прикрие сделки, изповядвани от редица нотариуси в София без присъствието на страните? Как ще коментирате това?

– За съжаление само в България медиите обсипват с такова недоверие институциите и създават излишно обществено недоволство.

От кантората "Стоилов и Сие", където работи адвокат Анна Христова, отказаха коментар по случая. Опитахме да се свържем и със самата нея, но телефонът ѝ беше изключен."

Репортажът завърши със звуков запис от телефона на Анна: "Телефонът на абоната е изключен или извън обхват".

Естебан изключи телевизора, опитвайки се да подреди мислите си. Анна беше захвърлила целия си живот, за да се научи да танцува. Знаеше, че по което и време да му се обадеше утре, той щеше да е свободен за нея.

♪♫♪

Таксито спря пред входа ú. Анна почувства, че от комбинацията на алкохол и доматена супа започва да ú се гади. Когато се качи на етажа си, видя Васил, който я чакаше на стълбищната площадка.

– Отдавна ли си тук? – попита го тя смутено.

– Както виждам, си жива, здрава и отново пияна – язвително изкоментира той, без да ú оттовори. – Помислих, че може лично да поискаш да чуеш новините. Иванов отказа да свидетелства и Ганчева го привлече като обвиняем. Сега тезата на прокуратурата е, че е водил подставени лица пред нотариусите. Утре ще се разпитват едва ли не нотариусите в половин София, които неочаквано ще си го припомнят и ще го разпознаят в съдебна зала. Новият му адвокат е Рангелов. Подал е жалба срещу теб, но ми каза, че умишлено не я е написал добре, за да можем да я оправим. Все пак, колежка, нали? Стоилов вече е задействал връзките си в САК♪, за да ти отърве задника. По-добре не му се мяркай пред очите идния месец. Едва го убедих да не те изрита на секундата. Намерил съм ти болничен за тая седмица, така че недей много да обикаляш навън.

Анна го погледна мълчаливо.

– Браво, Васко. Благодаря ти, Васко – оттовори той вместо нея. – Дано чукането с инструктора ти по танци си е струвало да съсипеш целия си досегашен живот.

– Искаш ли да влезеш за малко? – предложи Анна.

– Не – отсече той. – Тази вечер нямам нито нерви, нито време да се занимавам с твоите кризи. Днес имах ужасно шибан ден, искам да се прибера, да се изкъпя и да си легна. Утре сутринта имам дело за убийство при Пешев. Някои от нас не са в отпуск и все още си спомнят, че от действията им зависят човешки съдби.

Васил тръгна надолу по стълбите, без да изчака асансьора. Анна влезе в апартамента си, отиде в тоалетната и повърна.

♪ *Софийска Адвокатска Колегия – Бел.а.*

72

IX

АННА

Анна се събуди в 09:00 часа и въпреки, че се опита да поспи още, само и само да забрави на какъв хал беше животът ѝ, не успя. Стана, изкъпа се и отиде да си направи кафе.

Когато тръгна към кухнята, спря за миг и в мислите си се върна към Естебан. Усмихна се и пусна косата си. Разроши я по раменете. Влезе в кухнята, погледна към металната кутия за съхранение на кафе, взе я и я изхвърли в кофата за боклук. Почувства се по-добре, когато го направи.

Включи телефона си. Имаше 27 неприети повиквания. Анна дори не ги погледна. Намери в указателя – Естебан – Танго и му звънна.

Уговориха се да се видят в 13:00 часа в неговия апартамент.

Анна имаше достатъчно време да изпере и изсуши танцовата си рокля. По някаква причина искаше да танцува само с нея. Пусна пералнята и размести мебелите в хола си. Реши да потанцува сама. Музиката беше единственото, което ѝ помагаше да не мисли.

♪♫♪

В момента, в който влезе в дома му, всички проблеми от вчерашния ден мигновено изчезнаха. Изпълни се с усещането за неописуема радост. Знаеше коя беше тя. Беше Анна, която се учеше да танцува танго.

Днес урокът течеше изцяло по протокол.

– Ще започнем с нещо простичко. Ходене. Напред и назад. Назад. В танго жената предимно ходи назад. Движението се ражда тук – в моето сърце. И тръгва към теб чрез прегръдката.

Vito Disalvo. Tango in the park.

– Аз правя крачка и ти правиш крачка. Отпусни се. В пълна безопасност си. Не ме гледай в очите. Гледай към сърцето ми. То те води.

– Анна сведе поглед към гърдите му. Просто вървяха. Напред и назад. А всъщност танцуваха.

– Толкова ли е лесно тангото? – попита тя.

– Не говори. Не мисли. Просто ме следвай и слушай музиката.

– Сега Очо. Осмица. Стъпка напред и завъртане на едната страна докрай. А сега стъпка отново и завъртане на другия докрай. И назад по същия начин. Нека да опитаме.

– Може би е по-добре да опитам пред огледалото.

– Танго не е нещо, което можеш да видиш в огледалото, Анна. Танго не е отражение на танцуващото ти тяло, то е самото ти тяло. То е преживяване. Просто усети очо. Движението идва от тези мускули – Естебан положи ръцете си от двете страни на гърба ú в подножието между кръстта и ханша ú – Не идва от бедрата, не идва от ханша, идва оттук. Опитай се да го почувстваш. Виж колко е лесно.

Анна усети как тялото ú от само себе си овладя движението.

– Толкова е лесно, когато го правя с теб. И толкова трудно, когато го правя сама – каза Анна.

– Затова ще танцуваме заедно, за да е лесно – пошегува се Естебан.

Astor Piazolla. Oblivion.

– А сега Медиа Луна. Луна. Правиш фигура подобна на луна около мен.

Естебан направи половин задно очо, след което премина в половин предно очо, като със стъпалата си изрисува въображаема луна на пода около Анна.

– Дамата рисува с краката си около кавалера. Обичаш ли да рисуваш?

– Като дете рисувах много.

– Добре, нарисувай една луна за мен. Точно така, елегантно. Танго е елегантност. Жената в танго – тя е елегантна, тя е дама.

– Има толкова много фигури – каза Анна в почивката. – Струва ми се почти невъзможно да науча този танц.

– Винаги ли толкова много драматизираш? – попита шеговито Естебан.

– Драматизирам ли? – попита на свой ред Анна. – Предполагам, че съм най-отчайващата ти ученичка.

– Какво да ти кажа? Като те видях в онзи пиано бар мен ме хвана срам заради теб. Още повече като знаех, че съм ти преподавател по танци.

Той се ухили, за да ú покаже, че се шегува. Анна неуверено замълча.

– Да съм начинаеща е толкова ново за мен.

– Ако си изморена можем да приключим за днес. Не е необходимо да научаваш всичко за един ден.

– Не съм изморена. Доставя ми удоволствие да танцувам.

– В пет часа имам две поредни групи в школата. Ако искаш можеш да останеш тук и да се упражняваш.

– Предпочитам да дойда с теб и да гледам. Ако може.

– Може.

♪♫♪

Първата група беше за напреднали. Имаше шест жени и трима мъже. Мъжете се редуваха, като Естебан поемаше някоя от свободните дами. До края на урока беше танцувал и с шестте. Анна за пръв път видя по колко различен начин танцува една жена, когато е водена от опитен партньор и когато партньорът е неопитен.

Втората група беше начинаеща.

– Искаш ли да се включиш? – попита я Естебан.

– Да – въодушевено отговори Анна.

Имаше единадесет човека, като мъжете и жените бяха почти равен брой – пет мъже на шест жени. Първоначално Естебан показваше базови стъпки и фигури. След като ги повториха няколко пъти поотделно, участниците се разделиха по двойки. Един от кавалерите покани Анна на танц. Естебан отговори вместо нея.

– Анна не е част от групата. Стела е свободна, можеш да си партнираш с нея за това занятие.

– Засега е по-добре да не танцуваш с неопитни партньори – меко ѝ обясни Естебан, като мъжът се отдалечи. – За теб е много важно да преживееш фигурите, не просто да ги изиграеш. В златната епоха на танго дори е било забранено начинаещи да танцуват помежду си.

Анна замълча. Покорно се върна на стола си от предишното занятие като наблюдател на танцуващите двойки. И въпреки че се почувства поласкана от отношението на Естебан, не можа да се оттърси от усещането, че реакцията му е проява на необяснима ревност.

– Планове зе вечеря? – попита я той след урока.

– Този месец съм без планове – честно отговори Анна.

– Ако не си решила да умираш от глад, може да ми правиш компания за вечеря. Аз обикновено вечерям тук.

Естебан посочи с поглед ресторанта отсреща. Първоначално Анна реши да му благодари и да откаже, защото все още изпитваше неудобство от него в моментите, когато не танцуваха, но не посмя да го направи.

– С удоволствие.

– Ресторантът е на собственика на школата. Върви все по-добре, доколкото виждам. Има оркестър на живо, който свири латино музика и храната не е лоша. Доста по-добра от на много други места. Аз като инструктор в школата се храня безплатно.

Анна забеляза, че той изобщо не пие. Поръча си само салата и неизвестно за нея ястие от броколи. И въпреки че умираше от глад, Анна също яде само салата.

– Знаеш ли, че храната не е само калорийната ѝ стойност? – попита Естебан, след като поръчаха. – Много по-дълбоко е. Има значение начина на отглеждане, начина на приготвяне, дори настроението, с което се готви.

– Като бях студентка пробвах с разделно хранене, издържах няколко месеца. Така и не се научих да готвя добре.

– Как реши да станеш адвокат? – полюбопитства Естебан.

– Детска мечта. Като малка бях фен на книгите на Ърл Стенли Гарднър и Джон Гришъм. Там адвокатите винаги бяха толкова умни, разбираха всичко по-добре от останалите. Помислих си, че ако стана адвокат, и аз ще съм толкова умна и проницателна. – Анна се засмя, но Естебан остана сериозен.

Тя сериозно продължи:

– В седми клас реших, че искам да уча право в Софийския. Започнах да си го пожелавам на всеки рожден ден при духване на свещичките, на всяка падаща звезда.

– Сега за какво мечтаеш? – попита той.

– Последната ми мечта беше да мога да танцувам танго като Милена – призна тя.

– Като Милена? – озадачено я погледна Естебан.

– Като ви видях как танцувахте в онова предаване, тя танцуваше толкова хубаво...

– Защото знам как да я водя. Трябва да я видиш как танцува с някой от групата ѝ – прекъсна я той.

– Прииска ми се да съм на нейно място – довърши мисълта си Анна.

– Да си на нейно място? Тоест прииска ти се да танцуваш с мен? – подкачи я Естебан.

Анна се въздържа да му отвърне. Вместо това дипломатично попита:

– Колко ти дължа за днес?

– Правиш ми компания, за да не се храня сам, след малко ще танцуваш с мен, всичко е уредено.

– Тук ли ще танцуваме? – попита тя неуверено.

– Нали искаш да танцуваш като Милена? Милена аз съм я учил да танцува – и добави: – Падащите звезди могат и да помагат за Право в Софийския, но танго е по-висша цел.

Анна не разбираше откъде идва тази негова неприязън към правото, но нямаше желание да спори. Той я хвана за ръката.

– Дали да не пийна нещо? – предложи тя, за да се освободи от притеснението си.

– С пиенето приключихме – твърдо ѝ заяви Естебан. – Днес цял ден танцуваш без алкохол. Не виждам защо да го променяме сега.

Като стигнаха до дансинга, Естебан поръча танго. Оркестърът засвири "LA CUMPARSITA"♪.

Анна се остави на музиката. Естебан започна да я води изцяло по наученото досега. Тя усещаше как с всяка стъпка ставаше по-уверена и все по-малко се притесняваше от хората в ресторанта. Заучените фигури оживяха под звуците на музиката. Очо. Медиа луна. Волкада. Болео.

В един момент музиката стана невероятно бърза и за нейно учудване краката ѝ се движеха в синхрон с неговите, без изобщо да греши. Съчетаваха кръстосани с паралелни и паралелни с огледални стъпки. Естебан сякаш я предизвикваше не просто да танцува танго, а да бъде неделимо цяло от самия него. Анна никога не трябваше да забравя, че цялата магия на тангото е да можеш да предадеш ръководството на мъжа. Нейната единствена задача в този танц беше да бъде жена.

Отпусна се и спря да мисли за фигурите. Остави тялото си да откликва на повика на тялото на Естебан. Отчетливият ритъм на тангото напълно завладя съзнанието ѝ и се разля по цялото ѝ тяло. Достигна ръцете ѝ – дясната, здраво овладяна от ръката на Естебан и лявата, нежно докосваща центъра на гърба му. Ръцете на Анна удобно се настаниха в прегръдката и я изпълниха с тонус и присъствие. Главата ѝ леко се наклони към гърдите му и усети как бузата му докосва косата ѝ. Почувства сърцето му, обърнато към нейното, което сякаш като магнит привличаше към себе си

♪"La cumparsita" е танго, написано през 1916г. от уругвайския музикант Джерардо Матос Родригес с текст от Паскуал Контурси и Енрике Педро Марони. Това е едно от най-известните и разпознаваеми танга на всички времена – Бел.а.

горната половина на тялото ѝ и вдъхваше неописуема сила на мускулите на гърба ѝ, така че гръбнакът ѝ да остане напълно изправен, ханшът – стегнат, а тялото – естествено продължение на тялото на Естебан.

– По-бавно – тихо го чу да прошепва в ухото ѝ. – Бавно. Аз те водя.

Анна повдигна погледа си към него и тялото ѝ сякаш от само себе си оттговори на погледа му. Движенията ѝ станаха по-плавни, а краката ѝ все по-уверено оттатваха фигурите.

Естебан нежно я насърчи с усмивка да се отпусне и да почувства музиката. Анна усети как от благодарност очите ѝ се насълзиха. Тя танцуваше танго. Най-накрая тя танцуваше танго. Танцуваше го с тялото си, със сърцето си, танцуваше го с Естебан. Танцуваше го в ресторант, пълен с хора, танцуваше го под съпровода на оркестър, който свиреше това танго специално заради нея. Стори ѝ се, че никога в живота си не се е чувствала толкова красива, специална и отдадена. На музиката, на тангото, на Естебан.

Естебан продължаваше да я гледа с топлота и нежност и сякаш с погледа си ѝ казваше, че нейната мисия на този свят бе да танцува именно това танго. И тялото ѝ в знак на съгласие танцуваше. Сега Анна усещаше силата на Естебан, усещаше я в близкия хват и лекотата, с която направляваше всяко нейно движение чрез прегръдката. Усещаше я в краката му, здраво стъпили на земята, които безупречно я водеха по импровизирания дансинг между масите в ресторанта.

Усещаше я в спокойствието и увереността, които излъчваше цялостното му присъствие, в погледа му, в усмивката, с която напълно владееше ситуацията. В сърцето ѝ едновременно бушуваха собственото ѝ възхищение и благодарност, примесени с едно необяснимо и непознато чувство, че принадлежи – на този танц, на Естебан, който знае как да я води, на онази част от нея самата, която знае как да го следва.

Интуитивно долавяше как някъде дълбоко в нея се поражда желанието да остане в този танц завинаги, да създаде от него свой дом, свое бъдеще, свой свят. Свят, в който мъжът е водач, а жената е безусловно отдадена. Свят, в който докато ходиш, всъщност танцуваш, докато танцуваш, всъщност рисуваш, докато рисуваш, чувстваш, а докато чувстваш, се отдаваш.

Свят, в който отношенията между мъжа и жената бяха corazón a corazón, в който тялото следваше сърцето, а сърцето проправяше пътека към сбъдването на най-смелите и съкровени мечти. Свят, в който силата беше присъствие, а действието – съзидание. Свят, който Анна създаваше точно в този миг, точно с това танго, точно с този мъж.

Тангото свърши и аплодисментите на хората в ресторанта я върнаха обратно към действителността. Естебан ѝ показа как да се поклони и двамата се отдалечиха.

Наближаваше 22:00 часа. Преди да си тръгнат, Анна поиска да плати своята част от сметката.

– Казах ти, че всичко е уредено – небрежно каза Естебан.

– Имаш прекрасна професия – отбеляза Анна на излизане от ресторанта. – Докато танцувах, усетих колко сила и красота има в тангото. Никога с нищо не съм се чувствала така свързана. Бих искала да живея в такъв свят – на танц, свързаност и отдаване.

– Можем да се върнем и да продължим – предложи Естебан.

– Няма да е удобно – току-що излязохме. А и ти сигурно си изморен.

– Знаеш ли какво е танда?

– Не.

– По време на милонга⁀ се танцуват три или четири танга с един партньор, наречени танда (tanda), следвани от едноминутна пауза - кортина (cortina) преди следващия сет. Ако си с подходящия партньор. Сякаш е един непрекъснат танц, в който нищо друго няма значение освен теб и партньора. И всичко, което искаш, е да продължиш да танцуваш. Един ден ще го изпиташ. И тогава ще осъзнаеш, че танго не е пожелание за свят, а истински реален свят. Утре ела вкъщи около девет, тъй като следобяд имам индивидуални часове.

– Добре.

X

АННА

По време на индивидуалните уроци, Естебан я остави да танцува в апартамента му.

От този момент нататък сякаш негласно се разбраха той да подготвя програмата ѝ за деня. Обикновено през половината от деня тя танцуваше сама в апартамента му, а през останалата я учеше той. Постепенно Анна се отпусна да импровизира, докато танцуваха.

⁀ *Танцова сбирка, на която се танцува танго – Бел.а.*

Танцуваха до късно. Понякога минаваше 1:00 часа, дори 2:00 часа, когато приключваха. Апартаментът под неговия беше празен, така че не пречеха на никого. Естебан повече не премина границата с еротични танци. Държеше се свободно по време на уроците, но с нищо не показваше, че има по-различен интерес към нея, отколкото към останалите ученици.

От друга страна беше непрекъснато с нея. Обядваха и вечеряха заедно. Говореше ѝ малко за себе си, но много за танците и моторите. Явно моторите бяха другата му страст.

– Понякога, когато се почувствам самотен, просто се качвам на мотора и обикалям. Помага ми да се фокусирам, да се почувствам свободен, дори самото поддържане на мотора ми доставя удоволствие.

– Аз сега изследвам какво ми доставя удоволствие.

– Но танците ти харесват?

– Да. Определено.

– Аз водя и салса, и бачата, и бални танци. Обикновено ангажиментите ми са през седмицата. Предпочитам съботите и неделите да са ми свободни.

– Каква е разликата между танго като бален танц и танго аржентино?

– Като бален танц танго е танц, който оттоваря на стандарт, необходим за състезателен танц. В танго нуево (tango nuevo) например е точно обратното – основно се импровизира, много по-сексуално е. Също така в момента е много модно да се създава комбинация между два напълно различни танцови стила – танго-фламенко (tango flamenco), танго-ламбада (tango lambada).

– Може ли да присъствам и на някоя от другите ти групи?

– Разбира се.

– Искам да знам всичко за танците. Това е толкова ново и интересно за мен.

– Договорено.

– Знаеш ли, че вече ми се струва по-естествено да танцувам, отколкото да ходя?

Естебан се усмихна.

– Искаш ли да направим почивка? – предложи той.

– Незнам. Искам ли? – пошегува се Анна.

– Time out – отвърна ѝ шеговито Естебан. - Ще направя фреш.

– Аз ще потанцувам сама докато се върнеш.

– Не. Докато се върна, ти ще стоиш и ще ме чакаш – каза Естебан.

– Това е да танцуваш танго, Анна. Жената стои, изчаква и следва. Не танцува сама.

– Аз никога не стоя и не чакам. Аз действам.

– Действието не се ражда тук – Естебан посочи към главата си. – Ражда се тук. – Премести ръката си към центъра на гърдите си.

Приближи се до уредбата и пусна Сузана Риналди "El Corazon al Sur" (Сърцето ми сочи на юг). Влезе в кухнята да направи фреш.

Анна остана неподвижна да го чака.

Вече знаеше толкова много за тангото.

Знаеше, че периода между 1935 и 1955 година се счита за златната епоха на танго.

Знаеше как в Буенос Айрес мъжете са били обучавани в този танц години наред преди първата си истинка милонга от други мъже и обучението в танго, наречено "practica" е било вид посвещение в изкуството на лидерството.

Знаеше, че танго е бил единственият шанс за един мъж да държи жена от плът и кръв в ръцете си.

Знаеше как майките са обучавали на танго дъщерите си и как претъпканите барове на Буенос Айрес са били мястото, на което са се срещали мъжете и жените.

Знаеше как мъжете са стояли на бара, а жените – на масите и как поканата за танц е била погледите на мъж и жена, които се срещнат и безгласно се разберат да танцуват един с друг.

Естебан се върна и ú поднесе нейния фреш.

– Грейпфрут и портокал – каза той.

– Благодаря.

– Трудно ли беше чакането?

– Всъщност беше приятно. Пренесох се в свят, в който мъжете са били посвещавани как да водят със сърцата си, а жените – как да се чувстват ценни просто, защото са жени. Представих си го.

– Първата задача на мъжа в танго е да изключи рефлекса за самосъхранение на жената. Буквално. Танго е танц, в който жената предимно ходи назад и повечето ú движения се случват с движение назад. Тези движения са извън нейния контрол. Тя трябва да е напълно уверена, че партньорът ѝ е в състояние изцяло да я съхрани.

– Това ли означава, че кафето ми пречи да танцувам, а алкохолът ми – помага? Кафето ме държи в контрол, а алкохолът ме вади от него.

– Кафето, както и алкохолът дехидратират тялото и не са полезни. Но без алкохол не знаех как да те накарам да спреш да мислиш поне за малко. Не съм го правил с никого друг, но при теб проработи.

На Анна ѝ се прииска да попита за секса, но не се осмели. Вместо това смени темата.

– Апартаментът ти - някой помагал ли ти е да го обзаведеш? Невероятен е.

– Мой дизайн. Почти всичките пари, които бях спечелил в Северна Ирландия вложих в него. Исках да имам свое пространство, в което да експериментирам, да танцувам. Извадих голям късмет с него.

– Тук се чувствам невероятно. Без телефон, без срещи, без стрес, без ангажименти. Все едно не съществува друг свят извън танците.

– Да, но не е от апартамента. От присъствието ми е. В момента репетирам с двама актьори от Народния театър. Те ми казват същото – че когато танцуват при мен после всичките им ангажименти им изглеждат нереални. С всичките ми ученици е така – когато са с мен са пределно фокусирани и много бързо напредват, когато танцуват с друг инструктор – или се отказват след няколко часа, или влагат неимоверни усилия, за да постигнат прогрес. А танцът е нещо гениално, Анна. Стъпките са така измислени, че е по-лесно да ги направиш, отколкото да не ги направиш. Те следват естественото движение на тялото и краката ти в синхрон с музиката. Затова е толкова важно да чуваш музиката, докато танцуваш.

– За какво се разказва в пиесата? За танго?

– По-скоро е за съблазняването. И танцуват различни танци, с които се съблазняват един друг. Танцовата хореография е на другата инструкторка в школата - Саня. По такива проекти обикновено работим заедно.

– Аз съм я виждала само два пъти в школата.

– Тя работи предимно през уикендите, по-рядко през седмицата. Премиерата на пиесата е тази събота. Искаш ли да дойдеш с мен? Дадоха ми две покани за събитието.

Естебан ѝ подаде едната. Анна с радост я прие. В момента, в който я погледна, погледът ѝ замръзна върху датата. Пиесата беше само два дни преди края на отпуска ѝ. Естебан забеляза как помръкна.

– Друг ангажимент ли имаш? – попита озадачено той.

– Не. Просто скоро трябва да се връщам на работа.

Той замълча и се затвори в себе си, сякаш връщането ѝ на работа беше негов проблем, а не неин. Не беше по-късно от 21:00 часа, но той ѝ каза:

– Достатъчно за днес. Днес повече поговорихме, утре повечко ще поработим. Ела по-рано, защото после имам ангажимент.

Анна не възрази. Когато се качи в колата си, вече не можеше да спре потока от мисли. Реалността започваше да се прокрадва като сянка, отнемайки ѝ сладостта на последните мигове свобода.

XI

АННА

По лек и хумористичен начин пиесата разказваше историята на един мъж, който се опитваше всячески да спечели една жена. Кулминацията беше сексуалната игра между тях, беше представена чрез тангото. Публиката беше в екстаз.

По време на пиесата на Анна ѝ се стори, че Естебан наблюдава повече нея, отколкото представлението. Когато излязоха, тя отбеляза гласно, че танцът на актьорите бил красив. Тъй като това на практика нищо не означаваше, Естебан подмина думите ѝ без коментар. Вместо това я попита:

– Кога се връщаш на работа?

– В понеделник – кратко му оттовори и шеговито добави – Пак ще се виждаме всеки вторник в 16:00 часа.

– Не, няма – категорично отсече той. – ти вече можеш да танцуваш и нямаш нужда от уроци. А аз нямам нужда да виждам как целият труд, който хвърлих по теб, отива на вятъра.

– Защо си толкова сигурен, че правото и танците са несъвместими? – отбранително попита тя.

– Защото при теб са. Когато започнеш да мислиш, ти спираш да чувстваш. Когато спреш да чувстваш, забравяш да танцуваш.

Анна не знаеше какво да му каже. Не разбираше ли колко трудно бе за нея да се върне обратно там? При цялата несигурност в живота си, сега тя губеше единствения си спасителен пояс – тангото.

– Ако някой иска да се научи да танцува, ще те препоръчвам – каза с най-добро намерение тя, но думите ѝ сякаш го засегнаха.

– Слава Богу, аз нямам познати, които да имат нужда от адвокат по наказателно право, така че аз няма да те препоръчвам – рязко ѝ оттговори, след което ѝ обърна гръб и си тръгна.

Без "Чао", без "Лека нощ", сякаш последният месец никога не се беше случвал.

♪♫♪

Анна се озова сама насред разпръскващата се след представлението тълпа. Докато шофираше, се опита да подреди мислите в главата си.

Беше прекъснала рязко връзката с предишния си свят, а сега ѝ се отнемаше единственото убежище – Естебан. Най-странното беше, че не изпитваше вина нито към Васил, нито към Боян, нито към някой друг. Или поне ѝ се искаше да не изпитва.

В двата дни, които оставаха до "първия" ѝ работен ден, Анна реши, макар и сама, да се посвети на тангото. Прекара съботата, излежаваща се на канапето със слушалките и лаптопа пред себе си. Слушаше различни танга в YouTube. Гледаше откъси от състезания. Телефонът ѝ продължаваше да е изключен. Единственият човек, който искаше да я потърси, беше Естебан, но той нямаше да го направи. А от останалите си познати не желаеше да чува никого.

В неделя следобяд сложи празен стол в центъра на хола и пусна: "Asi se baila el Tango" на Вероника Вердиер⸵.

Започна да танцува. Опираше се към празния стол, който я заземяваше и балансираше светлата и сенчестата страна на душата ѝ.

⸵ *Asi se baila el Tango – танго, написано през 1942 г., музика – Елиас Рандал, текст – Марвил (Елисардо Мартинес Вилас). Една от емблематичните песни за златната епоха на танго, показваща разделението на нисша и висша класа. Песента е препратка от тангиерите към изисканите господа, като се пита "какво знаят те за танго, какво знаят те за ритъма му". В превод заглавието е "Ето как се танцува танго". Вероника Вердиер изпълнява прословутото танго през 2006 година – Бел.а.)*

В очите на целия свят постъпката ѝ беше неприемлива и безотговорна. Но защо тя не можеше да се отърве от усещането, че постъпката ѝ беше акт на истинско поемане на отговорност? Към самата нея. Към правото ѝ да открие коя е. Защо трябваше да дава обяснения на някого, че е избрала себе си? Защо трябваше да бъде съдена и заклеймявана?

И в този момент ги видя. Тях. Своите обвинители.

Боян. Човекът, който нямаше смелостта да вземе сам решение. Дори не беше чел документите, които беше подписвал. Не беше спазвал установения ред, съгласно който за всяка сделка е необходимо да се срещаш с контрагента си пред нотариус. За тези си действия той не желаеше да поеме отговорност. Сега се оказваше, че някой се беше възползвал от неговата немърливост. И въпреки това тя като негов адвокат беше намерила изход от ситуацията. Но той не желаеше да вземе сам решението. Искаше тя да е там, за да може, ако нещо се обърка, да каже, че се е предоверил. Дребната му душица не му позволяваше да излезе от сянката на споделената с друг отговорност. Какво право имаше този човек да бъде неин съдник, какво знаеше той за смелостта да отстояваш мечтите си?

Васил. Какво знаеше изобщо Васил за нея? Тръгна да се изживява като спасител, без изобщо да я попита дали има нужда от спасяване. Очакваше да му благодари, защото беше направил това, което той беше преценил като най-добро за нея. А ако не беше добро за нея? Ако най-доброто за нея беше всъщност да я уволнят и да им тегли една майна на всички? Да остане сама и да танцува. Да преоткрива емоционалността и дълбочината в себе си. Да се усмихва. От години не беше се усмихвала така, както през последния месец.

Анна. Една морална Анна, изтъкана от страхове и предубеждения, която цял живот се беше опитвала да се доказва пред другите. Примерната дъщеря, ученичка и студентка. Отличничката в училище и в университета. Анна, която беше създала някаква идеална представа за себе си. Анна, която работеше до посреднощ в кантората, за да черпи идентичност от адвокатската си професия, защото я беше страх да признае колко празен и самотен е животът ѝ. Анна, която живееше само до очертанията на собствените си граници – до прага на апартамента си, до стените на офиса си, до вратата на колата си. Анна, която сега я сочеше с пръст и ѝ казваше: „Ти постъпи безотговорно!", сякаш тя някога беше разбирала значението на думата отговорност. Коя беше тази Анна, за да ѝ казва кое е правилно и кое погрешно? Обичаше ли я, разбираше ли я, познаваше ли я? Маскираше се под формата на чувство за вина, страх или неудобство, за да я направи като всички останали. Троянският кон, който под формата на здравия разум, я учеше как да забрави за индивидуалността си и покорно да отговаря на очакванията на другите за самата нея.

И Естебан.

Естебан...

Анна установи, че главата ѝ се изпразва напълно само при мисълта за него. Нямаше нито един аргумент против него. Той беше безупречен във всичко, което направи. Научи я да танцува, не ѝ взе нито стотинка, не се възползва от нея. Разказа ѝ толкова много неща за танците, знаеше историята на всеки танц, който преподаваше, владееше всяко движение и всяка стъпка.

Даде си сметка, че оправдава Естебан. И със смазваща яснота разбра, че е влюбена в него. Осъзна го като факт. Без драматичен нюанс, без сладникаво-романтична окраска.

Беше се влюбила в безупречността му. Беше се влюбила в неуязвимостта му. Беше се влюбила в безпощадната му обективност. Беше се влюбила в тялото му, в гласа му, в начина, по който умееше да овладява тялото ѝ.

Никога не беше изпитвала такъв тип любов към друг. Едно чисто и светло чувство, което повече ѝ даваше, отколкото ѝ вземаше. Само мисълта за Естебан я караше да се усеща жена, да търси връзка със себе си, да се развива, да се усъвършенства. Нямаше го подлудяващото желание за физическото му присъствие, нямаше я болезнената липса от отсъствието му, дори не изпитваше желание да гради връзка с него във въображението си. Беше като празен лист хартия. Напълно чиста, напълно освободена. Сякаш отдаваше на съдбата правото да напише тяхната история, ако изобщо трябваше да има такава история.

Мисълта за Естебан я освободи от всякакво чувство на гняв или съжаление.

Анна прости. На Боян, на Васил, на себе си.

Тялото ѝ все така се движеше под звуците на тангото, а неподвижният празен стол продължаваше да я подкрепя мълчаливо.

XII

АННА

Влезе в адвокатската кантора, сякаш я водеха в затвора. Повдигна ú се, като видя фоайето с правните списания на масичката. Илина сякаш искрено се зарадва, като я видя. Дори я прегърна. Стажантките също я посрещнаха топло. Стоилов я подмина, сякаш не я забеляза, Желева ú хвърли леден поглед, а Васил я поздрави подигравателно: "Я, абдикиралата адвокатка." Останалите ú колеги безразлично я посрещнаха със "Здрасти!".

Анна влезе в кабинета си. Васил влезе след нея. Забеляза, че всичките ú папки са разместени.

– Аз бях – каза ú той. – Разгледах делата ти, за да видя дали няма нещо неотложно, което трябва да се свърши по тях.

– Благодаря – смирено отговори Анна.

– И така – продължи той. – Снощи е станала трудова злополука. Пострадали са двама работници. Единият от тях е ослепял. Другият е с леки обгаряния. Както се сещаш, ние сме на страната на строителната компания и когото там решат да привлекат като обвиняем. Трябва да отидеш до болницата, да се срещнеш с близките. Да ги омилостивиш така да се каже.

Анна само го погледна.

– Сменили са ти прокурора по делото със средната телесна. Сега Нейкова ти е прокурор. Има намерение най-накрая да приключи това дело. Каза ми, че е говорила с Банков. Той ти е съдия по заместване – Дочева е в болничен. Съгласен е да насрочи заседания за три последователни дни другия месец, но при условие че всички свидетели и експерти са налице. Утре ще обяви датите по време на заседанието.

– Това е за прекратяване – Васил разгърна една от папките - но разследващ по делото е една гъска – някаква си Миленова от Второ. Решила да проявява оперативна самостоятелност по време на разследването и сега има хиляда и една експертизи, които чакаме да излязат, за да може Илиев да го прекрати. Утре трябва да се явиш в САК за изслушването по дисциплинарното. Ще го прекратят, просто искат да те изслушат. Ето ти болничния да го представиш.

С тия бакии ще се запознаеш сама – Васил ѝ стовари още четири папки върху бюрото. – Вземи с приоритет трудовата злополука. Собственикът е приятел на Стоилов и ако го оправиш, ще се застъпи пред теб да преразгледа предложението ти за съдружник. Предполагам не си гледала новини – по делото на нашия любим клиент стана интересен развой. Събинов, преди да разпита нотариусите, извикал Георги Асенов и жена му в районното, и той и още един разследващ – Мечев, може и да не го знаеш, разделили ги и ги пробили. Подробности не знам, но Ганчева, като видя признанията им, си би шута, взе си отпуск и замина за Испания на почивка. Делото в момента е при Янакиев, който му е удължил срока, защото не знае какво да го прави. Това Рангелов ми го разказа.

Анна не прояви абсолютно никакъв интерес към нищо от казаното. Изчака Васил да излезе, облегна се назад, намери в айфона си инструментала на „El Tango de Roxanne“, затвори очи и се опита да се пренесе в свят без срокове и престъпления.

Не помогна. Магията се беше развалила.

Свали слушалките и отиде при кафемашината. Направи си кафе, върна се на бюрото и се хвана за работа.

Успя да прекрати трудовата злополука. Не без известни компенсации за прокурора по делото. Най-накрая приключи средната телесна. Получи оправдателна присъда. Банков реши, че налице е хипотеза на неизбежна отбрана. Клиентът ѝ беше изключително благодарен, даже написа благодарствено писмо до кантората.

Постепенно възстанови старите си навици, както и доверието на повечето от колегите си. Денят ѝ започваше с кафе, а вечер оставаше до късно в кантората. Акциите ѝ пред Стоилов отново се покачиха и шест месеца след "крайно неприемливата" ѝ постъпка, той се съгласи да я направи съдружник. Анна прие новината без радост, въпреки че беше подготвено специално парти в нейна чест. Желева и Стоилов избраха неголям ресторант в центъра на София с оркестър и музика на живо, за да отпразнуват събитието. Музиката беше изцяло латино, а храната по препоръки на техни познати беше страхотна. Мястото в момента беше едно от най-посещаваните в София.

Решиха да отидат директно след работа. Анна изобщо не се заинтересува къде ще се празнува повишението ѝ. Откакто се беше върнала на работа, привидно се държеше нормално, но се боеше да погледне какво се случва вътре в нея. Установи, че започва да забравя Естебан. Затрупваше се с работа, беше минала от мартини на червено вино, прибра танцовите си екипи навътре в гардероба. Вече не танцуваше и не слушаше музика. Убеждаваше се, че така е най-добре за нея, защото иначе ѝ се струваше, че ще полудее.

Когато разбра къде отиват, сърцето ѝ се сви. Успокои се едва като видя, че танцовата школа отсреща е затворена. Явно днес Естебан нямаше часове. Вече беше месец май и вечерта беше ясна и топла. Помисли си, че и персоналът в ресторанта може да е сменен, а и надали някой я помнеше.

Влезе привидно спокойна в ресторанта и тръгна в посока на запазената за канторката маса. Преди да седне, по навик огледа присъстващите. И го видя.

Седеше на маса със Саня, другата инструкторка от школата, още двама мъже и една жена – вероятно клиенти. Разговаряха оживено и по нищо не личеше да я е забелязал. Прииска ѝ се да застане с гръб към него, но всички вече се бяха настанили и беше неудобно да ги раздига. Срещна погледа на Васил, който също бе видял Естебан. Чу го тихо да ѝ казва: "Без глупости, тази вечер".

Анна седна. Поръча си плато от сирена. Сипа си чаша вино от една от бутилките на масата, без дори да обърне внимание какво точно вино ще пие. Опита се да се съсредоточи върху разговора на масата, но в момента, в който го чу, ѝ се прииска да не го беше правила. Всички коментираха Естебан.

– Ти така и не ни показа как си се научила да танцуваш? – обърна се към нея Илина.

Анна не отговори.

– Ще отида да го попитам дали е удобно да ни направите демонстрация. Все пак имаш повод днес – предложи неочаквано Илина.

Анна изтръпна и сръга Васил да я спре, но той се направи на силно заинтересуван от разговора си с Желева за някакви спортни планински якета.

Анна беше удивена от нахалството на Илина, но мястото ѝ на масата не ѝ позволяваше да стигне до нея, за да я спре. Опита се да запази самообладание и се включи ненадейно в разговора за спортните якета.

Илина отиде при Естебан.

– Извинете, удобно ли е? – обърна се към него тя. Естебан я погледна изненадано.

– Ние веднъж се запознахме с вас – продължи тя.

– Не си спомням – безразлично отговори той. – Уроци по танци ли ще желаете?

– Ами всъщност – не. Вие бяхте учител на моя колежка и тя ви доведе в кантората. Анна Христова. Тя стана съдружник в кантората, тази вечер празнуваме и си мислех дали е удобно да направите демонстрация заедно с нея. Ако е удобно – извини се Илина.

– Не е удобно – отговори вместо него Саня. – Тук сме по работа с клиенти и вие ни прекъсвате.

– Може да видим, защо не – предложи единият от клиентите.

– Ще сме ви много благодарни – мило продължи да настоява Илина.

Естебан имаше възможност да я отклони, но вместо това стана и небрежно каза:

– Заведете ме на масата ви.

Саня също се изправи.

– Какво правиш? – изсъска тя.

Той тръгна към масата на Анна. Саня се усмихна и се върна на масата с клиентите.

– Тази жена имаше желание да се научи да танцува, но за съжаление няма никакви данни – опита се да извини Естебан тя.

Естебан се насочи право към Анна.

– Ти не пиеше ли мартини? – попита я невъзмутимо.

Без "Добър ден", без "Здрасти", без "Как си?", отбеляза наум Анна.

Тя се изправи и кратко каза: "Смених питието".

– Сменила си само него – продължи в същия дух той. – Приятелите ти искат да видят как съм те научил да танцуваш.

Приятелите ѝ бяха на масата и отношението му я унижаваше пред тях.

– Не съм танцувала от месеци.

– Станала си съдружник. Това предполагам е... добре? – тонът му беше преминал в подигравателен.

Анна се почувства ужасно неудобно.

– Сигурно съм забравила всичко – опита се да се измъкне тя.

– Ами да проверим това – Естебан ѝ подаде ръка. От неудобство Анна пое ръката му и го последва към дансинга.

– "El Tango de Roxanne" – разпореди се той. Последното танго, което Анна беше слушала преди повече от шест месеца.

Естебан застана срещу нея, гледайки я право в очите. Същият невъзмутим и арогантен поглед, който познаваше от следобедните им срещи в школата.

Музиката започна. Анна се почувства като в капан. С класическа права лятно-лилава рокля, обувки на висок ток и никаква готовност да танцува. Той хвана ръката ú и я поведе. Тя изобщо не чуваше музиката. Всичко, което чуваше, беше собствения ú глас, който ú казваше да се махне от това място.

Саня гледаше от масата нескопосаните опити на Естебан да накара адвокатката да танцува и в негова защита промълви само: "Никакви данни".

Обстановката в ресторанта стана доста сконфузена, когато Анна чу гласа на Естебан: "Излагаш ме в момента". Тя не знаеше какво да направи. Тялото ú отказваше да си спомни как се танцува танго.

Внезапно Естебан спря. Оркестърът също спря. Той отиде до една от празните маси и занесе един стол на дансинга. Напълно спонтанно поръча на оркестъра четири от най-великолепните танга – "Bahia Blanca", "El choclo", "Por una cabeza" "El Corazon al Sur".

Приближи се до Анна и нежно ú каза: "Пусни си косата." Анна се подчини.

"Не ми ли вярваш, вече?" попита я съвсем тихо и добави: "Още не си изпитала танда".

Анна го погледна с пламнал поглед.

Музиката започна отначало.

Естебан се отдалечи от нея и седна на стола.

Тя го последва. Застана на колене пред него с наведена глава. Покорна, завоювана, подчинена. Трябваха ú няколко мига да се затвори в себе си и да чуе музиката.

Когато звуците изпълниха съзнанието ú, тя повдигна главата си и го погледна в очите. Естебан не помръдна, призовавайки я да му повярва.

Изведнъж цялата зала изчезна. Остана само той. Анна се остави да я води. Стори ú се, че чу аплодисменти в залата. Естебан също се изправи и я придърпа към себе си. Хвана я с дясната си ръка в областта на ханша и я повдигна по начин, по който краката ú останаха изгънати в шпиц във въздуха, а тялото ú свободно се отпусна в ръцете му. Започна да я върти из дансинга. Публиката в ресторанта избухна в аплодисменти. Анна нежно обви със своя крак крака му, създавайки красиво украшение. С танцова стъпка Естебан я отведе към стола и бавно наклони тялото ѝ към облегалката. После я придърпа обратно към себе си и нежно я поведе между масите. Умишлено избра периметър в близост до масата с колегите ѝ и демонстративно акцентира върху най-страстните елементи от аржентинското танго.

Музикалните композиции се вливаха една в друга, разтапящи се в един безспирен омагьосващ танц.

Анна, напълно възстановила връзката с тялото си, откликваше на движенията на Естебан с пламенност, която никога не беше подозирала, че носи в себе си. Стори ѝ се, че реалността отново беше придобила ясни очертания, изпълвайки всичко наоколо с цвят, аромати и движения. Сякаш сънуваше най-прекрасния сън в живота си. Сякаш през последните месеци беше живяла в клетка и сега отново беше извоювала свободата си.

Естебан рязко я завъртя и от бързия ритъм на въртенето горните две копчета на роклята ѝ се скъсаха. Анна дори не забеляза. Направи няколко бързи крачки напред, а ръцете ѝ останаха в ръцете на Естебан. Той я изчака да се отдалечи от него, след което я придърпа в обятията си. Дясната му ръка обгърна корема ѝ и я поведе, като застъпваше краката ѝ с неговите, подвивайки ги в коленете. После я обърна към себе си и в бързия ритъм на музиката телата им буквално се сляха в изгарящия ритъм на тангото.

Анна беше забравила ограниченията на дрехите и обувките си. Беше забравила, че се намира в ресторант и не са сами. Беше забравила, че празнува повишението си и вече е съдружник. Следваше всяко негово движение и всяка негова стъпка с безупречна точност и прецизност. Високо волео, карисиас, перфектна пасада и безупречна сентада¹. Някъде в съзнанието ѝ умът ѝ само регистрираше фигурите, които телата им рисуваха пред останалите. Сърцето ѝ ликуваше, изпълнено с нестихващ копнеж по Естебан и захранваше тялото ѝ със своята буйност и пламенност.

Погледна Естебан в очите и за пръв път видя в него не учителя си по танци, а мъжа Естебан. Мъжът, който сякаш в този момент я отвоюваше от един свят, в който тя беше свикнала да живее, но на който никога не

---

¹ *волео (voleo) – вариация на болео, високо или ниско болео, линейно или кръгово болео;*
карисиас (caricias) – вид украшение, галене на крака
пасада (pasada) – стъпване върху коляното на мъжа по елегантен начин. В зависимост от различните вариации, тя може да повдигне крака си високо или да го държи ниско;
сентада (sentada) – фигура, при която жената сяда на коляното на партньора си и подвива краката си върху него. – Бел.а.

беше принадлежала истински. И ѝ показваше своя собствен свят – свят, в който имаше магия, красота и сила. Един напълно реален свят, в който най-висшият закон не беше Конституцията, а доверието. И вътре в себе си Анна усети, че танцува едно друго танго. Сякаш докато танцуваше с нея, Естебан показваше на сърцето ѝ как да я води, а то призоваваше разума ѝ да се довери и да го последва.

Малко преди финала отново се озоваха до празния стол. Естебан мощно започна да върти Анна около оста ѝ и накрая седна на стола, приземявайки я в първоначалната ѝ поза на колене пред него.

Едва сега забелязаха, че хората в ресторанта бяха на крака. Естебан изчака аплодисментите да утихнат и небрежно подхвърли:

– Има още какво да се желае. Може би е добре да вземеш още няколко урока.

Направи реверанс към публиката в ресторанта и се върна обратно на масата си. Клиентите го поздравиха. Погледът на Саня беше леден.

Анна също се поклони и се върна на своята маса.

– Абе, Христова – подкачи я Стоилов – още малко и пожарната трябваше да викаме.

Васил я гледаше така, сякаш за пръв път я виждаше, а погледът на Желева беше изпълнен с вледеняваща завист. Илина се позаинтересува колко струват уроците.

– 50 лева на час – излъга Анна.

Васил язвително се усмихна, като чу лъжата.

– Много бе – подхвърли Стоилов. – Той почти колкото нас взема.

Реши, че шегата му се е получила и започна да се смее.

– Като има кой да плаща – отметна злобно Желева. И добави: Какво ли не правят някои жени, за да привлекат погледа към деколтето си.

Анна замълча и седна. Никога преди не беше имала проблеми с Желева. Но след самоотлъчката ѝ, последната се държеше с открита неприязън към нея. Анна знаеше, че ако зависеше от нея, а не от Стоилов, щеше вече да я е изхвърлила като мръсно коте.

– Не си я обучавал в школата. Къде си я обучавал? – изсъска Саня, като го дръпна настрани.

– Откъде знаеш, че не съм я учил в школата? Следиш ли ме? – попита рязко Естебан.

– Нямаш право да обучаваш никого извън школата. Жеков ще те изрита на секундата.

– Нямаше как да я уча в школата. Нали именно той ми забрани да внасям алкохол.

– Не можеш да напиваш хората и да им вземаш парите, Естебан. Неетично е.

– Не съм ú вземал пари.

– За какво си го правил тогава?

– Искаше да се научи да танцува. И спри с тоя разпит. Тая среща още колко ще продължи? Уморен съм. Днес от 8:00 часа съм тук.

– Изчакай още десет минути, извини се и тръгвай. Ти свърши твоята част от работата – успя да ги впечатлиш.

Анна забеляза как Естебан си тръгна почти веднага от ресторанта. Изчака половин час и също реши да си ходи.

Васил излезе да я изпрати. Откакто беше танцувала, не беше проронил и дума. Само втренчено я гледаше.

– В крайна сметка не се оказа измамник – каза ú, като останаха насаме.

– Аха.

– Това прави през този месец, нали?

– Да. Исках да се науча да танцувам.

– Стигнаха до колата на Анна.

– Онова, което ме пита онази вечер – уклончиво започна той. – Никога не съм мислил, че си дърво в леглото. Супер си в леглото. Просто беше пияна и малко ме изплаши, признавам.

Анна нищо не каза.

– Тъй де, ако сега не ти се остава сама, мога да дойда у вас и да го доотпразнуваме заедно. Най-накрая си съдружник.

– Не тази вечер – отклони го тя. – Тази вечер искам да остана сама.

– Ти си знаеш, но ако размислиш – звънни.

Анна кимна и влезе в колата. Никой друг в залата не разбра освен нея. Предложението на Естебан нямаше нищо общо с тангото. Той просто ú каза, че иска да я види отново.

Излъга Васил. Не ú се оставаше сама. Но в този момент той беше най-неподходящият човек за нейна компания.

Прииска ú се незабавно да се обади на Естебан и да си запише час. Но внезапно просто реши да сложи всички карти на масата. Извади телефона си и му написа смс:

"Удобно ли е да дойда сега?". На дисплея се изписа: "Съобщението изпратено". Изчака около минута за отговор, но не получи обратен смс.

Пое в посока към апартамента си. От време на време поглеждаше към мълчаливия телефон, лежащ на седалката до нея. Когато се прибра, бяха минали повече от 25 минути, откакто му бе изпратила смс. Почувства се нелепо. Влезе в банята и реши да се изкъпе, оттърсвайки се от всичко.

♪♪♪

Естебан излезе от банята и все още по халат седна на дивана. Започна да прехвърля каналите с дистанционното. От преумора нямаше сили дори да си легне. Загледа се в някакво предаване за популацията на пингвините и усети как започва да се уняся. В просъница взе мобилния си, за да нагласи алармата, когато видя, че има смс. От Анна. Дори не погледна кога го е получил. Прочете го и отговори: "Да".

♪♪♪

Звукът за получен смс я вцепени. Взе телефона си и видя, че Естебан ѝ беше отговорил. След 52 минути отговорът му беше: "Да". Анна доизсуши косата си със сешоара, отвори гардероба си и взе виненочервената рокля за танго, която беше купила след първата им среща. Избра бельо в същия цвят. Обу дълги чорапи с телесен цвят и червени танцови обувки. Беше ги купила през месеца, когато танцуваха с Естебан. Върза дългата си коса настрани на опашка с червена панделка и се гримира. Избра същият парфюм, който беше ползвала по време на всичките им уроци заедно – с аромат на топящ се шоколад.

Прибра личните си документи, парите, ключовете и телефона в червена чанта тип портмоне, след което излезе. Забеляза как погледите на всички се обръщаха след нея. Беше напълно необичайно облечена с рокля за танго и танцови обувки. Но ничие мнение в момента не я интересуваше. Качи се в колата и пое в посока квартал "Изток".

Наближаваше 23:00 часа и движението беше започнало да се разсейва. Пусна файл с танцова музика, който ѝ беше записал Естебан и се отпусна напълно. Хвана зелена вълна от светофари. Очакваше да няма място за паркиране пред блока му, но за всеки случай реши първо да провери. В момента, в който пристигна, една кола излезе и ѝ освободи място. Анна не можа да повярва на късмета си. Извади телефона си да му звънне да ѝ отвори входната врата, но забеляза, че тя е отворена. Някой беше забравил да я затвори на излизане. Никога в живота си Анна не беше виждала с такава лекота да се отварят вратите пред нея.

Качи се в асансьора и избра етаж 6 – етажът на Естебан. Застана пред масивната врата на апартамента му, която познаваше толкова добре и натисна копчето на звънеца. Естебан отвори и погледът му буквално замръзна върху нея. Изгледа я отдолу догоре, без да каже нито дума. Отмести се и ѝ направи място. Анна влезе. Външният свят отново изчезна.

Той продължаваше да мълчи – само я гледаше. Анна се приближи до него и пусна косата си. Остави панделката да падне на земята и разпиля косата си с ръце по раменете.

Естебан направи крачка към нея и ѝ се нахвърли като обезумял. И в най-смелите си мечти не подозираше, че я желае толкова. Устните му овладяха нейните, езикът му навлезе в устата ѝ, намери нейния и напълно го подчини. Дори не разбра как стигнаха до дивана. Започна да я съблича с бързината и страстта, с която малко дете разопакова любим бонбон. "Te deseo mucho" (Много те желая) го чу да произнася в ухото ѝ. "Te quiero tanto" (Толкова те искам) продължаваше да повтаря на испански.

Анна усещаше колко лудо бие сърцето в гърдите му. Чуваше биенето и на собственото си сърце. Усещаше пулсирането на матката си, която сякаш биеше в същия ритъм, както и сърцето ѝ. За първи път в живота ѝ тялото и сърцето ѝ бяха на едно мнение. Неусетно тя също започна да му отговаря на испански. Той сякаш дори не забеляза, че не говорят на български. "Mi Anna" повтаряше непрекъснато. Когато я съблече, я взе на ръце и гола я отнесе в спалнята. Постави я на леглото си, включи приглушено осветление и започна да изучава тялото ѝ късче по късче. Погледът му беше помътнял от възбуда и я караше да се чувства толкова естествено напълно гола в ръцете му. Стори ѝ се, че тишината има собствен звук, който никога досега не беше чувала. Наслаждаваше му се до момента, в който стенанията и на двамата изпълниха стаята. Телата им бяха започнали да се преоткриват наново. И техният звук я накара да се почувства истински свободна.

– Откъде знаеш испански? – нежно я попита на български, хапейки ухото ѝ.

– Бях отличничка в университета – уклончиво отговори Анна, примряла в ръцете му. Пропусна да му каже, че кантората ѝ беше платила курсовете по испански, докато още беше студентка.

– Днес замалко да ти поставя двойка – подкачи я той. – Какво стана?

Отново започна да изследва с устни лицето ú.

– Мисля че се бяхме разбрали вече, че тялото ти ще ме слуша – допълни, слизайки постепенно към шията ú.

Анна усещаше как възбудата отново я завладява.

– Не можах да се отпусна...

– Може би си прав и правото ми пречи да танцувам...

И със замъглено от възбуда съзнание Анна прошепна:

– Ще напусна работа...

Естебан не каза нищо. Нито против, нито в подкрепа на решението ú. Дори не направи знак, с който да ú покаже, че я е чул. Беше зает с по-важни неща.

– Вече не принадлежа към техния свят – продължи тя повече, за да убеди себе си, отколкото него.

– Ти принадлежиш на мен – показа ú, че я слушаше. И допълни: – Не искам нищо да отделя тялото ти от мен повече.

– Няма – обеща му Анна.

♪♫♪

На сутринта в кантората настроението беше приповдигнато. Снощи били задържали депутатски син с "трева" и по подразбиране делото щеше да е за Анна. Васил ú обясни как незабавно трябва да отиде в 6 РУ (Районно Управление) и какво да говори пред медиите. На Анна ú стана мъчно, като си представи как ще го разочарова отново. Вместо да тръгне към Шесто, тя влезе в кабинета си и написа молба за освобождаване от кантората. Отиде в кабинета на Стоилов и му я връчи. В началото той невярващо я попита дали ще отиде в друга адвокатска кантора. Каза ú, че ако е заради отношението на Желева, ще оправи нещата. Анна му отговори кратко, че приключва с правото. Той просто повдигна рамене и ú каза "Ти си знаеш" и да го счита за уредено. Анна тръгна към вратата, когато Стоилов я спря:

"Христова, този път няма връщане назад, нали знаеш?"

"Надявам се" отговори тя и излезе.

Отиде при Васил и му каза, че напуска.

– Ти си абсолютно луда – ядоса се той. – Що за постановки са това?

Анна не му отговори и влезе да разчисти кабинета си. Събра цялата си юридическа библиотека и двата кодекса в един кашон, излезе и го изхвърли в един контейнер за разделно събиране на отпадъци. Някаква радост завладя душата ѝ. Свърши се. Беше свободна.

Отиде до метростанция "Сердика" и хвана метрото за "Константин Величков". След като слезе, тръгна в посока Софийска Адвокатска колегия. По пътя получи смс от Естебан: "Хайде да те водя на конкурс". Анна изобщо не знаеше за какво става дума, но му отговори: "Хайде". Влезе в сградата на Софийска Адвокатска колегия и подаде заявление да бъде заличена като адвокат. Прати смс на Естебан: "Вече не съм адвокат".

Естебан погледна смс-а на Анна. Влезе в настройките на телефонния си указател, където беше записал името ѝ и промени "Anna abogada" (Анна адвокат) на "Mi Anna" (Моята Анна).

ЧАСТ II

КОГАТО ТЯЛОТО ГОВОРИ

— *Телата на мъжете и жените са така устроени,*
че мъжкото може да влиза в женското.
Както ключ влиза в ключалка.
И усещането е като при танца, но по-хубаво.
При жената е по-специфично, тя е дома зад ключалката.
Ако всеки влезе и си вземе, каквото си поиска, вътре в нея остава празно.
— *Не може ли някой да донесе нещо?*
— *Може. Кой носи нещо за една къща?*
— *Който го е грижа. Който иска да остане там.*
— *И само той има правото да има ключа за*
ключалката — този, който го е грижа и иска да остане.

I

ЕСТЕБАН

Алармата на телефона му иззвъня. Трябваше да направи първата група от 18:30 часа, 18:00 часа беше твърде рано, помисли си Естебан, докато тялото му пулсираше в Анна. Точно сега обаче му беше невъзможно да спре.

– Близо ли си? – попита той.

– Още малко – прошепна тя.

– Кажи ми, когато наближи. Искам едновременно.

Сексът с нея всеки път го изстрелваше в някакво непознато измерение, напълно откъсвайки го от съществуващия свят. Беше готов да прати всичко по дяволите само и само за да може да остане още малко в нея. Никога не се беше чувствал така с друга. Беше пристрастен към кожата ѝ, към усещането да е вътре в нея, към хлипанята и стенанията ѝ.

Сексуалната ѝ ненаситност го подлудяваше, защото той самият не можеше да се откопчи от нея, когато бяха заедно. Дори по отношение на танците не можеше да прояви дисциплина, нещо, което не помнеше някога да му се беше случвало. Единственото, което искаше, беше да прави секс с нея. Денонощно.

Анна му даде знак, че е близо и Естебан пое сигнала ѝ, довеждайки телата им до изригващ оргазъм. Все още дишайки учестено, погледна телефона си. 17:55 часа.

Стана с крайно нежелание от леглото и отиде в банята да си вземе душ.

– Нали ще си тук, като се върна? – попита я, докато се обличаше.

Тя потвърди. Естебан ѝ се усмихна, целуна я и излезе.

Пристигна в школата в 18:45 часа и за негова изненада никой от групата не си беше тръгнал. Всичко го чакаха.

Саня също беше там по незнайно какви причини.

– Знаеш ли колко е часът? Нали си наясно, че Жеков ще ти удържи изцяло хонорарът от първата група заради закъснението – поде го тя още от съблекалнята.

– Имах важна работа – подхвърли Естебан.

– Каква важна работа?

– Правих секс – погледна я с насмешка.

Знаеше, че сега Саня щеше да превключи на детинската си ревност. Тя го погледна невярващо, хвърли му унищожителен поглед и само каза:

– Искам да те видя след групите.

– Не мога. Имам важна работа – отклони поканата ѝ.

– Каква важна работа?

– Ще правя секс – ухили ѝ се той. – Хайде, не се цупи. Ще ти излязат бръчки, а никой не обича сбръчкани танцьорки.

– Естебан, кога ще мога да те видя? – умоляващо каза тя.

– Ето тук съм, не съм невидим – небрежно отговори той и излезе.

Покани хората, които бяха дошли за втората група да се присъединят към чакащите от първата.

– Радвам се, че всички сте тук. Извинявам се за закъснението. Днес урокът ще се проведе по нов начин. Днес ще смеся двете групи. Разделете се по двойки. Нека тези, които са по-напреднали да си изберат начинаещ партньор.

Съжали, че не взе Анна със себе си. Откакто бяха заедно, тя не беше идвала на нито една група с него. Беше го страх от лекотата, с която я допускаше до себе си. Опитваше да запази някаква част от личното си пространство.

Върна се в мислите си към групите.

– Днес ще танцуваме румба. Това е е танцът на любовта. Един от най-предпочитаните стилове за танцуване при балните танци. Почти всяка баладична любовна песен може да се адаптира в ритъма на румба. Оригиналният танц "румба" се е танцувал от внесени чернокожи роби от Африка в Америка и в основата му стои пресъздаване на любовен акт. В момента се твърди, че румба е най-чувственият и еротичен танц. Така, че сега просто се опитайте да чуете музиката, доверете се на партньора си и танцувайте с любов.

Besame mucho. Consuelo Velasquez

Естебан наблюдаваше как танцуваха двойките в залата. Телата им с нищо не показваха, че съумяват да чуят или почувстват музиката. Нямаше я магията на румбата, плавността, чувствеността, преливащите се движения, финесът и дълбочината, които съвместяваше най-любовният латиноамерикански танц. В момента, в който мелодията приключи, Естебан реши да ги мотивира:

– Отново – каза той. – Ще слушате и танцувате, докато не видя, че някой от вас е чул музиката. Който пръв успее да го направи, получава от мен безплатно индивидуално занятие.

От урока оставаха 37 минути. Виждаше как всички се опитваха да възпроизвеждат стъпките, които вече знаеха в синхрон с музиката, изпитваха трудност при пресъздаването на движенията в ханша и никой не се опитваше да я чуе.

Почувства се ужасно самотен, сякаш в стаята нямаше нито един човек.

Написа смс на Анна: "Ела при мен. Липсваш ми."

Беше твърде късно да спира каквото и да е във връзка с нея. Нямаше свят извън Анна.

Анна влезе в школата десет минути преди края на урока. Естебан ѝ направи знак да влезе при него в залата.

– Това е Анна – представи я на другите. – Тя ще ви покаже това, за което ви говорех досега. Внимателно я наблюдавайте как танцува.

La Bellezza. Marta Sanchez

Естебан хвана ръката на Анна и прошепна в ухото ѝ:

– Танцувай за мен.

Анна се потопи изцяло в музиката. Румбата оживя със своята прелест в преливащите се ритми на чувственост и нежност. Естебан не знаеше дали някой от учениците му забеляза как танцува тя, но Саня го видя.

Докато танцуваше, Анна излъчваше любов.

II

ЕСТЕБАН

Естебан беше започнал да танцува като дете в една танцова школа в Севиля, Испания, но истинското си професионално танцово обучение получи в Северна Ирландия. Получи го от танцьор, наречен Иън Майер.

Майката на Естебан беше испанка, счетоводител в малка финансова къща в Севиля. Баща му беше ирландец от Северна Ирландия. Двамата никога не бяха сключвали брак.

Когато беше на две години, майка му се омъжи за друг мъж – Хавиер Амаринго, който го осинови. Естебан не беше близък нито с майка си, нито със съпруга ѝ.

Когато стана на осем години, майката на Естебан забеляза, че е прекалено затворен и се уплаши, че може да стане побойник или да започне един ден да взема наркотици. По тази причина го записа на танци в една танцова школа в Севиля, близо до дома им.

За нейна изненада Естебан напълно се промени след това нейно решение. Стана старателен, спокоен и дисциплиниран.

Дори когато не процъфтяваха финансово, майка му нито веднъж не го лиши от уроците по танци. Имаше моменти, в които ги чуваше как се карат със съпруга ѝ за пари.

Една вечер майка му завърши спора с думите: "Ако трябва, аз ще проституирам, но няма да позволя сина ми да върви по лош път." По някакъв си неин начин тя беше убедена, че танците предпазват Естебан от лоши пътища.

Естебан чуваше всичките им разправии ясно, тъй като стената, на която беше опряно леглото му, беше обща със стената на кухнята.

Не знаеше с кого да поговори за случилото се и се обърна към Габриела – учителката си по танци.

Габриела беше изключително млада, красива и грижовна и Естебан я чувстваше много близка.

– Габриела, може ли да попитам нещо? Какво означава да проституираш?

Габриела видимо се смути от въпроса му, но деликатно само попита:
– Защо ме питаш?

– Защото… майка ми и Хавиер се караха снощи и тя му каза, че ако трябва ще проституира, но ще има пари за уроците ми по танци.

Габриела го покани да седнат на една от пейките.
– Знаеш ли какво е секс?

– Донякъде, не точно.

– Телата на мъжете и жените са така устроени, че мъжкото може да влиза в женското. Нали си виждал как ключ влиза в ключалка. Точно по същия начин. И усещането е като при танца, но по-хубаво. При жената е по-специфично, защото при секс тя приема мъжа вътре в тялото си, тя е дома зад ключалката. Ще се опитам да ти го обясня с тази метафора. Какво би станало, ако една врата е с универсална ключалка и всеки ключ може да я отключи?

– Всеки ще може да влезе вътре.

– А какво би станало, ако всеки може да влезе вътре?

– Всеки ще може да си вземе, каквото си поиска.

– Точно така. А какво ще стане, ако всеки си вземе каквото си поиска?

– Вътре ще остане празно.

– Именно. Така е и с жената, Естебан. Ако всеки влезе и си вземе, каквото си поиска, вътре в нея остава празно. Разбираш ли го това?

– Незнам. А не може ли някой да донесе нещо?

– Може. Кой носи нещо за една къща?

– Който го е грижа. Който иска да остане там.

– И само той има правото да има ключа за ключалката – този, който го е грижа и иска да остане.

– Какво общо има това с проституирането?

Габриела замълча.

– Проституирането е като сама да разбиеш ключалката и да оставиш всеки да вземе от теб каквото реши.

– А после? – попита Естебан.

– После или се научаваш да живееш с празнотата или възстановяваш ключалката с много любов и превръщаш празнотата отново в дом.

– Вие познавате ли проститутки?

– Едно от момичетата в школата имаше такъв проблем. Понякога танцът е много повече от забавление, понякога танцът е вид лечение на душата.

– А сега? Тя не е проститутка така ли?

Учителката му по танци го прегърна.

– Сега тя е добре. Преподава танци и стои пред теб.

След разговора си с учителката си Естебан се прибра разстроен у дома и каза на майка си:

– Мамо, аз не съм съгласен да бъдеш проститутка, за да ми плащаш уроците по танци.

– Откъде ти идват на ума подобни неща? – попита шокирано майка му.

– Чух ви да се карате с Хавиер.

Майка му се засмя:

– Не мисли за това. Просто Хавиер има огромен страх, че ще му изневеря. И това е единственият начин да спре да се стиска за уроците ти по танци.

– Но, ако вие се карате за това, не е ли по-добре да не ходя на танци?

– Не. Мечтите ги има, за да се сбъдват, Естебан. И парите са за това – за да сбъдват мечтите ни. Съжалявам, че си чул разправията ни. Ела тук – тя го целуна по челото – утре вземам заплата и заедно ще ти изберем обувки за танци. Отдавна искам да ти направя този подарък.

– Може ли да ги избера с Габриела? – въодушевено попита Естебан. - Тя е много добра и разбира повече от теб.

– Можем да я поканим да дойде с нас.

♪♫♪

Истинският баща на Естебан се появи, когато той беше на 13 години. Беше починал собственият му баща и той поиска да се сближи със сина си. Майката на Естебан не го спря и двамата прекараха лятото заедно. Страстта на баща му беше моторът му и цяло лято баща и син пътешестваха заедно.

– Моят баща се страхуваше от моторите – призна му един ден баща му, докато разгъваха палатката за поредното лагеруване.

– Защо? – полюбопитства Естебан.

– Защото не ги познаваше. Страхуваше се бързината, от мощността им, дори от шума на двигателя. Всеки път като вземах мотора се притесняваше за мен.

– Аз искам да се науча да карам мотор. Мислиш ли, че майка ще е съгласна?

– Ако не беше съгласна, нямаше да си тук сега, нали? Аз ще те науча как да караш мотор, как да го поддържаш, как да се грижиш за него. Защото връзката с мотора – тя е грижа. Ти се грижиш за него, той се грижи за теб.

– Ти имаш ли друго семейство? – неочаквано смени темата Естебан.

– Аз не съм семеен тип човек. Обичам да съм в движение, да пътувам, да спортувам, да работя.

– Какво точно работиш?

– Застрахователен агент съм. Работата ми е много оттоворна. Има стрес, напрежение, но аз обичам да съм под пара. И когато дойде момента да почивам, вземам мотора и знам, че всичко от което имам нужда е с мен.

– Кое е то?

– Аз – засмя се баща му. – Аз съм си най-важен в моя живот.

Естебан се усмихна замислено.

– Майка ти щастлива ли е със съпруга си? – прекъсна тишината баща му.

– Не – призна Естебан. – Само се карат.

– Един ден ще дойдеш да живееш при мен. Ще ти купя мотор и ще обикаляме заедно – по-мъжки, както сега – размечта се баща му. – Ти си мъж. Не е добре да си залепен за майка си.

Дълбоко в сърцето си Естебан почувства копнеж по живот, в който няма крясъци и е много далеч от Хавиер и проблемите им с майка му.

След като приключиха с разпъването на палатката, баща му за пръв път му позволи сам да подкара мотора. Сякаш в един миг умът на Естебан напълно се проясни, всичките му сетива проговориха, пътят пред него оживя, а адреналинът в кръвта му го изпълни с еуфорично усещане за истинска радост. И преди Естебан се беше чувствал щастлив, но в този ден той се почувства свободен.

Междувременно майка му и съпругът ѝ все повече се караха. С течение на годините Естебан забеляза, че Хавиер е безпричинно ревнив и я ревнуваше дори от него – собственият ѝ син. Майка му и Хавиер нямаха деца, защото по думите на Хавиер нямали пари, с които да ги гледат.

♪♫♪

Когато стана на 15, Естебан писа на баща си, че иска да отиде да живее при него.

За пръв път видя майка си да плаче, когато ѝ каза, че заминава.

– Съжалявам, мамо. Просто ми се иска да опозная татко.

– Животът и решенията са си твои, Естебан. Може би дори така е по-добре за теб. Ще научиш английски език, ще имаш бъдеще.

– Не искам да плачеш.

– Няма да плача, обещавам като си мисля за теб да се усмихвам и да ти пожелавам само хубави неща. Така по-добре ли е?

– И аз ще правя същото.

– Но искам да ми обещаеш нещо.

– Разбира се.

– Каквото и да става, да не спираш да танцуваш. Танците те пазят. Убедена съм в това.

– Обещавам.

– И искам да знаеш, че тук винаги ще е твой дом.

– Това е твоят дом и домът на Хавиер, мамо. Не е моят дом.

– Може би си прав – каза тъжно майка му. – Но докато аз съм тук, винаги ще има и място за теб.

– Знам.

Майка му никога не му беше повишавала тон, никога не го беше удряла. Не така се случиха нещата когато се озоваха под един покрив с баща му. Разправиите започнаха още от първите дни на съвместното им съжителство.

– Татко чувал ли си за Иън Майер?

– Не, кой е той?

– Гениален танцьор. Най-добрият. Печели световното и европейското първенство в една и съща година и когато е на върха се отказва. В момента е жури на най-големите танцови форуми. Изключителен е.

– Аха.

– Преподава тук.

– Къде тук?

– В Арма. Има школа по танци. Можеш ли да си представиш какъв късмет имам?

– Теб какво те засяга това?

– Преди няколко дни ходих да гледам. Искам той да ми е учител. Да уча при него.

– Какво да учиш?

– Танци.

– И дума да не става. Танците са за обратни.

– Танците са за всички – противопостави се Естебан. – В Испания имаше една жена, Габриела, благодарение на танците е престанала да бъде проститутка.

– Ако искаш да преуспееш, трябва да учиш в колеж. Не знаеш и дума на английски. По-добре се фокусирай върху съществените неща от живота – английският и училището, и остави танците на проститутките и гейовете, които нямат какво друго да правят с живота си.

– Но аз искам да танцувам.

– Казах "не".

– Но за мен е важно да го правя.

– Разговорът приключи.

107

– Уроците за групи не са толкова скъпи – само 20 паунда са – продължи да настоява Естебан.

– Ти знаеш ли как се изкарват 20 паунда? Няма да ти давам 20 паунда за лигавщини като танци. Когато си изкараш сам пари, прави каквото искаш с тях.

– Майка ми винаги е имала пари за танци.

– Знаеш къде е вратата, свободен си да си тръгнеш, когато решиш. Твое решение беше да дойдеш при мен, значи поемаш отговорност за него и осъзнаваш, че сега правилата са различни. Казах "не". На моя език това означава "не". Не подлежи на коментар, не подлежи на обсъждане. НЕ.

Естебан излезе бесен и не се прибра три дни. Обикаляше празните улици на Арма и се чувстваше смазващо самотен. Не разбираше езика и за пръв път разбра какво е да няма никаква връзка с околните. Нямаше какво да яде и осъзна какво е липса на пари. Беше твърде горд, за да се върне или да проси и започна да търси начин да изкарва пари.

Видя един уличен музикант и седна до него.

– Естебан – каза той и протегна ръката си.

– Майк – представи се и другият и стисна ръката му. После го попита нещо, но Естебан не разбра въпросът му. Тогава Майк въпросително каза:

– English?

– Español – отговори Естебан.

Двамата замълчаха. Естебан се опита с жестове да му покаже, че може да танцува. Майк не го разбра.

Естебан остана до Майк цял ден да слуша репертоара от музика, която свиреше. В един момент музикантът засвири: "El Choclo", която Естебан познаваше в изпълнение на Хулио Иглесиас. Той се изпълни с радост и му направи знак да я изсвири отново.

Музикантът го разбра.

Естебан си спомни думите на майка си, че ако може да танцува, никое момиче няма да може да му устои. Видя едно момиче, което вървеше само по улицата и му изглеждаше тъжна. Приближи се до нея, поклони ѝ се и я покани на танц. Момичето неочаквано за него се съгласи. И той започна да я учи на танго. Без думи, без обяснения.

Като го видя как танцува, музикантът купи бял картон, на който Естебан написа "Tango", а под него музикантът написа 5£.

Момичетата буквално започнаха да се надпреварват коя да танцува с Естебан.

Идваха и му казваха: "Dance with me" (Танцувай с мен).

Това бяха и първите думи, които Естебан научи на английски. До вечерта беше танцувал с повече от 50 момичета. Разделиха парите с музиканта.

Преди да се разделят с Майк, му написа на един лист "La Cumparsita".

♪♫♪

Със своята част от парите Естебан си купи нещо за ядене и дрехи. Не му останаха за подслон, така че спа на гарата. Сутринта отиде в един спортен център, където се изкъпа и преоблече.

Стори му се, че ако има пари, никой и нищо няма да му липсва. След два дни обаче го върнаха на баща му с полиция, защото беше непълнолетен.

Баща му му се разкрещя още от вратата:

– Ти за какъв се мислиш? Знаеш ли колко е сериозно това, тук да не ти е някаква дълбока испанска провинция да си разиграваш коня, както ти скимне? Тук за такива неща се отнемат родителски права и могат дори да ме опандизят. Помислих, че си се изгубил, а той просяк станал.

– Не съм станал просяк – засегна се Естебан.

– Не съм ти дал думата да говориш – отговори баща му.

– За кого се мислиш? – гневно го репликира Естебан. - Да да не си кралицата, че да ти искам позволение, за да говоря?

Неочаквано баща му му зашлеви шамар, след което вбесено му каза:

– Още една издънка и си аут. Дано го осъзнаваш.

Без дори да знае как стана, Естебан му отвърна.

Баща му се приближи към него със свирепо изражение:

– Веднага отиваш в стаята си, ако не искаш още сега да те предам на социалните. И, повярвай ми, никак няма да ти хареса. Ще те подхвърлят от дом на дом и от служба на служба, докато не се научиш, че има правилен и грешен начин да правиш нещата. И правилният е да уважаваш баща си. Така че отиваш си в стаята и докато не се вразумиш и извиниш, да не си излязъл оттам. Ако майка ти не е знаела как да те възпита, аз знам как да те оправя. Ще ти покажа кой съм.

Естебан не каза нищо повече. Прибра се в стаята си и изобщо не излезе. Накрая баща му влезе при него.

– Разбирам, че си израснал при различни обстоятелства – каза по-меко той. – Но тук хората поемат отговорност за действията си, на това искам да те науча. Хайде, поръчах пица за вечеря. Да забравим какво се случи.

– Не разбирам езика – каза Естебан. – Може ли поне за уроци по английски да ми плащаш?

– За това може. Но при едно условие – никакви танци повече. Забрави какво те е учила майка ти. Сега ще научиш английски, ще си завършиш училището, ще спортуваш като нормалните момчета. Знам, че всичко е ново за теб, но ще видиш, че ще ти хареса дори повече с времето. Е, имаме ли сделка?

– Осъзнавам, че нищо няма да е както преди – примирено каза Естебан.

III

ЕСТЕБАН

– Паркирала съм ей там – каза Анна на излизане от школата.

– Да не искаш да се състезаваме до вкъщи? – пошегува се Естебан.

– Ще те бия. Моторът е по-бърз.

– Мислех да се прибера и да си взема някакви дрехи.

– С мен нямаш нужда от никакви дрехи – закачливо каза той.

– Искаш ли ти да спиш при мен тази нощ? – меко подходи Анна.

Естебан направи физиономия.

– Няма да е необходимо – дръпнато ѝ отговори. – Ще те изчакам да си вземеш каквото искаш. Но ако искаш, първо да хапнем нещо, че съм ужасно гладен.

Взеха храна от ресторанта и отидоха да вечерят у Анна. Апартаментът ѝ беше доста голям и претрупан. Естебан не прояви никакво любопитство да погледне друга стая освен хола, въпреки че тя охотно му предложи да го разведе. Почувства апартамента ѝ много "несвой" като място. Стори му се, че има силата да я отдели от него. Твърде много напомняше за предишния ѝ живот.

– В началото много ме дразнеше, знаеш ли? – внезапно изтърси, докато вечеряха – Беше една надута и се държеше смахнато.

Анна не отговори, но го изгледа с насмешка, сякаш пропуска нещо.

"Аз не съм за 30 лева" – изимитира я той.

– Не съм казвала такова нещо.

– Понякога действията са по-красноречиви. Но аз знаех, че не си такава. Усещах го.

– Беше малко пресилено да ми вземеш 30 лева за непроведен урок – меко каза Анна.

– Не е моя политика, на Жеков е. След като има записан час – дължиш 30 лева. Човекът искал да погледа, пък не бил готов, ама той само, за да пробва, пък да прецени дали щяло да му хареса – изобщо не го интересува. Дължа половината от цената, без значение дали си ми платила или не. Отворил ли съм сградата, въвел ли съм те вътре, ако не поискаш час, прекъснеш час, запишеш и пропуснеш час, вината е моя – след като не си останала, аз нямам подход като преподавател.

– А ти имаш ли? – развеселено го попита Анна. Естебан остана сериозен.

– Видя, че после не ти взех нито стотинка – засегнато каза той. – Забелязах, че наистина искаш да се научиш да танцуваш.

– Всъщност си изключителен преподавател – похвали го тя.

– Добре, че не разчитам на твоите препоръки – ухили се Естебан.

– Разбрах, че уроците ми вече вървят по 50 лева на час.

Анна се изчерви.

– Как разбра? – сконфузено попита тя.

– Секретарката се обади да ме пита дали правя отстъпки за студенти – обясни ѝ той. – Каза ми, че си ѝ казала, че един час струва 50 лева. И то, при положение че не ти взех нищо.

– Ти какво ѝ отговори? – притеснено попита Анна.

– Кой съм аз, че да свалям цената, след като са ми я вдигнали. Казах ѝ, че 50 лева на час е даже ниска цена.

– Анна се засмя. Естебан също.

– Искам да ми вярваш – сериозно каза той. – Ние сме един отбор, нали така?

– Да.

IV

ЕСТЕБАН

Отне му близо осем месеца, за да започне да разбира и да общува що-годе прилично на английски език. Въпреки забраната на баща си, Естебан често след училище минаваше покрай школата на Иън. Просто гледаше отвън.

Осъзнаваше, че танците му липсваха. Липсваше му зарядът, музиката, страстта, самата енергия, която протичаше в тялото му, докато танцуваше.

Понякога, когато баща му беше извън вкъщи, просто танцуваше сам. Заучаваше движения от YouTube и се опитваше да става все по-добър.

Един ден рецепционистката в школата на Иън го покани вътре. За негова изненада самият Иън Майер го очакваше във фоайето.

– Има ли нещо, което е много интересно във фасадата на школата? – попита Иън. – Виждам, че от месеци я изучаваш.

– Аз...не... просто искам да се науча да танцувам... като теб – отговори нервно Естебан.

– Има и по-лесен начин – влизаш вътре и си записваш час за танци. При мен.

– Нямам пари. Ученик съм и баща ми ме издържа.

– Можеш ли да танцуваш?

– Така мисля.

– Какво можеш?

– Румба. Ча-ча. Танго. Салса. Пасо Добле... – заизброява Естебан.

– Явно доста си се разпилял. Кое наистина можеш?

– Може би танго.

– Покажи ми.

Иън извика една от учителките по танци. Пусна Libertango на Астор Пиацола.

Естебан показа възможостите си.

– Ти няма да учиш тук – съвсем спокойно каза Иън след края на танца.

Естебан остана смазан от коментара му.

– Толкова ли съм зле?

– На колко си години?

– На 15. Но уча бързо.

– Дано е така. Защото ти ще преподаваш тук. Аз лично ще те обуча.

Естебан не беше чувал нищо по-хубаво в живота си. Беше толкова щастлив, че му се прииска да прегърне Иън, но не посмя.

♪♫♪

Иън започна лично да преподава на Естебан и с изненада установи, че присъствието на Естебан, докато танцуваше беше поразително. Стойката и движенията му бяха съвършени, фигурите му се получаваха лесно и когато танцуваше в двойка с подходяща партньорка напълно хипнотизираше с таланта и обаянието си.

Естебан от своя страна не можеше да се нарадва на късмета си. От сутрин до вечер прекарваше в школата. Освен с уроците по английски език.

В резултат на отсъствията му, го изключиха от училище. Това беше първият път, когато Естебан се осмели да поиска съвет от Иън.

– Баща ми направо ще ме изгони – сподели Естебан. – И тогава трябва да се върна обратно при майка ми, а там нямам никакво бъдеще.

– Като си знаел, че така стоят нещата, защо не спази правилата на баща си?

– Не знам. Явно не съм достатъчно умен. Просто предпочитам да бъда тук и да правя нещо, което истински харесвам. Приемам го като шанс, един на милион.

– Защото е шанс - шанс да имаш професия, която обичаш и ти доставя удоволствие. Огледай се, колко хора около теб имат такъв шанс? И фактът, че си го схванал на толкова ранен етап от живота си показва, че си умен. Не позволявай на другите да променят това в теб.

– Ще трябва да кажа на баща си, че са ме изключили. И той ще ме накара да си платя за това.

– Кога мислиш да му кажеш?

– Днес.

– Добре. Нека дойда с теб. Може би не е готов да изслуша теб. Но мен ще ме изслуша със сигурност.

– Наистина ли ще направиш това за мен?

– Още не си готов да се самоотстояваш, Естебан. Но един ден ще бъдеш. И тогава ще разбереш, че поемане на отговорност не е да бъдеш наказван за грешките си, а да осъзнаеш какъв е изборът, който правиш в живота си. Ти си избрал да учиш нещо, което обичаш, пред нещо, което институциите са преценили, че трябва да знаеш. По добре щеше да бъде, ако беше намерил начин да ги съвместиш, но да дадеш приоритет на едното пред другото също е твой избор. И нито аз, нито баща ти, нито който и да е, има право да те съди за решенията, които си взел за твоя живот. Това е свобода.

Още когато отвори вратата, по изражението на баща си, Естебан разбра, че той вече знаеше. Естебан представи Иън.

– Имате ли деца? – обърна се баща му към Иън.

– Не.

– Тогава си нямате и представа каква отговорност е да бъдеш родител.

– Имате ли нещо против да поговорим вътре? – предложи Иън.

– Заповядайте.

– Разбирам, че ситуацията е доста неприятна за Вас – започна Иън.

– Но е по-добре ясно да погледнем фактите. Вратите на тукашната образователна система така или иначе вече са затворени за Естебан. Аз виждам потенциал във вашия син. Готов съм да му дам и занаят, и професия. Нещо, което на друго място едва ли някой ще се наеме да направи за него. Аз не мога да ви съветвам какви решения да вземате по отношение на детето си. Но сега пред вас има два избора – или да подкрепите решението, което Естебан е взел за живота си, правилно или погрешно, времето ще покаже, или да провалите бъдещето му.

– Сигурно си много доволен – обърна се баща му към Естебан. – Дори нямам думи да ти опиша колко съм разочарован от теб. Можеше да имаш истинско бъдеще, но ти сам затвори вратите, които отворих за теб. А сега единственото ти бъдеще е да се кълчиш по подиумите като клоун. Но след като това си избрал, така да бъде.

– Благодаря, татко – развълнувано каза Естебан.

– Благодаря, че му давате шанс – каза баща му на Иън, без да отговори на думите на Естебан.

Иън потупа Естебан бащински по рамото и отвърна:

– Той е добро момче. Ще се справи.

– Ако отсъства от школата, искам да ме уведомите – сериозно каза баща му. – Това е последната отстъпка, който му правя. Ако не съумее да се възползва, не желая да си навличам повече главоболия с присъствието му.

– Ако отсъства от школата, Вие пръв ще научите – каза Иън. – Сигурен съм, че той си научи урока. Приятна вечер. И не го съдете прекалено. Все пак всички сме били на петнадесет и сме допускали грешки.

– Той е истински щастливец с баща като мен. Моят баща на мое място вече щеше да го е качил на самолета за Испания. А аз продължавам да му давам шанс след шанс.

– А моят баща на Ваше място щеше да го поздрави, че е намерил нещо, което истински го интересува и му се е посветил. Но хората са различни, нали така? Приятна вечер.

V

ЕСТЕБАН

– Със Саня планирахме да танцуваме румба на "You are always on my mind" на Елвис Пресли. Но сега сме двамата с теб. Искам да избера друга песен. Искам ти да я избереш.

– Но нали хореографията вече е готова?

– Не мисли за това. Саня създава хореография с лекотата, с която дете може да изяде сладолед. Много я бива в това.

– На мен тази песен ми харесва.

– Анна, песента е много важна. Тя е половината изпълнение, ако не е подходящата, това ще се види и по време на танца. Не трябва просто да ти хареса, трябва да е тази, на която румбата ще се лее от теб.

– Защо Саня отказа да участва? – полюбопитства Анна.

– Защото е Саня. Днес е на едно мнение, утре – на друго.

– Ти сигурен ли си, че искаш да танцуваш с мен на този конкурс?

– Сигурен съм, че не искам да танцувам с никоя друга.

– Страх ме е да не те подведа.

– Страх те е да поемеш отговорност.

– Може би да.

– Аз знам, че ще се справиш.

– Мога ли да си помисля за песента?

– Не – каза сериозно Естебан и шеговито добави: - Искам да я избереш сега, без да мислиш.

– My Confession, Josh Groban – Анна каза първата песен, за която се сети.

Естебан явно не беше чувал песента.

– На английски е, но ритъмът е като на испанска песен – опита се да се оправдае Анна.

Естебан ѝ направи знак да замълчи.

Намери песента в Интернет.

– Нека да видим какво се получава, когато не мислиш.

Залата се изпълни с дълбок испански ритъм, а прочувственият звук на китара мигновено го върна към улиците на Севиля, където като дете триумфиращо обикаляше с първите си танцови обувки. И после погледът му падна върху Анна.

I have been blind, unwilling to see
The true love you're giving.
I have ignored every blessing.
I'm on my knees confessing
That I feel myself surrender
Each time I see your face
I am staggered by your beauty,
Your unassuming grace.
And I feel my heart is turning,
Falling into place.
I can't hide it
Now hear my confession.
I have been wrong about you.
Thought I was strong without you.
For so long nothing could move me.
For so long nothing could change me.
Now I feel myself surrender
Each time I see your face.
I am captured by your beauty,
Your unassuming grace.
And I feel my heart is turning,
Falling into place.

I can't hide it
Now hear my confession.
You are the air that I breathe.
You're the ground beneath my feet.
When did I stop believing?
Cause I feel myself surrender
Each time I see your face.
I am staggered by your beauty,
Your unassuming grace.
And I feel my heart
Falling into place.
I can't hide it
Now hear my confession.

Аз бях сляп и неосъзнат да видя
Истинската любов, която даваш
Пренебрегнах всяка благословия
И сега съм на колене с моето признание
Сега аз чувствам, че се отдавам
Всеки път, когато видя лицето ти
Аз се губя в красотата ти
В твоето смирение и грациозност
Чувствам как сърцето ми се пробужда
Всичко придобива смисъл
И вече не мога да го скрия
Чуй моето признание
Аз сгреших за теб
Мислех, че мога да бъда силен без теб
Толкова дълго нищо не можеше да ме развълнува
Толкова дълго нищо не можеше да ме промени
Сега аз чувствам, че се отдавам
Всеки път, когато видя лицето ти
В плен на красотата ти
В твоята скромност и грациозност

Сърцето ми се преобръща

Пропадайки на място,

Където не мога да се скрия

Ти си въздухът, който дишам

Земята под краката ми

Кога спрях да вярвам?

Сега чуй моето признание

Аз не мога да го скрия

Моето признание

– Аз ще направя хореографията на задължителната ни програма. – каза Естебан. - От теб искам просто да я изтанцуваш с любов.

– Не би било възможно да я изтанцувам по друг начин. Би трябвало вече да си наясно с това.

– Да. Знам, че ако мога да спечеля с някого този конкурс – това си единствено ти. Напълно съм наясно с това.

VI

ЕСТЕБАН

– Приготвил съм тези книги за теб. – Иън му подаде няколко енциклопедии. – Понеже вчера много си говорихме за отговорността – аз ще спазя обещанието, което дадох на баща ти. Искам да прочетеш внимателно историята на танците, начина, по който се възникнали и как се практикуват. Можеш да си позволиш да бъдеш начинаещ само веднъж – когато започваш да правиш нещо. Тръгнал ли си по пътя обаче, твоя отговорност е да бъдеш част от този път.

– Благодаря – каза Естебан и взе книгите. – Ще ги прочета.

– Ако ще ставаш преподавател е важно да ти обясня нещо още сега. Има два вида хора – едните искат да се научат да танцуват, другите искат да ходят на уроци по танци. Тези, които искат да се научат да танцуват, са готови на всичко, за да го постигнат. А за другите танцът е между другото. Ако някой наистина иска да се научи да танцува, дори и да няма пари, учи го. Съдбата ще те възнагради за това.

– Ами ако всички искат да се научат да танцуват, а нямат пари, аз от какво ще живея?

– Преподавам повече от 20 години и знаеш ли колко хора наистина са поискали да се научат да танцуват до момента?

– Колко?

– Един – Ти.

– А другите? Другите преподаватели, състезателите?

– На някой им се удава, други искат да си докажат нещо. Но запомни, състезателят танцува за пред журито, а преподавателят за пред ученика. Танцьорът танцува за себе си.

– Но ако не се състезаваш, как ще знаеш дали наистина си добър?

– Ще слушаш тялото си. То ще ти каже.

– Не разбирам. Не са ли затова световните първенства – да можеш да се докажеш сред най-добрите?

– Всички конкурси са политика и пари. Там не се доказваш, там позволяваш на друг да ти поставя оценка дали си добър или не. Един мъж, Естебан, винаги трябва да има точна преценка за себе си. Задължително е. Ти трябва да знаеш колко добре танцуваш. Трябва да си по-взискателен към себе си и от най-строгото жури. Тогава винаги ще си победител. Това се нарича безупречност.

– При теб така ли е?

– Винаги.

– И ако сега поискаш, можеш да станеш световен шампион?

– Мога. Но не искам.

– Аз искам да стана.

– Защо?

– Защото ще докажа на всички, че съм най-добрият.

– Пред кого искаш да се докажеш?

– Пред всички.

– Никога няма всички. Винаги има конкретен човек.

– Пред баща ми – призна Естебан. – Той се страхува, че танците ще ме направят гей.

Иън се засмя.

– Ако искаш да докажеш на баща си, че не си гей, няма нужда да ставаш световен шампион. Хвани си гадже.

Естебан също се засмя. И попита с любопитство:

– Вярно ли е, че на танцьорите им върви много с жените?

– Жените обичат да умееш да ги водиш. Ако се научиш да ги водиш, няма да можеш да се отървеш от тях.

– А важно ли е да имаш много жени?

– Важно е да имаш една. Но да е Тя. – отговори му Иън.

– Ти имаш ли такава жена?

– Имах. Но я загубих.

– Защо?

– Защото никой не ми каза колко е важно да имаш една жена.

– А защо не си я върнеш?

– Има хора, които можеш да задържиш в живота си и хора, които трябва да пуснеш. Един ден ще разбереш защо.

– Естебан се замисли.

– Не ми зададе най-важният въпрос – прекъсна мислите му Иън.

– Кой?

– Как да чуеш гласа на тялото си?

– Как?

– Трябва да се научиш да се вслушаш в него. То говори.

– Как става това?

– Пробвай да откриеш начина сам.

♪♫♪

Естебан нямаше никаква реална представа за тялото си, докато не прави секс за първи път. Тя също беше на 15 и ходеше на танци в школата. Беше го забелязала, преди той да я забележи, и тя прояви инициативата да се запознае с него. В един момент Естебан се улови как непрекъснато мисли за нея и постепенно двамата започнаха да се срещат и извън школата. Докато беше с нея, му се струваше, че светът е най-прекрасното място, докато беше далеч от нея – че е най-ужасното. За пръв път го направиха в дома на Естебан, докато баща му го нямаше. Всяка свободна минута се виждаше с нея и всичко, което искаше, беше да правят секс. Нищо не му беше доставяло по-голямо удоволствие. Измисли схема, по която да се виждат по-често.

– Измислих го. Аз ще те уча на танци, ти мен – на английски език и във времето на уроците ще се виждаме. Ще имаме повече време, в което да сме заедно.

– Не мога да спра да ходя на уроци по танци. В школата преподавателите са професионалисти. А ти... още не си.

Думите ѝ дълбоко го засегнаха.

– С твоето мислене ти никога няма да се научиш да танцуваш – на свой ред я засегна той.

– Аз по-добре да си тръгвам – извини се тя. – Ясно е, че не ме разбираш.

В следващите два дни Естебан не беше на себе си, но не я потърси. Изчака да дойде следващият ѝ урок по танци, за да ѝ се извини.

По време на урока, тя през цялото време танцува с друго момче от групата си. Естебан си помисли, че просто го кара да ревнува и търпеливо изчака урокът да приключи. Тъй като след урока тя излезе от школата с другото момче, Естебан тръгна след тях, дебнейки момент, в който ще остане сама, за да поговори с нея. И тогава видя как се скриха зад ъгъла на една сграда и започнаха да се целуват, след което хванати за ръце продължиха да вървят по улицата.

Прималя му. Остана като зашеметен насред тъмнината.

Не знаеше с кого да говори за чувствата си и разказа всичко на Иън.

– Не е била Тя – просто му каза той, но отговорът не успокои никак Естебан.

– Може би няма Тя – каза ядосано той. - Искам да си я върна и аз да я зарежа.

– Ами направи го – върни си я и ти я зарежи.

– Но трябва да знам къде сгреших аз. Ти можеш ли да ми кажеш?

– Нямаш опит и не знаеш как да водиш една жена – му отговори снизходително Иън. – Не е въпрос само на секс. Ако искаш една жена да е твоя, тя трябва да чувства, че тя е ударила джакпота с теб, не ти с нея.

– И как да стане това?

– Аз ще ти покажа как. Но отсега ти казвам, че нейното разбито сърце няма да излекува твоето.

На следващия урок по танци на момичето, Иън представи Естебан като свой помощник. Обсипа таланта му със суперлативи и го накара да направи демонстрация. За своя партньорка Естебан избра едно от другите момичета, което му се видя най-красиво.

След урока бившата му приятелка отиде при него.

– Обмислих предложението ти. Промених мнението си. Съгласна съм да ме учиш – каза тя. Беше си я върнал.

– Аз не съм променил мнението си. Ти никога няма да се научиш да танцуваш – незаинтересувано отговори Естебан.

На следващия урок нито момичето, нито новото ѝ гадже дойдоха. Въпреки че не излекува сърцето му, както му каза Иън, победата излекува накърнената му гордост. А за сърцето му се погрижи другото момиче, с което беше танцувал пред всички – беше я накарал да си мисли, че е ударила джакпота.

VII

ЕСТЕБАН

Въпреки че беше започнал да преспива в апартамента на Анна, Естебан продължаваше да не се чувства добре в него. Нощем силно прегръщаше Анна, сякаш нещо от този апартамент беше в състояние да му я отнеме.

Но там тя се чувстваше по-свободна да се посвети на новата си страст – готвенето. Естебан имаше множество изисквания към вида, качеството и приготвянето на храната, които за негова изненада Анна максимално се опитваше да съобразява. Все още много от нещата не ѝ се получаваха, но той се опитваше да ѝ съдейства, защото когато някое ястие ѝ се получеше, му се струваше, че по-вкусна храна никога не беше ял.

Присъствието на Анна в живота му го изпълваше с непознато до момента чувство, че е специален. Анна напълно беше подчинила живота си на него. Съобразяваше се с хранителния му режим, работното му време, сексуалната му ненаситност, сякаш той беше целта на съществуването ѝ. Докато той беше в школата, Анна танцуваше румба в апартамента му, а след като се върнеше, се отдаваха на секс, след секса румба, лека вечеря и отново секс. И колкото и да не му се искаше да го призная, Естебан се чувстваше супер от начина, по който Анна напълно се нагаждаше към него. Винаги си беше мислил, че е достатъчно широкоскроен, за да дава независимост на жената до себе си, но сега просто осъзна, че никоя жена истински не го беше интересувала, за да иска да я допусне толкова навътре в собствения си живот. Беше му по-удобно жените да имат свой живот, за да не обсебват неговия.

Но на Анна искаше да предложи всичко, което знае, всичко, което има, всяка минута от деня си. Ставаше му хубаво само при мисълта за нея, звънеше ѝ по десет пъти на ден, само за да чуе гласа ѝ. Отпусна се да ѝ разказва неща, които не беше споделял с никой друг. Разказа ѝ за Севиля и някои от местата, които помнеше от детството си като невероятно красиви. Разказа ú за лятото, когато на 17 скачаше от скали във водите на Егейско море, за първия си ученик Тимъти и как се беше научил да разпознава гласа на тялото си.

Анна всеки път го слушаше с такъв интерес, сякаш неговата история беше най-вълнуващото нещо на света.

Не ú говореше нищо за майка си, баща си и Иън. Считаше, че тази част от живота му касае само него.

– Разкажи ми повече за този конкурс – каза Анна, докато закусваха.

– Не е типично състезание – заобяснява Естебан. – Датира от 1990 година. Създатели са италианска танцова двойка, която с този конкурс иска да покаже красотата и страстта на латиноамериканските танци. Програмата е от две вечери – първата задължително е латиноамерикански танц. Тази година танцът е румба. Втората вечер програмата е свободна, може да е всякакво съчетание на танци, включително модерен балет, хип-хоп или каквото се сетиш. Привлекателното за танцьорите е паричната награда – 50 000 евро за първо място, 10 000 евро за второ. За жури се канят доказали се танцьори, понякога дори действащи. Винаги първата оценка се поставя от публиката в залата чрез гласуване, а след това оценява всеки член от журито. Има временно класиране след първата вечер и окончателно класиране след втората. Първата вечер винаги започва с детски спектакъл по латиноамерикански танци на ученици от тяхната школа и едва тогава е състезателната част. Всяка година се получава невероятно танцово шоу. публиката също взема участие със своя вот. Билетите са по-скъпи, отколкото за световното първенство. Много по-обективно и много по-свободно е. Ще ти хареса. Провежда се всяка година на 24 и 25 юли.

– Явявал ли си се на други конкурси освен този?

– Не – призна ú Естебан.

– Защо?

– Защото нямам нужда от титли.

– А защо ще участваш в този?

– Защото имам нужда от свобода.

VIII

ЕСТЕБАН

– Всеки човек ли може да се научи да танцува? – попита Иън веднъж.

– Абсолютно всеки – отговори му Иън.

– Ами ако няма дадености – Естебан беше забелязал, че в школата идват хора, които имат желание, но не можеха да се научат да танцуват.

– Винаги има неща, които ти помагат и неща, които ти пречат да направиш нещо, което искаш. Ти решаваш на кои от тях да дадеш приоритет.

– Ами например Тимъти – даде пример Естебан. – Той е упорит, но не умее да танцува. Кое би му помогнало?

– Първо трябва да видиш кое му пречи? – отбеляза Иън.

– Кое му пречи?

– Не можеш да очакваш всички отговори от мен. Давам ти Тимъти като първи клиент. Това, което оттук нататък той плаща на мен, все едно го плаща на теб. Искам да го научиш да танцуваш.

– Но как да го направя? Той иска ти да си му учител?

– Помисли върху това, което каза току-що. В това се състои отговорът на предишния ти въпрос. Има хора, които цял живот искат да са нечии ученици. Те очакват да има кой да им показва пътя и грешките им и да поема отговорност вместо тях. Тимъти е твой. Как ще го научиш да танцуваш, си е твоя работа.

– Ами ако се откаже?

– Ще си загубил един клиент. А какво ще си спечелил от работата си с него, зависи само от теб.

Искаше му се да се зарадва, че вече има клиент, но осъзна, че той също още не беше готов да поеме отговорност. Очакваше Иън да го научи на всичко и тогава да го пусне да обучава. Мислеше си, че има рецепта, по която можеш да станеш учител по танци.

– Да си учител не е занаят, Естебан. Хората са различни, мотивите им са различни, отношението им към света е различно. Работата с хора е много неблагодарна и същевременно много обогатяваща. Тя те учи да поглеждаш към себе си.

– Защо трябва да поглеждам към себе си? Аз се познавам добре, знам какво искам.

– Какво искаш?

– Искам да стана световен шампион.

– Защо?

– Защото искам да съм най-добрият.

– Защо?

– Защото е важно за мен – Естебан започна да се изнервя.

– Защо е важно за теб?

– Защото, когато успееш, никой нищо не може да ти каже.

– И да не успееш, пак никой нищо не може да ти каже. Никой няма право да преценява живота ти. Нито ти имаш такова право за другите.

– Откъде знаеш тези неща?

– От живота.

– Аз не съм съгласен с теб. Аз може да си мисля, че съм най-добрият, но откъде да знам, че не се самозаблуждавам. Състезанията ти дават обективна оценка докъде си стигнал.

– Научи ли се да говориш с тялото си?

– Не.

– Затова не си съгласен с мен.

– Според теб изобщо не трябва да ходя по състезания, така ли?

– Има такива, които си струват.

– Кои?

– Тези с голяма парична награда. Които се правят за забавление на публиката.

– И с какво те са по-добри от другите? Там се състезават и аматьори.

– Пази се от етикета "професионалист".

– Не разбирам нищо. Аз искам да съм професионален танцьор.

– Научи Тимъти да танцува и се научи да говориш с тялото си. После пак ще си говорим.

Естебан разбра, че Иън затвори темата, което го накара да се почувства ядосан и неудовлетворен. И двете задачи му се виждаха неизпълними, а го интересуваше какво Иън имаше против състезанията. Той беше станал и европейски, и световен шампион и веднага след това се беше отказал. Естебан имаше толкова много въпроси по темата, а вместо да му даде отговорите, Иън сякаш все повече го объркваше.

IX

ЕСТЕБАН

– Не е просто секс, нали? – попита го Саня за Анна.

– Може би не – отговори уклончиво Естебан. Не желаеше да дава на никого обяснения за личния си живот, най-малко на Саня.

– Това означава ли, че... – тя го погледна многозначително, имайки предвид преспиванията им от време на време.

– Да – отговори ѝ Естебан, давайки ѝ да разбере, че няма да се случва занапред.

– Връщаш ми заради конкурса, нали? Затова, че отказах да участвам с теб.

– Саня, това няма нищо общо с теб. Започнал съм нещо и искам да се получи – оправда се Естебан.

– Искаш да извадя 2500 евро, за да отидем и да останем шести, както миналата година.

– Аз ти предложих аз да платя твоята част, стига да дойдеш с мен. И ако спечелим, ми даваш твоя дял от наградата.

– Нямаме шанс да спечелим, не сме толкова добри.

– Ти не си. Затова и доникъде не стигнахме – рязко ѝ отговори Естебан.

– Не си участвал в нито един конкурс през живота си. Аз поне съм стигала до второ място. Откъде си сигурен, че си толкова добър?

– Стигала си до второ място в България – изсмя ѝ се той. – Все едно доникъде не си стигала.

Саня се беше отказала да спори на тази тема с Естебан. За него никой в България не можеше да танцува. Освен него, естествено.

– Ще говоря с Ралица Пейчева. Тя е много добра по румба, ще се навие да ти стане партньорка, но трябва да ѝ предложиш по-добри условия, отколкото на мен. Например да ти върне парите, след като спечелите. Няма да е съгласна да спечелите и ти да вземеш 50 000 евро, тя нищо.

Естебан погледна с насмешка Саня. Не ѝ спомена за решението си да танцува с Анна на конкурса, а като на шега просто се включи в играта ѝ.

– И защо аз да ѝ плащам вноската на нея? Каква ми е тя? Че и с уговорки.

– Защото е най-добрата. На европейското стана четвърта. С нея ще имаш истински шанс.

– Не съм я виждал как танцува румба. На ча-ча е трагична. Доведи я да я тествам.

– Естебан, тя трябва да тества теб.

– Естебан се изсмя още по-високо.

– Има неин клип в YouTube – накрая каза Саня. – Наистина е добра.

Естебан отиде при компютъра. Изгледа клипа мълчаливо и накрая каза:

– Същата работа. Посредствена е. А тоя, който я води, е пълен нещастник. Хореографията е постна. И с това са взели четвърто място. Ето затова не ходя на европейски първенства. Там няма конкуренция.

– Ами, отиди и спечели едно, като си толкова блестящ – предизвика го Саня.

– Не става – не ѝ обърна внимание Естебан, след което ехидно добави – Отиди ти. По-добра си от нея и можеш и там да вземеш второ място. Аз се целя по-високо.

Саня си замълча. Понякога Естебан включваше на някакви негови измислени теории, които тя не разбираше. Знаеше, че иска да отиде на онзи конкурс само заради парите. Но и да му кажеше, че отношението му към конкурсите е меркантилно, какво от това? Той си беше наумил, че е най-добрият и няма смисъл да се доказва пред никого.

X

ЕСТЕБАН

– Ти танцуваш за себе си, но жената винаги трябва да танцува за теб – му каза веднъж Иън.

– Как така?

– Никога не подценявай силата на една жена да се надскочи. Виждал съм го много пъти.

– Но нали по принцип водещата функция е на партньора, той води.

– Можеш да водиш само, ако има кой да те последва, Естебан.

– Какво значи жената да танцува за мен? Не трябва ли да танцува за себе си?

– Ако тя танцува за себе си, вие не сте двойка и ти няма да има кого да водиш.

За да разбере какво означава една жена да танцува за него, Иън го заведе в заведение, където се танцуваше бели денс[¹].

Плати на една от танцьорките да танцува специално за него, потупа го по рамото и излезе. Естебан остана напълно сам, седнал на централната маса в празното заведение.

Изведнъж някой намали осветлението отвън и помещението се изпълни с кадифения аромат на мускус и ванилия. И омагьосващи ориенталски ритми.

Естебан почувства как тялото му затрептя от възбуда още преди появата на танцьорката, а съзнанието му се изпълни с необяснима за него еуфория.

И тогава на сцената излезе тя. Омайваща, запленяваща, екзотична. Пусната по раменете гарваново черна коса, ангелско лице, съвършено тяло, плътно прилепнало бюстие и воали, които като шалвари, обгръщаха стройните ѝ крака.

И голотата на извивките на женското ѝ тяло, които съблазнително потрепваха в ритъма на чувствената музика.

И нейният танц.

Истински танц, какъвто Естебан никога не беше виждал досега.

Танц, в който нямаше пилони, нямаше стриптийз, нямаше докосване.

Но го държа възбуден от първата до последната минута.

Момичето следваше ритмиката на своята сексуалност като богиня, която танцуваше пред нейния избранник.

Невинна като ангел, достолепна като кралица.

Танц, в който се проявяваше силата на жената като извор, като огън, стихийна и овладяна, разпалваща и утоляваща.

И всичко, за което Естебан копнееше по време на този танц беше да достави удоволствие на тази жена.

[¹] *Belly dance – западното наименование на самостоятелен импровизиран танц, основан на артикулация в торса, произхождащ от Средния изток, по-специално от танца ракс-шарки (кючек). Включва елементи от арабски танци, египетски танци, ориенталски танци и средно-източни танци – Бел.а.*

Да сложи в краката ѝ цялата Вселена, за да остане още няколко мига в нейната компания.

След танца Иън забеляза, че Естебан е напълно объркан.

– Какво има?

– Не знам – призна той. - Тази жена танцуваше сякаш... - Естебан не успя да намери точните думи.

– Сякаш си неин мъж – довърши Иън. - Така танцува жената, когато танцува за мъжа. Тя е самият танц.

– А къде остава равнопоставеността? – неуверено попита Естебан.

– Да знаеш как да приемеш една жена, означава да ѝ позволиш да ти се отдаде. Това е истинска равнопоставеност. Всичко останало са теории.

– Съществува ли такава жена? – попита Естебан. – Която е напълно готова да ти се отдаде?

– Засега се фокусирай да чуеш гласа на тялото си. Нека да учим уроците един по един.

XI

ЕСТЕБАН

– Влизам и излизам в школата с персонален код. Има четири зали, но аз имам ключ само за една. Следи ме кога отивам, кога си тръгвам, кога се къпя, колко често ходя до тоалетна. И всяко влизане ми го таксува като проведен час.

Анна го наблюдаваше напълно сериозна, докато Естебан ѝ разкриваше картинката на взаимоотношенията си с Жеков – собственикът на школата.

– С всички ли е така или само с теб?

– Само с мен – призна ѝ той.

– Защо?

– Защото не съм гъзолизец.

– Защо не напуснеш?

– За да отида при някой друг като него и да иска да лижа неговия задник? Затова искам да спечелим конкурса.

– Какво ще направиш, ако го спечелим?

– Ще си взема мотора и ще тръгна към непознатото. Просто ей така. Без посока. Всяка нощ ще спя под различно небе. Ще поемам на път, когато изгрява слънцето, а когато залязва, ще правя невероятен секс.

– Звучи красиво – каза Анна.

– Харесва ли ти? – зарадвано ѝ каза той. – Мечтая за това от 16-годишен.

– Защо не си го направил досега?

– Защото не исках да го правя сам. Исках да съм с правилния човек, правилната жена – Естебан задържа погледа си върху нея. – Ти би ли дошла с мен?

– С най-голямо удоволствие – щастливо каза Анна.

Двамата замълчаха. Естебан усещаше някаква непозната до сега лекота в гърдите си, породена от радостта, с която тя се съгласи да сподели мечтата му.

– Може би трябва да си потърся работа – неочаквано наруши тишината Анна.

– И дума да не става – категорично отсече той. – Няма да имаш време да танцуваш.

Анна не продължи, но той я разбра. Притесняваха я парите.

– Все в един момент ще трябва да го направя – каза уклончиво тя.

– И какво ще работиш? – попита той.

– Не знам – призна Анна. – Не искам повече да се занимавам с юридическа работа. А друго не мога да върша. Не съм работила нищо друго.

– Нали се разбрахме за това? – умолително каза той. Помисли си, че апартаментът предизвиква подобни мисли в главата ѝ.

– От колко време имаш този апартамент?

– От четири години.

– Колко ще струва, ако го дадеш под наем?

– 750 лева, може би 800.

– Значи ще го дадеш под наем.

– И къде ще живея? – възпротиви се Анна.

– Вкъщи, където ти е мястото – сериозно ѝ каза Естебан. – Ако искаш, още тази вечер можеш да си събереш дрехите. Аз ще ти помогна.

Анна не можеше да повярва. Тя радостно стана, отвори гардероба си и взе виненочервената рокля и обувките, с които беше първата вечер, когато му се отдаде. Сложи ги в един хартиен плик и му каза: "Готова съм".

Естебан погледна към хартиения плик.

– Имаш ключ за вкъщи – примирено каза той. – Когато си готова, искам да знаеш, че е и твой дом. Бих ти дал повече, но на този етап мога да ти предложа само това.

– Естебан, ти не ме разбра. Не искам да взема нищо от предишния си живот. Искам да започна отначало с теб.

Естебан почувства, че може да полети от радост.

Толкова беше щастлив, че я отделя от апартамента и всичко, свързано с миналото ѝ. Отиде при нея, прегърна я и я притисна силно.

– И аз искам да започнеш отначало с мен. Разбираш ли колко си ми скъпа?

– Наистина ли? – почувства как очите ѝ се насълзяват.

А разбираше ли той колко ѝ беше скъп? Целият ѝ свят започваше и свършваше с него.

Естебан я отдели от себе си и меко продължи:

– Аз съм готов с хореографията. Време е да започнем с подготовката ти за конкурса. През деня ще те подготвя Саня, а вечер ще репетираме заедно. Искам да изтриеш от главата си всички други мисли. Сега най-важното е да победим.

– А другият танц? – попита Анна.

– Там вече ще се заеме Саня. Аз искам да се фокусирам върху теб. Искам да съм сигурен, че изпълнението ти ще е перфектно.

XII

ЕСТЕБАН

– Как да чуя гласа на тялото си? – отново попита Естебан. – Какво ли не опитах. Хранене, различен режим на сън, повече секс, въздържание от секс. Дори наблюдавах теб. Поне ми кажи откъде да започна.

– Започни от Тимъти. Не виждам никакъв напредък у него.

Естебан се беше опитвал да го напътства от време на време в групата на Иън, но Тимъти всеки път се държеше с него, сякаш му пречи да танцува.

– Безнадежден е – със съжаление заключи Естебан.

– Няма безнадеждни ученици, Естебан. Само безнадеждни учители.

Естебан замълча. Иън го беше ударил по слабото място – честолюбието.

Цяла нощ не можа да спи. Стана и започна да се рови в Интернет. Опита се да намери някакъв отговор в търсачките, но не успя.

Легна на леглото с МР3 плейъра и си пусна танго.

Естебан имаше особено отношение към тангото. Това беше първият танц, който му беше донесъл пари. Музиката го накара да отвори една от книгите на Иън. На сутринта вече знаеше какво да направи.

Изчака да дойде урокът с групата на Тимъти. Той винаги танцуваше с едно и също момиче – Доли, което се справяше по-добре от него. Тимъти беше на 22, а Естебан – на 16. Естебан отиде при него и му каза:

– Виждам, че искаш да се научиш да танцуваш. Аз мога да ти помогна. Предлагам ти да те уча индивидуално. Теб и Доли. Попитах Иън, той е съгласен. Ще давате парите на мен и ще ви уча на цената на групов урок, не на индивидуален.

Тимъти беше шокиран от поведението на Естебан.

– Виж приятел, аз съм единственият ти шанс. Изобщо не се справяш – допълни Естебан.

Докато Тимъти се освестяваше, Естебан се приближи до уредбата в залата и избра "Asi se Baila el Tango". До започването на часа имаше около 5 минути. Той пусна музиката толкова високо, че всички се обърнаха към него. Отиде при Доли и без да я попита, я придърпа към себе си. Доли напълно се отпусна в ръцете му. Естебан я поведе в залата, гледайки я право в очите. Едва в този момент разбра какво означава жената да танцува за него. Доли се чувстваше толкова удобно в ръцете му, че беше готова да го последва и в ада.

Естебан наведе Доли и тялото ѝ напълно се отпусна към земята. Придърпа я обратно към себе си и я завъртя. Шнолата на Доли падна и червената ѝ коса се разпиля като лавина от огнени къдрици. Едва тогава си даде сметка, че Доли не просто танцуваше с него – Доли му се отдаваше. Още не знаеше как да говори със собственото си тяло, но за пръв път чу гласа на тялото на партньорката си. Иън беше прав. Жената трябваше да танцува за мъжа. Тя трябваше да му се довери, да му се отдаде, да го последва.

Когато танцът приключи, Естебан се поклони на Доли и ѝ каза: "Благодаря! Беше страхотна!"

После отиде при Тимъти и му каза:

– Имам свободен час утре в 11 часа. Ако дойдеш, ще те науча да танцуваш така. Ти решаваш!

След което тръгна към вратата. Забеляза, че Иън беше вече в залата. Естебан мина покрай него, кимна му и каза: "Успешен час", след което излезе.

Същата нощ преспа с Доли. Обладаваше я със страст, която сам на себе си не можеше да обясни. Доли беше на 21, но се държеше в леглото, сякаш ѝ беше за първи път.

Отдаде му се без остатък.

На сутринта Доли имаше угризения, защото имаше приятел.

– Не можеш да забраниш на тялото си да говори – нежно ѝ каза Естебан.

– Може би е по-добре да не се случва повече – виновно каза Доли.

– Добре, както искаш.

– Просто приятелят ми ме обича. И аз го обичам.

– Разбирам.

– Можем да го направим още веднъж за последно – каза разколебано тя. – Не знам какво ми става с теб, просто след онзи танц сякаш не мисля нормално.

– Да го направим още веднъж и приключваме. Имам нужда от теб, за да науча Тимъти да танцувам.

– Защо е важно за теб да го научиш да танцува?

– Обичам предизвикателствата.

– Нали няма да кажеш на Тимъти за нас? – притеснено каза Доли.

– Нали се разбрахме, че между нас няма нищо.

– И все пак?

Естебан я придърпа към себе си и нежно каза:

– Няма да се случва повече. Ако ти не можеш да се контролираш, аз – мога. И няма да кажа нищо на никого.

– Благодаря – каза Доли.

♪♫♪

– Тангото възниква в Аржентина в края на деветнадесети век. Преди да предложат на някоя жена да танцува с тях, мъжете дълго се упражнявали помежду си, като всеки от тях първо учел женската партия. Едва когато я овладеел до съвършенство му се давала привилегията да научи и мъжката – разказа Естебан на Тимъти и Доли на първият им урок.

– Защо? – позаинтересува се Тимъти.

– Тъй като жените са били много по-малко от мъжете и са избирали да танцуват само с най-изкусните танцьори. Останалите са нямали никакъв шанс. Доли вече е овладяла женската партия. Така че тя има привилегията да научи мъжката. Оттук нататък тя ще те води. Когато преценя, че си готов, сменяме ролите.

Тимъти не каза нищо. Подчини му се напълно.

Естебан избра лесна хореография на същата музика, на която беше танцувал с Доли. Упражняваха се докато Тимъти не научи дамската партия до съвършенство. Едва тогава Естебан му показа мъжката партия и ги накара да си разменят местата.

Тимъти се оказа старателен ученик. Идваше четири пъти седмично – два пъти с Доли и два пъти сам. Когато бяха само двамата, репетираха всяка научена стъпка до припадане. Естебан му беше забранил да репетира сам. Искаше да е сигурен, че прави стъпките както трябва.

През часовете, в които Тимъти и Естебан бяха насаме, си говореха за какво ли не.

Оказа се, че Тимъти учи архитектура и произхожда от стар архитетски род. Мечтата на Тимъти била клиф дайвинга, но техните предначертали пътя му.

– Сигурно адреналинът е убийствен? – предположи Естебан, като чу за увлечението му.

– Невероятно е. Ако го направиш веднъж, си запален за цял живот.

– Защо не се върнеш към него? – каза Естебан. – Поне като хоби, за да се почувстваш малко по-тонизиран.

– Може би си прав – липсва ми адреналин и предизвикателство. Нали разбираш, архитектурата – тя не може да ти го даде това?

– Мен ме е страх от височини – призна Естебан. - но разбирам.

♪♫♪

След като Тимъти и Доли овладяха хореографията на "Asi Se Baila el Tango", Естебан разработи своя хореография на друга музикална композиция – "Jealousy tango" под ръководството на един от най-добрите хореографи на Иън.

Хореографията беше с двама партньори и една партньорка и обхващаше невероятно разнообразие на фигури и движения.

Повториха същата схема. Тимъти овладя първо женската партия, след това по-лесната мъжка партия, накрая по-трудната.

На шестия месец Тимъти се отпусна да импровизира. Вече имаше арсенал от стъпки от пет различни танго хореографии. С Доли бяха станали като едно цяло. Тя знаеше всяка негова стъпка, а той всяка нейна.

Едва тогава Естебан се почувства готов да ги върне в групите на Иън. Естебан нарочно не отиде с тях. Знаеше, че Тимъти трябва да се справи сам.

Разказаха му, че по време на урока Тимъти и Доли смаяли всички. Беше си свършил работата.

Беше научил Тимъти да танцува танго.

♪♫♪

– Ти какво научи? – попита го Иън.

– Много е важно мъжът да знае стъпките и да е сигурен в тях. Едва когато ги научи до съвършенство, нещата се получиха.

– Какво научи за себе си? – пренебрегна отговора му Иън.

– Че ставам за преподавател – усмихна се Естебан. – Готов съм за следващия.

– Не, не си – спокойно каза Иън.

– Защо? – смаяно попита Естебан. – Научих Тимъти да танцува. Той беше безнадежден.

– Прекалено горделив и самонадеян си. Демонстрацията ти в онзи час беше напълно излишна. На какъв точно се опита да се направиш? На равен на мен?

– Естебан осъзна, че беше навлязъл в територия, в която не биваше да навлиза: честолюбието на Иън.

– Извинявай – каза смирено той. – Исках да впечатля Тимъти. Иначе нямаше как да го накарам да ми повярва.

– Научи ли се да говориш с тялото си? – сухо го попита Иън.

– Все още не.

– Няма да се случи, преди да премахнеш собствените си граници.

– Което означава?

– От какво те е страх?

Естебан се замисли.

– От високо – каза накрая той.

– Мъжете не могат да си позволят да се страхуват. Естествен стремеж на мъжа е свободата, а се иска много смелост да бъдеш свободен. Трябва да обичаш непознатото. То започва отвъд нашите страхове.

– Майка ми ми е казвала, че страховете ни пазят.

– Майка ти е грешала. Страховете ни ограничават. Няма по-тъжна гледка от мъж, изтъкан от страхове. Такъв мъж винаги е изпълнен с озлобление към света. Той няма да позволи на никого около себе си да бъде свободен.

Естебан си помисли за Хавиер и за баща си.

– Аз се чувствам свободен, когато карам мотора на баща си – сподели на Иън.

– Вкусил си свободата, което е добре. Тя трябва да е твоят ориентир в живота.

– Но така винаги ще съм сам – каза тъжно Естебан. Беше забелязал, че момичетата търсеха сигурност. Привличаха се от различността му, но скоро откриваха, че Естебан не може да им предложи никаква сигурност, не обичаше да ходи на кино, не правеше подаръци, не му допадаха партитата, нямаше приятели, с които да излиза, не намираше общ език с техните приятели. Беше приключил с училище, интересуваше се само от танци и мотори.

– Ако знаеш как да бъдеш свободен, ще научиш и жената до теб да бъде свободна. А ако дадеш на една жена да вкуси истинската свобода до теб, тя ще остане. Можеш да си сигурен в това.

XIII

ЕСТЕБАН

– Искам да подготвиш Анна за "Spettacolo di ballo".

– Анна?

– Моята Анна – подчерта Естебан.

– Твоята Анна – иронично каза Саня. – Наистина си почнал да мислиш с оная си работа.

– Анна ще се справи.

– Ти ли ѝ плати вноската или тя плати и за двамата?

Естебан ѝ хвърли кръвнишки поглед.

– Не е плащала нищо.

– На Саня ѝ стана забавно. Не познаваше по-горд човек от Естебан. Особено на тема пари.

– Кога ще я подготвям? Не е ли адвокат, няма ли си работа *твоята Анна?*

– Тя напусна.

– Напуснала е – изненада се Саня. – И от какво живее?

– Дава под наем апартамента си.

– Супер. И колко апартамента има?

– Саня, давай направо. Живеем заедно. И сега да минем по същество. Искам ти да направиш хореографията за волната програма.

– И защо да го правя?

– Защото ме издъни с конкурса и си ми длъжница – невъзмутимо ѝ отговори Естебан.

– Ще ти направя хореографията, но за Анна...

– Моля те – смекчи тона той. – Има нужда някой да я наблюдава. Аз не мога да съм постоянно до нея. Танцува с чувство, но техниката ѝ не е прецизна.

– На Ралица техниката ѝ е съвършена – вметна тя.

– Ти видя Анна онази вечер, нали? – попита сериозно Естебан – Изобщо не можеш да ги сравняваш. Знам, че вкарваш доза неприязън заради нас, но не можеш да отречеш, че Анна е класи над Ралица.

– Твоята Анна ми отне другарчето за секс – с престорено нацупен тон каза Саня.

Естебан се резвесели.

– Хайде, ще си намериш друго другарче. Ти лесно се сприятеляваш – шеговито ѝ отговори той. – Освен това си имаш гадже.

– Постави се на мое място – продължи играта тя със същия престорено нацупен тон. – Аз останах с разбито сърце от нашата връзка. Аз бях влюбената, тази, която не знам колко пъти се унижи заради теб и аз заслужавах да срещна някой, с който да е истинско. Може да ти е смешно, но навикът е страшна сила. Свикнала съм да си ми под ръка и да мога да спя с теб, когато ми се прииска. Това са пет години, все пак. А и никой мъж не ми действа като теб.

— Ще я тренираш ли? — върна разговора към Анна той.

— Аз изобщо ли не ти липсвам? Все пак ти спеше само с мен през цялото това време.

Естебан разбра, че иска или не, трябва да ѝ даде някакво обяснение, за да я склони да тренира Анна.

— Така ми беше удобно — каза откровено той. — Можех да правя секс, можех да си говоря с теб. Красива си, забавна си, понякога даже си и разбрана. Ти си имаше свой живот, аз — мой. Освен това винаги си ми била гръб пред Жеков.

Саня искаше да попита "Защо Анна?", но реши да спре дотук. Отговорът щеше да я нарани и го знаеше.

— Ще има нужда от много работа — смени темата тя.

Забеляза как той си отдъхна. Разговорите за чувства не му бяха по вкуса.

— Поне пет часа дневно.

— Знам. Ще го направиш ли?

— Добре, но кой ще ги плати тия часове?

— Не мога да ѝ вземам пари, спя с нея — отряза я Естебан.

— А аз не искам проблеми с Жеков — тросна се Саня.

— Кога пък ти е правил проблеми на теб? — засече я той.

— И занапред не искам да ми прави. Пет часа по 30 лева, 150 лева. Няма да я тренирам без пари.

— Саня, тя не работи. Аз дадох всичко, което имах за конкурса — опита се да я накара да му влезе в положението, но от начина, по който го погледна, разбра, че няма да отстъпи. Още не ѝ беше минало.

— ОК. Ще имаш парите — смени рязко тона той. — Но не искам да споменаваш за това пред нея. Ще се оправяш с мен.

XIV

ЕСТЕБАН

Естебан се вслуша в съвета на Иън. Обади се на Тимъти и го помоли да го научи да скача от скали.

Парите от уроците на Тимъти и Доли Естебан беше събирал, за да си купи собствен мотор. Сега част от тях започнаха да се връщат обратно при своя първоначален притежател.

Тимъти се оказа доста търпелив с него, може би заради старанието, което той самият беше проявил. Първо го научи да задържа дъха си под вода. После се наложи да го научи да плува. Естебан нямаше страх от водата и плуването му допадна. Тогава Тимъти вкара и железен хранителен режим.

След около четири месеца Тимъти го запозна с треньора си и поиска той да го пробва. Треньорът му одобри Естебан и двамата заедно започнаха да ходят на тренировки. В продължение на година Естебан спортуваше усилено и в школата, и при треньора на Тимъти.

Когато навърши 17, Иън започна да му плаща и да му прехвърля някои начинаещи свои ученици. Явно беше решил, че е станал по-смирен. Седемнадесетият му рожден ден се оказа много щастлив за Естебан, защото и баща му неочаквано му подари мотор.

През лятото баща му поиска заедно да направят пътуване, подобно на предишното, когато Естебан беше на 13, но той отказа. Вместо това заедно с Тимъти, треньора му и още няколко момчета от отбора заминаха за Гърция. Там Естебан за пръв път в живота си скочи от скали. Досега беше тренирал само от трамплин в басейн. Имаше чувството, че ще умре от страх и Адам, така се казваше треньорът на Тимъти, го накара първоначално да скочи със завързани очи. Усещането беше все едно пропада в бездна, но в момента, в който усети водата, Естебан чу гласа на тялото си - за пръв път.

Тялото му му каза, че вече е свободен. Страхът си беше отишъл. Следващият път Естебан скочи с отворени очи. Чувството беше невероятно.

Адам беше много различен от Иън. Беше женкар и казваше, че младите жени правели и мъжа по-млад. В началото за Естебан пътуването беше безкрайно интересно, но скоро Адам започна да го отегчава, а момчетата му се видяха напълно различни от него самия. Когато се върнаха, той преустанови тренировките и отново насочи цялото си внимание към танците.

– Преодолях страха си от високо – радостно каза той на Иън. – За пръв път чух тялото си, Иън.

– Отне ти само две години – доволно каза Иън. – На някои хора един живот не им стига.

– Какво да направя сега?

– Има ли нещо, което истински те отвращава? – попита го Иън.

– Проституцията – призна Естебан.

– Разбирам – съгласи се с него Иън.

– Ти спал ли си с проститутка?

– Не – сподели му Иън. – Аз съм не по-малко горд от теб.

Естебан се усмихна и неочаквано сподели:

– Аз не мога да спя с две жени паралелно, нали ме разбираш. Докато не приключа, съм си само с една. Даже и да знам, че е не е само с мен. Нещо явно ми е сбъркано.

– По в ред си, отколкото предполагаш – му каза Иън.

– Мислиш ли?

– Просто трябва да намериш жена, която е като теб.

– Сега, докато бяхме в Гърция, момчетата ми се смееха, като им го казах.

– Не влизай никога в капана да се променяш, за да ставаш като другите.

– Понякога е смазващо да си различен.

– Тези, които са като всички, не са себе си, Естебан.

– Сякаш им е по-лесно, като ги гледам отстрани. Не се замислят, не се задълбочават.

– Остави тази тема.

– Но ти непрекъснато сменяш жените в живота си.

– Това е, защото искам да срещна правилната.

– Нали каза, че си я изгубил – припомни му Естебан.

– Все си мисля, че може да има повече от една – каза Иън. – И все се убеждавам, че остава само тя.

– Може би изобщо няма такава жена – каза отегчено Естебан. – Аз мисля, че цял живот ще бъда сам. Не без секс, но сам.

Иън го потупа по рамото.

– Помисли кое истински те отвращава – каза му той и го остави насаме с мислите му. – И когато го откриеш, го направи.

– Защо?

– За да се освободиш от предубежденията си. Докато си в клетката на предубежденията си, не можеш да си свободен.

Естебан дълго мисли по въпроса. Един ден случайно видя обява за уроци по мъжки стрийптийз. И в този момент почувства истинско отвращение. Вдигна телефона и си записа час.

XV

ЕСТЕБАН

Естебан се беше излегнал на дивана и проверяваше в Интернет обявите за работа.

Анна беше намерила наематели за апартамента си и днес подписваха договора. Бяха се договорили за 850 лева наем. С наемната и депозитната вноска тя искаше да си купи нови дрехи. Въпреки че Естебан можеше да ѝ сподели за платените уроци при Саня и с парите да покрият първите дни от тренировките ѝ, не го направи. Разбираше защо Анна иска да започне на чисто. Той също не искаше тя да взема нищо от онзи апартамент и да го носи в новия им живот.

Нямаше никаква идея как ще спечели толкова пари, но знаеше, че това не е работа на Анна, а негова.

Повечето обяви бяха смехотворни като заплащане и Естебан ги подминаваше.

Изведнъж погледът му беше привлечен от обява с "атрактивно заплащане". Набираха еротични танцьори срещу 250 лева на вечер. Обади се да провери за какво точно става въпрос. Отсреща някакъв мъж го попита къде се е учил да прави стриптийз. Отговорът на Естебан беше:

"Изкарах курс във Великобритания". Поканиха го на интервю.

XVI

ЕСТЕБАН

– Танцувал ли си? – беше първият въпрос на учителя му по стрийптиз.

– Да.

– Малко си слаб за стрийптиз. Може би трябва да походиш на фитнес, да се понапомпаш. Жените си падат по мускули.

– Преди спортувах клиф дайвинг – кратко каза Естебан.

– Не, фитнес е по-добре – заключи другият. – А сега ми покажи какво можеш.

Пусна му "Pour some sugar on me" на Def Leppard и му даде възможност да покаже уменията си.

– Само да танцувам или и да се събличам? – попита плахо Естебан и усети как му се прииска да каже, че е сбъркал и да избяга от това място.

– Засега само танцувай. Ако ми хареса как танцуваш, ще започнем със събличането – пренебрежително каза другият.

Естебан го погледна и установи, че не може да направи нито едно движение. Чувстваше се крайно неудобно и започна да се поти.

– Сигурен ли си, че някога си танцувал? – попита го учителят му.

– Мога да танцувам – настоя Естебан.

– Ами хайде танцувай, к'во ме гледаш?

Естебан се опита да събере мислите си, не беше изпадал в по-тъпа ситуация в целия си живот. Харесваше тази песен, беше я чувал и преди, дори беше правил секс на нея. Но при мисълта, че трябва да танцува и да се съблича пред мъж, почувства как му се доповръща. Поне можеше да е напълно спокоен, че не е гей, започна да се разсейва в мислите си той. Опита се да се концентрира отново, но тялото му не реагираше. Сякаш беше парализиран.

– Ще танцуваш ли или само ще се гледаме? – започна да се изнервя другият.

– Излъгах – внезапно каза Естебан. – Не мога да танцувам.

– Ами така кажи де. Аз взех да се чудя да не колабираш тука. Да не си девствен?

– Девствен съм – отново излъга Естебан.

– На колко си години?

– На 17 – най-накрая една истина, отбеляза в мислите си той.

– Как се казваш?

– Естебан.

– Виж, Естебан. Аз съм сериозен инструктор...

– Мога ли да видя как танцувате? – попита Естебан и веднага съжали за думите си. По-неадекватно не се беше държал никога.

– Седни на онзи стол и гледай внимателно.

Учителят му започна да танцува, а Естебан само се молеше да не почне и да се съблича. Другият не стигна дотам и Естебан си отдъхна с облекчение. Не беше имал по-гадно преживяване до този момент в живота си.

На следващия урок учителят му, казваше се Джеймс, беше довел своя колежка стриптизьорка. Накара ги да танцуват заедно на същата песен. В присъствието на момичето, Естебан напълно се отпусна, притисна се към нея и остави тялото му да го води.

– Гъвкав си, което е добре – отбеляза след края на танца Джеймс. – Но за да станеш истински стриптизьор, трябва да владееш всяко мускулче на тялото си до съвършенство.

– Колко трябва да платя, за да може тя да присъства на всеки урок? – попита директно Естебан.

– Не си девствен, нали? – попита също директно Джеймс.

– Не.

– И можеш да танцуваш?

– Аз съм професионален танцьор.

– И професионален лъжец, както виждам.

– Не седемнадесет съм и се казвам Естебан – в своя защита каза той.

И тримата се засмяха.

Стрийптизът изобщо не се оказа лесен за научаване. Естебан никога не беше имал проблем с тялото си, но и никога не беше проявявал особено голяма любов към него. По настояване на инструктора си започна редовно да ходи на фитнес, на козметик и на масаж. Радваше се, че баща му още го издържаше, защото всичко спечелено от школата отиваше, за да изпълнява приумиците на инструктора си. Сали, стриптизьорката, която Джеймс бе довел, изключително много му помагаше, най-вече чисто психологически. Тогава си даде сметка колко правилно беше решението му да учи едновременно Тимъти и Доли, жените имаха особено влияние над мъжете в такива случаи.

Подходи към стрийптиза като към вид танц и постепенно овладя движенията и започна даже да импровизира по време на хореографията. Отне му повече от осем месеца да се отпусне да се съблича. Никога не оставаше гол и сам не разбираше защо толкова се притеснява.

– Имаш някакъв проблем с тялото си – каза му веднъж Джеймс. – При стриптийза е важно не просто да харесваш тялото си, трябва да си влюбен в него.

– Това звучи абсурдно – отбеляза Естебан.

– Може би. Но се опитай да се влюбиш в тялото си, наблюдавай го, любувай му се, радвай му се. Прави секс на светло и гледай как гаджето ти ти прави свирки. Важно е да се чувстваш като пич на сцената. Трябва да се чувстваш като Бог за жените. Защото ще си такъв.

Естебан нямаше проблем да прави секс на светло, нито да гледа как настоящето му гадже му прави свирки, но не можеше да си представи как да се влюби в тялото си. Беше влюбен в тялото на гаджето си, но да е влюбен в своето тяло...

Технически беше овладял всички движения, но Джеймс непрекъснато беше недоволен от него. Никой не го беше критикувал толкова през целия му живот. Запозна го с друг негов ученик – Крис, който се похвали още с влизането си, че е културист. Крис умираше да показва тялото си и едва ли не през целия урок се разхождаше по прашки.

– Трябва да си като него – накрая му каза Джеймс. – Той няма твоята техника, но е много по-добър от теб.

Естебан шокиран гледаше Крис и си мислеше, че е по-добре да се гръмне, отколкото да заприлича на него.

– Абе ти си много задръстен – му каза веднъж Джеймс. – Никога ли не си си правил гола фотосесия?

– Не съм – призна Естебан.

– Ще ти препоръчам фотограф. Много е добър.

Фотосесията му струваше 500£ и Естебан трябваше да вземе пари назаем от Иън, за да си я позволи.

– Не излъчваш никакъв сексапил – му каза фотографът. – Направи някоя поза, покажи мускули.

Естебан мразеше да позира за снимки и фотосесията тотално го изнерви.

– Виж, момче. Губиш ми времето – каза накрая фотографът. – Джеймс ми е приятел, услуга му правя в момента. Ще ти дам десет минути да се настроиш, аз изобщо не знам защо си решил да станеш стриптизьор. Гледай си салсата или там, каквото танцуваш и приеми, че не ставаш. Аз неща, които не ми се удават, ги зарязвам.

– Искам да чуя гласа на тялото си – каза му истината Естебан.

Очакваше фотографът да не го разбере, но той го разбра.

– Знаеш ли на мен какво ми говори твоето тяло?

– Какво?

– Имаш сериозни проблеми със себе си.

– По какво съдиш?

– Тялото ти ми го казва. Не знаеш как да застанеш пред обектива, не знаеш как да покажеш мъжествеността си. Не знам от мен ли те е срам, от теб ли те е срам.

– Противно ми е да си правя гола фотосесия – призна си Естебан. – Да се любувам на тялото си, да се влюбвам в него. Не ми се вижда нормално.

– Имаш ли гадже?

– Да.

– Не искаш ли тя да обожава тялото ти?

– Не. Искам да ú е хубаво в леглото с мен, искам да мога да си говоря с нея. Жените обожават начина, по който ги карам да се чувстват в леглото – изтърси накрая Естебан.

– Много си малък за такива гръмки думи – отбеляза фотографът. – Но дори да е така, чуй какво ще ти кажа – имам повече опит от теб. На 37 съм, ти като те гледам си на около 16.

– На 18 – уточни Естебан.

– Добре, на 18. Чуй ме сега, започнах от много малък – от 13. Знам, че мога да имам всяка, защото моето тяло на мен ми е най-добрият приятел. Но не е въпросът само в секса, разбираш ли? Когато тялото ти ти е приятел, нямаш нужда от думи, разбираш ли? Не ти се налага да обясняваш на другите кой си. Те виждат кой си. На мен това ми е занаята и ги разбирам тези работи. Има хора – говорят, говорят, а като застанат пред обектива – там всичко е честно. Виждаш ги такива каквито са. Това е тялото, лицето ти. Това си ти. Не ми обяснявай кой си. Покажи ми кой си.

Естебан не отговори.

– Ще ми дадеш ли десет минути насаме? – попита го след известна пауза.

– Ще отида да си взема кафе. Отвън съм. Извикай ме като си готов.

– Естебан остана сам. Стресна се от думите на фотографа, че има проблем със себе си.

Съблече се гол и нагласи телефона си на "Pour some sugar on me". Сложи слушалките в ушите си и започна да танцува. Без никой да го гледа. За себе си. Напълно гол.

В един момент забрави за фотографа, както и за света около себе си. Никога не се беше чувствал неудобно гол, но сега се почувства наистина удобно.

Дори не забеляза кога фотографът се беше върнал. Сигурно беше почукал, но от слушалките и музиката, Естебан не го беше чул. Не почуства никакво неудобство от него.

Фотографът му направи знак да махне слушалките и да продължи да танцува. Естебан пусна телефона си на високоговорител и продължи. Музиката едва се чуваше в стаята, но той различаваше всеки звук и всяка дума.

След като фотосесията приключи, фотографът доволно каза:

– Ето това вече е друго нещо. Няма да си винаги на 18. Един ден ще показваш на внуците си какво парче си бил.

Естебан не му каза нищо. Написа му имейла си, за да му изпрати снимките.

Излезе и отиде в танцовата зала. Заключи се и пусна: "Ероса" на Gotan Project.

Съблече си и завърза с превръзка очите си.

Започна да танцува танго.

Сам. Гол. Свободен. Разговарящ с тялото си.

Космическите звуци на епохалното танго сякаш се вливаха като енергиен поток във вените му и го свързваха по напълно нов начин със самия него. Никога не беше улавял с такава яснота движението на всеки мускул, не се беше сливал с физическото усещане да бъдеш, да съществуваш, да долавяш свързването на всяка част от тялото с неговата цялост. От черупка, обвивка, тялото му изведнъж се беше превърнало в контактна форма на съществуване, осъществяваща връзката между него и света около него. То самò преоткриваше и усвояваше пространството около себе си, така че докато танцуваше, Естебан с лекота и финес напълно се напасваше спрямо интериора на залата, без нито веднъж да се спъне, блъсне или бутне нещо около себе си.

Усещаше как всяка пора на кожата му диша, как въздухът изпълва белите му дробове и как струята от кислород преминава през вените му и дава живот на сърцето му. Никога преди не беше осъзнавал съвършената система, която сам по себе си представляваше здравият човешки организъм. Сякаш всяка клетка в този момент даваше своето лично съгласие Естебан да танцува. Музиката проникваше толкова дълбоко в него, преминаваше отвъд познатото и типичното, проявяваше се като нова форма на съществуване, изпълваща го със съвършено надмощие над всяка частица от физическото му тяло. А тялото му говореше. Без глас и без думи то му показваше силата си като проводник на вътрешния му потенциал.

Уредбата сменяше музикалния фон, използвайки цялата палитра от танга от дебютния албум на Gotan Project. Естебан не можеше да се спре.

Танцуваше неуморно, непрестанно, отвъд собствените си представи за издръжливост.

Силен, свободен, неприкосновен.

На другия ден приключи с уроците по стриптийз. Взе сертификат за изкараните часове, но реши, че няма нужда от повече. Знаеше, че ако сега танцува пред Джеймс, той щеше да бъде впечатлен, но не му пукаше нито за мнението на Джеймс, нито за нечие друго мнение. Беше чул гласа на своето тяло. То му беше дало своите сигурни индикации, които безпогрешно щяха да го водят оттук нататък.

Разгледа насаме снимките, които фотографът му беше изпратил. Бяха безупречни.

Изпрати смс на Иън: "Чух го. Отново".

Иън му изпрати обратен смс: "Какво мислиш за световните първенства?"

Естебан се усмихна и му оттовори: "Нямам нужда от тях".

Гласът на тялото му го беше освободил от нуждата от външно признание.

XVII

ЕСТЕБАН

Преди да започнат да танцуват, собственикът на дискотеката накратко обясни условията. Граждански договор без осигуровки. В договора като заплащане щяло да пише като хонорар на вечер 50 лева, но на ръка щели да вземат 250 лева. Ако шоуто пълнело дискотеката, заплащането ставало двойно.

Имаше поне десет момчета, които се бяха явили за мястото. Естебан ги погледна с абсолютно пренебрежение. Поразително му приличаха на Крис, ученикът на Джеймс. Бяха между 18 и 20-годишни, самовлюбени и надъхани.

Реши се Естебан да е втори. Той се надяваше да е последен, даже вътрешно искаше да не го назначат. Така нареченото жури – фолк певица, близка приятелка на собственика на дискотеката, самият собственик, гаджето му – известна манекенка и една жена, която била най-добрата стриптизьорка в дискотеката, му опротивяха само докато ги гледаше.

Беше облечен съвсем обичайно с дънки и спортна риза с къс ръкав. Останалите младежи бяха с какви ли не сценични облекла – единият даже се беше направил на пират. Отдолу Естебан умишлено беше с боксерки. Достатъчно потъпкваше мъжката си и професионална гордост с явяването пред подобен тип жури.

Както и предполагаше Естебан, конкуренцията беше съставена от самовлюбени некадърници. Момчето преди него започна да се кълчи на сцената под ритъма на хита на LFMAO - "I'm sexy and I know it", което явно се видя много интересно на "компетентното жури" и жените започнаха да му ръкопляскат и подсвиркват.

Накрая конкурентът му остана по сценични прашки с някакъв светещ елемент точно където бяха слабините. Естебан се почувства още повече не на място.

Спомни си шоутата, които организираше Джеймс – там имаше стил, дори актьорска игра и въпреки това не се включи в нито едно. Стриптийзът беше средство да се надскочи пред самия себе си, не да се показва пред някой друг.

Естебан излезе с вътрешно нежелание на сцената и от огромната фонотека на своя MP3 плейър се спря на "Epoca tango" – instrumental. Избра го умишлено. Знаеше, че тангото е музика, за която се иска определена вътрешна изтънченост. Даже му се прииска да стане за смях, да се издъни, да се махне. Но тогава си помисли за Анна, за конкурса, за мечтата, която тя беше готова да сподели с него.

Тангото завладя дискотеката със своята режеща като нож ритмика и чувственост, съвсем различна от комерсиалните музикални стилове и тенденции. Техно елементите, вплетени в композицията, сякаш придадоха вселенски оттенък на музикалния фон и създадоха алюзия за безкрайно звездно небе и разтваряне в необятността. Затъмнената дискотека напомни за обсерватория, сякаш Естебан беше свръхестествено същество, което се сливаше с музиката по неземен начин.

За Естебан светът престана да съществува още с началния акорд на тангото. Остана единствено Анна, която в момента поставяше ново начало за тях. Остана мечтата за изгреви и залези, непознати хоризонти и отворени пътища, моментите на пълно отдаване по време на танц и по време на секс, размити граници, споделеност, неговият свят през нейните очи. Въпреки че Анна я нямаше, Естебан танцуваше за нея. Като мъж, като воин, като завоевател.

Тялото му отговаряше със смазваща прецизност на всеки звук. Събличаше дрехите си с такава лекота и невъзмутимост, че членовете на журито го гледаха като омагьосани. Никой не смееше да издаде звук, за да не наруши завладяващото единение между красотата на музиката и красотата на разголващото се човешко тяло.

Накрая Естебан остана на сцената по черни боксерки, безупречен и неуязвим. След като приключи, собственикът на дискотеката стана, лично отиде при него и му каза:

– Назначен си. Започваш тази вечер. Но си купи едни прашки за сцената – клиентките ще искат да видят повече плът.

Въпреки явното ласкателно отношение не почувства никаква гордост или задоволство. Стори му се, че самата обстановка има силата да го омерзи и унижи. Докато вървеше към мотора си, очите му се насълзиха при мисълта колко ниско падаше заради уроците по танци на Анна. Надяваше се да се прибере преди нея, за да може да се изкъпе. Но когато се прибра, тя беше там. Част от новите ѝ дрехи бяха вече закачени на простора, а останалите бяха в пералнята. Естебан влезе веднага в банята, заключи се и пусна силно душа. Стоя под него повече от час. След като излезе, едва я целуна, изпълнен с чувство за вина, че оттук нататък ще се налага да я лъже.

– Ще поспя малко – извини се той. – Събуди ме в пет часа, че от шест и половина имам група.

– Почини си – гальовно каза Анна. – Ще те събудя.

Не можа да заспи. Въртеше се в леглото и мислеше дали да не ѝ разкаже всичко и заедно да не потърсят друго решение. Мъжката му гордост не му позволи да ѝ признае, че бившата му любовница искаше да ѝ плаща, защото занапред отказваше да спи с нея. Нито да сподели, че не може да намери друг начин да спечели пари, освен да се съблича в някаква дискотека.

Едва се унасяше, когато Анна го целуна за събуждане. Той я издърпа в леглото, притисна я към себе си и ѝ каза да остане за малко така. Анна се сгуши като малко дете в ръцете му.

– Тази вечер ще закъснея. Саня иска да ми покаже идеите си за хореография на волната ни програма и може би ще се върна след дванайсет – излъга я той.

– Ще ти направя нещо вкусно и ще те изчакам – обеща му Анна. – Не искам да си лягам без теб.

След групите в школата Естебан се разходи пеша до дискотеката. Знаеше, че Анна не би го проверявала, но за всеки случай остави мотора на паркинга на школата. Винаги можеше да ú каже, че със Саня са били в най-вътрешната зала и затова другите не са светили. По пътя се чудеше какво ли биха си помислили учениците му, ако го засекат как се разсъблича до прашки в стриптийз клуб. Ако той беше видял Иън така, може би щеше да олекне напълно в очите му.

Когато отиде в дискотеката, го посрещна някакъв непознат мъж, който му се представи като Боби и му връчи сценичен стриптийз костюм, съставен от сребристосиви панталони, мантия в същия цвят, червени прашки и слънчеви очила. Каза, че целият костюм е купен специално за него и така ще е по-атрактивен за публиката. Уведоми го, че ще танцува на "Sex on fire" на Kings of Leon, а сценичното му име ще е "Mr The Best".

Естебан видя собственика на дискотеката на една от масите и едва сега забеляза, че е необичайно пълно за 22:00 часа.

"Шоуто" на Естебан започваше в 23:00 часа. Явно собственикът се беше похвалил вече с него и беше дал гласност, с което беше напълнил дискотеката.

Естебан влезе в гримьорната, където видя, че за него има подготвен фризьор и гримьор. Явно беше звездата на вечерта. Гримьорът се погрижи за тена на лицето и тялото му, фризьорът му направи прическа, след което го оставиха насаме да се преоблече. Естебан се облече със сценичния костюм, пусна си няколко пъти песента, за да се настрои към музиката, след което се отпусна и зачака да стане 23:00 часа. Оставаха още девет минути, преди да излезе, така че написа смс на Анна:

"Какво вкусно ми готвиш?"

"Салата от рукола, авокадо и нар, паста с артишок и маслини и суров десерт от кокос и шоколад.".

"Приготви и бутилка вино – написа ú Естебан. – Тази вечер ще празнуваме. Най-сетне си си у дома :)"

"Не се преуморявай. Целувам те. :-* "

Изпълнението му отбеляза забележителен успех.

За да бъде още по-унизително, по време на изпълнението клиентките в заведението имаха отворен достъп до сцената и слагаха пари в прашките му, докато танцуваше. Вътрешно всичко му кипеше от случващото се, но след като приключи, видя, че банкнотите бяха само от по 20 и 50 лева. За една вечер беше спечелил 300 лева само от бакшиши. Това го зарадва. Нямаше да има нужда да танцува повече от два пъти седмично.

Върна се към 01:00 часа в подобрено настроение. Беше минал през школата, за да се изкъпе. Използва кода на Саня, знаеше че тя спеше с Жеков и той никога не я проверяваше за нищо. Изми добре тялото, лицето и косата си, преди да се прибере при Анна. Тя го очакваше, сложила масата в кухнята. Естебан беше зверски гладен, но преди да пристъпи към вечерята, дълго и любвеобилно прави секс с Анна, опитвайки се да успокои гузната си съвест и да забрави за изминалите няколко часа.

XVIII

ЕСТЕБАН

– Ето ти парите до края на седмицата – подаде ѝ 650 лева Естебан.

– Откъде взе тези пари? – попита го загрижено Саня.

– Започнах втора работа – каза ѝ истината той.

– Съдействието на Саня му беше необходимо, за да го прикрива пред Анна.

– Каква втора работа? Да не си обрал банка? – пошегува се тя.

– Правя стриптийз в една дискотека – сериозно отговори той.

– Саня го погледна изумено.

– Правиш стриптийз? – изсмя се тя. – И къде?

– "Амброзия"

– Е, поне си елитен стриптизьор – продължи да се подиграва Саня.

– Анна не трябва да научава. – обърна ѝ внимание Естебан. – Казах ѝ, че заедно сме няхвърляли идеи за хореографията на волната програма. Но не мога винаги да я лъжа с това.

– Използвай моята лъжа за пред Дани – предложи Саня.

Преди, когато правеха редовно секс, Саня лъжеше приятеля си Йордан, че тя и Естебан разтанцуват хора в различни дискотеки с латино музика.

– Да, ще мине – съгласи се Естебан. – Искам да я тренираш много добре, нали?

– Естествено – засмя се Саня. – Все пак ти си залагаш задника за тези уроци. Ще отида да уведомя Жеков, че ще имаме нова клиентка.

– Саня, знам, че ми се сърдиш, но моля те, ако можеш направи така, че... – Естебан не довърши изречението си.

– Връщам се след малко – отговори Саня.

– Имаме нова клиентка в школата – каза тя на Жеков. – Аз ще я поема, по пет часа на ден.

– Не е нужно да ме уведомяваш. Разбрали сме се ти да подготвяш графика.

– Малко е специфично. Гадже е на Естебан.

– Я, гледай ти. На това се казва изненада.

– Заедно ще участват в "Spettacolo di ballo".

– Някои хора явно не се учат от грешките си.

– Просто те уведомявам.

– Благодаря, но не мисля, че информацията ми е особено полезна. Кой ще ѝ плаща уроците на тази госпожица?

– Адвокат е, може да си го позволи.

– ОК. Обучавай я, след като е решила да се води по акъла на Естебан. Но недей да забравяш, че основните ви ангажименти са други.

– Наясно съм. И още нещо – може ли парите от уроците ѝ да не ги минавам през школата. Имам малко финансови проблеми.

Жеков я погледна изненадано, но само мило отвърна:

– Задръж ги щом ти трябват. Ти така или иначе вършиш много повече работа, отколкото ти плащам.

– Благодаря.

– И понеже познавам добре Естебан, отсега искам да го предупредиш – ако иска съвместни занятия с гаджето си, цената на урок за двама е 50 лева. И неговите 25 лева искам да ми ги предаваш лично. Не искам да започне да си въобразява, че ще ползва някакви привилегии на работното си място.

– Добре, ще му предам.

– Говорих с Жеков. Цената за Анна е както за всички останали клиенти – 30 лева на час. И ако искате съвместни часове – 50 лева на час.

– Благодаря, че опита.

– И се пази да не те хване, че стриптизьорстваш. Че тогава и аз няма да мога да те спася.

♪♫♪

Естебан и Саня се запознаха в Интернет. Той беше на 20, тя на 18 години. Говореха си много за танци и си пращаха клипчета със свои танци. Естебан беше запленен от красотата на Саня, но по негово мнение тя беше по-скоро техничарка, отколкото танцьорка. Саня от своя страна напълно беше обсебена от Естебан, беше влюбена в познанията му, арогантността му, класата му.

По същото време Естебан вече водеше групи в школата на Иън и имаше почти толкова часове, колкото него.

Един ден Иън го извика в кабинета си.

– Трябва да поемеш по своя път, Естебан – кротко му отбеляза той.

– Аз изцяло съм на моя път – отбранително заяви Естебан.

– Ако останеш тук, ще започнеш да ме засенчваш и аз ще започна да ти завиждам. Може дори и сега да ти завиждам, но още ме е грижа за теб – призна му Иън.

Естебан го погледна смаян. Винаги го беше чувствал като баща.

– Ти си единственият ми приятел – откровено му призна.

– Беше ми интересно да съм твой покровител – призна на свой ред Иън. – Видях потенциала ти и знаех, че имаш нужда само някой да ти подаде ръка. Радвам се, че го направих. Нямам кой знае колко направени добри дела в този живот, но ти си моето добро дело. Ужасно ти завиждам и ужасно се гордея с теб едновременно.

– Да не си пиян? – попита внезапно Естебан. През всичките тези години беше идеализирал Иън.

– Не. Просто повече не можеш да останеш тук.

– Гониш ли ме?

– Правя ти услуга. Посочвам ти пътя към свободата.

– Правиш услуга на себе си – рязко му отговори Естебан. – Ти никога не си бил свободен, за да ми посочваш пътя към свободата.

Излезе бесен. Прибра се вкъщи и се разплака. От гордост не потърси Иън, реши, че може и без него. Отиде в школата само за да уреди формално напускането си. Иън беше оставил един плик за него – вътре имаше препоръка, която му беше написал, Диплома от Британската

Академия по танцово изкуство на името на Естебан и бележка, на която беше написано: "Дипломата не означава нищо без уменията, но не бива пред теб да се затворят врати затова, че я нямаш". С препоръката и дипломата на практика всички врати навсякъде по света бяха отворени за Естебан.

Той разгледа внимателно дипломата. И в най-смелите си мечти не беше мечтал за такъв шанс. Написа под думите на Иън "Благодаря!", след което взе препоръката и върна дипломата и бележката обратно в плика. Ако беше научил нещо през последните пет години, то беше, че има нужда от здрави устои, върху които да гради живота си. Те не включваха нито измислена биография, нито фалшиви дипломи. Тръгна си от школата със свито сърце, осъзнавайки, че тук оставяше единствения си приятел.

♪♫♪

По същото време Саня беше започнала работа при Жеков. Естебан ѝ писа, че иска промяна в живота си и тя предложи да покаже записите с танците му на Жеков. Жеков веднага се съгласи да го вземе на работа. Считаше, че испанец в школата е добра реклама. Предложи му да получава 15 лева на час. Цената беше смешно ниска, но Естебан реши, че иска наистина коренна промяна и прие. Постави като условие, преди да започне да обучава, школата да му покрие шестмесечен обучителен курс по български език. Знаеше колко проблемна можеше да бъде езиковата бариера.

Когато пристигна в България, за около месец беше съквартирант на Саня. Тя беше изключително влюбена в него, отдаде му се още същата вечер. Естебан обаче откри, че Саня изобщо не го разбира. Мъкнеше го по разни задимени дискотеки, за да се фука с него, после ходеше недоспала на работа (той караше езиков курс и не я придружаваше). Нямаше никаква хранителна култура и постоянно беше на някакви безумни диети.

След месец Естебан случайно попадна на подходящ за самия него апартамент. Собствениците на апартамента живееха в Германия и нямаха нищо против да го обзаведе както пожелае.

За съжаление България му носеше разочарование след разочарование. Българският език му се видя кошмарно сложен, дори азбуката беше различна. Повечето хора, които срещаше, бяха прекалено различни от него самия и целият им живот се изчерпваше с ходене на работа, пиене по заведения и гледане на телевизия.

Той спеше само със Саня, което не промени даже и когато разбра, че тя спи и със собственика на школата.

В началото искаше да даде най-доброто от себе си на учениците си, но Жеков се постара да прекъсне всякакъв порив или инициативност у него.

– Не можеш да казваш на някого, че ако иска да се научи да танцува, трябва да се изнесе от вкъщи – каза му веднъж Жеков.

– Родителите ú я спират, контролират я и тя не може да се отпусне – опита да се защити Естебан.

– Виж, ти си тук не да даваш съвети, а да преподаваш танци. Вземай парите и си следвай часовете. Ти това ли правиш по време на уроците си? Говорите си за родителите ú, вместо да танцувате.

Жеков и Естебан застанаха на нож още първата година. Саня се превърна в нещо като буфер между тях. Чувствата ú към Естебан я караха да се застъпва за него. Постепенно Жеков създаде милион ограничения за Естебан. Когато вдигна цените на уроците, не увеличи цената на неговите.

Напълно неудовлетворен от живота си Естебан се насочи към "Spettacolo di ballo". Саня беше много въодушевена, но не достатъчно дисциплинирана. За сметка на нея, той се упражняваше непрекъснато в апартамента си. Нищо друго освен състезанието не го интересуваше. Само че Саня беше изключително разсеяна по време на изпълненията им и двамата бяха невероятно посредствени. Провалът го мотивира да се подготви още по-усилено за тазгодишното състезание. Но за разлика от него, Саня се предаде. Целият ú ентусиазъм се изпари и тя се отдаде на работата в школата и комуникацията с клиентите.

И точно тогава в живота му се появи Анна.

Уроците с Анна бяха необичайно различни от всичко, което практикуваше в школата. Те го връщаха към Арма и един период от живота му, който вече му изглеждаше като сън. Анна го дразнеше с надменността си и същевременно го изумяваше с упоритостта си. Винаги се връщаше обратно. Беше точна за часа си и въпреки непоносимото си държане, спазваше инструкциите, които ú даваше.

И изведнъж, без сам да разбере какво беше станало с нея, Анна дойде съвършено различна. Изглеждаше различно, държеше се различно, все едно беше съвсем друга жена. Когато забеляза, че чува музиката, Естебан почувства някаква необяснима близост с нея. Докато стояха пред огледалото и я видя как плаче мълчаливо, но не смее да прекъсне урока си, Естебан осъзна, че неудържимо желае тази жена. След края на урока Анна беше неузнаваема.

Благодари му. Беше смирена, покорна, въодушевена.

Естебан се заплени от покорството и въодушевлението ѝ. Цяла седмица не можа да спи, сънуваше как прави секс с нея и нямаше търпение да я види отново.

"Ще разпознаеш човека, който наистина иска да се научи да танцува по това, че е готов да направи всичко, за да се научи", му беше казал веднъж Иън.

И Естебан я разпозна – своята ученичка.

В момента, в който Анна му показа тефтера и празното място срещу графата секс, той прие поведението ѝ като покана.

Заведе я апартамента си, за да останат наистина насаме. И внезапно Анна прояви неподозирана сила, която го смая. Той щеше да я научи да танцува дори да си беше тръгнала онзи следобед, тъй като вече беше неудържимо привлечен от нея. Но тя остана. Срина целия си живот в един миг с впечатляващо хладнокръвие. Заради него. За да му докаже, че иска да се научи да танцува.

Естебан не посмя да премине границата, дори когато тя вече беше напълно пияна и му беше подала всички възможни сигнали, че иска да е негова. Осъзна, че имаше нещо повече от тялото ѝ, което го интересува – интересуваше го самата тя.

След вечерните новини се почувства отговорен за нея, прииска му се да я защити, да я предпази, да ѝ даде закрилата си. И ѝ даде единственото, с което разполагаше – своя свят.

Анна го изслушваше, разбираше, доверяваше му се и неусетно му стана най-близкото същество на света. Естебан едва я пускаше да си тръгне от дома му. Анна му създаде усещането, че е нещо негово, което цял живот е търсил и което изцяло му принадлежи. Установи, че се дразни дори ако някой само я доближеше по време на груповите уроци. Искаше я само за себе си, искаше за него да е всеки неин поглед, всяка нейна дума, всяка нейна усмивка.

Усети как намрази работата ѝ и света, който имаше силата да я отдели от него. Когато ѝ каза пред театъра, че прекратяват уроците, вътрешно копнееше Анна да му каже, че избира да танцува, че избира него. Вместо това тя му заяви, че ще го препоръчва като инструктор, което го накара да се почувства като нищожество.

Насочи цялото си внимание към конкурса. Прецизира хореографията на задължителната програма. Настоя Саня да тренира усилено, колкото него.

Мислеше, че е забравил Анна, докато не я видя отново. И всичките му бариери паднаха.

Сексът с Анна беше най-завладяващото и неописуемо изживяване, което беше изпитвал. Беше повече от физическо удоволствие, сякаш цялото му същество се разтапяше в океан от невъобразимо блаженство. Мозъкът му изключи и можеше да говори само на испански. Като по някакво чудо и тя му отговаряше на испански. Следваше тялото му, сърцето му, дори езика му.

На другата сутрин Саня му сервира, че не може да участва в конкурса, тъй като не ѝ се давали 2500 евро на вятъра. След нощта с Анна Естебан нямаше да се обезпокои дори и да му беше казала, че е уволнен. Предложи ѝ той да поеме нейната част, но ако спечелят, да вземе цялата награда. Саня му обясни, че не иска в следващите два месеца и половина да се размаже от тренировки, да си съсипе лятото и накрая да стигнат пак доникъде и после да обвини нея за всичко. Естебан дори не ѝ отговори. Излезе от школата и просто ей така, напълно спонтанно реши, че ще състезава с Анна. Прибра се у тях и електронно провери цялата наличност на банковата си сметка. 10 504 лева. Използва ги, за да запише и двамата за конкурса.

"Не подценявай никога силата на една жена да се надскача" беше му казал някога Иън. По неговите думи съществуваше един истински ученик и една истинска жена в живота на всеки мъж, а в живота на Естебан те се бяха появили с Анна.

XIX

ЕСТЕБАН

Саня беше изцяло предубедена към Анна, когато се съгласи да я тренира. Но негодуванието ѝ се изпари още по време на първото занятие.

Естебан направи с Анна демонстрация на новата им хореография.

Въздействащото им изпълнение напълно стопи всякаква нотка на неприязън.

Толкова часове бяха отделили с Естебан, за да създадат предишната хореография. Сложни движения, комбинации от фигури, съчетание на техника, стил и прецизност. Намерението на Естебан бе да смаже конкуренцията с превъзходството си.

И сега той избираше да застане пред публиката с изповед за уязвимостта и интимността. Без елемент на високомерие. С хореография, която слагаше акцента върху Анна.

– Какво ще кажеш? – потърси мнението ѝ Естебан, след танца.

– Променил си всичко – кратко каза тя.

– Искам да видят чувството, с което Анна танцува.

– След като това искаш – студено се съгласи Саня.

– Кажи ми ти какво виждаш?

– Аз виждам... румба – лаконично отговори Саня.

– Най-вероятно, защото това танцувахме. Благодаря за професионалното ти мнение – иронично каза Естебан. - ОК. Имам часове. Имаш ли нужда от съдействето ми още или оттук нататък можеш да поемеш Анна сама?

– Поемам я.

– Ще съм в съседната зала – нежно каза Естебан на Анна и добави шеговито: – Не ѝ се връзвай на Саня. Такава е само, когато завижда.

♪♫♪

– Естебан поиска да сменим музиката и хореографията – каза Анна, когато Естебан излезе.

– Той е наясно, че техниката ти не е прецизна – отговори Саня. – Предишната хореография щеше да е твърде трудна за теб. Но сегашната пък е много по-емоционална.

– Мислиш ли, че за толкова кратко време мога да придобия техниката, която е необходима за конкурс от такова ниво?

– Няма как да имаш техниката на някоя от другите състезателки. Невъзможно е – откровено ѝ каза Саня. – Каквото и да правим двете, дори денонощно да танцуваш. Това са години, които не можем да компенсираме за месец и половина. Дори да беше изключителен талант, пак нямаше да се получи за толкова кратко време.

– И какъв е смисълът изобщо да се явяваме тогава?

– Изобщо няма да пипаме техниката ти – продължи разсъжденията си Саня, подминавайки въпроса ѝ. – Даже точно обратното – още по-силно сложим акцента върху твоя непрофесионализъм. Ще те отличим. Ще те направим още по-крехка, още по-нежна, още по-уязвима. Ще работим изцяло върху чувството ти и отдадеността ти. Ще им покажем... румба. Румба е танц, в който двама души се обичат. И на сцената всички ще видят точно това – двама души, които се обичат. Мисля, че това е единственият ни шанс – да заложим на нещо напълно нестандартно.

– А волната програма? – полюбопитства Анна.

– Нека поработя известно време с теб и ще ми хрумне нещо. За момента ще се концентрираме върху румбата.

XX

ЕСТЕБАН

– Искам да работиш върху техниката на Анна – каза Естебан.

– Защо просто не ми се довериш? – отговори спокойно Саня. – Знам какво правя.

– Връщаш ми го. Това правиш.

– Анна никога няма да има техниката на професионалист, Естебан. Приеми го. Дай ѝ шанс да танцува като непрофесионалист, каквато е. Ще работя с нея върху чувството ѝ. Защото в него е силата ѝ.

– Непрофесионалист е само в главата ти. Ще работиш с нея върху техниката ѝ. Защото затова плащам.

– Ако ми се довериш и публиката, и журито ще се влюбят в нея.

– Не искам публиката и журито да се влюбват в нея. Искам да ѝ дадеш истински шанс. Да я третираш като професионален състезател. Аз познавам потенциала на Анна много по-добре от теб. След като съм преценил, че ще танцувам с нея, то е, защото знам, че ще се справи.

– Тогава защо не запази нашата хореография? Тя беше съвършена технически.

– Защото исках Анна да се почувства съпричастна към конкурса. Затова ѝ дадох да избере песента. Тя избра песента.

Саня го погледна неудомяващо.

– Не е мое решение. Нейно решение е.

– Но хореографията е твоя. И тя показва, че ти си наясно, че техниката не е силата ѝ.

– Затова ще работиш върху нея.

– Защо просто не ми се довериш?

– Доверявам ти се. Дал съм ти да измислиш волната програма. Там можеш да проявиш цялото си въображение – покажи нея уязвима, покажи мен уязвим, каквото направиш, това ще покажем. Но задължителната програма ще е по правилата. А това означава съвършени фигури и професионално изпълнение. Ясно?

– Ще работя върху техниката ѝ, но според мен допускаш грешка.

– Саня, Анна ще се справи. Ако ѝ дадеш шанс, тя може да те смая с потенциала си. Не я подценявай.

След като Естебан излезе, Саня осъзна, че няма нищо против Анна. Единственият, срещу който имаше много против беше Естебан.

Една вечер отиде да гледа шоуто му. Изненада се, че в дискотека като "Амброзия" бяха допуснали Естебан да танцува стриптийз на танго. Музикалният фон беше "La cumparsita" в изпълнение на Alfred Hause Orchestra.

Решението беше на собственика на дискотеката, който поради големия интерес към шоуто на Естебан, му беше заръчал всеки път да е оригинален на сцената. Така дискотеката избираше музикалния фон за едната от двете вечери, а за другата Естебан подбираше музиката сам. Същото важеше и за сценичното облекло, което изцяло се закупуваше от дискотеката.

Тази вечер Естебан излезе облечен в костюм от прав черен панталон, бяла риза с високо вдигната яка, тъмночервена вратовръзка и закопчано черно сако. Публиката се наелектризира само при появата му. Гениално изпълненият инструментал на едно от най-зашеметяващите танга в миг превърна дискотеката в сцена от подлудяваща страст и копнеж. Заедно с Естебан излязоха и две танцьорки, облечени в тъмночервени трика с пера, които като фон затанцуваха в дъното на подиума.

Естебан магнетично редуваше партньорките си. Танцувайки, подари на едното момиче розата от ревера си, а другото бавно го освободи от сакото му. Саня предположи, че Естебан лично е обучавал партньорките си. От време на време той еротично придърпваше някое от момичетата в обятията си, но миг по-късно те отново се превръщаха във фон, а той в мъжа способен да превърне в реалност всяка женска фантазия. Събличаше се толкова страстно под звуците на чувственото танго, че

Саня усети как подлудяващото му присъствие на сцената напълно замъгли съзнанието ѝ. Нямаше представа дали този мъж има такова въздействие само върху нея или на всяка жена в дискотеката. Обезумелите викове на посетителките ѝ дадоха отговор.

Но вместо задоволство докато го гледаше изпита единствено огорчение и необяснима тъга.

Накрая Естебан остана по тъмночервени прашки и вратовръзка. Двете момичета, облечени също в тъмночервено, завършиха заедно с него хореографията, облегнати от двете му страни.

– Харесва ли ти шоуто? – попита я барманът.

– Дойдох от любопитство – излъга Саня.

– Късметлийка си. Другата седмица е с куверт от 50 лева.

– 50 лева?

– Заради него е – барманът посочи с поглед Естебан. – Изключителен е. Излиза за пет минути, а цяла вечер не спират да говорят за него.

В резултат на собственото си неудобство Саня прекара нощта с бармана и на сутринта се почувства още по-зле.

Знаеше, че днес Естебан има вечерни групи и умишлено остана да го изчака. След като той приключи, отиде при него:

– Снощи бях на *шоуто ти* – започна с насмешка тя.

Естебан я погледна озадачено и без да каже нищо, тръгна към съблекалнята. Отново беше надянал маската на невъзмутимото си безразличие, но тя знаеше, че вътрешно се чувства ужасно унизен пред нея.

– Не беше лошо – продължи Саня, като тръгна след него. – Но истината е, че не се забавлявах ни най-малко. Явно нямам сетива за мъжкия стриптийз. Даже ми стана толкова зле заради това как се излагаш, че накрая преспах с бармана.

– Анна ще дойде всеки момент – прекъсна тирадата ѝ Естебан. – Отивам да се изкъпя, нали ще ѝ отвориш, като дойде?

Саня застана между него и вратата.

– Не ми е добре – тъжно му призна Саня, все едно не беше го чула.

– Ако ти е кофти, ела с нас – предложи ѝ той. – Ще бъдем в ресторанта отсреща. Анна иска да ме запознае със сестра си.

– Не може ли нещата между мен и теб да продължат постарому? Аз също съм с Дани, но това никога не ми е пречело да бъда с теб. Почувствах се като курва, като преспах с онзи барман.

Естебан ехидно се усмихна.

– Като спеше с мен, Йордан и Жеков не се чувстваше курва, сега изведнъж се почувства заради някакъв барман, който повече няма да видиш.

– Откъде знаеш за Жеков?

– Знам – каза просто той. – Не съм идиот.

– Нямах избор – оправда се тя за Жеков.

– Помниш ли Кремена? – попита я Естебан. – Един ден я видях как излезе разплакана от кабинета на Жеков. Беше объркана и ми се довери. Каза ми, че я е натиснал и ѝ е обяснил, че ако не му пуска, място в школата няма да има за нея. После тя напусна. Ти винаги тук си правила каквото си поискаш. Така че просто вързах две и две. Отивам да се къпя.

– В една връзка винаги се изневерява – поде го в съвсем друга посока Саня. – Ако не го правиш ти, рано или късно ще го направи Анна.

– Анна е само с мен – рязко ѝ отговори Естебан. – И винаги ще е така. Сигурен съм в нея.

– Ако види как те разсъбличат други жени, може повече да не бъде с теб – реши да го подразни Саня, въпреки че знаеше, че лично тя не би ѝ казала.

– Разбрахме се да си мълчиш – твърдо каза Естебан.

– Аз не съм единственият човек около нея.

– Никой от приятелите ѝ не ме познава, за да ѝ каже каквото и да е.

– Това не променя факта, че я лъжеш, нали?

Естебан не отговори, заобиколи я и излезе. Влезе бесен в съблекалнята. Може би не беше добра идея да казва на Саня, че работи като стриптизьор.

Беше му гадно, че лъже Анна, но как да ѝ каже, че се съблича за пари, за да може да плаща уроците ѝ по танци. Дори да излъжеше, че иначе Жеков би направил проблем и да ѝ спестеше истината за връзката си със Саня, пак стоеше проблемът с парите за уроците. Анна би поискала да започне работа, което щеше да провали участието им в конкурса.

Можеше да се извинява пред себе си, че няма избор, но Естебан знаеше, че човек винаги има избор. И Саня беше имала избор да напусне като Кремена.

Неговият избор беше да лъже Анна, тъй като мислеше, че така я предпазва. Не виждаше какво ще спечели тя от истината. Щеше да се притеснява за пари, което му се виждаше излишно, при положение че той беше намерил начин да печели пари с минимум отсъствие от вкъщи. Това щеше да отклони вниманието ѝ от танците и конкурса, лукс, който поради недостига на време, никой от двамата не можеше да си позволи.

Саня остана сама в залата. Съдейки по поведението на Естебан, той беше яко хлътнал. Даде си сметка, че вече не го обича. Отдавна не го обичаше. Беше ѝ нужна мисълта, че го обича, защото без нея в живота ѝ нямаше да остане нищо, което да я зарежда емоционално. Танцуваше, откакто се помнеше, но танците не можеха да бъдат смисъл на живота ѝ. Не беше достатъчно амбициозна, за да се състезава, обичаше лесния живот и забавленията. Йордан беше мил, задоволяваше всичките ѝ капризи и напълно я обгрижваше, но по време на цялата им връзка тя само се преструваше, а за Жеков се опитваше да не мисли.

Естебан също се преструваше, правеше се на силен и независим, защото честолюбието му пречеше да признае пред себе си, че не може да осигури на Анна предишния ѝ стандарт на живот. Вярваше си, че ще спечелят конкурса, но Саня силно се съмняваше. Анна танцуваше все по-добре с всеки изминал ден, но много неща ѝ убягваха още. Естебан беше ужасно труден характер и тя не вярваше, че Анна може да издържи всичките му особености. Саня веднъж беше изпитала върху себе си най-гадните черти от характера му покрай провалания конкурс и знаеше колко язвителен и мрачен може да бъде Естебан. А ако по някаква случайност Анна научеше как плаща уроците ѝ по танци, конкурсът заедно с връзката им приключваха на секундата.

На Саня дори ѝ стана мъчно при мисълта как евентуална раздяла помежду им би се отразила на Естебан. Надали Анна си даваше сметка колко е важна за него и как можеше да го унищожи само с едно щракване на пръсти.

Саня отиде и отключи външната врата, след което се върна в залата, пусна си музика и започна да танцува. Струваше ѝ се, че всички хора играеха свой театър и в крайна сметка никой не смееше да покаже истинското си лице.

♪♫♪

Анна слезе от колата и тръгна към школата. На влизане забеляза как Саня танцува сама и се загледа в движенията ѝ. Саня беше съвършена. Приличаше на красива порцеланова фигурка, която едва стъпваше по пода. Колкото и да се стараеше, на Анна ѝ се стори, че с каквото ѝ чувство да танцуваше, то не можеше да придаде на движенията ѝ това изящество, което притежаваше Саня, която танцуваше от дете.

Когато Естебан излезе от съблекалнята, видя как Анна наблюдава Саня, която танцуваше. Както обикновено танцът на Саня беше технически прецизен, но без грам емоция или въображение. Той се приближи откъм гърба на Анна и покри с длани очите ѝ .

Анна се засмя, свали ръцете му и се обърна към него.

– Винаги ли ще си само моя? – попита я той неочаквано.

– Винаги – тържествено каза тя.

– Много неща не знаеш за мен.

– Можеш да ми разкажеш всичко за теб, обещавам да не бягам.

– Моля те никога да не бягаш от мен. И да ме изслушваш, преди да си правиш заключения.

Анна го погледна изненадано, но каза само:

– Обещавам.

Естебан усети, че започва да я плаши и меко добави:

– Понякога стават недоразумения, защото хората си правят заключения, без да си говорят. Не искам да се случи с нас.

– Ние не сме хората. – топло го успокои Анна.

Естебан усети как всички страхове и съмнения, с които Саня го беше подлудила, сякаш изведнъж се изпариха. Дори Анна да разбереше, че е стриптизьор, какво от това? Другите стриптизьори в дискотеката се гордееха, че са такива. Приятелката на единия идваше на всяко представление. Можеше дори да не се окаже чак такъв проблем за нея.

Прегърна я през рамо и я изведе от школата. Беше му олекнало, но дълбоко в себе си се молеше Анна никога да не разбере, че прави стриптийз за пари.

XXI

ЕСТЕБАН

Катерина, сестрата на Анна, ги очакваше.

– Маги ни кани утре на рождения си ден – започна въодушевено да разказва Катерина, след като се запозна с Естебан.

– Маги? Не сме се чували от сто години. Сигурна ли си, че съм поканена.

– Тя настоя да те поканя точно, защото не сте се виждали от сто години.

Анна въпросително погледна Естебан, на което той докачливо отговори:

– Аз ще бачкам утре, така че не ме гледай.

– Да, понякога той работи наистина до късно – потвърди Анна. – Има ангажименти към школата. Разтанцуват с колежката му хора в различни латино дискотеки.

– Кажи в коя ще бъдеш? Може да се прехвърлим там – поднесе го Катерина.

– Нямам си на идея. Разбираме на сутринта, когато отидем на работа. – излъга Естебан и дори се зарадва, че утре е на работа и няма да се среща с повече от познатите на Анна.

– Е, ти и без това нямаше как да дойдеш, защото партито ще е по женски – продължи духовито Катерина.

– Забавлявайте се – отвърна меко Естебан и каза към Анна - Мога да те прибера на връщане от работа.

– Ще сме с моята кола – каза Катерина. – Не се притеснявай, ще ти я върна директно вкъщи. Между другото, Васко е тук – обърна се към Анна – Питаше за теб. Може би е готов за помирение.

– Ще отида да го видя – реши Анна. – Ей сега се връщам.

Естебан я проследи с поглед как отиде до масата на мъжа, с когото бяха заедно в пиано бара. Явно той беше Васко. Седеше на една от крайните маси с още трима мъже. Посрещна Анна с широка усмивка, след което всички започнаха да я оглеждат от глава до пети. Анна беше променила напълно стила си на обличане и прическата си и сега изглеждаше на не повече от 25 години.

Естебан не я изпускаше от поглед и напълно забрави за сестра ѝ. Стана му неприятно като видя как мъжете ѝ се хилят и я оглеждат.

Въпросният Васко дори понечи да я прегърне, но Анна леко се отдръпна и само се здрависа с него. Васко ѝ придърпа един стол и тя седна до него, след което той поиска чаша за нея от сервитьора.

– Колега ѝ е от университета – върна го към собствената му маса сестра ѝ. Явно беше забелязала, че ситуацията му е неприятна. – Само приятели са – допълни тя, на което Естебан кимна и се усмихна.

В този момент телефонът на Катерина звънна и тя излезе да посрещне приятеля си и да го доведе при тях.

Естебан използва момента и поръча на оркестъра горещата салса песен "Aquel Viejo Motel".

Отиде при Анна, прегърна я откъм облегалката на стола, целуна я нежно по бузата и без да се запознае с никого на масата, я изведе на дансинга.

Катерина и Симеон гледаха Анна в някакъв унес, сякаш изобщо не я познаваха. В този момент в ресторанта влязоха и Саня и Йордан. Саня го беше повикала, защото не ѝ се ходеше в ресторанта сама.

Естебан и Анна почти преминаха границите на всяко благоприличие, когато Естебан постави тялото ѝ в полумост, с лице обърнато към слабините му. Анна остана така за няколко секунди, а Естебан в такт с музиката бавно извади ризата от панталона си. Постави едната си ръка във въздуха точно над тялото ѝ и с едно движение, свивайки пръсти, сякаш прави магия, постепенно я изтегли нагоре. Анна последва ръката му с тялото си и се изправи обратно на крака.

На Саня ѝ се стори, че танцът беше демонстрация от страна на Естебан, че Анна му принадлежи. Но виждайки до какъв екстаз тяхното изпълнение доведе публиката, Саня осъзна, че сексуалният заряд помежду им има силата да взриви не само този ресторант, но и "Spettacolo di ballo". И неусетно за самата нея, тя започна мислено да създава хореографията на волната им програма.

XXII

ЕСТЕБАН

Минаваше полунощ, когато се прибраха вкъщи. Когато излязоха от ресторанта, валеше и Анна предложи да се приберат с нейната кола вместо с мотора.

След като паркира, понечи да ѝ върне ключовете, но Анна му каза: "Нали утре пак ще ходиш до школата?". Естебан само се усмихна.

Естебан внимателно беше наблюдавал двойките на масата.

Въпреки, че беше наясно с фалша на цялата им връзка, отстрани Саня и Йордан изглеждаха като перфектната двойка.

Йордан непрекъснато държеше ръката ѝ, а тя толкова мило го гледаше, сякаш без него Земята ще да спре да се върти.

По същия начин изглеждаха и Симеон и Катерина, въпреки че по пътя наобратно Анна му беше споделила, че допреди две седмици са били разделени, защото Симеон изневерил на сестра ѝ.

Питаше се дали отстрани се вижда, че между него и Анна има наистина дълбока и хармонична връзка или и те изглеждаха като останалите. А имаше ли в действителност такава връзка, след като никога не бяха говорили за миналото си един пред друг?

Седна, взе лаптопа в скута си и започна да търси снимките, които онзи фотограф му беше направил.

– Искам да ти покажа нещо – каза ѝ той.

Намери снимките и ѝ даде да ги разгледа.

Анна ги разгледа с нескрито любопитство, след което, без да му каже нищо, страстно започна да го целува. Естебан не беше очаквал подобна реакция. Вътрешно винаги се беше срамувал от тези снимки. Успокои се, че сигурно и за стриптийза ще реагира така.

– Ако поискам да направиш нещо за мен, ще го направиш ли? – нежно я попита той.

– Предполагам.

– Искам да танцуваш гола за мен.

Анна се изправи мълчаливо и леко затъмни светлината.

Беше боса, облечена само с морскосиня рокля на пластове с презрамки. Усмихна му се, отиде при уредбата, избра песен и връчи дистанционното в ръката му.

Преди да започне да танцува свали бельото си - бавно събу бикините си, нежно разкопча сутиена си и го извади през роклята. Хвърли ги към Естебан и му кимна с усмивка, че е готова. Естебан ѝ отвърна също с усмивка.

По ирония на съдбата тази вечер Анна щеше да му прави стриптийз. Почувства невероятна възбуда още докато я гледаше как стои на няколко стъпки от него. Помисли си, че няма нищо по-красиво от нейния стриптийз.

Натисна стартовия бутон на дистанционното.

Santa Esmeralda. You are my everything. Rumba

Анна започна да изпълнява сама хореографията на задължителната им програма. Естебан я гледаше в някаква непозната за него омая.

Тялото ѝ нежно се заизвива под звуците на музиката. Съвсем бавно ръцете ѝ започнаха да събличат единственото парче плат по тялото ѝ.

Роклята падна на земята и с танцово движение Анна излезе от обръча ѝ. Голото ѝ тяло, излъчващо цялата любов, на която беше способна, нежно откликваше на всеки звук и дума от песента. Босите ѝ крака докосваха съвсем леко пода, без да сгреши нито една стъпка.

Естебан се почувства като в приказен свят, където наистина се случваха чудеса. Споменът за танцьорката на Бели денс, която някога беше танцувала специално за него, сякаш изведнъж избледня като нещо незначително и безинтересно. Никога не беше виждал Анна толкова женствена. Никога не беше чувствал самия себе си до такава степен мъж. Знаеше, че всяко нейно движение беше специално за него. Чувстваше доверието и отдадеността ѝ и усещаше как до нея има силата да постигне всичко, да преодолее всичко, да успее във всичко.

В един момент песента изчезна, музиката изчезна и тялото ѝ вече беше в ръцете му. Естебан танцуваше с нея, а тя нежно го събличаше, сякаш имаше силата да освободи душата му от всички страхове и бариери.

Напълно гол остави Анна да го прелъсти, да го изследва, да го задоволи, потопена в океана на собствените си фантазии. Необуздана, страстна, ненаситна, инстинктивна. Без граници и без задръжки. Истински приета. Истински обичана.

♪♫♪

Когато приключиха, навън беше започнало да се съмва. Първият урок на Естебан беше от 8:00 часа сутринта, но вместо изтощен, той се чувстваше изпълнен с невероятна енергия.

Остана загледан в очите ѝ със сияещ поглед и само нежно промълви: "You are my everything". Усмихна ѝ се, стана и влезе в банята. Анна също стана и му направи закуска от прясно изцеден ябълков сок и купичка мюсли, залети с топла вода и мед. Естебан излезе от банята, облече се и закуси набързо, без да отрони дума. После взе ключовете за колата ѝ, целуна я по челото и излезе.

Във всяка друга ситуация Анна би се притеснила от мълчанието и разсеяността му, но не и днес. Бяха си станали толкова близки, че нямаха нужда от думи.

Докато шофираше към школата, Естебан си спомни колко дълго беше мислил, че ще остане сам завинаги и такова нещо като Тя не съществува. Прииска му се да може да отиде при онова изключително самотно момче, което беше, и да му разкаже за тази нощ и за Анна.

Засякоха се със Саня на паркинга. Тя изумено го изгледа как беше изневерил на мотора си, но само го поздрави с "Добро утро". Естебан ѝ кимна в отговор и влезе усмихнат в школата. Изобщо не му се говореше.

– Часът ти отпада. Има невероятно задръстване на Орлов мост – след малко го уведоми Саня.

Естебан се ухили. Изобщо не му се работеше днес.

Саня му хвърли недоумяващ поглед и излезе от залата. Естебан не ѝ обърна внимание. Стана му мъчно за Йордан, защото никога нямаше да изживее нощ подобна на неговата. Въпреки перфектната си техника, Саня така ѝ не се бе научила да танцува.

XXIII

ЕСТЕБАН

За първи път Естебан влезе усмихнат в "Амброзия". Обикновено студено подминаваше всички, повечето даже си мислеха, че не говори български.

Персоналът се състоеше от няколко сервитьорки, четири бармана, управителя на дискотеката Боби и двама ди джеи.

Представлението на Естебан започваше в 23:00 часа, беше последно за вечерта и продължаваше една песен време. Имаше още няколко момчета стриптизьори, които танцуваха преди него. От време на време те коментираха помежду си разни неща. Така беше научил, че приятелката на единия винаги е в дискотеката.

Тъй като пълнеше дискотеката, на Естебан плащаха двойно в сравнение с останалите. Беше изчислил, че заедно с тазвечерното шоу му остават още три представления, за да може да изплати уроците на Анна. След това директно приключваше.

Въпреки очевидно по-добрите финансови условия, които му се предлагаха тук, Естебан изобщо не се чувстваше на мястото си в "Амброзия".

Беше благодарен, че до момента нито Анна, нито Жеков бяха научили, че танцува в дискотеката. Все едно имаше невидима сила, която го пазеше.

Майка му се беше опитала да го накара да вярва в Господ, Иън – в силата на Вселената, но Естебан не беше приел нито едната, нито другата идея. Макар че понякога и той се питаше дали идването му в България беше чиста случайност. Мислеше, че откакто е в тази страна, напълно е изгубил пътя си, а изведнъж се оказа, че всичко, което някога бе искал, е именно тук. Тук беше Анна.

До представлението му оставаха още няколко минути. Фризьорът и гримьорът бяха приключили работата си и вече беше напълно готов. Тази вечер щеше да танцува под съпровода на избрана от собственика на дискотеката песен - "Simply the best" (Просто най-добрият) на Тина Търнър*.

Използва време да се настрои към песента.

Отвън му подадоха знак, че е негов ред.

♪♫♪

Анна се почувства неудобно още с влизането си в "Амброзия". Не беше особено голям фен на дискотеките още от ученичка. Предпочиташе рок клубове и пиано барове.

Идеята на Магдалена да ги заведе на мъжки стриптийз на рождения си ден ѝ се стори безвкусно клише. Катерина не беше споменала снощи нищо пред Естебан, главно от неудобство. Не беше казала нищо и на гаджето си и непрекъснато се оглеждаше за техни общи познати. Анна не се притесняваше, че някой ще каже на Естебан. Единственият човек, който можеше да го направи, беше Саня, но нямаше как да я засекат тук, защото, за голям късмет на Анна, рожденият ден се беше случил в работна вечер за Саня и Естебан.

---

*"The best", позната като "Simply the best" е песен, написана от Холи Найт и Майк Чаоман, първоначално записана и изпълнена от певицата Бони Тейлър в албума ѝ "Hide your heart", 1988г. През 1989г. певицата Тина Търнър прави кавър версия на песента, която я превръща в световен хит – Бел.а.

Магдалена беше платила кувертите на всичките си гости и беше избрала възможно най-централното сепаре. На масата имаше бутилки с водка, уиски, бейлис и мартини.

Когато Анна и Катерина влязоха, всички обсипаха със суперлативи начина, по който Анна изглеждаше. Подчертаха, че любовта явно ѝ се отразява добре. Анна прие комплиментите, настани се удобно, наля си мартини и сложи пред себе си телефона си, за да види, ако случайно Естебан ѝ звънне.

Темата на масата отново се насочи към шоу програмата за вечерта.

Всички стриптизьори бяха със смешни псевдоними, но един чужденец беше гвоздеят на вечерта. Повечето от момичетата на масата вече бяха гледали някои от представленията му.

Анна дискретно не се включи в разговора им. По ирония на съдбата тя самата беше правила снощи стриптийз, но тази информация реши да запази за себе си.

Възнамеряваше да си тръгне веднага след представлението, без да остава за останалата част от вечерта. Дори можеше да изпревари Естебан, който обикновено се прибираше към 1:00 часа, след ангажиментите в дискотеките със Саня.

Не ѝ се искаше да го лъже, но беше решила да му каже, че са празнували в дома на Магдалена по женски. Познаваше го вече достатъчно добре и знаеше, че няма да ѝ каже нищо, но щеше да се нацупи, ако разбере, че е ходила на мъжки стриптийз.

Анна беше изненадана колко тясно скроен се оказа Естебан по отношение на много неща. Предната вечер дори ѝ се стори, че я ревнува от Васил.

Представлението започна. Анна безучастно наблюдаваше момчетата, които танцуваха и се събличаха. Другите жени крещяха и явно се забавляваха, дори Катерина се беше присъединила към тях. Няколко пъти погледна часовника, знаеше, че последното изпълнение е в 23:00 часа. Тъй като ѝ беше скучно, наблегна на мартинито и се отдаде на мисли за Естебан.

Останалите посетителки крещяха като обезумели и някои даже се качваха на сцената и слагаха пари в панталоните или прашките на стриптизьорите. С радост забеляза, че часът е станал 22:59 часа. Още едно изпълнение и щеше да благодари на Маги за поканата, да се извини и да си тръгне. Настани се удобно на стола си, чакайки и последния танцьор да си мине по реда.

23:00 часа. В дискотеката прогърмя музиката на "You are simply the best". Анна се усмихна. Поне една свястна песен. И в следващия миг усмивката замръзна на лицето ѝ.

На сцената излезе Естебан. Беше облечен с кожени каубойски дрехи и започна да танцува в ритъм с музиката. Жените в дискотеката изпаднаха в еуфория, а Анна почувства, че ще припадне. Като далечно ехо чу Катерина да казва в ухото ѝ: "Хайде Анна, тръгваме си".

Анна не можеше да се помръдне.

"You are simply the best"

(Ти си просто най-добрият) – гласът на Тина Търнър изпълваше цялата дискотека. С танцови движения Естебан започна да се съблича. Усети как вкусът в устата ѝ стана метален, ръката ѝ механично наливаше мартини в чашата и я поднасяше към устните ѝ, но Анна изобщо не усещаше вкуса на питието. Нито можеше да се напие.

Съзнанието ѝ беше по-ясно, откогато и да било. Гледаше как Естебан остана първо без елек, после без колан, след това последователно свали шапката и панталона си. Остана по кожени ботуши, кърпа на врата и прилепнали по тялото му кожени боксерки, които явно в един момент щяха да станат на прашки. Видя как жени се качваха на сцената, пипаха го и слагаха пари в оскъдните му дрехи, като с падането на дрехите, банкнотите политаха към сцената.

– Дай ми всичките пари, които имаш – внезапно каза тя на Катерина.

Катерина извади 300 лева на банкноти от 50 и 20 лева и ѝ ги подаде. Анна имаше 100 лева в собственото си портмоне. Стисна парите в едната си ръка, а с другата започна да си проправя път към сцената. Как ѝ се искаше сега да е пияна, но не беше. Не можеше да спре да мисли, струваше ѝ се, че ще полудее. Масата беше близо до сцената, така че не ѝ беше трудно да стигне до нея.

С едно движение Анна се качи на сцената в момента, в който боксерките на Естебан паднаха на земята и той остана по кожени прашки, кожени ботуши и кърпа на врата. Погледът му беше вперен в нея и за пръв път, откакто го познаваше, Анна прочете страх в очите му. Лицето му беше застинало в каменна маска, а тялото му не помръдваше. Анна нямаше никаква представа как изглеждаше тя самата. В залата вече никой не викаше, чуваше се само песента на Тина Търнър:

You're simply the best,

better than all the rest

better than anyone, anyone I've ever met

Ти си просто най-добрият,

по-добър от всички останали

по-добър от всеки,

всеки, който някога съм срещала

В някакъв унес Анна се приближи до Естебан и като напълно луда започна да го целува в устата. Той отвърна на целувката ú, без да я прегърне и без да помръдне тялото си. След като пусна устните му, тя леко се отдалечи от него и гледайки го с вледеняващ поглед, хвърли отгоре му всички пари, които стискаше в ръката си. Обърна се, слезе от сцената и тръгна към изхода. Хората се отместваха и ú правеха коридор, докато минаваше, сякаш беше болна от някаква рядко срещана болест, която се предаваше чрез докосване. Охраната на дискотеката също се отмести и ú направи място, за да излезе. Едва когато остана напълно сама, Анна се облегна на външната стена на сградата на дискотеката и се разплака. Беше безгласен плач, изпълнен с дълбоко и истинско отчаяние, сякаш в един миг животът ú беше приключил.

В един момент усети как Катерина прегърна треперещото ú тяло. Чу я да казва, че ще извика Симеон и още сега ще отидат да вземат багажа ú от апартамента на Естебан, а после Анна ще отиде да живее при тях. Анна почти не можеше да говори, но всичко, което каза, беше: "Аз оставам тук".

След малко излезе и Магдалена. Носеше телефона и чантата ú.

– Анна, добре ли си? – загрижено каза Магдалена. – Телефонът ти звъня. Мисля, че беше приятелят ти – Esteban, mi amor.

– Ще се оправим. Благодаря, Маги – отговори Катерина вместо Анна.

– Ти всичките си пари ли му даде на този стриптизьор? Ето ти 20 лева, поне да имаш за такси – Магдалена сложи 20 лева в ръката на Анна. – И директно си лягай. Недей нищо да казваш на приятеля си, за да не си прецакаш връзката заради една пиянска вечер.

– Благодаря, Маги – Катерина красноречиво я подкани да се върне обратно в дискотеката. – Ще се оправим.

– Съжалявам, че ти прецаках вечерта – едва чуто каза Анна.

– Не мисли сега за това – оттвори Магдалена и се върна обратно в дискотеката.

– Аз... искам да остана сама – каза Анна на Катерина.

– Сигурна ли си?

– Да.

– Ако имаш нужда от нещо вътре съм.

Катерина я прегърна отново, след което последва Магдалена в "Амброзия".

Естебан не спираше да звъни по телефона на Анна, без дори да знае какво да ú каже, ако му вдигнеше. Но Анна не вдигаше. Накрая той се отказа. Реши да ú прати смс. Мина му през ума да ú напише какво ли не, но накрая написа само: "Обичам те". Анна не му оттвори и Естебан осъзна, че бяха скъсали.

Управителят Боби влезе в съблекалнята. Връчи му 500-те лева заработени за вечерта плюс бакшишите, които бяха близо хиляда лева.

– Ето парите – каза той. – Уредих от другата седмица да има охрана пред сцената. Повече няма да има такива изцепки. Тези жени малко да пият и почват да си губят ума.

Естебан взе парите и ледено каза: "Напускам".

– Добре, не го приемай толкова лично. Вече си звезда. А и къде другаде за пет минути ще печелиш такива пари.

Естебан не го слушаше. Преоблече се и тръгна към изхода.

Вече всичко му беше напълно безразлично. Не го интересуваше нито конкурса, нито работата в школата, нито дори мечтата му да обикаля с мотор. Дори да намереше Анна, не знаеше какво да ú обясни. Толкова яко се беше издънил, че на нейно място той сам не би се погледнал.

Излезе от дискотеката. Нямаше никаква идея къде да отиде и какво да прави с живота си оттук нататък. По навик тръгна към мотора си, когато чу зад гърба си: "Естебан". Замръзна на място. Беше Анна. Не си беше тръгнала. Обърна се и я погледна в очите, без да знае какво да ú каже.

Анна каза само: "Отведи ме някъде далеч оттук."

Естебан усети как кръвта изпълни с тонус цялото му тяло. Притисна Анна силно към себе си, след което заедно отидоха при мотора и потеглиха към неизвестното.

XXIV

ЕСТЕБАН

На другия ден беше събота и Естебан нямаше часове в школата. Анна сякаш умишлено му беше дала цялото време на света, за да измисли и да ѝ представи разумно обяснение, но той изобщо не можеше да събере мислите си. Постоянно чуваше в главата си гласът ѝ, който му казваше:

"Отведи ме някъде далеч оттук".

Не можеше да повярва, че още беше с него. Ако местата им бяха разменени, той щеше да се раздели с нея. Усещаше притиснатото ѝ тяло и точно в този момент беше склонен да повярва, че наистина съществува Господ.

Знаеше точно къде да я заведе – в Санторини, там където на седемнадесет години беше скачал от скалите с приятелите на Тимъти.

Искаше да скочат заедно.

Не беше спал повече от 30 часа, но не искаше нито да отклони, нито да спре. Спря само, за да зареди и да обмени пари. Въпреки че мислеше, че най-лошото беше отминало, дълбоко в себе си още се страхуваше да не би това да са последните им мигове заедно.

♪♫♪

Анна изтрезня напълно, докато пътуваха. Усещаше, че Естебан е необичайно напрегнат, сякаш му беше неудобно дори да я погледне в очите. Никога не го беше виждала такъв и ѝ се стори, че идеализираният образ, който беше създала за него, беше рухнал в един миг. Естебан никога повече нямаше да бъде нейният безупречен във всичко учител по танци. Вече беше просто Естебан, приятелят ѝ, който беше хванала в лъжа.

Сега вече знаеше какво го беше измъчвало през цялото време. Може би ѝ беше показал снимките, за да види реакцията ѝ, доколко може да ѝ се довери. Нямаше представа за какво му се налагаше да прави стриптийз. Предполагаше, че има финансови проблеми, но от криворазбрано честолюбие не ѝ беше споделил.

Анна не можеше да се раздели с него, животът ѝ губеше всякакъв смисъл без Естебан. Но не знаеше доколко може да му прости лъжата.

Чудеше се дали Саня знаеше. Тя никога не беше споменавала пред нея вечерни ангажименти. Щеше много да я заболи, ако Естебан се беше доверил на Саня, а не на нея.

След като стигнаха до Атина, пиха кафе, защото очите им бяха започнали да се затварят. Закусиха мълчаливо, но този път мълчанието помежду им беше повече от неловко. Сякаш не знаеха какво да си кажат.

Анна очакваше някакво обяснение от Естебан, но той отново се беше вглъбил в себе си и не отронваше нито дума. Само от време на време я поглеждаше гузно, след което си отместваше погледа.

Качиха се отново на мотора и потеглиха в посока Пирея. Анна все се надяваше в един момент Естебан да се отпусне и да поговори с нея. Но той беше непробиваем, не отронваше нито дума по въпроса. Поведението му вече започваше да я озадачава. Нямаше смисъл да обикалят цяла Гърция, ако възнамеряваше занапред да се държи по този начин, може би беше по-добре да приключат още сега.

Не посмя да изкаже на глас мислите си, страхуваше се, че могат да се сбъднат.

♪♫♪

Когато стигнаха Пирея, Естебан се насочи към пристанището и провери за ферибот до Санторини. Уреди превоза на мотора и купи билети за тях.

Имаше около 20 минути до тръгването им и той ѝ се усмихна и нежно каза: "Ще те заведа на много хубаво място".

Гласът му прозвуча изкуствено и Анна го попита сериозно: "Имаш ли да ми кажеш нещо?"

Естебан отрони "Съжалявам" и отново замълча.

Тя го погледна и му каза толкова искрено, колкото беше в състояние в момент като този:

– Няма да те питам повече. Когато си готов, ми кажи, но искам да ми кажеш истината.

Естебан продължи да мълчи и да гледа в морето пред тях. Анна усети как очите ѝ се навлажняват и тръгна да се разхожда сама, за да не забележи Естебан сълзите ѝ. Толкова самотна се чувстваше. Опита се да даде най-доброто от себе си в тази връзка, продължаваше да е до него, а той се държеше с нея, сякаш му беше враг.

♪♫♪

Върна при Естебан, който продължаваше мълчаливо да гледа в морето пред себе си.

Не знаеше какво да направи, извади телефона си и си пусна "El Tango de Roxanne". Надяваше се музиката да ú помогне да намери сила в себе си, за да може спокойно да приеме всичко случващо се помежду им занапред.

Внезапно усети как Естебан я прегърна отзад и сложи ръце на корема ú. Извади едната слушалка от ухото ú и я постави в своето. Анна сложи ръцете си върху неговите и се отпусна на него. Най-накрая беше реагирал.

Когато тангото свърши, тя се обърна към него и го целуна. Устните му ú отговориха и ледът помежду им сякаш изчезна. По време на цялото пътуване Анна остана сгушена в ръцете му и слушаха музика безмълвно.

♪♫♪

Когато стигнаха до остров Тира,[*] Естебан я заведе до скалата, откъдето някога бяха скачали с Тимъти.

— Имах нужда от пари — неочаквано започна той, — за уроците ти по танци. Жеков щеше да направи проблем на Саня и това беше единственото, което намерих. Съжалявам, знам, че беше тъпо решение.

— Саня знаеше ли?

— Не – излъга Естебан.

— Защо не ми каза?

— Защото не беше твой проблем.

Искаше ú се да го попита за стойността на честността и доверието в една връзка, но се въздържа. Вместо това реши да затвори темата.

Накрая само го попита:

— Още колко пъти ще ходиш в тази дискотека?

— Повече няма да ходя. Напуснах.

Анна се зарадва и се хвърли на врата му.

---

[*] Остров Тира, заедно с островите Тирасия, Палеа-Камени, Неа-Камени и Аспро, влиза в група от острови под формата на пръстен, наречени Санторини. Оттам и остров Тира често е наричан остров Санторини. – Бел.а.

– Благодаря! – радостно каза тя.

Естебан я притисна към себе си и също каза:

– Благодаря.

Когато я отдели от себе си нежно попита:

– Можеш ли да плуваш?

Анна кимна сякаш се подразбираше от само себе си. Естебан искрено се зарадва.

– Хайде, съблечи се. Искам да ти покажа нещо – предложи той и сам започна да се съблича.

Анна се огледа за хора. Около тях нямаше никого. Бяха само двамата. Тя се съблече.

Естебан нави ризата си като превръзка за очи, сложи я на очите и́ и бавно я поведе към ръба на скалата. Застана зад гърба и́, обгърна с ръце голото и́ тяло и прошепна в ухото и́:

– Сега.

Двамата скочиха заедно в бездната на неизвестното. Анна изпищя и секунда по-късно се озова в топлите води на Егейско море. Свали превръзката от очите си и прегърна голото тяло на Естебан, който беше до нея. Не можеше да повярва, че го беше направила. Адреналинът изпълваше всяка клетка на тялото и́ и не можеше да спре да се смее.

Заедно доплуваха до сушата. Анна държеше в ръцете си мократа риза, с която Естебан и́ беше завързал очите. Не я облече. Слънчевите лъчи бяха топли и галеха кожата им, докато бавно се заизкачваха обратно по скалата. Естебан уверено се изкачваше сякаш покоряваше невидими стъпала към на пръв поглед недостижимото. На всяка крачка той се обръщаше към Анна и подавайки и́ ръка я придърпваше към себе си.

Когато стигнаха до върха, Анна поиска да скочат отново. Естебан я заведе до ръба на скалата и скочиха хванати за ръце. В няколкото мига, които им трябваха да достигнат до водата, на Анна и́ се стори, че не пропадат, а летят.

XXV

ЕСТЕБАН

– Ето ти остатъка от парите. Съкращаваме уроците с една седмица.

– Станало ли е нещо? – попита Саня.

– Анна разбра – кратко ú оттовори той.

– Аз не съм ú казала нищо – обясни Саня.

– Знам. Една нейна приятелка празнува рождения си ден в дискотеката.

– Ти как си? – Саня още не можеше да повярва, че Анна се е съгласила да участва в конкурса, след лъжите на Естебан.

– Как да съм? – отговори с въпрос на въпроса ú той.

– Не знам. Мислех, че държиш на Анна, сигурно ти е много гадно.

– Анна още е с мен – рязко ú каза той.

Саня повдигна рамене и промърмори:

– Супер.

– Казах ú, че парите са, за да нямаш проблеми с Жеков и че нищо не знаеш. Не ме дъни – предупреди я Естебан.

– Лъжецът лъже по навик – изкоментира ехидно Саня.

– Не можех да ú кажа, че искаш пари, защото отказвам да спя с теб – върна ú го със същия тон.

– Не е за това – каза Саня.

– Така ли? – подигравателно я попита Естебан. – Защото като виждам как те гледат Жеков и Йордан, надали си закъсала за пари.

– Няма да разбереш – откровено заяви Саня.

– Изобщо не искам да разбирам.

– Но си прав, не е за парите. Така че можеш да си ги вземеш – Саня отиде в приемната и от шкафа извади плик с написано името му отгоре, след което му го подаде.

Естебан остана безучастен и ръката ú увисна във въздуха.

– Както искаш – каза тя и прибра последните пари при другите, след което върна плика в шкафа. – Знаеш къде са.

– Ако не е заради секса, тогава заради какво е? – попита Естебан.

– За да те унижа, че така и не се влюби в мен. Но не ми се получи. Не ми беше нито забавно, нито приятно, като те видях как се излагаш. Не съм минала нито лев от тези пари през школата. Казах на Жеков, че имам финансови затруднения и го помолих да ми остави парите от часовете на Анна без удръжки. Той се съгласи. Така че, ако искаш да си ги вземеш, вътре са. Близо пет бона са.

Естебан не каза нищо за парите и смени темата:

– Ще ми покажеш ли хореографията за волната програма?

Саня го разбра прекрасно. Парите за него бяха минало. Тя отиде до уредбата и пусна песента, която беше избрала. Разви му идеята си.

– Ти си най-добрата, Саня! – зарадвано я похвали Естебан. - Наистина.

Саня му се усмихна и отвърна шеговито:

– Това значи много, казано от *Mr The Best*.

Естебан се засмя и приятелски я бутна по рамото. Тя също се засмя.

– Искам да я покажа на Анна – каза той.

– Извикай я – подкани го Саня. – Жеков няма да разбере нищо, имаш думата ми.

– Супер си! – зарадвано каза Естебан и потърси в телефонния си указател "Mi Anna".

XXVI

ЕСТЕБАН

Организаторите бяха решили тазгодишният "Spettacolo di ballo" да се проведе в Париж. Анна, Естебан, Саня и Йордан отпътуваха заедно.

Саня реши да придружи Естебан и Анна, главно защото познаваше добре Естебан и по някаква причина си мислеше, че тя единствена може да му помогне, ако изпадне в някое от неговите настроения след конкурса.

Саня още не беше убедена, че Анна и Естебан могат да спечелят.

Очакваше Анна да я попита дали е знаела, че Естебан е бил стриптизьор, но тя не го направи. По някакъв свой начин Анна пазеше достойнството на Естебан и избираше да му вярва, дори и да имаше съмнения.

Двамата с Естебан бяха променили началото на хореографията, като Саня се направи на изненадана, като я видя. Идеята за промяната всъщност беше нейна, само че накара Естебан да я прокара като своя пред Анна, за да не буди подозрение.

♪♫♪

Както всяка година, "Spettacolo di ballo" започна с изпълнение на децата, които се обучаваха в школата на Марчела Ливони и Джузепе Тоти – организаторите на конкурса. Анна и Естебан търпеливо чакаха реда си. По жребий тяхното изпълнение беше последно за вечерта. Анна беше облечена със сребриста рокля, която в областта на раменете от двете страни беше захваната с леко прозрачен воал цвят канела, който се спускаше надолу по тялото ú и покриваше краката ú. Беше обута със сребристи обувки. Естебан беше облечен с черен панталон и черна разгърдена риза със сребристи нишки.

След като детските изпълнения приключиха на фона на бурните аплодисменти на зрителите в залата, се премина към представяне на журито. Изненадващо танцовата двойка, победител на последното световно първенство, беше поканена за жури на конкурса. Следваха я величия като Бианка Чироти, Жан Пиер дьо Туар, Олга Филатова. Публиката скочи на крака при обявяване на последния представител на журито – легендарният Иън Майер. Иън се изправи, поклони се и благодари за поканата да бъде член на журито на подобно грандиозно събитие в областта на танците.

– Надали някой от вас може да си представи колко съм щастлив, че съм тук – продължи той. – "Spettacolo di ballo" е съчетание на всичко, което за мен винаги е бил танцът – изящество, култура и честна игра. Знам, че тук наистина се състезават най-добрите.

Публиката отново избухна в аплодисменти, след което Иън се поклони и седна на мястото си.

Естебан гледаше Иън със смесени чувства. Беше споменал на Саня, докато си пишеха по Интернет, че работи в неговата школа, но тя едва ли си спомняше. Никога не беше разказвал нищо за Иън на Анна. Усети как дишането му се учести. По ирония на съдбата щеше да се представи пред Иън не с когото и да е, а с Анна – най-добрата му ученичка и жената, която обичаше. Вече не беше на 15 и уж умееше да слуша гласа на тялото си, но беше ли наистина дорасъл толкова, че да не му се налага да се доказва пред Иън?

Водещият представяше двойките една след друга.

– Естебан и Анна, България.

Погледите на Иън и Естебан се срещнаха. Еднакво невъзмутими и спокойни, без да издават какво в действителност се случваше в душите им. Иън прехвърли вниманието си върху Анна. Явно я преценяваше. Естебан не би се вълнувал толкова дори ако собственият му баща беше сред журито.

С Анна се върнаха обратно на местата си, за да изчакат своя ред. Естебан не спираше да мисли за Иън и за Арма, когато забеляза, че Анна е неестествено бледа. Саня му направи знак с очи да я изведе навън. Естебан ú помогна да се подпре на него и я изкара извън залата.

– Какво има? – загрижено я попита той.

– Не знам дали мога да се справя – призна му Анна, което напълно го шокира. Какво беше това сега?

– Разбира се, че ще се справиш – убедено каза той.

– Всички вътре са професионалисти – неуверено започна тя.

– Какво ти пука? Няма да ставаме световни шампиони – прекъсна я Естебан, но забеляза, че думите му не ѝ помагат особено. Помисли дали да не извика Саня, но после си даде сметка, че Саня само ще оплеска още повече нещата. Тя беше в състояние да изкара извън равновесие дори него, какво остава за Анна.

– Анна – смени рязко тона си Естебан и съвсем меко ѝ заговори: – Танцуваш невероятно. По-добра си от всяка друга в тази зала. Абсолютно съм убеден в това...

– Журито няма да е влюбено в мен, както ти – тихо го прекъсна Анна.

– Не, няма да е. Но ти няма да танцуваш за журито – продължи още по-меко Естебан. – Ти ще танцуваш за мен.

– Страх ме е – призна Анна.

– От какво?

– Да не се изложа, да не изложа теб.

Естебан се засмя.

– Аз бях стриптизьор. Колко повече можеш да ме изложиш ти?

Анна също се засмя.

– Искам да забравиш за всичко – каза ѝ той. – Искам да влезеш вътре и да се насладиш на шоуто. Румбата е танцът на любовта, може би в цялата зала ти най-добре усещаш този танц.

Сълзите потекоха по лицето ѝ, но Естебан не направи нищо, за да ги изтрие. Той продължи с още по-топъл и нежен глас:

– Искам да гледаш останалите, сякаш не са ни конкуренция, а са тук, за да ни забавляват и да ни показват красотата на румбата. Това се нарича честна игра. А когато дойде нашият ред, искам да танцуваш за мен. Само за мен. Ще можеш ли?

Анна само кимна, но Естебан забеляза спокойствието и ведрината, които отново придаваха цвят на лицето ѝ. Върнаха се обратно в залата. Срещна загрижения поглед на Саня и ѝ кимна, че всичко е наред.

Поредната двойка тъкмо приключваше танца си. Предстоеше изпълнението на миналогодишните победители, след което бяха те с Анна. Тя се отпусна и започна да гледа като зрител. Естебан просто я наблюдаваше, без да я докосва. Не искаше Иън да погледне към него и да забележи как се опитва да ѝ вдъхва увереност.

Водещият обяви изпълнението им с Анна. Двамата излязоха на сцената.

Тя застана в центъра на залата. Музиката започна. Естебан бавно се приближи откъм гърба ѝ, повдигна ръцете си нагоре, след което с танцово движение се наклони към тялото ѝ, приклекна и я повдигна нагоре, хващайки я в областта на кръста. Анна напълно отпусна тялото си върху дясното му рамо, след което Естебан бавно я завъртя няколко пъти. Тя остана напълно неподвижна, което предизвика бурните аплодисменти на публиката още със стъпването им на дансинга. С едно движение Анна обгърна левия му хълбок със своя ляв крак и сложи десния си крак върху левия. Естебан бавно започна да се снишава в синхрон с музиката, като Анна с безупречни извивки на тялото си откликна на всичките му движения. Естебан се изправи, Анна нежно се измъкна от ръцете му и се завъртя около него.

Естебан хвана дясната ѝ ръка и двамата затанцуваха в бавния и завладяващ ритъм на румбата, като телата им се огъваха едно към друго в съвършен синхрон. Румбата със своя нежен и чувствен ритъм ги пренесе в дебрите на любовната експресия, която напълно завладя Анна, докато танцуваше за Естебан. Бътерфлай, Спот Търн, Двойно Ветрило, Тройна Айда, Хорс енд Карт* – фигурите сякаш се изливаха от нея, никога не беше усещала тялото си толкова покорно, овладяно, гъвкаво.

Анна не забелязваше никого и нищо освен Естебан на дансинга. Тя му се отдаваше всеки път, когато я докоснеше и се разтваряше в музиката в момента, в който пуснеше ръката му. Хореографията я връщаше в нощта, в която беше танцувала гола за него и чувстваше как сега тялото ѝ си припомняше магията на румбата, която беше преживяло в онази нощ. Румбата беше повече от танц, беше като самата ѝ любов, която в момента проявяваше пред всички.

Butterfly – фигура в румбата, при която позицията на ръцете на партньорите наподобяват *пеперуда*;
Spot turn – *точково завъртане*, при което има определена точка, която се използва като център на тежестта при въртенето, много красиво и елегантно въртене;
Fan – *ветрило* – затворена позиция, стъпки назад с плъзгащ се крак (жената напред) и изправяне;
Aida – в позиция пеперуда свободно плъзгане на крака, стъпка през линия и въртене;
Horse and cart – фигура, при която жената образно влиза в ролята на кон, а мъжът на каляска – *Бел. а.*

Беше като сърцето ѝ, което с чувствителност и вътрешно спокойствие преминаваше през страховете ѝ и оставаше вярно на своята истинска природа.

Естебан застана в центъра на дансинга с разтворени ръце, а Анна се приближи до него и леко го обгърна през кръста, след което плавно започна да се снишава, извивайки грациозно тялото си. Публиката изпадна в екстаз и Естебан беше сигурен, че вече я обожаваха. Телата им се отделиха и чувствено в абсолютен синхрон комуникираха едно с друго, без да се докосват. В един момент Естебан леко хвана дясната ѝ ръка със своята лява и започна да я върти около оста ѝ в спот търн. Анна направи поне десет завъртания около своята ос и около тялото на Естебан едновременно, което доведе публиката до еуфория. Във финалния елемент на танца Естебан повдигна леко тялото ѝ, като краката на Анна останаха във въздуха, а главата му нежно се наклони към гърдите ѝ. Завършиха танца прегърнати, докато публиката мощно ги аплодираше.

Естебан свали Анна на земята и двамата се обърнаха към публиката и се поклониха. Вместо да погледне към Иън, Естебан потърси погледа на Саня. Тя се беше изправила на крака и не можеше да спре да ръкопляска. В този миг осъзна, че двамата с Анна бяха успяли.

На сцената излязоха няколко души, които отрупаха Анна с огромни букети цветя. Естебан изпитваше толкова силна радост, че за миг забрави, че е на конкурс. Стори му се, че тази вечер беше създадена специално за него и Анна.

Първият вот беше на публиката и нейната оценка беше 10. Последваха оценките на журито: 9.2; 9.1; 9.2; 9.2; 9.0. Естебан и Анна не можеха да откъснат очите си от резултатите, които ги изстрелваха на първо място в класирането. Сборната оценка на миналогодишните шампиони, които бяха преките им конкуренти, беше 64, което означаваше, че дори при последна оценка 8.5 пак оставаха на първо място. Последният член на журито беше Иън и Естебан очакваше някогашният му учител по танци да вдигне 10. Вместо това Иън вдигна 8.2. Сборният резултат на Анна и Естебан стана 63.9 и те останаха след другата двойка, която имаше 64.

Естебан замръзна попарен на мястото си, макар че продължаваше да се усмихва.

– Е, не можем да очакваме да ни вдигнат 10 още от първата вечер, нали? – успокоително каза към Анна и добави – Ти беше съвършена.

Саня и Йордан дойдоха при тях и Анна предаде букетите на Саня, след което тръгна към съблекалнята.

Естебан я изчака да се отдалечи и бесен отиде да се преоблече.

Седна на пейката в съблекалнята и покри с ръце лицето си. Не можеше да повярва, че точно Иън ги беше закопал. Миналата година със Саня бяха посредствени, но сега с Анна бяха безупречни. Анна танцуваше с такова изящество, сляп ли беше Иън или наистина чувствата му към нея замъгляваха преценката му? Не, публиката видя начина, по който тя танцуваше, останалите съдии също го видяха, как може само Иън да не го забележи?

Някога се беше възхищавал на безжалостната му обективност, но сега Иън му се стори просто злобен кучи син. Искаше му се да отиде и да му потърси обяснение къде сгреши Анна, но вече нямаше никакъв достъп до него. Вече не му беше ученик, не беше момчето, към което Иън се отнасяше като към син, не беше този, който представяше за свой помощник и който можеше да тича при него всеки път, когато имаше проблем. Сега Естебан беше никой – обикновен състезател, докато Иън продължаваше да бъде легенда.

Нямаше представа как ще изкара вечерта. Искаше му се да се прибере сам в хотелската стая, да се затвори и да се отдаде на самосъжаление. Не беше плакал от момента, когато Иън го беше изгонил от школата, но сега ужасно му се искаше да се разплаче. Какво му показваше Иън? Че Анна, в която Естебан вярваше безусловно, не беше достатъчно добра?

В момента, в който влезе под душа, усети как сълзите напираха да потекат от очите му. Но Естебан не ги допусна. Изкъпа се, овладя обидата и гнева си и се върна при останалите. Анна го посрещна усмихната и му показа смс-те, които беше получила. Един от сестра си: "Вие бяхте най-добрите" и един от Васко: "Където и да ходиш Христова, все ще зависиш от настроенията на съдиите". Естебан само ù се усмихна и заедно със Саня и Йордан поеха към ресторанта на хотела.

♪♫♪

Вечерта Естебан и Йордан си говореха за коли, а Анна и Саня обсъждаха италианската и френската кухня. Темата за конкурса се беше превърнала в табу на масата.

След като се нахраниха, се качиха по двойки в стаите си. Анна се сгуши в Естебан и почти веднага заспа. Той обаче не можеше да заспи. Леко се отдръпна от нея и взе телефона си. Изключи звука и влезе в Skype.

"Можеш ли да говориш?" – написа на Саня.

Тя му отговори веднага:

"Да. Какво има?"

"Къде е Йордан?" – отговори с въпрос Естебан.

"В банята"

"О.К."

"Какво има?"

"Нищо не разбирам. Анна беше съвършена, цялото ѝ същество излъчваше любов, никога не съм я виждал да танцува толкова добре"

"Анна беше най-добрата от всички танцьорки. Честно"

Ето, дори Саня мислеше, че Анна е била най-добрата.

"Тогава какво не ни достигна?"

"Това, което не ви достигна, не беше Анна. Беше ТИ."

"АЗ?"

"Ти."

"Какво Аз?"

"Мога ли да говоря направо?"

"Казвай"

"Ти изобщо не водеше Анна, тя танцуваше за теб, а ти просто я следваше. Сега затварям. Йордан излиза. Утрешната ви програма е по-силната от двете. Заспивай и гледай утре да си на нейното ниво"

Саня излезе. Естебан се отпусна на облегалката на леглото и усети как душата му се изпълни с облекчение.

Радваше, че Саня беше тук и му каза същото, което и Иън щеше да му каже. Само че неговите думи щяха да бъдат:

"Прецизен технически. Неспособен да чуе гласа на тялото си. 8.2".

Толкова много искаше Анна да успее, че беше забравил да слуша гласа на собственото си тяло. Погледна към Анна, която спеше обърната на една страна. Беше толкова спокойна, изящна и съвършена дори в съня си. Легна с лице към нея, прегърна я и я притисна към себе си. Днес беше показал на Иън най-добрата си ученичка, но утре щеше да му покаже Жената до себе си.

XXVII

ЕСТЕБАН

Още на сутринта Естебан събуди Анна в страхотно настроение.

– Добро утро, скъпа. Хайде ставай, обличай се, искам да те поразходя малко.

Анна се изненада от прекрасното настроение, в което видя Естебан, снощи ѝ се беше видял тъжен и затворен. Заключи, че може просто да е бил изморен.

– Няма ли да репетираме?

– С репетициите приключихме.

Денят беше невероятно топъл и слънчев и двамата хванати за ръце тръгнаха из оживените улички близо до хотела им.

Анна беше идвала в Париж и преди, но остави Естебан да я води накъдето реши. Забележителностите и магазините изобщо не го интересуваха, така че той избираше малки и непознати улички и всеки момент, в който се озоваваха сами на някоя улица, я придърпваше към себе си и я целуваше.

Накрая спря при един уличен музикант, който свиреше на акордеон, даде му 5 евро и му поръча да изсвири "Френско танго". Анна знаеше, че Естебан има някаква слабост към уличните музиканти, но не знаеше защо.

Той се върна при нея и ѝ подаде ръка. Хората се обърнаха да ги гледат. Анна пое ръката му и заедно с Естебан се понесоха в ритъма на тангото. Дори в най-смелите си и романтични мечти Анна не си беше представяла, че някога ще танцува танго по улиците на Париж.

Скоро си дадоха сметка, че трябва да се връщат. Въпреки че времето напредваше, Естебан сякаш не бързаше за никъде. Вървеше съвсем бавно и докато Анна се опитваше да си спомни пътя на връщане, той прекрасно се ориентираше.

В хотела ги посрещнаха Саня и Йордан.

– Ако още малко се забавим, има опасност да ви дисквалифицират – загрижено подчерта Саня.

– Ще бъде много жалко за тях – отговори напълно спокоен Естебан. – Защото аз и Анна сме единственият им шанс да видят двойка, която може да танцува.

Саня се успокои, като видя, че невъзмутимият и арогантен Естебан се беше завърнал.

♪♫♪

Въпреки че тръгнаха относително късно, Естебан и Анна пристигнаха точно навреме. Вечерта започна отново с представяне на журито и двойките. Този път Естебан гледаше Иън с впечатляващо самочувствие и непринуденост. Без капчица свян или необходимост от одобрение. Анна вървеше гордо изправена до него, сякаш всичко, което искаше в живота си беше Естебан да държи ръката ѝ.

Волните програми на изпълнителите започнаха. Двойките бяха избрали комбинации между латино и модерни танци.

Естебан ги наблюдаваше, без да трепне. Беше сигурен, че Иън няма да го изпуска от поглед цяла вечер и щеше да оцени не само изпълнението му, а и самия него. Анна, следваща съвета му от предишния ден, също спокойно се наслаждаваше на шоуто.

Преди тях танцуваха отново миналогодишните победители. Те бяха избрали комбинация на хип хоп и страстно танго, което доста въодушеви публиката. Оценката на публиката беше 10. Членовете на журито също се оказаха невероятно щедри: 9.5; 9.6; 9.4; 9.2;9.4;9.1. Оценката, дадена от Иън, въпреки че беше най-ниска от посочените, на Естебан му се видя завишена. Иън беше забелязал спокойствието и увереността на Естебан и с оценката си беше вдигнал летвата пред него.

Йордан видимо се ядоса от оценките.

– Закопаха ги още преди да са стъпили на сцената.

– Анна и Естебан ще спечелят – уверено възрази Саня.

– Как можеш да си толкова сигурна?

– Аз съм правила хореографията.

Водещият обяви изпълнението на Анна и Естебан.

Нито един от двамата обаче не излезе на дансинга. В залата се разнесе музикалният фон на тяхното изпълнение:

Darren Hayes. "Insatiable".

When moonlight crawls along the street
Chasing away the summer heat
Footsteps outside somewhere below

The world revolves, I let it go

Когато по улицата пълзи лунната светлина,
Прогонвайки лятната горещина,
Звук на стъпки някъде навън, там долу
Светът се върти, аз не му обръщам внимание

Излезе Естебан. Облечен с черни кожени дрехи, каубойска шапка и кърпа на врата. Усмихна се на журито и с танцови движения започна да се съблича. С едно премерено движение остана без шапка и кърпа. Със следващото коженият елек се свлече на земята и Естебан остана гол до кръста.

We build our church above this street
We practice love between these sheets
The candy sweetness scent of you
It bathes my skin, I'm stained in you

Изграждаме нашия храм над тази улица,
Правим любов между чаршафите
Бонбонено сладкия ти аромат
Облива кожата ми, пропит съм с теб

Анна, облечена в аленочервено трико и фееричен воал, обгръщащ съблазнително ханша ú, се приближи до Естебан, подпря се на тялото му и еротично започна да се движи около него.

And all I have to do is hold you
There's a racing within my heart
And I am barely touching you

И всичко, което трябва да направя е да те прегърна
Сърцето ми бушува,
А дори още не съм те докоснал

Бавният ритъм на музиката изпълни сцената. Естебан нежно сложи едната си ръка върху кръста ú и Анна с лекота се отпусна назад. Тялото ú чувствено се остави на неговото, напълно завладяно, покорено, отдадено. Естебан коленичи на сцената и я притегли към себе си. Повдигна крака ѝ и нежно събу обувката ѝ. Анна, завладяна от играта на прелъстяване, чувствено прокара босия си крак по ръката, гърдите, рамото на Естебан, сякаш рисуваше по тялото му, което жадно откликваше на всяко нейно докосване.

Пръстите на крака ѝ обходиха врата му и еротично притеглиха тялото му към нейното. Естебан сложи лице в скута ѝ и остави притегателната сила на телата им, копнеещи едно за друго, да се прояви чрез чувствения ритъм на танца. Плавно се отдалечи от Анна, която умилкващо потърси близостта му. Ръцете ѝ деликатно докосваха гърдите му, а неговите нежно придържаха кръста ѝ. Телата им се движеха в съзвучие с песента като съучастници в игра на похот и прегрешение, следващи естествения повик на инстинктите и собствената си природа. Естебан прилепна към Анна и еротично я поведе в ритъма на музиката. Тя последва инициативата му и с готовност откликна на предизвикателството, подадено от тялото му. Естебан съвсем бавно се снижи по нейното тяло и я качи на раменете си, като лицето му докосна корема ѝ.

В този момент публиката буквално изригна. Сексуалната енергия между Естебан и Анна завладя цялата зала с невероятна сила.

Анна отпусна тялото си плавно назад и поемайки я на ръце, Естебан прелъстително я положи да легне на пода. Леко се надигна и спусна към нея, имитирайки полов акт, след което прегърна тялото ѝ и заедно се претъркулиха няколко пъти по дансинга. Естебан застана на колене, леко разтвори крака и нежно придърпа тялото на Анна към себе си.

Всякакви норми на благоприличие паднаха в този момент.

Анна бавно и чувствено повдигна тялото си в свещ, като ръцете ѝ използваха за опора кръста на Естебан. С отчетливи движения в ханша Естебан наклони тялото си към нейното, оставяйки въображението на зрителите да постави завършващите щрихи на случващото се на сцената. Публиката реагира, аплодирайки ги на крака.

And nobody knows you like I do
'Cause the world, they don't understand
But I grow stronger in your hands

И никой не те познава както аз
Защото светът не разбира

190

Любовната игра между двамата докосваше със своята естественост и простота. Естебан завладяваше Анна с поглед, с движения, с въображение. Тялото му излъчваше увереност и неутолима жажда. Въздействаше само с присъствието си, превъзхождаше с безупречността си, блестеше горд, самоуверен и недостижим.

Анна беше негова любима и любовница, спътница и съучастница, най-святото му дело и най-силното му прегрешение.

Естебан танцуваше с погледа си, с усмивката си, със сърцето си.

А тялото му говореше...

За момчето, което бягаше от училище, за да се научи да танцува.

За мъжа, който правеше стриптийз, за да бъде Анна тази вечер на неговата висота.

За тайната на истинското общуване между мъжа и жената.

За срещата на телата, които споделяха най-интимните си тайни, най-съкровените си желания, най-предизвикателните си фантазии...

Естебан се претърколи по дансинга, легна по гръб и повдигна нагоре краката си. Анна чувствено се отпусна с кръст, допрян върху стъпалата му. Пръстите на ръцете му нежно затанцуваха по кожата ѝ все едно тялото ѝ бе съвършен музикален инструмент, чиято мелодия можеше да събуди само той.

Обходи лицето, раменете и ръцете ѝ, докато накрая нежно обхвана кръста ѝ от двете страни. Бавно и уверено преобърна тялото ѝ, поставяйки я да легне по гръб върху него. Косата ѝ се разпиля по гърдите му, тялото ѝ преживяваше неговото тяло, ръцете ѝ спокойно се отпуснаха в неговите, а краката ѝ изпънати покриха неговите крака.

Insatiable...for you... insatiable... for you... insatiable... for you...
Ненаситен ... за теб ... ненаситен ... за теб... ненаситен ... за теб...

отекваха последните думи от песента на Дарън Хейс, докато Естебан и Анна преживяваха пълното сливане и единение на телата си.

Публиката и журито се изправиха на крака и разтърсващите им аплодисменти ги принудиха да се върнат обратно в реалността. Саня ги гледаше възхитено. Бяха изпълнили с такава лекота и педантичност хореографията си, че на нея ú се струваше, че наистина бяха правили секс пред очите на всички.

Публиката им даде 10. Оценките на журито също се оказаха невероятно ласкави: 9.6; 9.7; 9.6; 9.8; 9.6. Естебан и Анна за втори път излизаха на първо място преди оценката на Иън.

Иън погледна право в очите на Естебан и вдигна 10.

Естебан едва успя да се задържи на краката си от радост. Толкова беше свикнал да прикрива чувствата си в моментите, в които беше слаб и уязвим, че се оказа напълно неподготвен да запази самообладание, когато беше щастлив. Той силно притисна Анна към себе си и я завъртя във въздуха.

♪♫♪

Решиха да празнуват в ресторанта на хотела. Утрешният им полет беше твърде ранен, за да обикалят където и да е. Саня беше толкова щастлива, все едно победата беше нейна. Йордан не преставаше да ú повтаря колко се гордее с нея заради хореографията ú. Анна още не можеше да повярва на случилото се, а Естебан не спираше да мисли за оценката 10, която най-накрая беше получил от Иън, повече от десет години след първата им среща.

Беше оставил телефона си на масата, за да гледа колко е часът, когато неочаквано получи смс.

"It's the best I've ever seen. Did you see that She exists?"

(Най-доброто, което някога съм виждал. Видя ли, че Тя съществува?)

Анна го погледна изненадано.

– От кого е? – попита тя.

– От Иън Майер - кратко ú отговори Естебан.

Анна вече знаеше каква легенда е Иън Майер.

– Защо Иън Майер ти праща смс?

Естебан се усмихна и отговори:

– Защото той ме научи да танцувам.

ЧАСТ III

КОГАТО ЛЮБОВТА ГОВОРИ

Всеки открива близостта с другия и в един момент осъзнава, че любимият го прави по-добър човек.

Любовта всъщност ни среща с най-доброто от нас самите. Ние се влюбваме в самите себе си чрез любовта на човека до нас, поглеждаме се през неговите очи и се виждаме съвършени.

Но истинската сила на любовта е да ни помогне да срещнем тъмната си страна. Това е сянката, онази част от нас, която потискаме и отричаме. Срещата със сянката показва доколко партньорите са готови да се срещнат със себе си.

I

АННА

Анна мълчаливо гледаше Естебан, докато той ѝ разказваше как мислеше да прекарат отпуската му.

Идеята да обикалят заедно на мотор ѝ се беше видяла много красива, докато Естебан не ѝ разясни подробностите около нея.

– Представи си го така – разпалено разказваше Естебан. – Никакъв багаж. Тръгваме само с дрехите на гърба си. Ако имаме нужда от нещо си го купуваме, ако стане излишно – го изхвърляме.

– Няма ли поне да си вземем дрехи?

– Ще си вземем. Тези, които ще облечем – радостно отсече Естебан.

– Но какъв е смисълът да купуваме и изхвърляме дрехи? Това не е ли прахосничество?

– Не, мила, това е свобода. Да знаем, че където и да сме, целият ни багаж ще е в дамската ти чанта. Не ти ли се е искало някога да тръгнеш на път без багаж, без да се опаковаш, без да се разопаковаш. Да знаеш, че можеш да си купиш каквото ти е необходимо? Като стигнеш някъде първата ти мисъл да не е "къде да си оставя багажа", да не прескачаш куфар в хотелската си стая и да знаеш, че всичко, от което се нуждаеш е банковата ти карта?

– Няма ли да си купим поне нещо за спомен от пътуването?

– Ще си купим фотоапарат и ще си направим снимки за спомен – нежно каза Естебан.

– Може да направим пътуването на няколко кратки пътувания и така няма да имаме нужда от много багаж – предложи Анна.

– И защо да не го направим като истинско голямо пътуване? Просто ми се довери. Всичко съм измислил. Планирам го от шестнадесетгодишен.

Анна не отговори.

– С твоите 25 000 евро можеш да сбъднеш своя мечта – каза окуражително Естебан.

– Ще ги запазя – отговори Анна. – Искам да съм сигурна, че поне за една година напред няма да сме притеснени финансово. Аз още не работя и... така ще ми е по-спокойно.

– Винаги ли толкова много се тревожиш за пари? – засече я Естебан.

– Просто отдавна мисля как да сложа в ред финансите ни.

– Да сложиш в ред финансите ни? – смаяно попита Естебан. – Какво не им в ред на финансите ни? Току що спечелихме 50 бона.

– Точно затова. Сега е момента да проявим отговорност към бъдещето си. Мислех си, че може да направиш собствена школа. Аз ще движа административната част. Имам близка приятелка счетоводител и...

– Една школа по танци иска голяма първоначална инвестиция – зала, добро озвучаване, добра подова настилка, съблекални, реклама, а и аз не съм сигурен, че искам да правя подобно нещо. Ще трябва да се вържа за нея, а още не съм решил да оставам да живея тук. Нека сега да се съсредоточим върху пътуването. Спри да се тревожиш за глупости.

Анна си замълча. От всичко, което ѝ каза, тя разбра едно – Естебан не искаше школа. Оттам нататък каквито и да му предложеше в тази насока, нямаше значение. Той вече беше взел решението за неговите 25 000 евро.

Не можеше да го насилва да прави неща, които не иска. Оставаше единствено тя да измисли някакъв вариант, чрез който да печелят пари.

Прииска ѝ се да поговори с някого, който можеше да ѝ даде съвет.

– Мечтата му е да обикаля света на мотор и да спи, където го завари случайността. Да прави секс по залез слънце и на зазоряване да потегля отново на път.

– Супер – отбеляза Васил. – Аз съм си мечтал така да обикалям света на стоп.

Анна само тъжно се усмихна. Васил зае страната на Естебан.

– Иска да похарчим 25 000 евро за един месец. Нямало да си носим дрехи и козметика, всичко сме щели да си купуваме по пътя. Как ти звучи?

– Какво те бърка теб какво ще си прави с парите? Мечта му е от малък, има парите, иска да си я сбъдне. Аз на 27 работех по 16 часа, за да стана съдружник. Не знаех ден ли е, нощ ли е. Сега имам парите, но нямам куража да рискувам. Даже му завиждам за младостта и смелостта. Един ден той ще разказва, че на 27 е обикалял света на мотор, чукал е яко и е заспивал под звездите.

– Той изобщо не се замисля, Васко – все по-неубедително звучеше Анна.

– Ти нали затова си го избра? – развеселено я попита Васил. – Нали изведнъж се оказа, че мисленето пречело.

– Иска ми се да можем да съчетаваме нещата – да си имаме нашите приключения, но да не сме притеснени финансово. Не искам парите изобщо да стават тема във връзката ни.

Анна се притесняваше от реакцията на Естебан при евентуална нужда от пари. Нямаше да ѝ каже от гордост и накрая пак щеше да измисли някакво безумие от рода на стриптийза.

– Чуй ме какво ще ти кажа като твой приятел. Ако мечтата му е да обикаля с мотора, да чука яко и да спи, където го отведе вятъра, той ще си я сбъдне. С теб или без теб. Но ако искаш изобщо да имате връзка, не му казвай какво да си прави с парите, а се радвай, че иска да чука теб, а не някоя друга.

– Ти защо се разведе? – внезапно ни в клин, ни в ръкав попита Анна.

– Защото вече не се чукахме с Таня, а се оказа, че и няма какво да си кажем – честно ѝ отговори Васил.

Когато се върна вкъщи, Естебан също беше там.

– Прибрах се по-рано. Исках да те изненадам – нежно каза той. – Виж купих ти нещо – Естебан ѝ подаде шоколад.

– Анна се засмя.

– Купил си ми шоколад?

– Да подсладиш малко мислите си – шеговито вметна той и попита: – Ти къде беше?

– Пих кафе с Васко – спокойно отговори Анна и започна да разопакова шоколада.

Естебан замълча и Анна усети, че му стана неприятно. Анна отчупи малко парченц шоколад, приближи се до него, облиза добре устните си и размаза шоколада по тях, след което страстно го целуна.

– Нямам търпение да заминем – каза му, след като се отдели от него. – Искам да ми покажеш какво е истинска свобода.

– Знаех, че е добра идея да купя шоколад - доволно отбеляза Естебан.

Анна се засмя.

II

АННА

Няколко дни Анна се опитваше да не мисли за парите, а въодушевено да подкрепя Естебан в мечтата му.

Накрая един ден просто реши да пробва със старата схема – проблем→решение.

Разграфи един лист на две и в едната графа написа: проблем, в другата решение.

В графата с проблем написа "пари".

Замисли се за Естебан и решенията му относно парите.

Доколкото беше опознала Естебан за него изкарването на пари беше негова работа. Той изцяло плащаше наема на апартамента си и сметките, без нито веднъж да отвори дума пред нея за поделяне на финансовите оттоворности.

Беше я оставил да ползва наема от собствения ú апартамент като нейн личен приход.

И колкото и да ú беше неприятен изборът му на втора работа, той беше намерил стратегически най-правилното решение - да спечели необходимите му пари с минимум отсъствие от вкъщи, като отново танцуваше.

Беше избрал да я предпази от всички финансови притеснения, за да е напълно фокусирана в конкурса. И благодарение на вярата му в нея, сега имаха по 25 хиляди евро в бянковата си сметка.

И пред празния лист, Анна осъзна, че изобщо нямаше причини да се тревожи за пари. Като решение написа "Естебан" и изпита истинско облекчение.

Васил ú звънна и я покани на обяд. Тя прие.

– Благодаря – каза тя по време на обяда.

– За кое? – учудено попита Васил.

– За съвета, който ми даде за Естебан. Той наистина много се грижи за мен. Заслужава да му вярвам повече.

– Нали за това са приятелите – каза Васил. – Без доверие нищо не се получава.

– Да. Прав си. Заминаваме другия петък – ще е приключение. Нещо напълно ново за мен. Все пак направих списък с най-необходимите неща.

Анна го подаде на Васил.

– Дадоха кабинетът ти на Диляна – каза Васил, като ú върна списъка. – Но тя не е като теб. Не прави списъци, опитва се непрекъснато да се налага и предпочита да действа на своя глава.

– Дай ú свобода – каза Анна. – Може би няма нужда от покровителство.

– Това ли е изборът "Свобода или смърт"?[1] ♪ Все едно сме във Възраждането – пошегува се Васил.

– Нямам представа – отговори Анна. – Но и двамата не ни пречи да пробваме, нали?

Телефонът ú звънна за получен смс.

– Извинявай, важно е – каза Анна, загледана в телефона си. Васил се досети, че смс е от Естебан.

"Какво правиш? Свършвам в два. Искаш ли да отидем да изберем фотоапарат"

"Супер. И без това съм на десет минути от теб."

"???"

"Васко ме покани на обяд. До след малко. Целувки"

Не получи отговор.

– Трябва да тръгвам – извини се Анна.

– Всички искаме свобода, но не всички сме готови да я дадем, нали?

– подхвърли иронично Васил по адрес на Естебан и уреди сметката.

♪♫♪

Анна се разходи пеша до школата.

Естебан приключи урока почти веднага след влизането ú.

– Само да се изкъпя и тръгваме – хладно каза той.

♪ *"Свобода или смърт" – лозунг, изписан върху българското знаме, с който започва освободителното движение през 1876 година, което, в резултат на въстанически и военни действия, довежда до възстановяването на България като самостоятелна държава през 1878 година. Периодът се счита за един от най- героичните в българската история – Бел.а.*

Анна седна във фоайето и докато го чакаше извади от чаната си сутрешната си схема "проблем"→"решение"

Под "Пари" написа "Ревност". Не ѝ хрумна никакво решение.

– Този Васко... – неочаквано започна Естебан още на излизане от школата.

– Само приятели сме – прекъсна го Анна, но гласът ѝ прозвуча, сякаш се оправдаваше.

– Ясно. Но сте близки, така ли? – продължи настоятелно да я разпитва.

– Както ти и Саня – невинно отговори Анна, но Естебан се усети като попарен с вряла вода. Анна естествено не знаеше за него и Саня и явно привеждаше примера, за да го успокои.

– Аха – смутолеви той.

– Дълго време работихме заедно. Разчитала съм на него за почти всичко – опита се да обясни Анна.

– Вече имаш мен – отговори меко Естебан. – Можеш за всичко да разчиташ на мен.

– Знам – съгласи се Анна. – Просто не ми се обядваше сама...

– Няма нужда да обядваш сама – мъдро каза Естебан. – Аз ще си нагласям така часовете, че да можем да обядваме заедно.

Анна не отговори, като насочи мислите си към сгънатия лист в чантата си. Естебан току-що ѝ беше показал, че не е съгласен с приятелството ѝ с Васил.

– Мисля да поемем в посока Швейцария – смени темата Естебан. Беше изтълкувал мълчанието ѝ като знак за съгласие.

– Може би трябва да си купим дъждобрани – каза Анна, загледана в скупчилите се облаци в небето, докато вървяха към магазина за фотографска техника. Явно се канеше да завали.

Естебан ѝ хвърли поглед, изпълнен с насмешка.

– Направих списък – каза тя. – С най-необходимите неща. Искаш ли да го видиш?

– Какви най-необходими неща? – попита Естебан.

– Зарядни за телефони, поне по една връхна дреха, още един чифт бельо, четки и паста за зъби, чорапи, фенерче, слънцезащитен крем – започна да цитира по памет и се разрови из чантата си, за да извади списъка си.

– Може да караш с джипа след мен – предложи шеговито Естебан.

– Така ще си сигурна, че ще си предпазена от дъжд и слънце.

Анна не разбра какъв точно е проблемът със списъка ѝ, но за да угоди на Естебан, в момента, в който го извади го смачка пред очите му.

– Ето сега сме напълно свободни – каза примирено тя. – Нямаме списък.

– Ще вземем зарядните за телефоните – сериозно каза Естебан. – Не искам да оставаме без връзка един с друг. Всичко се случва. Но останалото не ни е нужно. Анна, отпусни се. Можем да си купим всичко. Най-накрая имам достатъчно пари, за да се почувствам истински свободен. Искам оттук да тръгна без багаж. Уморих се да се презапасявам, така ограбвам собствената си свобода.

Анна се отпусна. Нейният безупречен Естебан щеше да профука 25000 евро за един месец и се оказваше безпричинно ревнив.

III

АННА

Събуди се от целувките на Естебан, които обхождаха врата и рамената ѝ. Ръцете му нежно преоткриваха центровете на удоволствие по тялото ѝ. Естебан обожаваше сутрешния секс и явно беше решил така да започнат мечтаната ваканция. Тя се обърна с лице към него и се остави да я завладее наслаждението от танца на телата им.

Когато приключиха, закусиха купичка накиснат лимец с мед и фреш от портокал. После си взеха дълга вана заедно и Анна се размечта да прекарат цялата почивка по този начин – затворени в апартамента и обичайки се по цял ден.

Времето навън беше превъзходно. Целият им багаж – телефони, зарядни, фотоапарат, слънчеви очила, лични документи, пари в брой, банкови карти и лична козметика – се събра в дамската ѝ чанта.

Естебан беше изключително въодушевен и неговото въодушевление постепенно завладя и нея. В крайна сметка Васко беше прав: един ден щяха да имат незабравими спомени от пътуването, а пари се печелеха и не бяха всичко на този свят.

Когато седна зад Естебан и прегърна тялото му през кръста, Анна изпита истинска радост, че тя беше тази, с която той искаше да сподели мечтата си.

Стори ѝ се, че пътуват безкрайно. Въпреки високата скорост на мотора, на моменти усещаше как леко се уняся, облегната върху тялото му, но Естебан ѝ каза да не се отпуска и че е опасно, ако не се държи здраво за него.

Естебан сякаш се беше сраснал напълно с мотора, защото можеше да кара часове наред без никаква почивка. Анна го беше забелязала още при пътуването им до Гърция, но тогава обстоятелствата бяха различни и го беше отдала на неудобството му от нея.

Когато минаха границата със Сърбия, вместо магистралата, която беше най-прекият и удобен път, Естебан избра алтернативен маршрут с по-ненатоварен трафик и по-живописни гледки. Анна вече не знаеше къде се намират. Даде си сметка, че може би наистина не е дорасла за свободата, защото в главата ѝ беше крайната цел – Берн, а не миговете, които преживяваха в момента.

Последните слънчеви лъчи ги завариха на малък второстепенен път с поле от двете страни. Цял ден не бяха хапвали нищо. Естебан неочаквано спря мотора и я поведе в полето. Анна усети какво е намерението му и самата мисъл да правят секс на непознато поле край пътя ѝ се стори плашеща. Помисли си, че може дори да дойде полиция и да им направи проблем за непристойно поведение. А можеше и площите да са частна собственост.

Естебан я заведе доста навътре в полето и с възбуден поглед започна да я целува. Съблече тениската си и ѝ я постели върху сухата трева, за да не лежи директно на земята. Анна обаче му предложи той да седне на земята, а тя да го "обязди". В момента тази поза ѝ изглеждаше най-хигиенична. Не ѝ се лежеше в прахоляка, при положение че после дори нямаше да може да се преоблече.

Като златна топка слънцето разливаше последните си лъчи светлина, преди да залезе. Из топлия въздух се носеше аромат на полски треви и цветя, а нейде наблизо свиреха щурци. Постепенно небосводът се обсипа със звезди и в застилащата се наоколо тъмнина тук там проблясваха светулки.

Анна и Естебан отдавна бяха сменили позата. С премрежен поглед Анна гледаше звездите, докато тялото на Естебан ѝ разкриваше хоризонтите на истинската свобода.

Неочаквано видя падаща звезда. Умът ѝ отдавна беше изключил, но в мига, в който звездата се отронваше, сърцето ѝ си пожела това, което се случваше между нея и Естебан в този момент, да продължи завинаги.

Стори ú се, че има някаква необятна сила извън тях, която в този момент им даваше благословията си.

♪♫♪

Късно вечерта пристигнаха в Лесковац, където и решиха да отседнат. Още като се качиха в хотелската стая, Естебан и Анна облякоха предоставените им от хотела халати и предадоха дрехите си за пране. Бельото Анна изпра на ръка. Изцеди го добре с помощта на една от хавлиите и полусухо го простря. Вечерта беше топла и на сутринта щеше да е напълно сухо. Поръчаха плата с плодове по рум сървиз и се отпуснаха в джакузито.

– Тази идея за пътуване без вещи твоя ли е или си я виждал някъде? – позаинтересува се Анна.

– Винаги ми се е виждало нормално да се случи точно по този начин – отговори той. Замисли се и установи, че всъщност я беше виждал. От баща си. По време на пътуването им. Тогава дори не наемаха хотели, а спяха по къмпинги, изхвърляха мръсните дрехи и купуваха нови.

За да разведри обстановката, Анна реши да смени темата.

– Догодина мисля с моя дял от наградата да направим конен преход.

Естебан започна да я гъделичка:

– Не мисля, че ти трябва конен преход, за да яздиш. Добре се справи в полето и без кон.

Нахраниха се, легнаха си и мигновено заспаха напълно голи, сгушени един в друг. Станаха почти по-тъмно, за да могат да напуснат хотела по изгрев слънце. Дрехите им бяха грижливо подготвени от персонала на хотела, а бельото напълно сухо.

– Всъщност можем да караме и с един чифт дрехи – радостно отбеляза Анна.

Естебан подхвърли с насмешка:

– Не се привързвай много. Все пак не сме клошари.

Посрещнаха изгрева на мотора, отправени към непознатото.

IV

АННА

Анна усети как ентусиазма ѝ от пътуването се изпарява с всеки изминал ден. Естебан наистина беше решил да сбъдне собствената си мечта. Спираха, когато той преценеше, снимаха нещата, които на него му харесваха, правеха секс къде ли не.

През по-голямата част от деня Анна беше гладна, но търпеливо изчакваше той да се сети, че трябва и да ядат. Вече бяха минали през Унгария и Австрия. И на двете места си бяха купили дрехи, а предишните просто отиваха в коша за боклук.

На Анна ѝ се искаше да поразгледат местата, на които не беше ходила, да пробват местната кухня, но Естебан имаше три неща, които трябваше да свърши през деня – да тръгне по изгрев слънце, да обикаля с мотора из непознати места и да правят секс по залез слънце. И толкова. Имаше си изработена програма и си я следваше.

Анна знаеше правилата от самото начало и нямаше право на искания и възражения. Улови се, че пътят я изморява, а осъществяването на мечтата му даже я изтощава. Постепенно в резултат на умората и желанието ѝ за секс започна да намалява, докато при Естебан беше точно обратното – сякаш беше в състояние да правят секс непрестанно.

Парите, които толкова я бяха притеснявали, изобщо не се оказаха такъв проблем. Естебан плащаше с тях най-необходимото – хотел, храна, бензин, дрехи.

♪♫♪

Когато стигнаха до Милано най-неочаквано я заведе в едно златарско ателие.

– Искам да си избереш нещо за спомен – каза той. – Нещо, което ще носиш, а няма да стои на някой шкаф.

– Може би обеци – каза развълнувано тя.

– Не искаш ли пръстен? – учудено попита Естебан.

Анна се почувства толкова щастлива, че не можа дори да отговори.

– Избери си, който искаш.

Тя огледа пръстените и се спря на нежен пръстен с малък диамант за 2500 евро.

Естебан дори не погледна цената. Извади банковата си карта и го плати.

В една малка тиха уличка го сложи на безименния пръст на лявата ѝ ръка:

– Истината е, че все още не знам дали вярвам в брака, но ако някога реша да се оженя, все едно съм го обещал на теб.

Анна никога не беше чувала нещо по-емоционално от устата му. Вместо да му оттовори, се хвърли радостно на врата му.

В следващите три дни Анна беше твърде щастлива, за да се дразни от програмата на Естебан. Беше ѝ достатъчно да погледне пръстена и всичко друго изчезваше. Хранеше се, когато той беше гладен, отдаваше му се всеки път, когато я пожелаеше, никой и нищо друго не я интересуваха.

Естебан отново се беше превърнал в целия ѝ свят.

Той от своя страна следваше неотлъчно графика си и избираше все по-причудливи пътища, по които да пътуват. Анна вече не следеше пътя, дори не я интересуваше дали някога ще стигнат Берн. Чудеше се как да му каже, че ранното ставане, непрекъснатият път и късното лягане я изтощават и да го попита не може ли да правят по-дълги почивки. Но той беше толкова вглъбен в следването на установения график, че тя не намираше кога да му каже.

Дори в представата си за свободата Естебан беше желязно дисциплиниран. Анна все повече забелязваше, че всичко, което той искаше от нея, беше да му е на разположение. Споделяше ѝ нещата, които му бяха интересни, снимаше почти непрекъснато най-различни обекти, които му правеха впечатление и най-вече търсеше физическата ѝ близост. Тя се чувстваше невероятно в ръцете му, но след 11 дни на мотор умората започваше да взема превес и желанието ѝ за секс ту намаляваше, ту се усилваше.

♪♫♪

Досега имаха невероятен късмет с времето, но докато се носеха по един планински път в посока езерото Лаго, изведнъж започна да вали.

Пътят стана абсолютно непроходим и в този момент Анна си помисли за дъждобраните, които така и не купиха.

Двамата се оказаха в капан на проливния дъжд и нямаха друг избор, освен да го изчакат да спре. За пръв път, откакто бяха тръгнали, Анна забеляза, че Естебан сякаш се чувстваше виновен пред нея за това, че я поставяше в такава ситуация.

Естебан намери нещо като естествен заслон, под който паркира мотора, след което придърпа Анна и я гушна, за да не ѝ е студено.

– Гладна ли си? – попита я загрижено.

– Не много – излъга Анна, за да не го кара да се чувства още по-зле.

Сега беше неин ред да му каже, че ето за такива моменти е говорила, като е искала да бъдат подготвени, но ѝ се видя жестоко, а и това нищо нямаше да промени. Примири се с идеята, че ще хванат някоя настинка от дъжда, както и че явно ще гладуват, докато изгрее слънце и пътят стане отново проходим.

Тайно се надяваше да мине някой камион или автомобил, за да ги качи на стоп, но нищо не се задаваше. Друг беше въпросът дали Естебан щеше да се съгласи да зареже мотора си насред нищото, но в този момент това най-малко я интересуваше.

Вместо да спре, обаче, дъждът започна да се усилва. Естебан не продумваше, отново се беше затворил в себе си.

Анна си помисли, че това е най-дразнещата черта от характера му – когато сгафеше, просто млъкваше и не можеше никой да разбере какво се случва в него.

Тя обаче вече беше на път да излезе извън кожата си.

Мълчеше, сгушена в прегръдките му, но ѝ се искаше да му каже, че в този момент са много далеч от свободата.

Естебан я притисна силно към себе си, облегна се на скалата зад тях и заспа. Анна обаче не можеше да заспи. Усети, че е на път да разплаче.

Мислеше си как връзката между тях винаги ще е такава. Нейното мнение нямаше да има грам стойност и когато Естебан сгрешеше, тя трябваше да търпи негативите, въпреки че предварително е успяла да съобрази ситуацията по-добре от него.

Беше ѝ ужасно студено, беше гладна, мокра, изнервена, изморена. Опита се да погледне на ситуацията като на приключение, но само ѝ се доплака още повече.

Никога нямаше да може да излезе на глава с Естебан. Той щеше да си взема решения и да ги привежда в изпълнение, а тя трябваше да избира или да ги сподели с него, или да го изгуби. Не знаеше как да се справи с огромното му самомнение, нито с криворазбраната му гордост. Толкова ли беше трудно да ѝ каже поне веднъж "Извинявай. Сгреших. Ти беше права"?

Дори когато го беше хванала в очевидна лъжа за стриптийза, накрая едва беше изтърсил едно: "Съжалявам" и то след като мълча почти цял ден.

Мислите ѝ се блъскаха в главата ѝ и създаваха хаос от отчаяние.

Какво всъщност ги свързваше?

Танците.

Сексът.

Любовта.

Любовта?

Какво всъщност беше любовта?

Усещането, че другият е най-близкото ти същество в света?

Общото ежедневие?

Общите планове?

Общият път?

Тогава защо ѝ беше така трудно да види общо бъдеще за тях двамата?

Можеше да види само настоящия миг.

Не можеше да си представи какъв живот биха имали след година, след пет години.

Ами ако цялата им връзка беше само една проекция в резултат на собствената им самота?

Анна беше безкрайно самотна, както и Естебан.

Той намираше в нея другарче, което да сподели неговия свят, нещата, които го вълнуваха и сякаш никой друг не го интересуваха.

Тя имаше нужда от различен свят и откри неговия, който ѝ се стори магнетичен и интересен.

Ами, ако утре се окажеше, че тя не принадлежи към този свят?

Мисълта, че нещо можеше да я раздели с Естебан, я прободе като жило в сърцето.

Искаше ѝ се това пътуване вече да приключи.

Да се върнат обратно в техния защитен свят, той да ходи на работа, тя да му готви и да го чака да се прибере.

А не да са тук, сред дивото и непознатото, което поставяше на изпитание отношенията им.

Анна не разбра кога се е унесла и е заспала. Когато отвори очи, Естебан беше буден и дъждът беше спрял. Беше тъмно и тя предположи, че е посред нощ, може би към 2-3 часа.

– Хайде да те отведа на топло – каза той.

И двамата бяха вир-вода, когато се качиха обратно на мотора. Някъде около час им отне, докато навлязат отново в населено място. Естебан избра първия приличен хотел, който му се изпречи пред очите.

Двамата с Анна имаха изключително семпли изисквания към хотелите – чистота, добра климатизация, хубава храна, удобно легло и възможност дрехите им да бъдат изпрани и изгладени преди изгрев слънце.

Влязоха мокри до кости.

– Не случихме на време – обясни Естебан. – Може ли да предадем дрехите си да бъдат изпрани и готови за утре сутринта?

– Ще се погрижим – каза рецепционистката.

– Може ли да сложат в стаята и по един допълнителен халат.

– Разбира се.

– Има ли откъде тук наоколо да купим храна по това време?

– Съжалявам, сеньор, всичко е затворено по това време.

– Просто не сме яли нищо от обяд – обясни Естебан.

– Ще помоля някой да ви направи сандвичи. Изберете си от менюто.

– Благодаря – каза Естебан. – И ако може и горещ чай, че сме премръзнали.

– Ще го уредим. Настанете се удобно. Ето ключът за апартамента ви.

В момента, в който влязоха в него, Анна отиде направо в банята. Отново беше оборудвана с джакузи и тя, без да чака Естебан, се съблече и се отпусна в приятно топлата вода, опитвайки се да забрави за всичко.

Междувременно Естебан се зае да провери състоянието на телефоните и фотоапарата. Като по чудо бяха невредими. Съблече се и сложи един от халатите.

След около десет минути от хотела им донесоха горещ чай, сандвичи и салата и взеха мокрите им дрехи. Естебан плати двойно в знак на благодарност и отиде при Анна.

Ако имаше някой, на когото наистина беше благодарен, това беше Анна. Както обикновено нито го беше упрекнала, нито се беше оплакала.

Анна излезе за малко от джакузито и двамата се нахвърлиха върху храната, сякаш не бяха яли с дни. После влязоха отново в джакузито и без да си кажат нищо, си изпиха чая.

Анна забеляза, че настроението на Естебан беше започнало да се подобрява, но тя все още му беше ядосана.

Реши, че сигурно ще ѝ мине, след като се наспи. Само че Естебан явно имаше други планове за довършване на вечерта.

Тя нямаше сили да правят секс точно сега, искаше да се сгуши в леглото и да се наспи. Мислеше дори да спи с другия халат, който ѝ бяха донесли, за да не е гола и да не ѝ е студено. В момента никой не можеше да я убеди, че август е топъл месец.

Естебан нетърпеливо я придърпа към себе си. Анна нежно прошепна в ухото му: "Искаш ли да продължим утре, изморена съм", след което той внезапно спря и остана като вцепенен пред нея.

След това каза "ОК", стана и излезе от джакузито.

Анна се почувства виновна и наранена от реакцията му. Все едно 24 часа в денонощието беше длъжна да прави секс с него.

Когато влезе в стаята, Естебан си беше легнал и изгасил. Навън още беше тъмно. Анна се почувства отчаяна, взе си телефона, изключи звука и се затвори в банята.

Написа смс на Васко: "Отчаяна съм."

За нейна изненада Васил отговори: "Какво става?"

"Пътуването е ужасно :(" – тъжно написа тя.

"Не е ли изгреви, залези и секс :)?"

"Супер е, когато изцяло се съобразявам с Естебан"

"Какъв е проблемът?"

"Валя ни дъжд, едва не умряхме от глад и студ и нямам желание за секс, а той – да. И се скарахме"

"Отказала си секс? А той?"

"Не го прие добре"

"Доста е унизително, да знаеш"

"Точно сега не ми е до секс. А той сякаш няма спирачка"

"Децата нямат спирачки :)"

"Много смешно"

"Ти къде си?"

"В банята"

"Или отиди да спиш, или го изчукай. Но да ме будиш и да ми се жалваш, няма голяма полза"

"Извинявай"

"Забавлявай се с твоя испанец, докато имаш тази възможност. И като се върнеш тук, му бий шута и си намери нормален мъж"

Анна не отговори. Не искаше нормален мъж.

Искаше просто Естебан да проявява малко повече разбиране към нея.

Върна се обратно в стаята и легна наранена в другия край на леглото, обгърната в халата и без да се докосва до Естебан. Може би всичко, от което имаше нужда, беше сън.

– Студено ли ти е? – попита я Естебан. Едва сега установи, че той не спеше.

– Да – призна тя.

Естебан я притисна към себе си.

– Не се пази от мен. Няма да те изнасиля.

– Знам, че няма. Извинявай. Много съм изморена.

– Какво прави в банята? Музика ли слуша?

– Обичам те – вместо отговор каза Анна.

– Не ме отблъсквай, много ми е гадно – призна ú Естебан.

Анна осъзна, че има само един начин да оправи нещата между тях.

Жадно започна да го целува и му се отдаде.

Лъчите на изгряващото слънце вече се прокрадваха през прозореца. И с появата им всички мрачни мисли от предишната нощ я напуснаха. Заспа в прегръдките на Естебан с мисълта, че винаги ще бъде така.

V

ЕСТЕБАН

Сънува някакъв кошмар, че Анна върви към пропаст, а той не може да стигне до нея. Събуди се и я видя сгушена в него, което го успокои.

Реши днес да не отпътуват за никъде. Колико, малкото италианско градче, в което ненадейно се бяха озовали след вчерашното им премеждие, щеше да ги приюти за още един ден.

Днес щеше да направи някои ревизии в начина, по който пътуваха. Искаше да заведе Анна да си купи яке, за да има по-топла дреха при втора подобна случка.

Също така беше добре да имат храна и вода със себе си, докато пътуват.

Снощи беше ужасно загрижен тя да не се разболее или да не реши да поиска да прекратят пътуването.

За пръв път Естебан чувстваше, че прави нещо, което иска с живота си.

Когато го отблъсна, всичко му се сви. Направи някаква асоциация с баща си и Иън, които също го бяха отблъснали от себе си.

В изблици на гняв Саня много пъти му беше казвала през последните години, че изобщо не е нормален и затова не може да установява нормални отношения с хората.

Откакто беше с Анна не се чувстваше самотен.

Тя се опитваше да гледа света през неговите очи, дори когато не го разбираше напълно.

А на него му беше достатъчно тя да е наоколо, за да е спокоен.

Естебан никога нямаше да ѝ го каже с думи, но ако тя поискаше да зарежат пътуването и да се върнат в България, щеше да му стане изключително мъчно, но щеше да ѝ угоди. Нищо не го размазваше психически така, както това да я вижда тъжна или нещастна.

Анна се събуди без ни най-малко желание да прекъсват пътуването.

– Днес ще останем да си починем за един ден. Какво ще кажеш?

– Явно съм много разглезена и трудно понасям екстремни условия – пошегува се тя.

– Просто ще ревизираме някои неща. Малко храна и връхни дрехи не са излишни.

Анна сякаш се изненада от внезапната промяна в него, целуна го и каза: "Както решиш".

♪♫♪

Градчето беше много красиво, а Анна – необичайно любвеобилна, което го изпълни с още по-голям ентусиазъм.

Обикаляха магазините по нейна инициатива и също по нейна инициатива купи по един парфюм и за двамата.

Привечер се прибраха в хотела и се отдадоха напълно един на друг.

Анна легна на гърдите му, а Естебан намери в интернет снимки на Арма и ѝ ги показа, като ѝ разказваше за всяко място.

– Би ли искал да отидем заедно там? – попита го тя

– Не, това е минало.

– Как така Иън Майер ти е бил учител по танци?

– Ами ей така – Естебан не беше готов да ѝ разкаже повече и Анна го разбра.

– Пусни ми музика – смени темата тя.

Естебан подбираше най-различни песни, докато в един момент видя, че Анна спи в прегръдките му. Спря музиката и извади слушалката от ухото ѝ.

Той също започна да се унася, когато телефонът на Анна иззвъня за получен смс.

Естебан взе телефона ѝ, за да изключи звука и да не я събуди, когато видя съобщението от Васил: "Всичко наред ли е с твоя мистър "Свобода или смърт"?"

Вбеси се от подигравателното съобщение и се зачуди се какво има предвид Васил под това дали всичко е наред.

Неочаквано за себе си отговори от името на Анна:

"Защо?"

"Върна ли ти се желанието за секс или още го държиш на сухо? Не прекалявай"

Естебан усети, че му прималя. Погледна към Анна, без да знае какво да мисли. Така безпомощен и унижен не беше се чувствал в живота си. Анна напълно спокойно спеше.

"Можеш поне да си спокойна, че ти няма да останеш на сухо. Откакто стана танцьорка, доста са ти навити. Включително и Събинов, а можеш да броиш и мен, както в доброто старо време" пошегува се Васил.

На Естебан му се приплака. Усети как кръвта сякаш изведнъж напусна тялото му и вместо да отговори, разрови и предишните им съобщения. Видя, че са си писали тази сутрин и се сети, че Анна влезе в банята с телефона.

"Отчаяна съм."

"Какво става?"

"Пътуването **е ужасно :(**"

"Не е ли изгреви, залези и секс :)?"

"Супер е, когато **изцяло се съобразявам** с Естебан"

"Какъв е проблемът?"

"Валя ни дъжд, едва не умряхме от глад и студ и нямам желание за секс, а той – да. И се скарахме"

"Отказала си секс? А той?"

"Не го прие добре"

"Доста е унизително, да знаеш"

"**Точно сега не ми е до секс**. А той сякаш няма спирачка"

"ДЕЦАТА НЯМАТ СПИРАЧКИ :)""

"Много смешно"

"Ти къде си?"

"В банята"

"**Или отиди да спиш, или го изчукай**. Но да ме будиш и да ми се жалваш, няма голяма полза"

"Извинявай"

"Забавлявай се с твоя испанец, докато имаш тази възможност. И като се върнеш тук, му бий шута и си намери НОРМАЛЕН мъж"

Целият се разтрепери, без да може изобщо да мисли. Отиде при документите им, взе своите, взе телефона си, фотоапарата, слънчевите очила и остави на масата 500 евро, като преди да излезе, отговори на Васил: "Грижи се за нея. Естебан".

♪♪♪

Повече никога нямаше да види Анна. Бяха приключили.

Качи се на мотора и се понесе с все сила към непознатото. Нищо не го интересуваше, дори да се пребиеше по пътя пак му беше все едно. Никога никой не се беше подигравал така с него. Беше ѝ дал всичко – мечтите си, сърцето си, своят свят.

Очите му се насълзиха от обида и унижение, но той не се поддаде на сълзите. Щеше да продължи да живее без нея. В крайна сметка преди нея вече се беше примирил, че ще е сам. Явно наистина беше ненормален и нещо му беше сбъркано от самото начало. И така да беше, какво значение имаше?

За миг се изкуши да поеме към Арма, но нямаше какво да прави там. Нека Иън да го запомни такъв, какъвто го видя на финала – истински победител.

От години не беше чувал нито майка си, нито баща си. Не искаше да вижда никого от тях.

Беше сам. Сега наистина можеше да бъде свободен. От вещи, от места, от хора. От Анна. Вече нямаше нужда да търси комфортни хотели, можеше да спи където и да е. Нямаше да я мисли гладна ли е, студено ли ѝ е, добре ли се чувства. Явно се бе чувствала ужасно през цялото време. Без да му каже. И за Васил не му беше казала цялата истина – имали са връзка, той го подозираше, но не искаше да мисли по въпроса. Кой знае колко още неща не му беше казала?

Мина покрай денонощна аптека и изведнъж реши да спре. Отиде и купи презервативи. Никога не беше ползвал презерватив с Анна. Попита за нощен клуб, бар или дискотека наблизо. Насочиха го към дискотека, която била съвсем близо. Естебан влезе, огледа момичетата в дискотеката и отиде при първата, която му привлече вниманието. Почерпи я питие и я покани на танц. Момичето – беше на не повече от 20 години – сладко му се усмихна и се съгласи. В момента, в който започна да танцува с нея, тя напълно се самозабрави. Естебан не спря да пие цяла вечер, накрая я заведе в първия хотел, който му се изпречи пред очите и официално приключи с Анна.

VI

АННА

Анна се събуди от звъненето на телефона си. В стаята беше тъмно, а Естебан го нямаше. Видя, че ѝ звъни Васил. Сега не беше удобно да говори с Васил, Естебан щеше да се подразни, ако я чуеше да си говори с него посред нощ.

Вдигна телефона и каза тихо: "Васко, не е удобно".

"Погледни си viber" бяха думите на Васил.

Анна прочете смс-те между Васил и Естебан и ѝ се стори, че за миг сърцето ѝ спря. Осъзна, че никога повече няма да види Естебан. Беше я напуснал.

Без да ѝ поиска обяснение, без нито една дума. Беше си позволил да рови из телефона ѝ, да си пише с приятелите ѝ и даже имаше наглостта да я прехвърля като грижа на Васил. Сякаш му предаваше на съхранение мотора си.

Всичко, което задържаше в себе си през последните седмици, изригна под формата на истеричен плач. Анна се сви на леглото и ѝ се стори, че иска да умре в празната стая на този напълно непознат град.

Не можа да се успокои до сутринта. Мислеше да напише смс на Естебан: "Нали уж щяхме да се изслушваме", но не написа нищо. За какво ѝ беше Естебан? Да се върти около него, да стъпва на пръсти на всяка крачка? Беше му простила, когато го видя да прави стриптийз в дискотеката, беше търпяла настроенията му, беше се съобразявала с всичките му приумици. Може би беше по-добре, че се беше разкарал от живота ѝ. Мисълта, че няма да го види повече, я накара да заплаче още по-силно. Не искаше нищо друго освен него. Цялото ѝ същество трепереше от гняв и болка.

Едва събра сили да стане и да освободи хотела. Остави парфюма, който му беше купила, в хотелската стая. Нямаше сили дори да го изхвърли. Естебан беше оправил сметката в хотела, така че оставените 500 евро явно бяха за самолетен билет. Не ѝ трябваха неговите 500 евро. Имаше 25 000 евро в банковата си сметка.

Анна нямаше никакъв спомен за пътя си обратно към България. Стигна от Колико до Милано с влак, след което си купи билет за София. Прекара повече от 12 часа на летището на Милано, свита на една пейка и вглъбена в себе си. На летището в София я посрещна Васил. Анна тръгна в мрачно вцепенение към колата му. Не беше яла нищо, откакто се бяха разделили с Естебан. Васил поиска да я заведе в апартамента си, но тя му каза да я заведе "вкъщи" и даде адреса на Естебан.

Васил се качи с нея и в момента, в който влезе в апартамента, Анна сякаш полудя. Отиде в спалнята, сви се на леглото и се разплака неудържимо. Васил се уплаши, като я видя и реши да остане при нея през нощта. В един от шкафовете намери бутилка коняк, сипа ѝ в една чаша и я накара да го изпие. Анна го изпи на един дъх.

Когато малко се поуспокои, извади чаршафи и му застели дивана. Вещите на Естебан бяха навсякъде около нея, тя не можеше да повярва, че бяха разделени.

– Не можеш да останеш тук – каза ѝ на сутринта Васил. – Ще ти помогна да се изнесеш. Може да останеш при мен, докато наемателите на апартамента ти го освободят.

– Никъде няма да ходя – каза категорично Анна. – Оставам тук.

– Какво ще правиш тук? Искаш да се върне и да те изгони ли? Още колко ще се унижаваш заради този мъж?

– Ти си виновен – неочаквано с леден глас каза Анна. – Какви са тия глупости, че доста ми били навити, а и ти. Естебан ревнуваше от теб, кой знае как се е почувствал?

– Аз съм виновен? За какво съм виновен аз? Че захвърли целия си живот на вятъра заради ебането с някакъв пълен ненормалник ли?

– Искам да остана сама – каза Анна.

– Ти наистина ще останеш сама – рязко ѝ отговори Васил. – Както си тръгнала, ще отблъснеш и приятелите си, и семейството си. И накрая няма да има кой една чаша вода да ти подаде.

Васил ядосано излезе. Анна дори не реагира. Остана във вцепенено мълчание, загледана в една точка пред себе си.

Не усети нито кога беше заспала, нито колко дълго беше спала. Когато отвори очи, навън беше започнало да се свечерява. С ужас установи, че няма да може да заспи през нощта.

Виеше ѝ се свят от глад, взе някакви мюсли, заля ги с гореща вода и бавно започна да се храни. На третата лъжица се отказа.

Видя, че Васил ѝ е писал: "Утре преди работа ще мина да те видя."

"Предпочитам да не идваш" – прати му обратен смс Анна.

През нощта светна всички лампи в апартамента, дори тази в банята. Не искаше да остава на тъмно. Надяваше се светлината от помещенията да има силата да проникне в душата ѝ. Повече нямаше нищо. Никакви опори в живота си.

Беше никоя. Без идентичност, без професия, без Естебан. Реши, че може една година да оцелее с паричния фонд от наградата и наема от апартамента си. Можеше изобщо да не излиза и да не вижда никого.

Къде ли беше Естебан, какво правеше? Искаше да му се обади, да поговори с него, да даде някакво обяснение, но само при мисълта как я беше зарязал и как си беше писал с Васил от телефона ѝ я обземаше такъв гняв, че не искаше изобщо да го вижда повече.

♪♫♪

След като прекара три дни в пълно уединение, Анна реши, че има нужда от професионална помощ. Явно, че беше в депресия.

Не беше в състояние да шофира, така че потърси психотерапевт в района, за да може да отиде пеша. Намери една жена на име Лилия Станева. Кабинетът ѝ се намираше на ул. "Жолио Кюри", така че беше много близо до нея.

Нямаше представа как изглеждаше, но изобщо не я интересуваше. Записа си час и отиде на следващия ден.

Кабинетът беше малък, светъл, в топли тонове. Анна се настани на канапето срещу терапевтката, без да отрони дума. Лилия беше млада жена, на годините на Анна, с приветливо излъчване и мелодичен глас.

Попита я как се казва, кога е родена и защо е тук. Анна механично отговори на въпросите, като на последния просто каза: "Приятелят ми скъса с мен".

Очакваше жената срещу нея да ѝ каже, че не е настъпил края на света или нещо от този род. Лилия единствено попита: "Обичаш ли го?"

Анна се разплака.

– Не ми се живее без него. Това означава ли, че го обичам?

– Разкажи ми за вас.

Анна изля душата си. Разказа за Естебан от самото начало, от запознанството им до хотелската стая. Обвиняваше ту него, ту Васил за случилото се. Обясни всички саможертви, които беше направила в името на връзката им – как напусна работа, даде под наем апартамента си, прощаваше му всичко, преглъщаше капризите му и настроенията му. Как мълчеше и сякаш нямаше право на мнение или свои решения, откакто беше с Естебан.

– Имаш още много да се учиш, Анна. – накрая заключи терапевтката.

– Да се уча на какво?

– Да бъдеш жена.

Анна се отпусна назад и потъна в мълчание.

– Какъв смисъл има? Не мисля, че някога ще допусна друг мъж до себе си – откровено призна тя.

– Нямаш нужда от друг мъж. Имаш мъж – Естебан.

– Той няма да се върне при мен – примирено каза Анна.

– В това състояние, в което си, и да се върне, ти ще оплескаш всичко.

– Кажете ми какво да правя с живота си?

– Не мога. Аз мога само да ти помогна да откриеш коя си вдействителност. Мислиш, че тази ситуация е проклятие за теб, но не е. Дава ти се възможност да се научиш да бъдеш жена.

– Какво да направя?

– Първото, което трябва да направиш, е да се освободиш от болката. Тя ти пречи да чуеш истинските си чувства. На следващия сеанс ще ти направя хипноза.

Анна погледна с объркан поглед, след което каза:

– С какво ще ми помогне хипнозата?

– Ще те отпусне и ще те освободи от болката.

– Тогава ми я направете още сега, моля ви, ще полудея...

– Ще ти запиша час за утре – предложи Лилия. – Днес ще направим нещо друго. Ще се прибереш, ще си легнеш и ще започнеш да наблюдаваш мислите си. Знам, че си уплашена и объркана, но така е винаги, когато човек сменя кожата си. Човек разбира кой е всъщност едва когато остане напълно сам и изгуби всичко. Ти си на този етап.

Анна само повдигна рамене.

– Какво да правя с пръстена? – на излизане попита.

– Ти имаш невероятна сила, Анна – каза ѝ Лилия. – Дори не осъзнаваш докъде се простира. Запази пръстена. Ще е добре да го носиш, когато Естебан се върне при теб.

VII

АННА

Анна излезе със зачервени от плач очи от кабинета на Лилия. Върна се и легна на дивана, за да слуша мислите си.

Нямаше мисли. Всичко ѝ беше в мъгла. Болеше я толкова силно. Чувстваше се предадена.

Той я беше предал – мисъл, улови се Анна.

Защо ѝ трябваше да говори с Васил? Естебан ревнуваше от Васил, тя трябваше да предвиди, че ще стане така.

Как си беше позволил да рови в телефона ѝ?

За всичко беше виновен проклетият дъжд онази вечер, той ги беше разделил. Ако не беше завадяло, още щяха да са заедно.

Откъде на Васил му беше хрумнало да ѝ праща смс-и?

Тя беше простила на Естебан далеч по-сериозни неща. Той толкова ли не можеше да ѝ прости един тъп чат?

Мислите започнаха да се повтарят. Анна се разплака. Във всеки друг случай щеше да потърси някаква информация за хипнозата в Интернет, безопасно ли е, помага ли? Но сега ѝ беше все едно.

♪♫♪

Лилия я посрещна и когато влязоха вътре, я попита за мислите ѝ. Анна ѝ подаде лист, на който ги беше записала.

– Обвиняваш Естебан, Васил, дори дъжда. Но не и себе си. Докато не се освободиш от болката, ще продължиш да поддържаш ролята на жертва в живота си, а така отнемаш от собствената си жизнена сила – обърна ѝ внимание Лилия. – Може и да не ти се вярва, но според мен в момента Естебан страда повече от теб.

– Не ми се вярва – каза Анна.

– Мъжете не могат да издържат на емоционална болка – разясни ѝ тя. – Реакцията му, бягството му от теб е резултат от невъзможността му да издържи на болката.

– А моята болка?

– Силата на жената е любовта. Жената има силата да интегрира болката и да я освободи.

– Направих всичко по силите си да му дам цялата любов, която мога.

– Не е било достатъчно.

– Направете ми хипноза. Искам да спре да ме боли.

– Легни и се отпусни. Ще ти направя хипноза, за да те свържа с женската ти сила.

Анна легна. Гласът на терапевтката я насочи към самата нея.

– Фокусирай се върху себе си. Остави мислите свободно да текат през теб. Сега си само ти, Анна. Ти и твоят вътрешен свят. Ти и любовта. Ти и жената в теб. Остави се на чувствата си, дори може да усетиш как сърцето ти те води някъде на място, в което се чувства в пълна безопасност. Къде си?

– В залата – с леко унесен глас бавно каза Анна.

– Опиши ми тази зала.

– Светла. Има огледало. Музика. Аз съм пред огледалото. Естебан е зад мен.

– Остани в залата – меко продължи да я води Лилия. – Там си в безопасност. Там сте двамата. Там е светло. И там сте заедно.

– Вече не съм в залата – унесено продължи Анна.

– Къде си сега?

– Вървя към пропаст.

– Сама ли си?

– Не. Естебан е с мен. Той се страхува.

– От какво се страхува?

– Не може да ме спре.

– Далече ли е Естебан?

– Не, много е близо. Виждам го. Той е сам. Ужасно сам. Страхува се, че ще го оставя сам.

Анна се разплака.

– Какво чувстваш ти? – насочи я към нея самата Лилия.

– Боли.

– Опиши ми болката си, Анна. Как изглежда?

– Тъмна е. Изглежда като сянка. Сянка, която стои между мен и Естебан.

– Сянката е само отсъствие на светлина, Анна. Огледай се за източник на светлина близо до теб. Някъде там има светлина.

– Не виждам светлина.

– Можеш ли отново да се върнеш в залата?

– Да.

– Можеш ли да погледнеш в огледалото?

– Да.

– Какво виждаш?

– Мен. В розово.

– Можеш ли да видиш сърцето си?

– Да.

– Как изглежда?

– Розово.

– А можеш ли да видиш матката си?

– Да.

– Каква е на цвят?

– Светла.

– Добре. Усмихни ú се. Със сърцето си.

– Да.

– Сега отново се обърни към Естебан.

– Да.

– Усмихни му се. Усмихни се на сърцето му.

– Да.

– Какво се случва?

– Сянката намаля.

– В залата ли си още?

– Не.

– Къде си?

– В къщи. В апартамента на Естебан. Седя на коленете му с лице към него. Матката ми излъчва светлина към слабините му.

– Добре. Сега си в пълна безопасност. Нека сърцето ти отново да се усмихне на сърцето му.

– Да.

– Сега наблюдавай неговото сърце. Какво е неговото послание за теб?

– Той държи ръката ми. И ме води.

– Какво ти казва сърцето му?

– Обичам те.

Анна отвори внезапно очите си.

– Какво стана със сянката?

– Няма сянка – спокойно каза тя.

– Още си в транс – нежно подходи Лилия. – Затвори си очите. Остани хваната за Естебан. Запази чувството за безопасност. Представи си как чувството за безопасност се запечатва като целувка на устните ти. И как всеки път, когато се усмихнеш, ти си в безопасност. Когато обичаш, си в безопасност. Любовта е напълно безопасна за теб. Какво чувстваш?

– Аз обичам – каза Анна. – Толкова е хубаво. Аз обичам.

Лилия я изведе от хипноза. Анна лежеше на канапето в кабинета ѝ напълно спокойна и се усмихваше. През цялото време беше чувала гласа на Лилия, в началото ѝ се беше сторило, че е в нещо като полусън, ту осъзнаваше, че лежи на канапето, ту влизаше в свое лично преживяване, а после всичко освен преживяването ѝ беше изчезнало.

Все още не можеше да се насили да стане.

Когато най-накрая успя да се изправи и да седне, тихо каза: "Благодаря".

– Днес си почивай – топло каза Лилия. – И най-добре се върни у дома и се наспи добре.

Анна излезе от кабинета на Лилия и за пръв път от дни насам видя, че има слънце, светлина. Не изпитваше болка, още виждаше Естебан срещу себе си. Стори ѝ се, че светът от хипнозата е по-реален от този, в който живееше и в който бяха разделени. Чувстваше се особено и установи, че е гладна. Не знаеше какво да яде и си купи половин килограм кайсии. Върна се и много бавно изяде четири кайсии. Усмихваше се, докато се хранеше.

Погледът ѝ попадна на общата им снимка с Естебан върху стъклената масичка до дивана. Бяха си я направили на рождения ѝ ден. Естебан се беше подпрял на мотора и я беше прегърнал с другата си ръка. Стори ѝ се, че за пръв път осъзна колко важна беше тя за Естебан. Моторът за него олицетворяваше свободата, а Анна – целият му свят.

На снимката Анна се беше сгушила в него и с две ръце беше обгърнала кръста му. Лицето ѝ беше точно на сърцето му. А лицето на Естебан беше озарено от усмивка.

Сякаш никога досега не беше виждала тази снимка. Нямаше представа какво се беше случило с нея след тази хипноза. Но осъзна, че където и да беше Естебан в този момент, каквото и да правеше, той продължаваше да бъде само неин.

VIII

АННА

– Откъде да знам, че това, което преживях е истина, а не просто моя измислица, защото така ми се иска? – попита на следващия сеанс Анна.

– Всичко е истина – простичко обясни Лилия. – Иска ни се да вярваме, че светът е единствено плод на сетивните ни възприятия, защото така се чувстваме по-сигурни в него. Но светът е много повече. Никой още не може да обясни откъде идва въображението, но е доказано, че чрез него имаш силата да променяш материалната действителност. Ако се замислиш, всяко научно откритие е реализацията на една идея.

– Искам да си върна Естебан – каза Анна. – Ако е възможно, покажете ми как.

– Първата стъпка беше да те освободим от болката. Радвам се, че успяхме само след една хипноза. Но за да си върнеш Естебан, трябва да ти обясня основните принципи на любовта като енергия и сила.

– Любовта е женска енергия. Нито един мъж не може да я разбере и поради тази причина мъжете се плашат от любовта даже когато я искат в живота си. Най-вече се страхуват от въздействието ѝ върху егото.

Ти вече добре познаваш мъжкото его, Анна. Твоят мъж е с много силно его. Той винаги ще се налага и ще иска ти да си отдадена и подкрепяща. Сега това ти се струва като наказание, но истината е, че вашата връзка е рядко срещана благословия в този живот.

Хората си мислят, че мъжете и жените се събират с цел възпроизводство. Може би на биологично ниво е така. Но човек освен тяло е и душа, а душата има своя път на израстване.

Твоят Естебан е изключително свободолюбив и ти осъзнаваш, че неговата сила е способността да среща очи в очи непознатото без страх. Само че непознатото не е извън нас, Анна, то е в нас.

Как се случва любовта? Всеки открива близостта с другия и в един момент осъзнава, че любимият го прави по-добър човек. Този етап е много примамлив, защото любовта всъщност ни среща с най-доброто от нас самите. Ние се влюбваме в самите себе си чрез любовта на човека до нас, поглеждаме се през неговите очи и се виждаме съвършени.

Само че истинската сила на любовта е да ни помогне да срещнем тъмната си страна. Всички взаимоотношения, в които има любов, били те приятелски, семейни, интимни, рано или късно стигат до етапа, в който човек проявява най-лошото от себе си. Това е сянката, онази част от нас, която потискаме и отричаме. Срещата със сянката е много специален момент в една връзка. Тя показва доколко партньорите са готови да се срещнат със себе си. Повечето не успяват да преминат през този етап и намират друг човек, през чиито очи да се виждат съвършени.

Ти обаче имаш силата да срещнеш сянката на Естебан и да не избягаш, което показва, че вече си открила енергията на любовта като своя същност.

Във вашата връзка твоята задача е да изправиш Естебан пред собствената му сянка и да му помогнеш да я освободи. Само така той ще намери начина, по който да те научи да бъдеш свободна.

Но за да изправиш Естебан пред сянката му, трябва ти самата да си чиста светлина.

Анна гледаше Лилия, сякаш беше някакъв мъдрец, дегизирал се като жена терапевт. Всички неща, до които се беше докосвала интуитивно през последната година, сега бяха изведени като закономерности и вселенски принципи.

– Как да интегрирам собствената си сянка? – попита Анна.

– Като обичаш.

– Много е трудно да си тази, която винаги отстъпва и прави компромиси.

– Женската енергия е гъвкава, мъжката е статична. Можеш да излезеш оттук и да си намериш мъж, с когото на логическо ниво да се разбирате прекрасно и да създадете потомство. Може да имаш стабилен брак и да възпиташ децата си да бъдат добри хора и добри граждани, както си била възпитана ти. Можеш да заживееш от един момент живота на децата си или да планираш как да съгласувате отпуските си с мъжа си и да ходите на море, планина или съвместни почивки. Животът ти ще бъде спокоен, за някои може би достоен. Но нищо няма да си научила от него за самата себе си. Повечето хора живеят така.

Но можеш да излезеш оттук и да се научиш да медитираш и да започнеш да откриваш в себе си отговорите на въпросите, които сега търсиш в мен. Можеш да върнеш Естебан в живота си и да посрещнеш със светлина и спокойствие всичко, което ви предстои. Можеш да не сключиш брак и дори да нямате деца, но цял живот да имаш до себе си партньор, който да ти помага да се преоткриваш и развиваш. Дори умът ти да се бунтува срещу такава връзка, душата ти ще лети от радост.

А може и да създадеш от Естебан мъжа, който ще ти даде и брак, и деца. И да научите заедно тези деца да се грижат за себе си, да бъдат свободни и да обичат.

Всичко е в твоите ръце.

Лилия замълча.

– Ще ми помогнеш ли? – накрая попита Анна.

– Ти можеш да идваш всеки ден при мен и аз мога да ти посочвам пътя, но усетът ми на терапевт ми показва, че занапред трябва да откриеш пътя сама. Ще ти изпратя списък с книги, които да прочетеш. Ако имаш нужда от нова консултация, ми се обади, но първо се опитай да се справиш сама.

– Благодаря ти. За доверието и...

Анна усети, че ще се разплаче и замълча.

Беше благодарна на Лилия, че ѝ беше посочила път.

♪♫♪

През следващите дни си накупи повече от двадесет книги. Затвори се и започна да чете.

Имаше много техники за медитации и Анна нямаше представа откъде да започне. Започна оттам, където беше свършила хипнозата – от болката. Отпусна се и започна да слуша мислите си. Опита се да разпознае кои от мислите ѝ идваха от нея самата и кои от нараненото ѝ сърце.

Стори ѝ се, че в нея има една Анна, която безусловно вярваше, че Естебан я обича. И една Анна, която искаше да я предпази от болката, която ѝ беше причинил. Първата я караше да повярва, че има чудеса и той ще се върне при нея, втората я окуражаваше да си тръгне и да го забрави.

Често гледаше общата им снимка с Естебан, опитвайки си да си представи, че никога не бяха скъсвали. В началото беше невъзможно. Но колкото повече я гледаше, толкова повече допускаше възможността той да се върне обратно при нея. И когато се уловеше, че е готова да повярва, затваряше очи и се усмихваше на сърцето му. Чакаше, докато неговото сърце ѝ оттовори със същото.

Понякога просто лежеше и слушаше тишината. Имаше толкова много звуци, които никога не беше различавала преди. Звукът на собственото ѝ дихание, звукът на собствения ѝ пулс, ритъмът, в който биеше сърцето ѝ.

Започна да си представя как Естебан се връща, сякаш никога не си е тръгвал. Готвеше, представяйки си, че се хранят заедно, заспиваше, представяйки си, че ще се събуди до него, дори слагаше масата за двамата.

Васил я прозвъняваше почти всеки ден. Когато се почувства готова, да го чуе Анна си вдигна телефона:

– Как си? – попита я той.

– Много по-добре. Ходих на терапевт. Хипнотерапевт. Направи ми хипноза и се успокоих.

– Анна, нямаш нужда от терапевти. Имаш нужда да си хванеш живота в ръце.

– Точно това правя. Отдавам се на това, което чувствам.

– Какво точно правиш? Търсиш ли си работа поне?

– Обичам. Това правя. Готвя за мен и Естебан, храня се, усмихвам се, медитирам, вярвам, мечтая.

– От ден на ден все повече се смахваш – отбеляза Васил. – Естебан те заряза. Разбери го. Осъзнай го. Един мъж като приключи, приключва. Медитации, хипнози не го променят. Събирай си нещата, разкарай се от тоя апартамент, върни се в реалността и си организирай живота. Като нормален човек.

Анна затвори телефона, отпусна се на леглото и остави да проговори онзи глас в нея, който беше съгласен с Васил – гласът на болката ѝ.

"Ти даде толкова много в тази връзка – започна да говори болката ѝ – обичаше Естебан, подкрепяше го, следваше го. Проявяваше разбиране, прощаваше, правеше компромис след компромис. Дори в този момент ти си готова да го приемеш и да забравиш всичко, само и само за да бъдете заедно. Без следа от упрек или обвинения. Но ти заслужаваш не само да обичаш, но и да бъдеш обичана, Анна. От мъж, който ще те обича и ще може да вижда светлината в теб и когато грешиш. От мъж, който ще ти даде правото да се защитиш, когато допуснеш грешка. От мъж, който може да бъде до теб, защото обича именно теб, а не някаква идеална проекция. От мъж, който ще уважава личното ти пространство и приятелите ти. От мъж, който може да оцени дълбочината и чувствителността ти. Ти заслужаваш да бъдеш обичана, Анна. От мъж, който ще уважава решителността и смелостта ти и няма да се възползва от тях за собствените си егоистични стремежи. От мъж, който ще може да те изслушва и ще цени мнението ти, когато е различно от неговото. От мъж, който ще поиска да погледне света през твоите очи, така както ти се опитваш да го погледнеш през неговите. От мъж, който ще ти позволи да имаш своя гледна точка, свои страхове, свои мечти, а няма да те превръща единствено в отдушник на неговите мечти и неговите страхове.

Ти заслужаваш да бъдеш обичана, Анна..."

Болката ѝ не спираше да говори. Стори ѝ се, че нейният монолог продъжи цяла вечност. Анна слушаше. Слушаше колко заслужава да бъде обичана, разбирана и изслушвана. Неусетно заспа. Събуди се от слънчевите лъчи на августовското слънце едва на другия ден. Стори ѝ се, че няма никакви мисли в главата си. Нямаше никакъв спомен да е сънувала нещо.

Снимката им с Естебан лежеше на масичката до дивана, върху който беше заспала. Пръстенът още проблясваше на ръката ѝ, болката я беше отпуснала от хватката си, а сърцето ѝ безусловно вярваше в чудеса.

IX

ЕСТЕБАН

Анна седеше до него и Естебан ѝ показваше снимките, които беше направил до момента. Тя се усмихваше и ги гледаше с интерес. Прииска му се да я прегърне, но Анна изведнъж изчезна.

Събуди се плувнал в ледена пот. Минаваше 4:00 часа. Опита се да си спомни името на жената, която спеше до него, може би беше Ингрид.

Главата още го болеше от количеството алкохол, което изпи снощи, но едно силно кафе и щеше да му мине.

Влезе в банята, изкъпа се, облече приготвените дрехи от хотела и отиде да оправи сметката за стаята.

Поръча си силно кафе на рецепцията и рецепционистката отиде до кухнята да му направи. Поне не му се налагаше да се съобразява с работно време на ресторанта, парите отваряха всички врати с лекота.

Не можеше да престане да сънува Анна, сякаш беше някакво проклятие. Не се беше бръснал от няколко дни и си помисли, че може би е добре да си вземе самобръсначка. Повечето от жените, които забърсваше за една вечер, се ентусиазираха, като им кажеше, че обикаля света с мотора си и даже някои искаха да го придружат. Той обаче ги отрязваше, казваше им, че жените не са създадени да бъдат свободни.

Опитваше се да не мисли за бъдещето, защото мисълта, че ще дойде зима, че ще трябва да зазими мотора и да остане някъде за няколко месеца, го смазваше психически. Знаеше, че няма да се върне в България.

Още на другия ден, след като се раздели с Анна, написа смс на Саня: "Напускам". Саня му звъня, праща му смс-и, но той нито ѝ вдигна, нито ѝ отговори.

Сексът нямаше нито същия заряд, нито можеше да му достави удоволствието, което изпитваше с Анна, но поне физически го разтоварваше и за малко разсейваше самотата му. След секс той не прегръщаше никоя от жените, с които беше, но ги убеждаваше да остават да спят при него.

Не искаше да спи сам, защото в тези мигове сякаш полудяваше от болка и дори алкохолът не можеше да я облекчи.

Беше потиснал дълбоко в себе си всички чувства и спомени, свързани с Анна. Цял ден пътуваше и снимаше различни гледки, като не показваше снимките на никого.

Жените, с които спеше, едва ли биха го разбрали, а единствената, която можеше да го разбере, го беше предала.

Преди беше сигурен, че цял живот ще танцува, сега всичко му се виждаше безсмислено. Какво значение имаше дали чуваше гласа на тялото си или не?

За първи път започна непрекъснато да мисли за пари. Можеше да работи като стриптизьор, но отхвърляше идеята като долнопробна. Не искаше и да е инструктор по танци, всякакъв вид работа сякаш ограбваше свободата му. Отново трябваше да се съобразява с работно време, началници, колеги, правила.

Изпи си кафето и се върна обратно в стаята, за да събуди Ингрид. Ингрид го придърпа в леглото и за малко го откъсна от мислите и самотата му.

– Много е рано да тръгваш – каза му, след като приключихме.

На Естебан не му се спореше и легна послушно. Въпреки изпитото кафе се отпусна и заспа.

Анна вървеше към пропаст, но сега беше напълно спокойна. Той обаче се ужасяваше, като я виждаше как приближава към ръба на пропастта. Тя му даде знак да не се страхува, нали я беше научил да скача от скали. Естебан се опитваше да стигне до нея, но сякаш нямаше никакъв път помежду им. И изведнъж Анна се обърна към него и се усмихна. Появи се каменен път и Естебан тръгна към нея. Успя да я дръпне от ръба на пропастта. "Дръж се за мен" чу собствените си думи в ушите си. Анна отново се усмихна и вече нямаше пропаст.

Естебан се събуди и първата му мисъл беше: "Пътят към свободата започва от любовта". Стана и още сънен я записа в телефона си, без изобщо да я осмисли. Сънят беше започнал да се разсейва и единственото, което помнеше, беше усмивката на Анна.

Ингрид се надигна в леглото и му каза:

– Ти си много странен, знаеш ли?

Естебан не ѝ отговори. Стана, облече се и тръгна към мотора.

♪♫♪

Цял ден не престана да прочита мисълта отново и отново, като му се струваше ту глупава, ту гениална. Знаеше, че не беше негова мисъл, явно някога я беше прочел или чул и сега си я спомняше в съня си.

Как можеше пътят към свободата да започва от любовта?

Не можеше да се оттърси от спомена за усмивката на Анна. Нищо не беше толкова красиво като усмивката ѝ.

Слънцето отново беше поело към своя хоризонт и златната светлина от последните лъчи от деня обливаше всичко наоколо. Вече всички изгреви и залези му изглеждаха еднакви. И природните картини му изглеждаха еднакви. Дори не разбираше защо хората непрекъснато обикаляха света, какво толкова различно очакваха да видят?

Внезапно осъзна, че не изпитваше никаква радост нито от обикалянето с мотор, нито от изгревите, нито от залезите, нито от секса. Беше спрял да усеща каквото и да е, откакто се беше разделил с Анна. Заблуждаваше се, че е свободен. Страх го беше дори да остане сам през нощта без жена в леглото и алкохол.

Спря мотора и отби встрани. Разбра съня си.

Усети как очите му се насълзиха. Вече не беше свободен, беше станал мрачен, самотен и циничен като баща си. Обикаляше с мотора, за да се убеждава колко е независим от света и хората.

Беше изгубил свободата си в момента, в който беше изгубил Анна.

Спомни си я как стои в центъра на хола му и хладнокръвно казва на Васил: "В отпуск съм".

Как напусна работа още на сутринта, след като му се беше отдала.

Как танцуваше напълно гола.

Как го чакаше пред дискотеката.

Как скочи от скала със завързани очи заедно с него.

Зачуди се дали да не ѝ изпрати смс "Липсваш ми" и да изчака отговора ѝ. Тя можеше дори да има вече връзка с друг или с Васил, след като толкова много ѝ били навити.

Догади му се, като се сети за смс-те на Васил.

Озадачаващо беше, че и Анна изобщо не го потърси. Не му се обади, не му прати дори един смс, че го обича или че ѝ липсва. Ами ако му се беше случило нещо или беше катастрофирал? Изобщо ли не ѝ пукаше дали е жив или мъртъв? Все едно. Не можеше цял живот да бяга от нея или от себе си.

Бяха минали само две седмици, откакто се разделиха, малка беше вероятността да го е забравила толкова бързо.

Погледна мотора си и вече не изпитваше нищо към него. Само подчертаваше собствената му самота.

Отиде до първият автопарк, който видя и го продаде. Върна се в града с такси. Отиде и си купи дрехи, за да се преоблече. Взе си и самобръсначка. Нае си хотелска стая напълно сам. Вечерта направи резервация за сутрешния полет до София. Мисълта, че утре щеше да види Анна сякаш в миг успокои душата му. И Естебан заспа – сам, без секс и без алкохол.

♪♫♪

Събуди се в 5:00 часа сутринта с мисълта за Анна. Вълнуваше се и се страхуваше едновременно от среща с нея. Избръсна се, облече се, изпи един ябълков фреш и пое в посока летището.

Самолетът кацна на летище "София" точно в 11:05 часа. Естебан си взе такси и даде на шофьора адреса на Анна. По пътя го помоли да спре пред един цветарски магазин и купи огромен букет червени рози. Не му беше удобно да ѝ звъни да му отвори входната врата, така че наслуки натисна друг звънец.

Не след дълго някой от съседите ѝ му отвори. Качи се до апартамента ѝ и с примряло сърце натисна звънеца. Отвори му наемателката.

– Анна тук ли е? – попита Естебан.

– Не съм я виждала повече от месец – отговори жената. – Наемът го превеждаме по банков път. Не е идвала да ни види.

– Благодаря. Извинявам се за безпокойството.

Явно Анна живееше другаде, най-вероятно у Васил. Изхвърли цветята в кофата за боклук до входа и взе такси, за да се прибере в апартамента си.

Още от таксито видя колата ѝ, паркирана пред входа. Изведнъж всичко му затрепери. Възможно ли беше да не се е изнасяла? Това означаваше ли, че го чака и още беше негова?

Изкачи стълбите набегом.

♪♫♪

Анна приготвяше обяд от ориз "Басмати" със сос от спанак, репички и сурово слънчогледово семе, салата "Гуакамоле" и бяло вино – за себе си. Изведнъж чу как външната врата се отключва. Изтръпна. Само един човек освен нея имаше ключ – Естебан.

Изплаши се от мисълта за среща очи в очи с него. Едно беше да си мечтае за него и да медитира, съвсем друго – да застане пред нея от плът и кръв.

Естебан влезе в кухнята и погледът му веднага се закова върху сервираните два броя чинии и чаши за вино. Анна забеляза как лицето му изгуби цвета си.

– Гости ли очакваш? – ледено попита той.

Анна не му отговори, нейното лице също беше останало без никакъв цвят.

– Защо още живееш тук? – зададе следващ въпрос Естебан.

– Защото само тук се чувствам у дома си – честно му отговори Анна.

– С когото и да имаш уговорка за обяд, искам да я отмениш – разпореди се Естебан. – Тук е моят апартамент, ако искаш да си правиш срещи, прави ги в своя.

Анна не знаеше как да му обясни, че масата е за двама им и си замълча, като започна да отсервира.

Естебан се приближи до нея и с ледено изражение я попита:

– Спал ли е някой тук, докато ме нямаше?

– Да – призна му Анна.

– Кой? Познавам ли го?

– Да – Васил. Само една нощ е спал тук.

Естебан се вцепени. Гледаше в нея с празен поглед.

– В моя апартамент, в моите чаршафи – каза накрая почти без глас Естебан.

– Ако искаш, ще изхвърля чаршафите – предложи Анна. Поведението на Естебан беше започнало да я вбесява.

– Не е ли по-добре аз да изхвърля теб? – мрачно отвърна Естебан. И добави: – Курва!

Анна му зашлеви шамар, което го обърка напълно. Прииска му се собственоръчно да я изхвърли още сега, но се овладя.

– Е, поне и двамата вече знаем, че всичко приключи – вместо това изтърси той. – Предполагам няма да ти е проблем, че съм се чукал с други. Такива, които имаха желание за секс с мен и даже се радваха, че нямам спирачка.

Анна се опита да се овладее, но сълзите ѝ издайнически потекоха по лицето ѝ. Като видя, че успя да я нарани, Естебан сякаш се поуспокои.

– Добре – каза по-меко той. – Ще живееш тук, докато си намериш работа. После ще се върнеш в апартамента си и не искам никога повече да те виждам.

На Анна ѝ се прииска да си събере веднага нещата, но нещо вътре в нея я накара да преглътне гордостта си. Желанието да си докаже, че може да бъде истинска жена. Сълзите продължаваха да се стичат по лицето ѝ от гняв, обида и унижение. Но не казваше нищо, само гледаше право в очите на Естебан. Знаеше, че той си мислеше, че е спала с Васил. Но след признанието му, че беше спал с други жени, изобщо и не мислеше да го разубеждава.

– Докато си тук, не искам нито да се чуваш, нито да се виждаш с Васил или с който и да е друг. Ще чистиш, ще готвиш, ще се грижиш за апартамента. Ако не те устройва, събирай си нещата и се махай още сега.

Ето го най-специалният момент във връзката ú с Естебан според концепциите на Лилия – да го види как се държи като пълен изрод. Нейният другар, до когото душата ú щяла да ликува. И въпреки, че всичко в нея кипеше, Анна съвсем покорно отговори: "Добре".

Реши, че трябва да намери начин да се свърже с Васил, преди той да я потърси и поне за момента да му каже да не я търси изобщо. Хрумна ú как да излезе за минута. Влезе в спалнята, извади изпраните чаршафи, на които Васил беше спал и сложи между тях телефона си. Върна се при Естебан, умишлено мина с чаршафите под носа му и излезе.

Естебан се разтрепери целият, като я видя да излиза с чаршафите навън. Стори му се, че цялата болка, която досега беше изпитвал, все едно беше безобидно нараняване в сравнение с всичко, което чувстваше в момента, представяйки си какво се беше случвало между тези чаршафи.

Анна слезе долу и набра Васил. Той не ú вдигна и тя набързо му написа смс: "Естебан се върна. Мисли, че сме спали заедно. Не ме търси при никакви обстоятелства. Аз ще те потърся." Прати смс-а на Васил, след което го изтри. Изхвърли чаршафите в близкия контейнер за боклук и се качи обратно горе.

За частица от секундата, докато беше в асансьора, отново чу болката си, която ú каза: "Ти заслужаваш да бъдеш обичана, Анна", но нейният глас беше заглушен от трепетния стон на сърцето ú. Естебан се беше върнал.

X

АННА И ЕСТЕБАН

– Аз ще спя на дивана – съобщи ú Естебан. – Нямам намерение да спя на матрака, на който си... – Не довърши изречението си. – Ще го изхвърля след като се разкараш от тук.

– Ако е толкова трудно за теб, мога да си тръгна още сега – предложи покорно Анна.

– Не съм те вързал тук. Ако искаш, се махай. Правя го от човешка гледна точка. Знам, че си напусна работата и апартамента заради мен. Ще ти дам, колкото време ти е нужно, за да знам, че като си тръгнеш, няма да те мисля после.

– Благодаря, че те е грижа за мен – нежно подходи Анна.

– Бих го направил за всяка – студено отвърна Естебан. – Но докато си в този апартамент, важат моите правила.

– Нямам проблем с правилата ти. Липсваше ми – продължи по същия нежен начин тя.

– И понеже ужасно много ти липсвах, дори един смс не ми прати – жив ли съм, как се чувствам. Но твоите смс-и са предназначени за друг, нали?

– Извинявай.

– За какво ми се извиняваш? Аз сбъднах мечтата си. Пътувах, правих секс, не зависих от нищо и никого. И ти сбъдна твоята – научи се да танцуваш. Позабавлява се с мен.

– Не съм се забавлявала с теб – възрази Анна.

– Не, разбира се. Чувстваше се ужасно през цялото време.

– Съжалявам за онзи чат. Не знам какво друго да ти кажа.

Естебан замълча за миг и после примирено предложи:

– Да не го коментираме повече. Каквото било, било. Сега е време и двамата да се върнем в релността. Ще си намерим работа, ще продължим живота си.

– Ти нали имаш работа?

– Напуснах. Всъщност отдавна трябваше да го направя.

– Разбирам.

– Приготви се да отидем да напазаруваме. Къде са ключовете от колата?

Анна му ги подаде.

– Добре. Аз ще карам.

– Не искаш ли да отидем с мотора?

– Няма мотор. Продадох го.

Стори ú се, че за секунда в погледа му усети отново бездната от самота, която я беше разплакала по време на хипнозата. Почувства се виновна и меко предложи:

– Ако искаш мога сама да отида да напазарувам?

– Страх те е някой да не те види с мен ли? От тия дето са ти толкова навити?

Анна осъзна, че Естебан нямаше да престане да коментира разговора ú с Васил. Докато не ú го върне за всяка написана дума.

– Ще направя списък какво да купим – смени темата тя.

Анна никога беше виждала Естебан такъв. Мрачен, говореше ѝ с вледеняващ тон и се държеше с привидно безразличие.

Тя обаче вече го познаваше достатъчно добре – ако наистина му беше безразлична, щеше да я изхвърли и нямаше да разиграва целия този театър.

Едва сега Анна разбра думите на Лилия. Ако беше останала в предишното си състояние, щеше да оплеска всичко.

Повтаряше си, че това е сянката на Естебан и само тя може да го освободи от нея. Усещаше, че ревността му сякаш замъглаваше всичко в него и го принуждаваше да бъде пасивно агресивен.

Естебан изобщо не виждаше Анна. Виждаше само болката си и Анна се беше превърнала в източник на тази болка.

Първата нощ, в която спаха разделени, се оказа тежка и за двамата. Въпреки всичко Естебан ужасно много я искаше и не можеше да си обясни откъде идваше тази сексуална пристрастеност към нея.

Сякаш, за да го дразни, Анна с повод и без повод няколко пъти мина покрай него по някаква феерична нощничка.

– Ще си налея вода.

– Отивам до банята да си измия зъбите.

– Извинявай, забравих си крема в банята.

– Ще спреш ли да ходиш натам-насам? Искам да спя.

Анна също не спа цялата нощ. И докато Естебан едва овладяваше възбудата си в съседната стая, тя медитираше, усмихвайки се на сърцето и мъжествеността му.

♪♫♪

На сутринта стана преди него и му проготви за закуска фреш от кайсии и препечени филийки с пастет от печени чушки и резенчета целина и магданоз. Естебан беше ужасно отслабнал през последните две седмици, стори ѝ се, че почти не се е хранил.

Като го видя как спи на дивана, ѝ се прииска да го събуди с целувка, но цялото ѝ желание се изпари в момента, в който Естебан отвори очи.

– Не ми се яде целина за закуска. Може ли да ми направиш кифлички и чаша дълго кафе?

– Нямаме кафе – каза Анна. – И брашно нямаме за кифлички.

– И какъв беше тоя списък дето вчера толкова време го прави? Накрая пак нищо няма.

– Ще отида до магазина да купя.

– Ще дойда с теб. Кой знае какъв боклук ще избереш сама.

Анна изобщо не можеше да го познае. Сякаш не бяха минали две седмици, а години. Успокояваше се само, че въпреки че умът ѝ се бунтуваше, душата ѝ ликува. По петдесет пъти на ден си повтаряше, че душата ѝ ликува.

Когато се върнаха, тя му омеси кифлички и му направи кафе. Поднесе му ги, докато той цъкаше нещо на компютъра си.

– Ето – кифлички, кафе. Приятна закуска.

– То вече стана време за обяд, но благодаря.

Анна взе една от книгите, които Лилия ѝ беше препоръчала.

– А, да, добре че ме подсети - тези книги откъде се взеха?

– Аз ги купих. Трябваше да правя нещо, докато те нямаше.

– Да си беше намерила работа и да се беше изнесла оттук.

Анна не отговори. Зачете се и се опита просто да игнорира сянката на Естебан.

– Възпитанието изисква когато един човек се храни, другият в стаята да не се прави, че го няма, но на теб възпитанието не ти е от силните страни.

Анна го погледна и с насмешка отвърна:

– Карлос Кастанеда – показа му корицата на книгата. – Прекарва дълги години от живота си при шаман от племето толтеки и описва цялото учение на Дон Хуан в книгите си. Особено много разказва за дребните тирани в живота ни – хора, които ни тероризират психически, а всъщност извисяват духа ни. Темата е особено актуална за мен.

– Да разказва нещо по въпроса, че всяка година около 30 милиона дървета се изсичат само за производството на книги? – заядливо ѝ го върна Естебан.

– Добре, отивам в спалнята – заключи Анна и остави книгата настрана. – Извинявай, че не съм съобразила проблемите на екоравносвесието.

Естебан само я гледаше в ръцете дали е с телефон или без и нищо не ѝ каза.

Анна се опита да медитира, за да се успокои.

Естебан влезе при нея след няколко минути.

– Какво правиш?

– Уча се да медитирам.

– Успокоява ли те? – попита неочаквано той.

– Да.

– Насрочиха ми интервю за работа. Влязох само да ти кажа, че ще взема колата.

– Вземи я. Аз ще съм тук. Ще медитирам – отчете се тя.

За пръв път, откакто се беше върнал Естебан се усмихна. Анна усети как с покорството и нежността си беше започнала да разчупва ледената обвивка около него.

XI

АННА

Естебан подаде своето USB на собствениците на танцова школа "Грация" – Алексиев, Владимиров и Янакиев. Те изгледаха записа на волната програма, с която с Анна бяха спечелили "Spettacolo di ballo".

Тримата мълчаливо изчакаха да свърши изпълнението.

– Коя е партньорката ти? Не ми е позната – попита Владимиров.

– Моя ученичка – отвърна Естебан.

– Не е ли професионална танцьорка? – позаинтересува се Владимиров.

– Не.

– Талантлив си – каза Владимиров. – И явно си добър преподавател, съдейки по ученичката ти. Но ние имаме нужда от жена, която да разтанцува хората в една от дискотеките ми. Питай твоята ученичка дали иска да се занимава професионално с танци. Като начало заплатата ѝ ще е 1200 лева. И ако е съгласна, утре в 11:00 часа да заповяда да я прослушам.

– Ще я попитам.

– Ти в школата на Жеков ли беше досега? – попита го Янакиев.

– Да.

– Добре. Имаме още няколко души, които да видим и ако се спрем на теб, ще ти се обадя.

– Благодаря. Ако искате мога да направя демонстрация?

– Спечелил си "Spettacolo di ballo". Ясно е, че можеш да танцуваш.

Естебан излезе. Знаеше, че Анна ще се съгласи, а в момента, в който имаше работа, щеше да се изнесе.

Седна в колата и си помисли как от връщането му Анна отново беше подчинила целия си живот на него, без колебание. Колкото и да искаше да я мрази за това, че беше спала с Васил, не можеше. Но и постоянното ѝ присъствие беше ужасно мъчително.

Преди никога не му беше представлявал проблем да дели любовниците си с друг. Но не можеше да дели Анна.

Рано или късно нещата между тях трябваше да се решат окончателно.

Естебан се обади на Анна:

– Още ли искаш да танцуваш?

– Да. – отвърна му тя, без да се замисли.

– Намерих ти работа. – продължи Естебан.

– ОК. – каза лаконично Анна.

Въпреки неочакваната изненада и обзелото я любопитство реши да не задава въпроси. Така или иначе щеше да ѝ обясни каква работа има предвид.

Естебан изчака няколко секунди, сякаш очакваше да му зададе някакъв въпрос, след което ядосано заяви:

– Утре в 11 часа имаш прослушване. Довечера ще репетираме, че като нищо ще ме издъниш. Чакам те долу след пет минути. Ще отидем до един магазин да ти купим подходяща рокля и обувки.

Анна покорно се съгласи. Естебан я заведе в същия магазин, от който Анна за пръв си беше купила танцов екип. Оттогава сякаш беше изминала цяла вечност.

Естебан изобщо не се допита до нея. Посочи ѝ какво да пробва и накрая се спря на рокля и обувки в златист цвят. Анна го остави да прави, каквото иска.

Единственото, за което си мислеше в този момент, беше, че ако я одобрят, ще трябва да напусне апартамента му. Такава беше уговорката им.

Вечерта репетираха до 2:00 часа. Естебан я накара около петдесет пъти да изтанцува сама хореографията на "El Tango de Roxanne". На Анна в един момент ѝ се стори, че сякаш искаше за последно да задържи момента, в който тя танцува за него.

Накрая Естебан заключи:

"Готова си. Отивай да спиш"

Анна беше уморена и заспа почти веднага, но той не успя. По едно време влезе в спалнята при нея. За предтекст беше измислил да ѝ каже, че си е забравил зарядното за телефона, но видя, че Анна спи.

Отиде до нея и за няколко секунди наблюдаваше лицето ѝ.

Изобщо не знаеше как щеше да я пусне да си отиде.

♪♫♪

На сутринта Естебан лично я закара в школата и я представи на Владимиров. Алексиев и Янакиев ги нямаше.

– Може ли и той да остане? – неочаквано попита Анна. Владимиров цинично я попита:

– Ти само с него ли си танцувала досега?

Анна честно отговори:

– Да.

Владимиров ѝ се усмихна и каза:

– Не се притеснявай, ще се отпуснеш да ги сменяш.

Хуморът му никак не се понрави на Естебан и той започна да се чуди дали Владимиров иска от Анна само да танцува.

– Придърпай си един стол и седни там – обърна се Владимиров към Естебан. После погледна Анна ѝ каза – Какво ще танцуваш?

– El Tango de Roxanne – отговори тя.

Владимиров отиде до уредбата, нагласи тангото и седна срещу Анна.

Музиката зазвуча, а с нея и репликите на мюзикъла "Мулен Руж". Досега Анна беше танцувала само на инструментал и ѝ се стори, че сякаш не е същото танго.

First there is desire
Then... passion!
Then... suspicion!
Jealosy! Anger! Betrayel!
Where love is for the highest bidder,
There can be no trust.
Without trust,.
There is no love!
Jealosy.

Yes, jealousy...
Will drive you... will drive you... will drive you... mad!

Първо идва желанието
после страстта
после подозрението
ревността
гневът
предателството,
а където Любовта е за наддаващия най-много
не може да има доверие,
а без доверие
няма Любов
Ревността, да - ревността,
Ще те накара да полудееш...

Анна вече танцуваше. Не за Владимиров, не за Естебан, а за себе си. Танцуваше за жената в себе си.

Ревност. Изневяра. Тангото гръмко разказваше историята на мъж, влюбен в проститутка, по същия начин, по който мюзикълът разгръщаше неосъществената изпепеляваща любов между кабаретна актриса и романтик-писател.

Романтика и ревност, любов и съмнение.

Анна видя жената в себе си. Наранена, обидена, уплашена.

Тя танцуваше, приемаше, обичаше. Танцуваше над егото си, раздаваше се, учейки се на смирение.

Жената, която вече беше преживяла лъжа и изневяра, обиди и егоизъм, жената, която продължаваше да стои, въпреки че ú се искаше отдавна да беше побягнала.

Стори ú се, че този танц може да предреши всичко за нея още сега — да забрави да танцува, да излезе от залата, да престане с приключението, което беше започнала, влизайки в залата по танго, да пусне целият си досегашен живот отново и да продължи напълно сама.

Сама. Стори ú, че това е реалност, която цял живот срещаше и се опитваше да избегне, реалност, която я накара първо да се идентифицира с професията си, а после да скочи до дъно в обятията на Естебан.

Сама. Заобиколена от мъже, които не я интересуваха и любим, който я нараняваше.

Сама. В танца, във връзката си, в живота си.

Жената, която не спря да медитира, за да върне Естебан, който все пак изпълни мечтата си с нея, или без нея.

Жената, която лежеше свита на дивана и се опитваше да вярва в чудеса.

Жената, която мълчи, преглъща, приема, обича.

Жената, която преживява по изключително болезнен начин своята женственост.

И Естебан. Неузнаваем, студен и далечен. И същевременно толкова близък, толкова познат, толкова нейн. Какво всъщност се случваше с него зад невероятното му хладнокръвие?

♪♫♪

Естебан гледаше Анна едновременно с възхищение и с невероятна болка. Анна беше съвършена, както винаги. Премерени стъпки и невероятно чувство. Идеше му да стане от стола, да я поеме в обятията си и да забравят последния месец.

И в този момент той го видя. Владимиров се изправи и тръгна към Анна. Естебан усети, че му прималява.

His eyes upon your face
His hand upon your hand
His lips caress your skin
It's more than I can stand …

Неговите очи върху твоето лице,

неговата ръка върху твоята ръка,

неговите устни галят кожата ти

това е повече, отколкото аз мога да понеса...

Ръката на Владимиров хвана дясната ѝ ръка и обърна Анна към себе си. Тя се отпусна, сведе поглед към гърдите му и се остави да я води, което напълно сломи Естебан. Той не можа да издържи да я гледа в ръцете на друг. Стана и излезе с привидно хладнокръвие, но в момента, в който остана извън полезрението им, побягна към тоалетната.

Влезе вътре и тялото му не издържа – започна да повръща.

Музиката на тангото ехтеше из целия коридор.

Естебан се облегна на стената, краката му не го държаха и той се свлече безпомощно на земята. Целият трепереше. Сякаш всичко, което се случваше в душата му, изведнъж експлоадира под звуците на тангото. Той се разрида с глас. Анна беше като светиня, която в този момент оскверняваха пред очите му.

Най-невинното и най-чистото същество, което познаваше. Неговата Анна.

♪♫♪

Анна видя, че столът на Естебан е празен. Почувства дълбока и необяснима вина, но не спря да танцува. Собствената ѝ болка отново ѝ напомни, че заслужава да бъде обичана, а празният стол сякаш ѝ отговори, че вече е истински обичана.

XII

АННА

Естебан излезе от "Грация" и тръгна към колата на Анна. Спомни си, че след напускането си Кремена беше започнала работа в "Грация". Обади ѝ се и ѝ припомни случката пред кабинета на Жеков.

– Приятелката ми ще започва работа в "Грация" – директно подхвана Естебан – Искам да знам що за стока е Владимиров?

– Съжалявам, имате грешка – отговори рязко Кремена и затвори.

Естебан я разбра. Всичките бяха еднакви. Анна не трябваше да започва тази работа.

♪♫♪

Владимиров я покани в кабинета си да обсъдят условията на работа.

– Така, 1200 лева стартова заплата. От теб се иска да разтанцуваш посетителите в дискотека, нищо сложно. Важно е от сега да ми кажеш дали си имаш приятел, мъж, деца, защото сигурно ще се налага да оставаш до по-късно и не искам извинения.

– Свободна съм – отговори Анна.

– Чудесно! Нека тогава довечера да обсъдим детайлите на вечеря в ресторанта на хотел "Кемпински Зографски". Обслужването е много добро, а кухнята – отлична. След вечеря ще те закарам в дискотеката и ще остана до теб първата вечер.

– Мисля, че е по-добре още сега да обсъдим подробностите, а довечера да се видим направо в дискотеката. – отговори тя делово.

– Виждам, че с предишния ти учител сте попреминали някои граници, не отричай. Гледах волната ви програма. Човек не може да разбере танцувате ли, ебете ли се. Но аз лично разбирам подхода му, даже го одобрявам, защото танцът изисква отдаване. Не трябва телата ви да имат тайни едно от друго. Вчера той ми спомена, че ти си изключително отдадена като ученичка.

Анна продължи да го гледа право в очите, но беше сигурна, че Естебан никога не би казал пред друг мъж, че тя е изключително отдадена ученичка.

– Просто приеми, че сега ще бъдеш с много по-опитен учител. Ако досега си чувствала, че са ти поникнали крила, сега ще се научиш да летиш.

– Мисля, че сте сбъркали човека – дипломатично отговори Анна и понеже да си тръгне.

– Виждам, че не си особено умна, но на красивите жени им е простено да не са. В този бизнес трябва да си гъвкава, Анна. Иначе ще свършиш като учителя си – той няма да си намери работа в София. Уволнен е дисциплинарно. Допуснал е голяма грешка – ебал е протежето на Жеков. Кажи му направо да си ходи в Испания, тук никой няма да го вземе. Жеков се е погрижил вече.

– Сбъркали сте човека – твърдо каза Анна и излезе.

Почувства, че ще полудее. Саня. Беше спал и със Саня. Изведнъж всичко ѝ просветна. Не Жеков е искал парите, Саня го е изнудвала. И прикривала. Оттам и идеята да започнат хореографията на волната програма със стриптийз. Подобен вид решение никога не би хрумнало на Естебан.

Естебан беше плащал на Саня.

Помоли го да ú каже истината в Гърция, но не!

Отново я беше излъгал.

Как да събере сила в себе си да му прости всичко?

Анна влезе в съблекалнята, взе си дрехите и излезе, без да се преоблече. Естебан го нямаше.

Реши да провери дали Владимиров ú е казал истината. Обади се на своя позната в НАП (Национална агенция за приходите) и я помоли да провери как и на какво основание е прекратено трудовото правоотношение на Естебан. Член 330 ал.1 т. 6 вр. чл. 190 т.2 КТ (Кодекс на труда). Дисциплинарно уволнен заради неявяване на работа в течение на два последователни работни дни.

Владимиров ú беше казал истината. Жеков беше уволнил Естебан. Нямаше как да сложи като основание – спи с протежето ми.

♪♫♪

Когато се прибра, Естебан седеше на дивана с бутилка коняк „Мартел" пред себе си. Анна се изуми за пореден път – от кога Естебан пиеше? Ядът ú премина в загриженост. Какво се случваше с него? Реши, че е време да изкара сянката му наяве.

Извади телефона си и го сложи до неговия на масата. Не че не можеше да си говори и да се среща с когото си поиска, докато беше извън вкъщи.

Естебан видя, че още е със сценичната рокля и обувки, но не я попита защо.

– Назначиха ли те? – едва смутолеви той. Вече дори не криеше мрачното си настроение.

– Още не – излъга Анна. – Тази вечер ще обсъждаме подробностите на вечеря.

Естебан замълча.

– Владимиров ме покани на вечеря в ресторанта на "Кемпински Зографски" от 20:00 часа. В 0:00 часа ще ме заведе в дискотеката, за да ми покаже естеството на работата.

– Ще дойда с теб в хотела – внезапно каза Естебан. – Не си работила такъв тип работа, не искам да си сама заедно с трио то собственици.

Анна беше работила като адвокат, но реши да не изтъква сега това, а да продължи играта си.

– Няма нужда. Ще бъдем само двамата – аз и Владимиров. Няма да е уместно да дойда с теб – ще изглежда, че все едно му нямам доверие.

Естебан я погледна ужасено.

– Не е ли малко множко четири часа да обсъждате един договор?

– Не мисля. Случвало ми се е и по-дълго време да обсъждам договор.

Анна усети как последните ú думи му дойдоха в повече.

– Ти си знаеш – каза той. – Ще те закарам. А ако решиш да не подписваш, ми се обади да те прибера.

– Защо да не подпиша? – попита Анна.

– Нали уж ще обсъждате условията, може да не те устроят – гласът му вече едва се чуваше.

– Не мисля, че ще се стигне дотам. Все пак ти вече си му казал, че съм изключително отдадена ученичка.

Естебан смаяно я погледна.

– Никога не съм казвал такова нещо – рязко каза той.

Анна искаше да продължи, но телефонът ú иззвъня. Васил. Защо по дяволите ú звънеше, нали му беше писала, че тя ще го потърси?

Естебан погледна към телефона, а после към Анна. Погледът му беше помътнял, а изражението му – ледено. Телефонът продължи да звъни. Анна не реагира. Естебан също.

Изведнъж телефонът звънна за получен смс. Явно Васил беше решил да ú пише. Естебан взе телефона ú от масата, сякаш нея я нямаше.

"Каза ли вече на Естебан истината за нас?" прочете смс на глас. Анна изтръпна.

– Искаш ли да кажеш на Естебан истината за вас? – попита я язвително Естебан и добави: – Не си прави труда, Васко ще ми я каже.

"Кое по-точно?" изпрати обратен смс. Анна го гледаше как нагло пред очите ú оперираше със собствения ú телефон и не можеше да повярва, че го допуска.

"Че спах на дивана онази нощ."

Ако Естебан можеше да убива с поглед, вече щеше да е мъртва. Подаде ú телефона в ръцете и влезе в спалнята.

Седна на леглото и сложи глава в ръцете си. Не беше спала с никого. Не знаеше дали да я разцелува или да я удуши заради всичко, на което го беше подложила.

Анна отговори с "Да, вече знае. До скоро".

Остави телефона си на масата и отиде при гардероба в коридора. Ликуващи души, дух, който израства, женски сили, женски енергии – вече нищо не я интересуваше. Искаше само да се махне от тук. Извади куфара си и започна да събира дрехите си. Шумът явно принуди Естебан да излезе. Той погледна куфара, погледна нея, след което отиде до вратата, заключи я два пъти с нейните ключове, извади ги от ключалката, взе своите ключове и напълно неочаквано за Анна изхвърли и двете връзки със замах през терасата.

Естебан влезе обратно в стаята, мина покрай нея и започна да връща дрехите ѝ по местата им.

Изтощена психически Анна седна на дивана, наля си коняк в неговата чаша и я изпи на екс. После стана, взе си халата и влезе в банята, като умишлено остави вратата притворена. Естебан влезе след нея. Анна се съблече пред очите му и влезе под душа. Естебан влезе при нея направо с дрехите. Горещата струя вода обля телата им.

Изведнъж Естебан се засмя облекчено и я прегърна. Анна също се засмя и го обгърна с ръце.

– Аз ще те изкъпя – каза той. Тя се почувства неудобно, но му позволи.

Докато миеше косата ѝ, си помисли, че са достигнали ново ниво на интимност помежду си. Постепенно ръцете му обходиха всяка част от тялото ѝ, сякаш отмиха всичко, което се беше случило през последния месец. Естебан се беше върнал.

Накрая Естебан постели халата ѝ на пода и я изведе от ваната. Положи я да легне върху халата, разкопча дънките си и я покори, гледайки я право в очите. Секунда по-късно затвори очи и се отдаде на страстта си към Анна. В момента беше склонен да повярва, че имаше рай и вратата към него беше тялото на Анна.

♪♫♪

Анна седеше на дивана, загърнала тялото си в хавлия, и усмихнато разглеждаше снимките на Естебан от пътуването. Естебан, по халат, беше седнал на облегалката до нея и разговаряше с един ключар да дойде да им отключи вратата.

– Не, отвътре сме заключени, не отвън. Да, приятелката ми изтърси ключовете с покривката – той намигна на Анна. – Да, жени, да. Кога ще е удобно да дойдете?... Не, за никъде не бързаме... Не, само тези ключове държим на връзката. Ключовете за колата ги държим отделно. Да, ще сменим ключалката. Наясно съм, че така е по-сигурно. Добре, ще се видим тогава.

Естебан затвори телефона.

– Готово. В 19:30 часа ще е тук. Може би е добре да се обадиш на Владимиров и да му кажеш, че ще се видите направо в дискотеката, а договорът да ти го прати по имейл.

– В София има и други ключари. Защо не се опитаме да намерим някой, който да дойде сега? – попита Анна.

– Не може. Вече поех ангажимент към човека. Обади се на Владимиров.

Естебан ù подаде телефона.

– Може ти да му се обадиш – каза с насмешка Анна. – Като гледам, добре опериращ с телефона ми.

Естебан сложи телефона ù на масата.

– Като видях онзи чат, полудях. Беше ми много гадно. И като си тръгнах и останах сам, пак ми беше много гадно. Дори сексът беше гаден.

Анна се гушна в него.

– И на мен ми беше много гадно – призна тя.

– Хайде, моля те, обади се и не ходи на тази вечеря. Не искам да те пускам сама.

– Никъде няма да ходя. Отрязах Владимиров още след тангото.

Естебан се отдръпна.

– Играеш ли си с мен? – рязко попита той.

– Следвам твоята игра. Защо не ми каза, че си уволнен?

– Не съм уволнен. Напуснах.

– И как точно напусна?

– Написах смс на Саня, че напускам.

– И според теб така се прекратява трудово правоотношение – със смс?

Естебан я погледна студено и Анна смени тона:

– Жеков те е уволнил поради неявяване на работа.

– Дреме ми.

– Владимиров ми каза, че се е погрижил да не си намериш работа никъде, защото си чукал протежето му. Защо не ми каза за Саня?

– И ти не ми каза за Васил – върна ѝ го Естебан. – Не ми пука от тия. Ще си направим наша школа. Ти ще движиш документите, аз останалото. Ще ѝ направя супер пи ар. Даже имам човек, който ще ми помогне за рекламата – сети се за бащата на Милена и добави: – Да ги видя тогава как ще ми пречат. Особено Жеков, като му взема половината клиентела, които със сигурност ще дойдат при мен.

– Нали искаше свобода?

– Идеята беше тъпа, признавам. А и не може да се нарече истинска свобода, след като си пазя и работата, и апартамента. Да си свободен означава да не си оставяш път за обратно. Сгреших.

Толкова дълго Анна беше чакала да чуе тези думи. Но сега се почувства длъжна да защити мъжа в него.

– Ами ако всъщност ти си прав, а всички ние грешим? Ако е правилно да зарежем всичко – да продадем апартамента, колата, дрехите си и да поемем на път без никакъв багаж? Ако целта на живота не е да си създаваме сигурност, а да преодоляваме страховете си?

Естебан я погледна невярващо.

– Би ли го направила за мен?

– Искам да го направя заради себе си – честно отговори Анна. – Уморих се да окопавам. Искам да заобичам непознатото. Ще ме научиш ли?

– Само ако винаги ми пускаш – каза шеговито Естебан.

– Обещавам – каза Анна.

– Ще държа да спазиш това обещание, да знаеш.

Анна се засмя. Непознатото я плашеше до смърт, още повече като беше видяла, че има силата да ги раздели с Естебан. Осъзнаваше, че борбата със собствената ѝ сянка и сянката на Естебан едва беше започнала. Но в битката със страховете Анна имаше изключително мощен съюзник – Любовта.

ЧАСТ IV

КОГАТО СВОБОДАТА ГОВОРИ

Какво е свободата?
Моят отговор е само една дума – любов.
Любов към себе си, любов към собственото ти добро,
любов към изборите, които правиш. Любов към непознатото.

Пътят на свободата започва от любовта.

I

ЕСТЕБАН

Пътят към свободата започва от любовта. Мисълта от съня му още стоеше записана в телефона му.

– Мислиш ли, че отношението ти към нещо може да се промени чрез сън? – попита я една вечер преди да отпътуват.

– Защо?

– Защото на мен ми се случи. Не го помня добре, но сънувах, че вървиш към пропаст, а аз съм зад теб. Това съм го сънувал и преди. Но този сън беше различен. Ти беше спокойна, а аз се страхувах да не паднеш. Изведнъж ти ми се усмихна и между нас се появи път, а после и пропастта изчезна. На сутринта всичко беше друго. Допреди да заспя, бях сигурен, че повече не искам да те виждам. А след съня, бях сигурен, че трябва да се върна при теб.

– Възможно е – каза Анна.

Медитацията беше проработила. Усмивката ѝ беше стигнала отвъд ума на Естебан, беше докоснала сърцето му. Хипнозата беше проработила. Тогава Анна също беше видяла как върви към пропаст, а Естебан стоеше ужасен зад нея. С Естебан бяха имали абсолютно едно и също преживяване – пропастта между тях и усмивката ѝ, която създава път и ги свързва.

– На сутринта се събудих с една мисъл – че пътят на свободата започва от любовта. Сякаш някой ми даде знак, че трябва да се върна при теб. И по някакво чудо ти вече си готова за свободата.

– Искам само теб – нежно му призна Анна. – Искам да сме един отбор, да бъда твоя жена.

– Дори и да нямаме покрив над главата си и да не знам как ще печелим пари. Пак ли ще си с мен?

– Аз знам, че винаги ще намериш начин да се грижиш за мен.

Естебан се усмихна, но усети как финансовата им несигурност оттук нататък се прокрадваше като проблем, на който нито Анна, нито той имаха решение.

– Ще имаш ли нещо против да упълномощя Васил да продаде апартамента и колата ми? – невинно попита Анна. – Много ще се забавим, ако аз трябва да им търся купувач. А вече е почти септември и скоро може да застудее. Ако зимата ни свари тук, после ще трябва да чакаме чак пролетта, за да заминем.

Естебан замълча и Анна усети, че изобщо не му беше приятно споменаването на Васил. След като мина минута и той не отговори, ѝ стана ясно, че търсеше друго решение.

– Упълномощи сестра си – каза накрая. – Нали Симеон се занимава с недвижими имоти, все ще могат да продадат един апартамент и една кола.

Анна го разбра. Както разбра, че никога няма да може да убеди Естебан, че Васил ѝ е само приятел.

♪♫♪

Избраха за начална дата на тръгването си втори септември. Можеха да го отложат за пролетта, но Естебан реши, че ако го направят, ще е под въздействие на страха и няма да е правилно решение.

Анна блестящо се погрижи за всички вещи, с които разполагаха. Част от тях подари, а останалите – продаде.

Оставиха цялото обзавеждане на апартамента както си беше. Решението беше на Анна, която го помоли да го предадат в този вид на следващите наематели, за да бъдат и те щастливи като тях в него.

Естебан се фокусира върху избирането на мотор и в това отношение Анна го насърчи да купи мотора на мечтите си.

Естебан избра "Suzuki Hayabusa 1340 Limited и даде последните си $14500, за да го купи.

Анна радостно го огледа и въодушевено отбеляза: "Това е твоят мотор, чувствам го."

Тя нищо не разбираше от мотори, дори не желаеше да се научи да кара мотор, но Естебан ѝ беше благодарен за реакцията. Той я прегърна и я поправи: "Нашият мотор".

Факт беше, че след покупката на мотора, Естебан остана на нула с парите. Мисълта, че оттук нататък щяха да оперират само с нейните пари, го побъркваше вътрешно. Стигна дотам, че не можеше да спи нощем, мислеше по какъв начин оттук нататък ще изкарва пари.

Една вечер докато бяха във ваната, Анна неочаквано го попита:

– Така и така ще заличаваме всичко старо, искаш ли да закрием и банковите си сметки и да си направим една обща? Ще си имаме общ мотор и обща банкова сметка?

Естебан си даде сметка, че тя добре разбираше, че оттук нататък двамата щяха да оперират само с нейните пари. Знаеше, че Анна никога не би го унижила на тема пари и ѝ отговори: "Щом това ще те направи щастлива!"

Анна зарадвано каза: "Много щастлива".

– Ще ти липсва ли нещо?

– Не знам защо, но ми е приятно, че наистина ще започнем отначало. Все едно не сме имали живот един без друг.

– Толкова съм мечтал да имам такъв живот – без нищо, в което да съм вкопчен, а сега непрекъснато ми идват едни мисли.

– Какви мисли?

– Дали истинският затвор не е някъде вътре в нас.

– Предстои ни да разберем.

– Най-вероятно, да.

– Моят път към свободата си ти – каза откровено Анна. – Всичко, което днес ме прави свободна – музиката, танцът, любовта го научих от теб.

– Иън ме научи да танцувам – за пръв път Естебан разказваше нещо за Иън. – Бях на 15 и си нямах понятие от света. Всичко, което знам за танците, го знам от него.

Естебан замълча и Анна разбра, че не е готов да разкаже повече.

– Липсва ли ти? – попита нежно тя.

– Понякога ми липсва. Беше ми като баща. Винаги виждаше къде греша. И винаги ми даваше път, за да изляза от ситуацията.

– Може би затова хората постоянно търсят учители – отбеляза тя.

– Е, поне в твоя живот решението е просто – каза накрая Естебан – за да не зацикляш, стой близо до мен.

Анна се усмихна невинно на последните му думи.

Естебан мислено отбеляза, че комфортът на досегашния им живот със сигурност на него щеше му липсва. Анна вече беше готова за свободата, но за първи път се попита той доколко беше готов.

– Казах на майка и на Катерина, че заминаваме – сподели му Анна.

– И те?

– Опитаха се да ме разубедят. Не съм очаквала друго.

– Съжалявам.

– Няма за какво да съжаляваш. Знам, че много малко хора биха подкрепили подобно решение.

– Съжалявам, че не мога да ти предложа никаква сигурност.

– Можеш да ми предложиш свобода. Колко мъже могат да се похвалят със същото в днешно време?

Тази нощ заспаха напълно голи, като не можеше да се отдели от нея. Известно време преди да заспи гледаше пръстена върху лявата ѝ ръка. Ръцете на Анна бяха малки и пръстенът ѝ стоеше превъзходно.

Единствената вещ, която Анна го беше помолила да вземат извън тези, с които се бяха отправили на предишното им пътуване, беше общата им снимка от рождения ѝ ден. Анна реши да купи един тефтер и химикал и да сложи снимката вътре. Каза, че ще могат да си записват мисли или впечатления, че ще бъде общият им дневник.

Обща банкова сметка, обща снимка и общ дневник. Моторът на мечтите му и пътят към неизвестното.

Притисна Анна още по-силно към себе си и се унесе.

II

ЕСТЕБАН

Последната си нощ в София прекараха в апартамента на Анна.

– Искам, когато го продам, да знам, че съм имала поне една истински щастлива нощ тук – сподели Анна.

Естебан се усмихна.

– Какво най-много обичаше да правиш в този апартамент?

– Да чета. Да си почивам. Да си взема гореща вана след изтощителен ден.

– Не звучи толкова зле.

– Помня предимно безсънните нощи. В мисли за делата ми. В мисли за живота си. И как мечтаех някой просто да ме прегърне с любов и да мога да се наспя.

Изведнъж Анна се почувства невероятно изморена. Без енергия дори да се помръдне от мястото си. От години безсъние, които се бяха запечатали между стените на този апартамент.

– Искам просто да те гушна и да се наспя. – накрая призна тя. – Ще го направиш ли за мен?

– Хайде да си лягаме – предложи Естебан. – Утре и без това цял ден ще пътуваме.

В момента, в който си легнаха и изгасиха светлината, Естебан силно я притисна към себе си. Анна усети как топлината от тялото му се разля по нейното тяло с успокояващото усещане, че най-накрая си е у дома. Тя се сгуши щастлива в обятията му и затвори очи. По едно време в просъница го чу как шепти името ѝ и осъзна, че нощта беше изминала като миг. Сладък, безметежен миг, изпълнен с много топлина.

♪♫♪

Потеглиха на път малко преди изгрев слънце. Тръгнаха в посока Оряхово, откъдето щяха да поемат за Румъния. Бяха решили този път да тръгнат по напълно нов и непознат маршрут.

Слънцето изгря точно в 6:30 часа. Вече бяха подминали обозначителната табела за излизане от София. В мига, в който първите лъчи на слънцето обляха хоризонта, Естебан спря мотора, извади тефтера и записа:

"Естебан и Анна. Пътят към свободата *започва* от любовта."

Подаде тефтера на Анна. Тя го погледна и нарисува усмихнато слънце.

– Готова ли си? – попита я Естебан.

Анна кимна.

– Нали знаеш, че оттук нататък пътят е само напред?

– Нищо ново – каза Анна.

И двамата се засмяха. Изядоха по една ябълка и се качиха обратно на мотора.

♪♫♪

Първият им ден истинска свобода се беше оказал повече от благосклонен към тях. Невероятно топло време, живописния път на Карпатите, красотата на Делтата на река Дунав – единствената делта в света, обявена изцяло за биосферен резерват и магическият Брашов, мистично свързан с историята на граф Дракула. Решиха да пренощуват в Брашов. Вече нямаше правила. Идеите на Естебан да тръгнат по изгрев, да пътуват цял ден и задължително да правят секс на залез слънце, бяха отмрели със спомена от предишното им пътуване.

В хотела двамата обсъдиха евентуални маршрути за следващия ден.

– Може да пътуваме без крайна цел – предложи Анна. – Просто така.

– Където ни завари случайността – каза Естебан.

– Без графици, без маршрути, наслаждавайки се на пътуването.

Напуснаха Брашов на сутринта.

– Може ли да отбиеш някъде? Искам да медитирам на открито.

– Щом искаш.

Естебан отби на първото по-уединено място, на което попаднаха.

– Защо толкова си се запалила по медитирането? – попита я, като седнаха на тревата.

– Знаеш ли какво е сянката в психологически аспект?

– Нямам си на идея.

– Всичко, от което човек се страхува или отрича.

– Затворът в нас? – перифразира Естебан.

– Медитацията ми помага да стопявам решетките с любов.

– И как се случва това чисто практически?

– Мога да кажа как става при мен. Водя вътрешен диалог с онази Анна вътре в мен, която се страхува от толкова много неща и просто ѝ давам любов.

– От какво се страхува?

– Да се довери. На живота. На хората. На промените.

– Измисляш си страхове – отбеляза Естебан.

– Теб страх ли те е от нещо? Честно.

– Изобщо не съм лесен, Анна. Понякога на мен самият ми е трудно да живея със себе си.

– Няма лесни хора. Всеки от нас има своите демони, своите страхове и своите странности.

– Страх ме е да покажа пред някого, че съм слаб – призна Естебан.

– До мен никога няма да си слаб – каза уверено Анна. - Аз ще те обичам толкова много, че любовта ми ще те изпълва със сила.

– Де да се случваше по този начин.

– Случва се точно по този начин. Аз вярвам, че се случва така.

– Искам винаги да си такава, каквато беше пред дискотеката – откровено каза Естебан. – Дори когато съм никой за другите, дори когато сам не бих се погледнал, да продължавам да съм всичко за теб. Така винаги ще имаш 100% от мен. Можеш да си сигурна. Аз ще поспя още малко. Събуди ме като приключиш с медитирането. И не се задълбочавай толкова много.

Естебан легна на тревата, подложи си якето ù за възглавница и се загледа в облаците. Облаците бяха опияняващи, ярко бели с най-различни форми и очертания. Някои се сливаха, други се разделяха. Постепенно се унесе.

Анна се отдаде на медитацията си. Когато свърши, забеляза, че Естебан беше обърнат към нея и съненно я наблюдаваше.

– Приключи ли? – попита той.

– Да. Благодаря.

Естебан се изправи, отиде до мотора и взе една ябълка.

– Ти искаш ли?

– Не съм гладна. Видях женско божество, което приличаше на ангел, само че червен на цвят – сподели Анна. – Не знам къде се намирах, но около мен имаше светлина. Подаде ми ръка и ми каза, че ще ме научи как да бъда жена. Каза ми, че ще ми даде всички необходими стъпки.

Естебан се усмихна замислено. Остана така за секунда-две и после каза:

– Имаш силно въображение.

– Не е само въображение – започна тя с намерение да обоснове автентичността на преживяването си, но внезапно спря.

– Сега ми се иска да те убедя, че грешиш – сподели Анна. – Ето това е сянката. Моята сянка. Моята вътрешна Анна, която иска да се налага, да защитава правата си, да бъде равнопоставена. А всичко, което искаш ти е да бъда жена – да обичам, да танцувам, да съм с въображение.

– Ела тук – каза Естебан и я прегърна. – Прекалено много мислиш. Това ти е единственият проблем.

– Просто... ако спра да мисля, трябва да се доверя. А аз не знам как да се доверя. Никой не ме е учил как да се доверявам. Учили са ме да се съмнявам, да оспорвам, да съм критична.

– Ще трябва да те науча на Пасо Добле. Там партньорите воюват. Ти явно имаш нужда да воюваш. Не знам с кого, не знам с какво, но да - има го в теб. Ще те науча. Като толкова ти се воюва с мен.

Анна се засмя.

– Някой ден ще купим спални чували и ще спим под звездите, искаш ли? – смени темата Естебан.

– Може и без спални чували, може дори да го направим още тази вечер. Само трябва да си вземем храна.

– Не, ще стане студено през нощта. Искам да си на топло.

Естебан се изправи.

– Хайде да намерим къде да спим. И да хапнем нещо, че съм много гладен.

Той тръгна към мотора. Анна си взе якето от тревата и го последва.

III

ЕСТЕБАН

Сънува майка си. Дойде при него и го целуна по челото.

– Твоето име значи "корона", нейното означава "благодат".

Събуди се и провери етимологията на имената им с Анна. Естебан, испанският еквивалент на Стивън (така се казваше баща му), произход от старогръцки: Στέφανος ("венец", "корона"), Анна – библейско име, в превод от иврит означава "благодат".

Даде си сметка, че откакто беше избрал пътя на свободата, единственото, което безапелационно напускаше живота му, беше миналото. Сякаш то беше единственият затвор, който всеки човек създаваше и поддържаше ревностно като пазител в ума си, като граница на настоящето.

Осъзна, че повече никога няма да види Иън. Той му беше вдигнал най-високата оценка, и най-важното – беше му дал възможност сам да открие своя път.

Осъзна също, че току-що беше получил благословията на майка си.

Знаеше, че в някакъв момент от живота си, чрез сън, медитация или по друг начин, щеше да дойде момента да се раздели с баща си и с Хавиер.

Както и че Анна щеше да остане. Майка му му беше казала, че Анна е благодат в живота му.

Остави Анна да поспи в хотелската стая. На рецепцията попита за най-големия пазар в Букурещ и го упътиха към Piata Obor. Отиде на място и купи различни сортове грозде, сини сливи и смокини. На връщане към хотела купи и кутия лешниково мляко. Помоли в ресторанта на хотела да ги подредят красиво в плато заедно със сандвичи и ядки за закуска.

Когато се върна обратно при Анна, тя тъкмо излизаше от банята.

– Съвършената закуска? – попита тя, като го видя.

– Дано си гладна – каза ухилено Естебан и добави: - Какво ти се прави днес?

– Толкова много неща никога не съм правила в живота си, а съм искала.

– Какво например?

– Не съм се возила на скоростно влакче. Не съм пускала хвърчило. Не съм танцувала в дъжда. Не съм се забавлявала истински.

– Днес ще ти купя хвърчило, а утре оттук директно заминаваме за Париж – ще те заведа в "ЕвроДисни".

– Не мога да повярвам, че можем да го направим. Да ходим, където си искаме и да правим, каквото си искаме.

– Ами започвай да свикваш. Ние сме свободни.

IV

ЕСТЕБАН

Естебан лежеше в хотелската стая и търсеше удобен маршрут от Залцбург до Венеция.

Завръщането им в Париж беше много съкровен момент за тях, все пак там бяха извоювали свободата си. Прекараха цял ден в ЕвроДисни и се забавляваха като малки деца.

След Франция заминаха за Австрия. По пътя решиха да останат за една вечер в Залцбург.

По познатата схема даваха дрехите си за пране в хотелите, в които отсядаха, а на всеки три дни ги изхвърляха и си купуваха нови дрехи.

Анна нямаше нищо общо с поведението си от миналото пътуване. Изобщо не мислеше за вещи и за време. Беше винаги ентусиазирана и настроена за приключения, което много го зареждаше.

Във Венеция се возиха на гондола и храниха гълъбите на площада "Сан Марко".

Посетиха фотографската изложба на Луиджи Фидели в Рим.

Танцуваха на една от най-големите милонги в Милано.

Изпитваха някакво непознато чувство на споделеност от това, че правеха всичко заедно.

На Анна ѝ се стори, че сякаш за пръв път двамата гледаха изцяло в една посока.

Естебан намери в интернет координатите на фотографа, който някога го беше снимал гол. В момента работеше в Мюнхен и той запази час за следващата седмица.

Фотографът го разпозна веднага, което силно изненада Естебан.

– Искам да си направим обща фотосесия – нещо специално. Какво можеш да ми предложиш? – попита Естебан.

– В момента е много модно да си правиш колаж със снимки за мечтания живот, който искаш да имаш. Много двойки си го правят като сватбен подарък – сподели фотографът.

– Звучи ми много интересно – включи се Анна.

– Какво искате от живота си?

– Аз искам да танцуваме и да бъдем заедно – първа отговори Анна.

– Да сме здрави и да имаме финансова свобода. – допълни отговора ѝ Естебан.

– Много добре. В такъв случай да започнем от танца. Танцувайте! Тук и сега, в този момент.

Фотосесията им продължи цял ден. След два дни получиха колажа. От стотиците снимки, които фотографът им направи, той беше избрал само три, преливащи се една в друго.

В центъра бяха те двамата, танцуващи танго, а ярка червена светлина обливаше телата им.

В горния десен ъгъл на снимката имаше друго тяхно изображение – Естебан, седнал на мотора с ръце върху кормилото, Анна, притисната зад него, обгърнала тялото му с ръце.

Бяха снимани фронтално, като лицето на Естебан беше обърнато към нейното като за целувка.

В долния ляв ъгъл бяха изобразени в изискана обстановка: Естебан, седящ на кожено канапе, облечен с луксозна риза и стилен панталон и Анна в красива дизайнерска рокля, седнала върху единия му крак и любовно обърната към него. Пред канапето имаше стъклена масичка, а върху нея небрежно оставени – портфейл, който се пука по шевовете от пари и банкови карти.

– Казах ти, че е добър – отбеляза Естебан, като видя колажа.

– Дано това да е бъдещето – обнадеждена се включи Анна.

– Всъщност точно сега това е настоящето. А бъдещето ще е такова, каквото си го направим.

Поеха към Франкфурт. По пътя неочаквано заваля проливен дъжд. За миг сякаш се върнаха в онази вечер, когато близо до Колико бяха позволили на атмосферните условия да застанат между тях.

Естебан се принуди да спре и се огледа за заслон, когато Анна внезапно улови ръката му и усмихнато го покани на танц. Нямаше друга музика, освен барабаненето на дъжда, но в този миг и на двамата им се стори, че дъждът е най-съвършеният от всички звуци. Дори не забелязаха кога спря да вали. Бяха напълно мокри, но невероятно щастливи.

Когато потеглиха отново иззад облаците се подаде слънчев лъч и в миг небето се озари от цветна двойна дъга, която повече от час ги съпътстваше по пътя. Не усещаха студ, нито глад. Стигаше им топлината на слънцето и на притиснатите им едно в друго тела. И пътят, който водеше само напред.

V

ЕСТЕБАН

От Германия заедно решиха да отпътуват за Швейцария. Като първа дестинация избраха последната набелязана точка от предишното си пътуване – Берн.

Прекараха в Берн два дни, потопени в магичната атмосфера на оживените улици, фонтаните, аркадите и разположените под тях множество удивителни магазинчета с шоколадови изкушения.

Естебан не проявяваше никакъв интерес към музеи или други забележителности и единствено, за да угоди на Анна, двамата посетиха апартамента на Алберт Айнщайн и Бернската часовникова кула.

Времето беше необичайно топло за местния климат. На тръгване от Берн, Естебан реши да го оползотворят максимално и предложи на Анна да пренощуват под звездите. Тя с радост прие. Купиха спални чували, топли дрехи и храна за през нощта. След това поеха в посока Локарно. Мислеха да спрат на първото място, което им се види подходящо за целта. Избраха живописен къмпинг в близост до езерото Маджоре и прекараха вечерта, легнали един до друг, взирайки се в ясното звездно небе. Звездите изглеждаха огромни и опияняващата им светлина започна постепенно да ги унася. Заговориха се за сънищата.

– Аз сънувам от малък – сподели Естебан.

– Разкажи ми някой интересен сън – полусънена поиска тя.

– Или някоя приказка за лека нощ – подкачи я той.

Анна се изправи, подпирайки се на лактите си, за да му покаже, че не спи. Той само ú се усмихна.

– Моите сънища не са особено интересни. Обикновено сънувам хора, понякога сънувам, че някой ме наблюдава. Все едно съм в помещение на отворена врата или в стая със стъклена врата и отвън има много наблюдатели. Непознати хора. Сякаш съм напълно разголен. На сутринта се чувствам отвратително.

Анна мислено разтълкува съня му като страх от себеразкриване, но не посмя да изрече мислите си на глас.

Само нежно попита:

– Освен онзи път на скалата, мен сънувал ли си ме?

– Понякога – уклончиво отговори Естебан.

– И аз ли те наблюдавах?

– Не – засмя се той.

– А какво правех?

– Други неща, далеч по-приятни.

По погледа му разчете, че сънищата му са били еротични.

– Ще ми разкажеш ли? – предизвика го тя.

– При условие че след това ги сбъднеш наяве – размечтано каза той, а Анна отново нежно му се усмихна.

– И как се чувстваше на сутринта?

– Объркан – призна той. – Тогава нямаше още нищо между нас. – А ти сънувала ли си ме?

– Странно, но не.

– Никога?

– Не – призна Анна.

Естебан я погледна разочаровано.

– Ти какво сънуваш?

– Най-различни неща. Сънувала съм, че влизам в пещера, беше много дълга и имаше стъпала, които ме водеха надолу. Слизах все по-надолу, докато накрая пещерата се оказа тунел, който ме изведе на огромна поляна. Сънувала съм и, че танцувам танго. Мислиш ли, че хората могат да се свържат чрез сънища?

– Не знам – честно отговори той.

– Като бях дете, когато татко ми липсваше, му писах писма и ги слагах под възглавницата си. Понякога го сънувах.

– Кога са се разделили вашите?

– Когато бях на десет.

– И изобщо ли не поддържаш връзка с баща си?

– Поддържам – призна Анна. – Моят баща винаги е бил свръхчувствителен, но никога не е знаел как да общува нито с майка ми, нито с мен или сестра ми. Женската емоционалност го плаши до смърт. За да общувам с него, ми се налагаше да гледам света през неговите очи и да търся теми, които той усеща близки, защото иначе нямаше за какво да си говорим. Откакто приключих с правото, не сме се чували. Катерина ми каза, че майка му е казала, предполагам, че го е приел тежко. Той беше много горд, че съм станала адвокат.

– Аз изобщо не поддържам връзка с моите родители – призна Естебан, за да я успокои, след което я прегърна. – Не искам да се разстройваш.

– Никога не събрах смелост да го попитам дали е получил някое от писмата ми, дали ме е сънувал. Сега вече не е много уместно да го правя, ще помисли, че съвсем съм луднала – с лека ирония се опита да празведри атмосферата Анна, но Естебан остана сериозен:

– Правото изобщо не ти отиваше. Дори не можех да те възприема като жена, когато те видях за първи път. Било е тъпо да му се доказваш. Моят баща мислеше, че танците ще ме направят гей. И мисля, че защото той го мислеше, явно и аз съм се страхувал подсъзнателно от същото и гледах никога да не оставам без гадже. Едва на първия си урок по стриптийз се освободих от това. Бяхме само двамата с Джеймс и аз напълно се панирах. Не можех да помръдна. Тогава напълно се уверих, че не съм.

– Мъжете рядко си признават такива неща – отбеляза Анна.

– Не съм го споделял на никого досега. Но ти си различна. Ти ме разбираш. С теб мога да съм напълно себе си, дори Иън не съм чувствал толкова близък – откровено продължи Естебан.

– Ако те помоля за нещо, ще го направиш ли? – плахо попита Анна.

– Всичко, което поискаш – Естебан я целуна по косата.

– Ще ти напиша нещо и искам да видя дали ще го получиш в съня си.

– И аз ще ти напиша нещо – разнежено каза той.

Анна извади общия им дневник и откъсна една празна страница, след което я раздели на две. Даде едната половина на Естебан. На своята половина, обърната с гръб към него, написа: "Благодаря" и я сгъна на четири.

Естебан ú написа: "Te Amo" (Обичам те).

Сложи бележката под спалния си чувал, легна обърнат към нея, притисна тялото си към нейното и се опита да заспи. Не му се удаде и дълго време я наблюдаваше как спи.

Докато я гледаше, си мислеше за годините, в които като дете му беше липсвал собствения му баща, когато още не се беше появил в живота му.

Сега когато го познаваше, не искаше изобщо да си спомня за него. Стори му се, че тази нощ верятно нямаше да може изобщо да заспи и се почувства виновен към Анна, сякаш щеше да я разочарова. Можеше леко да я отмести и да види какво е написала, после да си измисли някакъв сън с написаното, но не искаше повече никога да я лъже. За нищо. Беше толкова облекчаващо да не играе никакви роли и да не се прави на нещо различно от себе си. Струваше му се, че никога преди не му се беше случвало подобно нещо.

Майка му го обичаше, но винаги се чувстваше виновен пред нея заради постоянните им разправии с Хавиер. Още повече, когато той беше поводът за тях.

Споделяше всичко с Иън, но така и не престана да му се доказва. От първата им среща до спечелването на конкурса. Саня го познаваше добре, може би по-добре от всяка друга жена преди Анна, но никога не успя да го предразположи да се отпусне истински пред нея.

Анна беше единствената жена, единственият човек, до който винаги се чувстваше напълно ок, че е себе си. Тя подсъзнателно обвиняваше баща си, той го усети по гласа ú, но Естебан почувства благодарност към него, че я беше научил как да гледа света през очите на другите и да проявява разбиране към този свят.

Усети, че се унася и заспа, изпълнен с чувство на благодарност. Събуди се след известно време, още беше нощ и установи, че нищо не е сънувал. И да беше сънувал, нищо не помнеше от съня си.

Погледна към Анна и я видя как се беше свила с колене, притиснати към гърдите, трепереща от студ. Разкопча спалния си чувал, напълно се прилепи към нея и я прегърна, притискайки я силно към себе си. Усети как тялото ѝ постепенно се успокои и спря да трепери. Гушна я още по-силно и се унесе. Сънува я как седи на брега на езерото с поглед вдигнат към звездното небе. Повърхността на езерото беше огледална и в него се виждаше отражението на Анна и дирята от лунна светлина. Тялото ѝ отново трепереше. Той се приближи, седна до нея и я прегърна. Тя престана да трепери. Естебан почувства невероятно силна благодарност. От тялото ѝ, което сякаш му казваше "Благодаря".

Събуди се отново и още по-силно я притисна към себе си. Небето беше ясно и дълбоко, звездите – ярки и изпълнени с живот, а самият той изпитваше едно непознато състояние на блажен унес и искрена благодарност. Благодарност, че има звезди, че има небе, космос, Вселена. Благодарност, че го има него самият и че е жив.

Анна напълно се беше отпуснала, тялото ѝ спокойно лежеше в прегръдките му. Естебан леко разкопча спалния ѝ чувал и я прегърна под него. В тишината на нощта усети спокойния ритъм, в който биеше сърцето ѝ. По някаква необяснима за него причина искаше тази нощ никога да не приключва, да задържи усещането за благодарност, колкото се може по-дълго. В съня си Анна се обърна с лице към него и го прегърна силно като малко дете, което търси закрила. Той погали с пръсти лицето ѝ, отвърна на прегръдката ѝ и заспа отново.

♪♫♪

Анна седеше напълно сама в детската си стая и пишеше писмо след писмо на баща си. Беше пораснала, нямаше защо да пише тези писма. Почеркът на писмата беше детски, някаква част от съзнанието ѝ подсказваше, че не е нормално почеркът ѝ да е такъв, но нямаше представа какъв трябва да бъде. В съня си на няколко пъти, след като легнеше с писмо под възглавницата, се събуждаше отново в детската стая, осъзнала, че е сънувала и отново започваше да пише писмо на баща си. Стаята ставаше все по-студена всеки път и по едно време ѝ стана толкова студено, че вече не можеше да пише. От студа химикалът също спря да пише.

Анна легна свита и трепереща на леглото си и изведнъж усети как сякаш от нищото почувства огромен прилив на любов и топлина, сякаш в този момент някаква сила отвън изцяло запълни дефицита от липсващата бащина прегръдка и любов в душата ѝ.

Тя с почуда установи, че може да отговори на прегръдката и в момента, в който го направи, поиска да задържи този миг завинаги. Почувства дълбока свързаност, цялостност, принадлежност.

Когато се събуди, видя че Естебан силно я беше притиснал към себе си и осъзна, че топлината, която беше дошла в съня ѝ, всъщност беше топлината от неговото тяло.

Целуна го и на испански му каза: "Te amo" в знак на благодарност.

Той също се събуди и се пошегува как през нощта е изглеждала като зъзнеща пашкулизирана мишка.

Анна се сгуши в него вместо отговор и останаха така, докато светлината и топлината на слънчевите лъчи напълно не ги разсъни.

По време на закуската си разказаха сънищата си и си размениха листите, които бяха написали, преди да заспят. Анна взе двата листа и ги прибра в общия им дневник.

Докато умът ѝ продължаваше да се пита дали магията важи за всички или само за тях двамата с Естебан, малкото момиченце в сърцето ѝ, ликуваше, знаещо, че всяка от написаните думи беше стигнала до баща ѝ.

VI

ЕСТЕБАН

Наближаваше краят на октомври, когато за пръв път обсъдиха необходимостта да се установят някъде през зимата.

Анна предложи да изберат дата наслуки и където ги свари случайността, там да останат.

Естебан избра датата 2.11. – точно два месеца от момента на отпътуването им – 02.09.

На 02.11.2012г. се озоваха във Варшава. Градът ги посрещна с ясно небе, изцяло облян в слънчева светлина. Нито Анна, нито Естебан някога преди бяха посещавали Полша, но сега щяха да прекарат там следващите шест месеца.

Наеха си хотел и в рамките на една седмица си намериха и квартира. Взеха си под наем малък апартамент, състоящ се от голяма дневна, малка кухня и малка спалня. Беше с южно изложение и беше изключително топъл.

Купиха си дрехи, спално бельо, заредиха хладилника с храна. Естебан купи уейв музикална система и малък лаптоп. Зазими мотора и единственият им транспорт се оказа метрото.

Първата вечер в апартамента никой от двамата не можа да заспи, сякаш някой ги беше вкарал в затвор.

Естебан знаеше, че следващата стъпка е намирането на работа и, въпреки нежеланието си, започна да си търси такава.

Още пазеше препоръката от Иън. Надяваше се, че с първа награда от "Spettacolo di ballo" и препоръката на Иън, макар и отпреди години, ще може да започне работа поне като учител по танци.

– Идеята отново да преподаваш танци ми изглежда като стъпка назад – откровено призна Анна.

– На този етап нямаме кой знае какви опции.

– Не е ли по-добре да живеем по-скромно и да открием заедно по-креативен начин за печелене на пари?

– Няма за какво да се тревожиш. – опита се да я успокои Естебан. – Ако ти се медитира и експериментира, няма проблем, аз ще се погрижа за всичко. Моя отговорност е да намеря начин да издържам и двама ни, освен ако не искаме Варшава да се превърне в наш доживотен затвор. Парите от банковата сметка няма да ги пипаме, те са нашият паспорт към свободата през лятото.

Анна нищо не му отговори. Отдаде се на медитиране, докато той се посвети на намирането на работа.

♪♫♪

Да започне работа, не се оказа никак лесна задача. Или не търсеха хора, или не търсеха чужденци, или търсеха хора с поне завършено средно образование, или искаха препоръки от последния работодател.

Естебан започна да се прибира смазан психически и отново се вглъби в себе си. Стана мрачен и затворен. Даваше си сметка, че душата му крещи за свобода.

След седмици си намери работа в танцова школа, като му дадоха да води група по салса три пъти седмично. Стана му ясно, че с тази работа няма как да издържа Анна и продължи да търси.

Един ден, докато чакаше да стане време за неговата група, отиде да пие чай в заведението срещу школата. Неочаквано до бара забеляза една обява, че заведението набира персонал. Условията, които предлагаха, го устройваха, тъй като можеше да поема дневни смени, а вечер да продължи работата си в школата по танци.

Вечерта, след като го назначиха на втората работа, купи бутилка бяло вино "Пино Блан".

– Не се ли радваш поне малко, че успях да си намеря още една работа?

– Стигнахме толкова далеч. И сега пак започваме от нулата - каза загрижено Анна.

– Може би още не сме готови за пълна финансова свобода, така че нека да приемем реалността – шест месеца ще преживяваме, шест месеца – ще пътуваме.

– Все ми се струва, че има и друг начин – сподели тя.

– И да има, не съм го открил още. Да се радваме, че има къде да спим и ще можем да си плащаме сметките.

– Не те обвинявам в нищо – кротко каза Анна.

– Нека засега да сме благодарни и на това – каза го повече, за да убеди себе си, отколкото Анна.

– Да отворим виното. Поне шест месеца ще ядем домашно приготвена храна – смени темата тя.

♪♫♪

След вечеря Естебан провери банковата им наличност. За два месеца бяха похарчили 17 278 евро.

След като направи елементарна сметка на общото им финансово състояние, установи, че без изобщо да се ограничават, харчеха около 8650 евро на месец, което означаваше че за шест месеца им бяха необходими около 52 000 евро, т.е. след продажбата на апартамента на Анна, все още имаха пари за малко повече от две години, при условие че през останалите шест месеца се установяват някъде и се издържат от препечеленото от него.

– Ако следваме тази схема, имаме пари за около две години напред. Дотогава ще открия начин да сме напълно финансово свободни.

– Знам какъв е капанът на работата – каза Анна. – Казваш си, че ще го правиш просто за парите, но никога не се случва по този начин. Всеки работодател иска отдаване, иска цялата ти енергия за възможно най-малко пари. Струва ти се, че можеш да останеш встрани, но в крайна сметка се повтаря едно и също.

– Благодаря ти за доверието.

– Не е недоверие в теб, реалността е такава.

– Знам го по-добре от теб. И повече от теб искам да не е така. Ако бях останал в България и направил школа, нямаше да е по-различно, отколкото сега. Щях да завися от клиентите си по същия начин, по който сега завися от работодателя си, дори да работя повече. Щях да си вярвам, че го правя за себе си, но резултатът щеше да е същия – недостиг на време, преумора и стремеж към повече пари.

– Не разбирам. Имаме пари в момента. Защо не ги използваме, за да преживяваме тук и да открием начин да излезем от тази матрица?

– Добре, няма за какво да спорим. Аз виждам като решение на този етап да работя, ти мислиш, че е правилно да не работиш. Не искам от теб да работиш, нали? Можеш по цял ден да стоиш, да медитираш и да намериш начин да бъдем финансово свободни. Съгласна?

– Аз вярвам, че всичко в този живот може да се създаде и премине с любов.

– Какво означава това?

– Цял живот съм си мислила, че решението на проблемите е действие, но все повече се убеждавам, че е любов. Забелязал ли си, че когато си напълно доверен и спокоен всичко се получава с лекота? Аз наричам това състояние любов.

– Аз го наричам сила – вметна Естебан.

– Всички хора, които познавам са затрупани от работа и ангажименти – върна се на темата Анна. - Има и друг път – сигурна съм в това. Ще медитирам за финансова свобода. Нека да видим какво ще излезе.

– Ще излязат страховете ни, предубежденията ни, потребността от одобрение и признание от другите. Това са решетките, Анна. Иън ми ги показа, докато ме учеше как да чуя гласа на тялото си. Дано имаш достатъчно любов, за да ги стопиш.

Анна се засмя. Извади колажът от пътуването им и го сложи на видно място в дневната.

– След като имаме силата да го сътворим за два месеца, имаме силата да го сътворим и за постоянно.

Естебан се усмихна.

– Ти си точният партньор за мен. Винаги съм го знаел – замисли се и добави: - Нямаш нужда от Пасо Добле. Твърде нежна си за този танц.

– Да, моят танц е танго. Би трябвало да е румба, с него спечелихме, но е танго.

– Готова ли си да грешиш заедно с мен?

– Готова съм да те подкрепям да ме водиш правилно. ♪

VII

ЕСТЕБАН

Естебан ставаше всеки ден в 6:00 часа и, противно на всичките си хранителни принципи, се научи да пие кафе. Кафето му помагаше, или той така си мислеше, да се чувства по-бодър. Комуникацията и на двете му работни места вървеше трудно.

За разлика от България, тук Естебан не можеше да си позволи да ходи на езикови курсове по полски, а английски език не говореха всички.

Съжали, че не беше съобразил този момент при избора на държава, в която да се установят. Трябваше да изберат Испания или Великобритания. Още повече, че името на Иън Майер във Великобритания беше равносилно на легенда, а Испания беше родината му. Вече беше късно да отпътуват за другаде, така че, напук на всякаква логика, Естебан избра да поеме отговорност за решението им.

Достатъчно беше бягал през живота си – избяга от скандалите между майка си и Хавиер, избяга от вкъщи, когато баща му му забрани да танцува, избяга от Иън, когато го отблъсна, избяга от Анна, когато не беше готова за свободата. Сега оставаше тук. Без да знае езика, без да харесва работата си, без да има каквото и да е, което да го свързва с тази държава.

Част от персонала в кафето бяха млади хора, които с лекота общуваха на английски език и му бяха посредници с останалите. Те се опитаха да

♪ *"If you go wrong, I go wrong with you"* – Ако ти сгрешиш, аз греша заедно с теб. Основен принцип в танго. Когато кавалерът допусне грешка, дамата е длъжна да го последва, така че да му даде възможност да я поведе правилно. Ако дамата сгреши, кавалерът също е длъжен да я последва, за да я намери и да я върне обратно в танца. – Бел.а.

научат нещо повече за него, но Естебан не желаеше да им разказва нищо за себе си, още по-малко за Анна, и деликатно обръщаше темата единствено към работата.

В школата по танци езиковата бариера беше много сериозен проблем. Естебан не знаеше как да направи танците достъпни за хора, които изобщо не го разбираха. В друга ситуация щеше да въвлече Анна в обучителния процес, заедно щяха да показват танцовите стъпки, фигури и движения, но не знаеше доколко собствениците на школата щяха да одобрят подобна инициатива. А сега работата му беше необходима. Трябваше да играе по правилата.

Едва сега осъзна, че дори Иън, на когото толкова се възхищаваше, също не беше по-свободен. Иън привидно беше свободен: успешна танцова школа, нестандартно отношение към света, признание, млади гаджета, висок стандарт. Но всъщност ревностно поддържаше статута си на легенда, защото нямаше нищо освен този статут. Поради тази причина и го отблъсна от себе си точно когато талантът му започна да разцъфтява. Беше осъзнал, че един ден Естебан щеше да погледне живота му и да види пропастта между идеологията му и неспособността му да отговори на собствените си очаквания.

В школата Естебан заложи на схемата: "Танцувай с мен" ("Zatańcz ze mną"). Вземаше ръка на някоя от курсистките и започваше да я води. След това спираше и усмихнат им показваше всяка стъпка и всяко движение. Никога досега не беше използвал езикът на тялото си изцяло като средство за комуникация. Знаеше, че така нямаше да се научат да танцуват, танцът не беше само движения, танцът беше култура, която трябва да създадеш у човек. Но забеляза, че курсистите си тръгваха усмихнати и се връщаха отново.

Естебан никога не беше имал такава група по танци. Само седмица след началото на уроците, сами, без някой да го иска от тях, учениците му се организираха и наеха преводач от испански. Плащаха му, както времето, през което превеждаше, така и техническото време, което губеше в път до школата и обратно. Естебан реши да организира часовете по нов начин.

Двадесет минути в началото на всеки урок изнасяше импровизирана лекция и показваше стъпките, като обясняваше всичко, което беше нужно. След това освобождаваше преводача и в желязна дисциплина караше групата да изпълнява прецизно показаното.

Така продължиха около две седмици.

Един ден преводачът, млад мъж на около 30 години, поиска да говори с Естебан:

– Разказах на съпругата ми за Вас. Много сме запалени. Бихте ли имали нещо против да се включим като ваши ученици групата ви, а вместо заплащане аз да ви превеждам?

– Аз лично бих се радвал. – съгласи се Естебан. - За мен ще е много по-добре да има някой, който да ми посредничи по време на целия урок. Но школата не е моя, за да вземам подобни решения. Ще говоря със собствениците, ако се съгласят, ще ви съобщя.

Собствениците се съгласиха с предложението на преводача. Естебан дори се подвоуми дали да не ги попита за работа за Анна, но се въздържа. Стори му се, че може да го разберат превратно, а и Анна нямаше никакъв опит като инструктор. Вместо това се прибра радостен при нея и ѝ разказа за успешния развой на ситуацията.

VIII

ЕСТЕБАН

Първоначалният ентусиазъм на Естебан се изпари напълно след Нова година. Посрещнаха новата година и рождения му ден двамата с Анна в апартамента.

Анна беше изключително мила и въпреки че не излизаха никъде, за Естебан празниците бяха съвършени.

За пръв път имаше до себе си живо същество, което споделяше отношението му към живота. Всичките си рождени дни и Нови години в България беше прекарвал сам, даже беше престанал да ги забелязва.

– Напоследък имам огромно желание да пиша – сподели Анна. – Писането ми помага да подреждам мислите си, да осъзнавам много неща. Дори мисля, че това, което аз и ти правим е напълно нова философия за живеене.

– Аз непрекъснато съм с хора и не мисля, че повечето хора се интересуват от темата за свободата. Нали ги виждам в кафето – искат си работното време, заплатата, сигурността. Учениците ми не са по-различни. А и ние, да си признаем честно, не сме стигнали кой знае колко далеч, че да учим другите какво е свобода.

– Аз чета много напоследък. Регистрирах се в една онлайн библиотека. Медитирам, задълбочавам се.

– Иън ме запали по темата за свободата като философия на живеене. Но той самият не беше свободен. Казвам ти го, защото тези, които имат най-голяма нужда от рецепта как да живеят живота си, обикновено са и тези, които избират да проповядват на другите какво да правят. В моментите, в които съм се чувствал истински свободен, не съм имал потребност изобщо да мисля за другите хора. Гледал съм само себе си и собствения си път.

Скоро Естебан се превърна в абсолютен аутсайдер в кафето, в което работеше. Колегите му започнаха да го избягват, приемайки го за странен. Оставяха го да се справя напълно сам, без да му помагат, някои от тях дори го набеждаваха за собствените си грешки.

Постепенно неудовлетворението му дотолкова нарасна, че вечер, като се прибираше, изобщо не искаше да си спомня за тях.

Една вечер едно от момичетата в кафето го покани на рождения си ден, който щеше да празнува в клуб, близо до работата им. Естебан се колебаеше дали да приеме, но в крайна сметка реши да отиде. Вътрешно се надяваше по този начин колегите му постепенно да го приемат и работата му да не бъде повече такъв ад.

По време на вечерта Естебан съжали, че беше приел. Той мълчаливо седеше в клуба встрани от останалите, които оживено разговаряха на полски.

Неочаквано Лех, един от колегите му, се приближи до него и му каза:

– Може ли да те попитам нещо?

Естебан само кимна изненадано.

– Защо избягваш всички?

– Точно обратното е. – отвърна сухо Естебан.

– Виж, в началото всички се опитахме да те приобщим към себе си – опита се да обясни Лех, – но ти винаги се държеше дистанцирано и високомерно, все едно си нещо повече от нас, все едно те дразним или ти се месим в живота. Затова сега много от хората са настроени срещу теб.

– Оценявам загрижеността ти – каза с досада Естебан, – но за мен кафето е просто работа. Не ме е грижа какво мислят другите за мен, ясно? Истинският ми живот е вън от тук.

След малко Лех започна да се прехласва по една от танцьорките, която танцуваше върху барплота.

– Ето това е жена – изкоментира той на английски. – Виж колко е секси.

Някои от останалите мъже на масата също се включиха в темата и в един момент танцьорката стана основен център на разговора.

– Танцува уникално – добави Лех.

– Според мен изобщо не може да танцува – иронично подхвърли Естебан.

Никой не му обърна внимание.

Внезапно Естебан стана, проправи си път към бара и с едно движение се метна на барплота.

Придърпа момичето към себе си и ѝ каза на английски: "I am Esteban. Let me lead you" (Естебан. Остави ме да те водя). Момичето, видимо впечатлено от външния му вид, просто прошепна в ухото му: "Аврора" и напълно му се подчини. След танца Аврора му поиска телефона.

– Съжалявам, но не те свалям – откровено каза Естебан. – Просто исках да покажа на приятелите си какво е танц.

От този момент, от абсолютен аутсайдер в очите на колегите си, Естебан се превърна в звезда.

IX

ЕСТЕБАН

Прибра се към 4:00 часа сутринта, изпил повече от 300 грама уиски и без изобщо да има спомен как се е добрал до адреса си.

Анна беше още будна и го чакаше.

– Очаквах да спиш – изненадано каза Естебан.

– Не обичам да си лягам сама.

– Ела тук – придърпа я към себе си и я целуна. – Направо ги разбих тази вечер. Всички се бяха захласнали по една от танцьорките. А тя нищо особено – и изобщо не може да танцува. Метнах се на барплота да им покажа какво означава да танцуваш, а момичето, милото, си помисли, че я свалям. Доста се разочарова като ѝ казах, че просто съм искал да впечатля приятелите си. Трябваше да ме видиш. След танца ме гледаха сякаш съм извънземен.

Естебан възбудено я поведе към спалнята.

Анна му се отдаде, прегръщайки го толкова силно, сякаш нещо имаше силата да го отнеме от нея.

– Много си тиха. Какво става? – попита той, докато страстно я завладяваше.

Анна не отговори.

– Ти да не би да ревнуваш? – попита я озадачено Естебан.

– Близо съм – смени темата Анна.

Естебан се ухили и прошепна в ухото ѝ:

– Всичко, което искам, е тук.

Наслаждаваха се дълго един на друг, заради което Естебан замалко не закъсня за работа.

Но след снощната вечер всичко на работата му се беше променило. Той беше станал един от всички.

Колегите му излизаха заедно поне три пъти седмично и вече Естебан излизаше с тях. Бяха приели, че е по мълчалив и участва само в някои от темите, но включеше ли се в разговора, обикновено успяваше да ги впечатли.

– Обикаляме с мотора. Случайно минахме през Варшава и ей така решихме да останем.

– Яко е да живееш така – отбеляза един от колегите му.

– Нямаш си и представа колко. Нямаш планове, отваряш очи и знаеш, че имаш само днешния ден.

– А парите? – позаинтересува се едно от момчетата.

– Приятелката ми си продаде апартамента. Моите пари ги изхарчих да си купя мотора, за който цял живот съм мечтал. Още не съм го измислил с парите. Но и това ще стане. Един ден ще живея точно както искам.

♪♫♪

Постепенно Естебан започна да разбира езика и да говори на най-елементарни теми.

– Естебан, вярно ли е, че си танцьор? – попита го една сутрин една от колежките му.

– Вярно е.

– А можеш ли да танцуваш танго?

– Мога.

– А можеш ли да ме научиш?

– Ела тук – покани я той. – Затвори си очите. Сложи си ръката отзад в средата на гърба ми. Сега - аз правя крачка, сега ти правиш крачка.

Естебан пристъпи, момичето отстъпи крачка назад. Естебан пристъпи отново, тя – отстъпи.

– Виждаш ли, че можеш да танцуваш танго? Нямаш нужда от уроци.

Тя отвори очите си:

– Аз сериозно искам да се науча.

– Нали я виждаш школата отсреща? За сериозните е създадена. Отиваш там и се записваш.

– Ти преподаваш ли танго?

– Не, салса.

– Ако направиш група за танго, ми се обади. Ще се запиша. Дори ще ти доведа и други хора.

– Ако направя, първа ще научиш.

♪♫♪

– Естебан чувал ли си за Мацией Маленчук? – попита го една вечер Лех, докато бяха с останалите.

– Не.

– Има нещо, което искам да ти пусна. Ето, преведох ти текста на английски. Незнам защо, но като го чух се сетих за теб.

– Tango libido?

Естебан изслуша песента.

– Това истина ли е? Такива ли са полякините? Мъжемелачки? – полюбопитства той.

– Сега ще ти призная една голяма тайна... – съучастнически каза Лех. – Не само полякините. Всички източноевропейки са такива. Но в това им е чарът. Красиви. Умни. Неотразими. Тръгнеш с тях и си мислиш, че ти командваш парада. А преди да се усетиш и вече те въртят на малкия си пръст. Радвай се, че си обвързан. Твоята приятелка испанка ли е?

– Българка.

Другите в компанията се засмяха.

– Е, разбираш ме значи? – продължи съучастнически мисълта си Лех.

– Не всички са такива. Анна не е такава. А и мен никоя жена не може да ме върти на малкия си пръст.

– Или себе си не познаваш, или нея още не я познаваш.

Естебан остави думите на Лех без коментар.

Прибра се около 5:00 сутринта и видя, че Анна отново го чакаше.

– Ти отново ли не спиш? – раздразнено я попита.

– Чета книга – кратко оттовори Анна.

– До 5 сутринта?

– Книгата ми е много интересна – отвърна му и продължи да чете.

– Добре, не искам да се караме – Естебан седна до нея. – Хайде да си лягаме. Утре ще я дочетеш.

– Пиян ли си? – попита го Анна.

– Не съм пиян. Съвсем малко съм пил. За настроение само. Знаеш ли, че тази вечер ме светнаха за чара на източноевропейките?

Анна не каза нищо.

– Всичките били мъжемелачки. Без изключение. И ти ли си мъжемелачка? – шеговито я попита Естебан.

– Виждам, че водиш високоинтелектуални разговори с новите си приятели – сериозно каза Анна.

– Какво ти става? – раздразнено реагира Естебан. – Не виждаш ли, че се шегувам?

– Аз ще си лягам – каза Анна.

– Добре, явно не ти е смешно. Дай да си говорим за нещо, което на теб ти е интересно.

Естебан взе лаптопа, отоворен на книгата, която четеше. Прочете наум няколко изречения.

– Като например как да излекуваме вътрешното си дете.

– Може би е по-добре да си лягаме – предложи Анна.

– Не, хайде да си поговорим за вътрешното дете. Нека да водим високоинтелекстуални разговори. Разкажи ми за вътрешното дете.

– След един час трябва да ставаш за работа.

– Изобщо няма да си лягам. По цял ден четеш. Хайде, разкажи ми. Искам да знам какво толкова четеш. Ето, сега ще си направя кафе и искам да си говоря с теб. Разкажи ми.

– Предпочитам да си легна.

– После да не кажеш, че не искам да си говорим.

Анна влезе в спалнята. Естебан си направи кафе, изяде надве-натри изстиналата си вечеря и се зачете в книгата, която Анна четеше.

X

ЕСТЕБАН

Прибра се изтощен, след като цял ден пиеше кафе след кафе, за да издържи след безсънната нощ. Завари Анна отново вглъбена в компютъра, изкъпа се и си легна, без да ѝ каже нищо.

Събуди се посреднощ и видя, че в другата стая продължава да свети. Стана и отиде при нея.

– Няма да се разберем така – кротко каза Естебан. – Вътрешното ти дете може да почака. Аз искам през нощта да си при мен.

– И аз искам същото – каза Анна.

– Нали сега съм при теб? – усмихна ѝ се Естебан. – Да си го направим хубаво, искаш ли?

Анна отвърна на усмивката му и му позволи да я отведе в спалнята.

♪♫♪

След поредната вечер, в която завари Анна нацупена пред компютъра, напълно се отказа да разговаря с нея. Беше забелязал, че с всеки изминал ден Анна е все по-далечна и без желание да прояви каквото и да е разбиране към него. Не можеше да понася да я гледа непрекъснато недоволна, това го смазваше и все повече го мотивираше да си намира занимания извън вкъщи.

Когато беше у дома, търсеше единствено физическата ѝ близост.

В дискотеките танцуваше с различни момичета, но не преминаваше границата. Все още се чувстваше свързан с Анна и не желаеше да я наранява. Анна никога не му отказваше секс и винаги му се отдаваше с невероятно желание, което сякаш беше единственото, останало от предишното ѝ аз.

В един момент Анна с нейните вечни настроения започна да го дразни, както и с упорството си да пише.

– Знаеш ли – каза ѝ една вечер той, след като я завари в обичайното ѝ криво настроение – напоследък си мислех, че вместо да си седиш по цял ден затворена вкъщи, може би е добре и ти да си намериш работа. Така ще има хора, с които да общуваш и няма да си самотна.

– Така ми е добре – отговори му кратко Анна.

– Ти си знаеш. – Естебан само повдигна рамене. Докато преди имаше известни колебания дали да излиза и тази вечер, след реакцията ѝ вече нямаше никакви.

Проблемите му с Анна го изтощаваха психически, и въпреки че тя не му казваше нищо, Естебан знаеше, че му се дразни, че той има среда, а тя – не.

От излизанията му парите започнаха да не им достигат, което допълнително го изнерви.

– Не знам как ще вържем този месец – сподели опасенията си.

Анна нищо не каза.

– Анна, имаме наем и сметки за плащане. Можеш малко да ме подкрепиш.

– Имаме близо 120 000 евро в банковата ни сметка. Не виждам повод за притеснение.

Естебан изтълкува думите ѝ превратно. Като намек, че парите са нейни.

– Какво си работила преди да станеш адвокат? – попита я неочаквано.

– Адвокатски сътрудник.

– А преди това?

– Нищо. Започнах в адвокатската кантора като студентка. Не ми се е налагало да върша нищо друго. Получавах стипендия за отличен успех и в училище, и в университета. И родителите ми ми помагаха, доколкото можеха. За тях моите потребности и потребностите на сестра ми винаги са били на първо място. Това не се промени и когато се разделиха.

Естебан се замисли за собственото си семейство. За финансовите проблеми на майка му и Хавиер, за дългогодишната си работа при Жеков, която беше започнал единствено от усещането за безпътност в живота си. За парите от " Spettacolo di Ballo", които се бяха стопили в ръцете му за малко повече от месец.

Осъзна, че беше безсмислено да говорят повече по темата с Анна. Тя никога не беше имала финансови проблеми, не беше работила нищо различно от работата на мечтите си, нямаше страх, че парите могат да свършат един ден. Нямаше как да погледне на ситуацията от негова гледна точка.

– Ако не ни достигат пари, вземи от банковата сметка. Не знам по какъв друг начин да те подкрепя – призна Анна.

– И преди да се усетиш те въртят на малкия си пръст – повтори думите на Лех по нейн адрес, след което звънна на един от собствениците на школата.

– Имам ученици, които проявяват интерес към танго. Мога да направя група, ако нямате нищо против... Ще я поема в петък вечер.

Звънна на колежката си от работа.

– Обещах ти да ти се обадя, ако ще има група за танго. Намери ми шест човека и го считай за уредено.

Анна само го наблюдаваше мълчаливо.

– Всичко е под контрол – каза доволно Естебан, като затвори телефона. – Започвам да водя още една група. Ще се оправим с парите.

– Както решиш – каза Анна. – Аз отивам да се изкъпя и си лягам.

Естебан я проследи как отиде в банята. Накрая взе компютъра, изтри всичките ѝ книги една по една и закри регистрацията ѝ в електронната библиотека.

Отиде при нея, нежно я придърпа я спалнята, покори я с невероятно въображение и докато Анна още умилкващо се притискаше в него, гальовно ѝ каза:

– Искам да си намериш някакво хоби извън вкъщи. Аз ще ти го плащам. Но повече не искам да те виждам залепена за компютъра. Притеснявам се за здравето ти.

♪♫♪

Два дни по-късно получи смс от Анна, че е наела за два часа танцово студио близо до дома им и иска да потанцуват заедно.

Естебан обаче имаше уговорка с Лех и останалите и ѝ отговори: "Супер. Забавлявай се. Аз ще закъснея. Целувки".

XI

АННА

"Супер. Забавлявай се. Аз ще закъснея. Целувки"

Анна остави телефона си, нагласи си музика и "Танго" на Лара Фабиан изпълни залата.

Никога не беше чувствала Естебан така далече от себе си. Преди имаха общ хоризонт, общ свят, сега Естебан се беше превърнал в средностатистически мъж без цели, без мечти, ходещ на работа, излизащ с приятели, правещ секс с приятелката си в почивните си дни и без никакъв духовен ориентир за живота.

Знаеше, че е комплексиран на тема пари. Беше го разбрала в момента, в който Естебан каза, че няма да ползват парите от банковата сметка и си намери две работи, които нито го развиваха, нито го обогатяваха.

Освен на тема пари, Естебан се оказа доста комплексиран и на тема взаимоотношения. Преди тя отдаваше невъзмутимото му пренебрежение към света на чувство за превъзходство, но сега си даде сметка, че е прикрито чувство за малоценност.

Анна беше медитирала толкова дълго върху светлината и сянката до идването си във Варшава. И явно се беше справила добре – беше ги привлякла в живота си.

Виждаше го как се преуморява. От малкото неща, които ú споделяше, разбираше, че е изолиран и самотен на работа. Беше станал вглъбен и мрачен.

После, по някаква неясна за нея причина, Естебан реши да се впише в новата си среда и да впечатлява колегите си.

Тя започна още по-усилено да медитира с намерението за финансова совбода. Стори ú се, че това е единственият начин да му даде емоционален комфорт. Но, както Естебан беше предвидил, вместо свободата, пред нея се материализираха решетките на вътрешния ú затвор.

Усети как все по-често се чувства обидена, понякога ставаше твърде мълчалива, друг път започваше да му се цупи за най-малкото нещо.

Понякога Анна преко сили се опитваше да прояви разбиране и съпричастност, да го изслушва, когато я занимаваше с работата си или ú разказваше глупостите, които правеше с новите си приятели, но никога не ú се получаваше и тя усещаше как се проваля като жена и как проваля и връзката си.

Започна да брои дните до 02.05., когато щяха да отпътуват от Полша завинаги.

Когато оставаше сама, плачеше много често, после се съвземаше и медитираше, но се чувстваше ужасно самотна.

Започна да забелязва матриците, които владееха нея и Естебан, но не знаеше как да овладее процесите, които бяха настъпили в отношенията им.

Сякаш колкото повече се опитваше да задържи връзката им цяла, толкова повече тя се разпадаше.

Анна разбираше, че черпеше цялата си идентичност от любовта си към Естебан, сякаш без него не можеше да съществува. Естебан, от своя страна, имаше проблем с различността си, с дефицита на пари в живота си.

Но нито знаеше как да намери себе си, нито беше наясно как по какъв начин да помогне на него да забогатее или да престане да търси одобрението на новата си среда.

Един ден седна и отвори общия им дневник. Вътре в него продължаваха да стоят двата прегънати листи с нейното "Благодаря" и неговото "Te amo".

Стана ú толкова мъчно. Сякаш цялата близост помежду им се беше изпарила във въздуха. Прочете всичко друго, което бяха написали в дневника.

Не беше много – само няколко реда, написани в различно време, в различни градове, с различно настроение. Много често двамата се наслаждаваха на чистото преживяване и не им беше необходимо нито да го описват, нито да го обосновават. Техният дневник на свободата се състоеше само от един лист:

"Естебан и Анна. Свободата започва от любовта. (Естебан)

Нарисувано слънце. (Анна)

Всъщност няма граници. Има само страхове. (Естебан)

Любовта отваря границите към другия, свободата – към себе си. (Анна)

Пътят е само ориентир, който създаваме с всяка направена от нас крачка. (Естебан)

Научих се да се усмихвам, вместо да се мръщя, докато гледам слънцето. (Анна)"

Внезапно, докато четеше, усети как ú се прииска да пише. Седна пред лаптопа и напълно спонтанно, може би повлияна от множеството книги, които беше прочела, написа есе под формата на статия на английски език.

След това я прочете и ú измисли заглавие: "Freedom or Safety" (Свобода или сигурност). Подписа се с малкото си име – Анна. Прочете още веднъж заглавието и го промени на "Steps to Freedom" (Стъпки към свободата).

Отпусна се назад.

"Слушай музиката! Слушай музиката! Слушай музиката!" зазвучаха отново думите на Естебан в ушите ú.

Анна заличи заглавието и написа: "When El Tango begins to speak…" ("Когато тангото проговори...").

Нае за два часа една танцова зала близо до тях.

Облече единствената рокля, която си беше купила – гълъбово сива класическа рокля с дълбоко изрязани деколте и гръб, изящно покрити със ситна прозрачна дантела, загатвайки за чувствените зони на женствеността ú, без да ги излага на показ.

Обу фини мрежести чорапи телесен цвят, а върху тях - ботуши на висок ток. Прибра дългата си руса коса на кок, облече палтото си и взе със себе си единствения чифт танцови обувки, които имаше – сребристи обувки за танго аржентино и USB с написаната статия.

Разпечата статията си в една книжарница по пътя. Нямаше търпение да я покаже на Естебан. По пътя купи бутилка вино и две пластмасови чаши. Изпита въодушевление, което отдавна не беше изпитвала.

Когато влезе в залата, изпрати смс на Естебан и в отговор получи: "Супер. Забавлявай се. Аз ще закъснея. Целувки"

Анна озадачено прочете смс още веднъж, обу танцовите си обувки и се отдаде с цялата си душа на тангото. Първото танго, което беше чула в присъствието на Естебан. Тогава се бе разплакала. Но тогава за пръв път се беше срещнала със себе си в присъствието на друго човешко същество.

От кое всъщност ни е страх повече: от самотата или от близостта? Колко често сме готови да избягаме, когато се приближим до себе си или до най-големите страхове и болки на човека, когото обичаме?

Стори ú се, че някой я наблюдава, докато танцува, но не я интересуваше. Дори целият свят да я наблюдаваше, не я интересуваше.

Имаше право да общува със себе си, имаше право да се среща с душата си. Имаше право да танцува. Тя вече чуваше музиката.

XII

АННА

Когато музиката приключи, Анна забеляза, че наистина не е сама в залата. Някакъв напълно непознат мъж стоеше и я гледаше.

– Лукас Анастази – представи ѝ се той.

– Анна – само с малкото си име се представи тя.

– Не сте полякиня. Откъде сте? – попита я на английски мъжът.

– От България – каза Анна.

– Мъжът се усмихна и смени темата.

– Не сте и професионална танцьорка, нали?

– Толкова ли ми личи?

– Школата, в която сте, е моя. Мога да разпозная любител от професионалист.

– Обичам да танцувам – кратко каза Анна.

– Танцувате с много чувство – похвали я той. – Чакате ли някого?

Анна проследи погледа на Лукас, който се насочи към самотно стоящата бутилка "Шато Фонбаде" в единия край на залата.

– Не – призна тя. – Сама съм.

– Не е хубаво да се похабява виното в пластмасови чаши. Губи се вкусът му. Ако наистина сте сама, позволете ми да ви заведа на обяд. Знам едно място, на което ще ни позволят да отворим вашата бутилка.

Анна си спомни насърченията на Естебан да се среща с хора и да се забавлява. Той със сигурност нямаше предвид да излиза на обяд с непознати мъже, но Анна реши да приеме.

Знаеше добре собствените си граници, но след като Естебан можеше да обикаля дискотеките и да танцува по баровете със сексапилни танцьорки и тя можеше да обядва в компанията на други мъже.

За миг си помисли, че не беше шега да пробужда отново ревността на Естебан, но после отхвърли тази мисъл.

Може би след като му разкажеше как се е забавлявала днес, щеше някоя вечер да реши да остане при нея, вместо да скита навън по цели нощи.

– Какво щяхте да празнувате? – попита я Лукас.

Лукас беше на около 45 години, с деликатно излъчване, стегната мускулатура и много жив момчешки поглед.

– Описах личната си история под формата на есе – откровено каза Анна.

Нямаше защо да се преструва пред този мъж, в крайна сметка можеше да не го види никога повече.

– Писателка ли сте?

– Още не знам.

– Мога ли да погледна?

– Разбира се – каза Анна. Искаше ѝ се Естебан да я беше погледнал.

За нейна изненада Лукас се зачете пред нея.

"КОГАТО ТАНГОТО ПРОГОВОРИ..."

Анна

За какво мечтаете?

Имали ли сте някога романтични мечти?

Аз – да. Моята мечта беше да се науча да танцувам танго.

Бях адвокат. Имах скучен и организиран живот. Бях абсолютно сама, въвлечена в свят на множество правила, закони и външни битки.

Заблуждавах се, че всеки случай на мой клиент е мой проблем. Заблуждавах се, че моите колеги са моята сродна среда.

Живеех в свой собствен филм и играех ролята на независима млада жена с финансова сигурност, много социални контакти и... много празен живот.

Вярвах в чистите партньорски взаимоотношения, основани на приятелството и добрия секс.

В моя добре структуриран и организиран живот аз бях престанала да бъда жена. Аз се бях превърнала в мъж. Работех като мъж, мислех като мъж, живеех като мъж.

Тогава срещнах учителя си по танго.

Първата инструкция на моя учител беше: "Слушай музиката". Аз мислех, че имам добра музикална култура, но урок след урок той не спираше да ми повтаря: "Слушай музиката."

И аз започнах да слушам. Прекарвах часове наред, слушайки танго. Слушах, докато се разхождах, докато шофирах, докато работих, докато спях. Слушах толкова дълго, докато накрая чух тангото.

То проговори и внезапно почувствах страстта, експлозията от звуци, чувства и емоции.

Едва тогава разбрах какво всъщност е El Tango.

Танго не е танц. Танго е връзка между двама души. Неслучайно съществува изразът: "За танго са нужни двама". Танго е докосване, доверие, отдаване.

Танго е тайната на общуването между мъжа и жената. Мъжът винаги води, жената винаги го следва.

Правото престана да бъде мой свят. Спрях да търся справедливост, да оправдавам, да наказвам. Избрах да бъда нежна, чувствителна и уязвима. Да танцувам, да обичам.

В ръцете на моя учител по танци аз бях единствено жена.

Той ме водеше. Стъпка по стъпка. Фигура след фигура. Танц след танц.

Да бъда жена се превърна в най-интересното приключение в моя живот.

Позволих си да бъда емоционална и пълна с енергия.

Взех си отпуск и танцувах от сутрин до вечер.

Напуснах работа.

Заживях с приятеля си.

Научих се да готвя.

Участвах в танцов конкурс и го спечелих.

И тогава направих втората голяма стъпка в моя живот.

Мечтата на моя приятел беше да се почувства свободен и да обикаля света на мотор. Аз реших да споделя тази мечта. Продадохме всичко, което имахме – нашия апартамент, нашата кола, дори нашите дрехи. Отправихме се в непозната посока, спяхме и се събуждахме всяка нощ под различно небе.

Моята мечта ме научи как да бъда жена. Неговата мечта ме научи как да бъда свободна.

Какво е свободата?

Моят отговор е само една дума – любов.

Любов към себе си, любов към собственото ти добро, любов към изборите, които правиш. Любов към непознатото.

Есента ни завари в Полша. Сега моят приятел работи на две места, за да изкараме зимата, а аз очаквам идването на пролетта.

Това е нашата необходима пауза между нашето свободно минало и нашето свободно бъдеще.

Имали ли сте някога романтични мечти?

А имали ли сте куража да ги последвате?"

– Пишете, както и танцувате – с много чувство – отбеляза Лукас. – Желаете ли да го публикувате?

– Да, ако някой я хареса, защо не.

– Ще ви предложа сделка, Анна. Ще уредя публикуването на вашето откровение в едно от най-четените женски списания, ще бъдете на корицата. Имам властта и контактите, за да го направя. Но искам и вие да направите нещо за мен.

– Слушам ви!

– Искам да станете рекламно лице на моята школа. Аз съм бизнесмен. Обикновено безпогрешно разбирам кои хора с какво могат да ми помогнат. Ще направим клип с ваше участие. Ще танцувате така както днес, спонтанно и с чувство, само че облечена подходящо и със съответния грим. Клипът ще се разпространи на всякакви места с мултимедия – фризьорски салони, масажни и козметични студия, метростанции. Благодарение на личната ви история и емоцията, с която танцувате, мога да привлека много клиенти, убеден съм в това. Вашето послание е: "Тангото ще ви накара да се почувствате жени и да бъдете свободни". Предлагам ви 5000 евро да ми преотстъпите правото да използвам вашето есе и танцовото ви изпълнение за рекламни цели.

За секунда ѝ мина през ума да не приема, без да го е обсъдила с Естебан. В следващият си спомни, че от три месеца медитираше за пари и ако сега откажеше парите, които Вселената ѝ поднася, все едно блокираше пътя на изобилието към себе си.

В крайна сметка нямаше да направи нищо нередно – щеше да танцува и да се появи на корица на женско списание.

– Приемам – каза тя.

– Решителна сте – каза Лукас. – Това е силно качество за една жена.

Тъй като разговорът пое в неподходяща според Анна посока, тя влезе в образа си на адвокат и делово подходи към условията на договора.

Лукас безпогрешно я разбра и не настоя повече. За разлика от арогантното и безцеремонно поведение на Владимиров след прослушването ѝ за работа, Лукас беше образец на мъжко поведение.

Прие това, което тя можеше да му предложи и веднага се споразумяха за всички важни точки на договора.

Анна се прибра след Естебан. Искаше да му разкаже всичко, но реакцията му напълно я разубеди.

– Не спираш да мрънкаш, че не се прибирам навреме. Ето прибирам се и теб те няма.

– Намерих си хоби – самоуверено каза Анна и съблече палтото си. Срещна неодобрителния му поглед относно начина, по който беше облечена.

– Къде беше? – студено попита Естебан.

– Нали ти казах – наех танцова зала за двама ни. Ти не дойде и танцувах сама.

Половината истина, помисли си Анна.

Естебан сякаш се поуспокои, като я видя как прибира танцовите си обувки и каза неочаквано:

– Искаш ли да хапнем навън?

Анна така се изненада, че не можа да сдържи усмивката си. Тя се хвърли радостно на врата му. Естебан се зарадва на реакцията ѝ, отдавна не я беше виждал да се усмихва.

– Много си хубава – отбеляза той. – Искам да танцуваш по-често. Виж колко добре ти се отразява. Следващият път ще дойда с теб.

За пръв път от много време двамата вечеряха навън.

Анна реши да изчака по-подходящ момент да му разкаже за Лукас, отдавна не го беше виждала в добро настроение.

Вечерта Естебан я пренесе на ръце в спалнята. Правиха продължителен и разгорещен секс, а на сутринта ѝ каза да приготви нещо вкусно, защото ще се прибере за вечеря.

Анна осъзна, че да приеме предложението на Лукас, без да го обсъди с Естебан, беше грешка. Беше на път да срещне истинската сянка на Естебан – ревността.

♪♫♪

Лукас беше подходил с необходимия професионализъм към уговорката им.

Анна, с високо вдигната коса на кок, ефектна танцова рокля от коприна и органза цвят бордо и специално наети за клипа бижута, изтанцува своето танго, изваждайки наяве цялата си чувственост и грация.

Лукас остана възхитен от чувството, с което Анна умееше да се потапя в музиката и да я интерпретира с всяко свое движение.

Подари ѝ роклята и обувките за спомен.

Анна го помоли да ѝ плати в брой. Откакто бяха закрили всичките си индивидуални сметки, единствената банкова сметка, с която разполагаше, беше тяхната съвместна сметка с Естебан и не искаше от банката да му изпратят съобщение за превода.

Изкъпа се, свали грима си и скри роклята, обувките и парите под леглото в чекмеджето със спалното бельо.

Естебан никога не отваряше там.

Сега предстоеше най-трудното – да намери начин да му каже.

Естебан се прибра веднага след работа. Вечерта Анна се опита да го предразположи максимално.

С усмивка изслуша всички "новости" около кафето, дори се насили да се засмее на вицовете, които негов клиент му бил разказал.

Сърце не ѝ даваше да му сподели за Лукас и затова реши да изчака по-подходящ момент. От много време насам не беше виждала Естебан толкова разговорлив.

Естебан явно се беше успокоил, че отношенията им отново са гладки, защото още на следващата вечер поднови вечерните си излизания с приятели.

Анна дори се зарадва, защото се чувстваше гузна, когато беше около нея.

Но след като две вечери се прибра в шест сутринта, осъзна, че малко ревност можеше и да освежи връзката им.

Естебан определено я приемаше за даденост.

Единствената разлика от преди беше, че вече изобщо не я насърчаваше да излиза. Явно той можеше да прави каквото си иска, но тя – не.

В нощта, преди да пуснат списанието и рекламата, Анна остана будна до четири часа, чакайки Естебан да се прибере. Знаеше, че обезателно трябва да поговори с него.

Той я поиска още с влизането си. Анна беше толкова притеснена от предстоящия ден, че изобщо не можа да се отпусне и да свърши.

Никога не беше симулирала и не искаше да стига и дотам. Една полуистина беше достатъчна. Но Естебан усети, че има някакъв проблем, защото след акта напълно открито я попита "Свърши ли?".

Анна се опита да се измъкне, но той не ѝ позволи. Възбуди я отново и този път успя напълно да предразположи тялото ѝ, довеждайки я докрай.

♪♫♪

Още на сутринта го помоли да се прибере рано. Той я целуна и ѝ каза нежно:

– Няма защо да се чувстваш зле заради снощи. Има много жени, които дори не знаят какво е оргазъм.

– Знам. И все пак ела си по-рано днес – примоли му се Анна.

– Един колега ще празнува рождения си ден довечера в стриптийз клуб. – обясни ѝ Естебан. – Знаеш как е, не мога да не отида.

– А ти от кога обичаш да посещаваш стриптийз клубове? – попита го озадачено тя.

– И какво толкова? Ти сякаш никога не си ходила на рожден ден в стрипийз клуб? – жегна я той.

Думите му преминаха всичките ѝ граници. Изчака го да излезе и отиде да си купи списанието. Заглавието на полски гласеше: "Słuchaj tanga" – "Чуй тангото".

Замисли се, че в този момент Вселената ѝ поднасяше повод да предизвика истински Естебан.

Вече не беше убедена дали срещу неговата или срещу собствената си сянка щеше да се изправи. Помисли си дали най-лошото, което срещаме у човека, когото обичаме, не беше всъщност отражение на най-лошото, което се страхуваме, че можем да открием в нас самите?

Анна се беше тревожила за пари много преди този проблем да започне да измъчва Естебан. В онзи момент той искаше единствено да бъдат свободни.

Запита се дали неговите финансови притеснения не бяха всъщност позакъсняла проекция на нейните собствени притеснения? Дали ако човек се притесняваше за някого, по някакъв начин не материализираше в живота му тези притеснения и страхове?

Толкова пъти беше забелязала, че ако майка ѝ се тревожеше за нещо, свързано с нея или сестра ѝ, рано или късно то се случваше и при двете.

Дали освен да привлича ситуации, чрез които да преживява личните си страхове, човек нямаше и силата да предизвиква ситуации, които да съждат и най-големите му страхове за хората, които обича?

И ако можеш да привлечеш за любимия си здраве, пари и успех, дали нямаш също така и силата несъзнателно да го разболееш, разориш или провалиш?

Толкова пъти бяха говорили с Васил, че Естебан по нищо не прилича на другите, сякаш различността му беше нещо лошо. Е сега Естебан беше станал досущ като другите.

Едва сега Анна осъзна какво всъщност представляваше сянката - път, пред който любовта и животът ни изправяха, за да можем да постигнем свободата.

Всеки си мислеше, че ако любимият приеме болките, странностите и страховете му, значи е срещнал подходящия човек. А всъщност любимият идваше в живота ни, за да извади наяве тези аспекти, които се опитваме да скрием от себе си и да ни помогне да ги приемем като равноправна част от нас самите.

Анна нямаше да срещне сянката на Естебан. Беше невъзможно да срещнеш друга сянка освен собствената си. Тя щеше да провокира Естебан да извади най-силните ѝ страхове, най-големите ѝ грешки, най-дълбоките ѝ болки.

Да я изправи пред всичко познато и непознато, научено и ненаучено, за да открие истинската себе си във връзката и любовта.

Погледна към корицата на списанието. Беше толкова красива на тази корица, сякаш не беше тя. А всъщност беше именно тя — жената, която беше преминала през собствените си тъмни тунели, за да открие светлината и любовта в живота си.

Осъзна, че Вселената умишлено я беше спряла да поговори с Естебан.

Той никога нямаше да разбере основанията ѝ, колкото и логични да бяха.

Оттук нататък тя трябваше да комуникира не с ума му, а с душата му. А душата реагираше единствено при чисто преживяване.

Почувства се свободна. И остави гласа на свободата да направлява действията ѝ през днешния ден.

XIII

ЕСТЕБАН И АННА

Естебан отклони поканата за вечерта. Анна два пъти го беше помолила да се прибере рано, явно искаше да е до нея. Вероятно се измъчваше, че не беше успяла да свърши от първия път. Той не искаше да го признае пред себе си, но приемаше случилото се като свой личен провал. Никога до този момент не му се беше случвало жена, с която прави секс, да не може да свърши. Още по-малко Анна.

Може би не ѝ беше обръщал достатъчно внимание, сигурно е започнала да си мисли, че не я обича както преди.

Кой знае какво се въртеше в главата на Анна. Понякога тя се държеше толкова нелогично, че направо го смайваше с разсъжденията си.

На влизане в метростанцията погледна часовника си – 19:08 часа. До половин час щеше да си е вкъщи.

Не беше казал на Анна, че ще се прибере рано – искаше да я изненада.

Докато беше на ескалатора, изведнъж му се стори, че чува песента на Лара Фабиан "Танго".

Когато слезе долу, погледна електронното табло.

Оставаха шест минути до следващото влакче.

Песента вече се чуваше съвсем ясно.

Не му се струваше – наистина в метрото бяха пуснали песента на Лара Фабиан.

Инстинктивно насочи вниманието си към монитора, където обикновено течаха клипчета с рекламни цели.

Mais le doute s'installe
Je me sens comme en cavale
La vie me pousse dans la course
Mon corps qui te repousse
Tes gestes me rappellent que tu n'as pas sur moi

Но съмнението се впива ...

Чувствам се като беглец...

Животът ме бута към състезанието...

Тялото ми те отблъсква...

Твоите жестове ме подсещат...

Че нямаш над мен правата, които ти дължа ...

Танцувам ... и воювам...

И Естебан я видя. Анна. Неговата Анна. Танцуваше така разкрепостено, както беше танцувала само за него.

Тялото ú се извиваше грациозно под звуците на тангото и цялото ú същество излъчваше мощна сексуална енергия.

Усети как сърцето му прескочи, а главата му сякаш в миг се изпразни. Сълзи напираха в очите му.

Качи се механично в метрото. Всичко му беше в мъгла. Дори не разбра как стигна до неговата станция. Излезе набегом от метрото и се затича с всички сили към квартирата.

Никога в живота си не беше бягал толкова бързо, сякаш искаше да избяга от болката. Изкачи стълбите до петия етаж на един дъх. Искаше му се да я удуши. Как можеше да направи такова нещо и то, зад гърба му?

Натисна продължително звънеца, за да не търси ключовете, но Анна не му отвори.

Отключи и влезе. Провери във всички стаи, но Анна я нямаше.

Върна се в дневната. Едва тогава забеляза, че върху масата имаше пари и някакво списание.

Естебан преброи парите – бяха 8 банкноти от по 500 евро всяка, общо 4000 евро.

До масата, на облегалката на единия стол, беше разтлана роклята, с която Анна беше облечена в рекламата, а на седалката бяха оставени обувките.

В този миг погледът му се насочи към списанието. В първия момент не го беше заглядал добре. На корицата беше Анна, а огромен надпис на полски гласеше: "Чуй тангото".

До списанието имаше някакъв лист с напечатан текст на английски. Прочете заглавието:

"When El Tango begins to speak..."
Anna

Имаше усещането, че сънува ужасен кошмар, от който не знаеше как да се събуди. В яда си Естебан срита масата. Парите се разхвърчаха, а списанието падна.

Влезе в спалнята и отвори гардероба. Дрехите ѝ бяха вътре. Провери в банята. Козметиката ѝ си беше на мястото. Внезапно усети чувство на облекчение.

Не беше го напуснала. Това беше добре.

Сигурно за всичко си имаше някакво логично обяснение. Сигурно Анна беше изтеглила парите от банката, беше си купила роклята и обувките, беше платила за статията и клипа. Кой знае колко пари беше изхарчила за целия този маскарад?

Явно искаше да го накаже, че в последно време не ѝ беше обръщал достатъчно внимание. Добре, колкото и пари да беше изхарчила, парите нямаха значение. Щяха да поговорят, щеше да ѝ се извини и, щяха да забравят за случилото се.

Може би беше прекалил с излизанията. Анна непрекъснато стоеше сама, сигурно се е чувствала самотна и пренебрегната. Може би трябваше да я вземе със себе си някой път, да я запознае с останалите.

Вероятно беше отишла до магазина. Това беше. Тя не очакваше, че той ще се прибере рано тази вечер. Затова я нямаше.

Реши, че е по-добре да ѝ напише смс. Не искаше да ѝ звъни, защото се страхуваше от това, което можеше да ѝ наговори. Трябваше да се успокои.

Луда ли беше Анна да прави подобни постановки? Не можеше ли като човек да му каже, че ѝ липсва, че иска да прекарват повече време заедно?

Не помнеше да е казвала, че се чувства пренебрегната. Дори обратното. Неведнъж беше заявявала, че предпочита да си стои вкъщи.

Вярно, че напоследък все се цупеше за щяло и нещяло, но той как можеше да знае какво ѝ има. Да не е гадател?

И каква беше тази школа, която рекламираше? Защо я рекламираше?

Главата му щеше да експлоадира.

Изпрати ѝ смс: "Какви са тези пари? Кога се прибираш?"

Минута по-късно получи отговор: "Утре сутринта" без обяснение за парите.

Естебан помисли, че ще се побърка.

"Прибираш се НЕЗАБАВНО. Или няма да ме видиш повече. НИКОГА".

"Ако ме обичаш, ще ме изчакаш, така както стоях и те чаках аз. Ако си престанал да ме обичаш, си свободен да ходиш, където искаш".

Естебан вече не беше в състояние да мисли. Що за глупости бяха това – ако я обичал, ако не я обичал?

Почувства се толкова безпомощен, че започна да ѝ звъни, за да говорят. Анна не му вдигна.

Явно беше решила да играе някакви си нейни игрички. Нямаше да може да изчака до утре. А и утре беше на работа. Започна да се отчайва. Какво ставаше с Анна?

Къде беше? Къде щеше да спи? Тя не познаваше никого в този град.

Реши да провери колко пари е изтеглила от банковата им сметка, може би беше взела и за хотел. Нито евро. Банковата им сметка беше непокътната. Откъде тогава бяха тези пари, в какво се беше забъркала Анна?

Истински се притесни. След като му отговаряше на смс-те значи беше добре. Макар че не звучеше като себе си.

От нерви седна и разгледа списанието. Видя, че разпечатаният лист беше вариант на английски на същата статия, която беше в списанието. Явно беше оригиналът.

Зачете се. Почувства се толков объркан. Не знаеше нищо за статията, за рекламата, за Анна. Толкова се беше вглъбил в работата си в кафето, че беше оставил Анна да заживее в собствен свят.

Не можеше да стои повече в апартамента. Щеше да се побърка от притеснение. Излезе и се върна в метростанцията. Сякаш тайно се надяваше Анна да се появи отнякъде. Да е сънувал, да е халюцинирал. Да се събуди и тя да спи до него – мила и отдадена.

С очакване наблюдаваше пристигащите влакчета на метрото, но Анна не беше в никое от тях. Рекламата се въртеше на всеки десет минути. Хората непрекъснато се заглеждаха. Някои от жените, които слизаха от метрото, носеха списанието с Анна на корицата.

Постепенно хората намаляха и Естебан остана почти сам в метростанцията. Не смееше да погледне часовника си.

Стоеше и чакаше Анна. Мислите се блъскаха в главата му. Мисълта, че може да я загуби, му се стори равносилна на смърт.

Неусетно Анна се беше превърнала в смисъла на всичко. Тя беше единственият човек, който наистина го разбираше. Парите в банковата сметка бяха нейни, стигнеше ли се до там да се разделят, оставаше само с мотора и двете напълно безсмислени работи.

Спомни си, че работи на две места, за да я издържа. Целият му свят се въртеше около нея.

Рекламата продължаваше да се върти и още повече го караше да се чувства абсолютно никой. Искаше му се да обвини някого за случващото се, но нямаше кого. Ако имаше виновен, това беше той.

Естебан остана сам. След малко забеляза някакъв служител на метрото, който му направи знак, че ще затварят.

Идеята да се прибере в празния апартамент и да чака Анна до сутринта му се стори непоносима. В момента беше толкова отчаян, че беше в състояние да ѝ прости всичко – лъжа, изневяра, каквото и да е, стига да знаеше, че е добре и ще остане с него.

Написа ѝ смс: "Къде си? Обичам те"

Не знаеше какво да прави, нито къде да я търси.

Служителят от метрото по-настойчиво го помоли да си тръгне.

– Чакам някого – обясни на полски Естебан.

– Разбирам, господине, но следващото влакче е едва в 5 сутринта. – опита се да го разубеди служителят, но Естебан само повдигна рамене:

– Тогава ще чакам до утре в 5.

Служителят продължи да настоява, но Естебан не му обърна внимание. Приближиха се и други служители и един охранител.

Охранителят го помоли любезно да си тръгне. Естебан нямаше никакво намерение да мърда, но в този момент телефонът му иззвъня за получен смс. Беше Анна.

Изпращаше му адреса на най-луксозния хотел във Варшава.

Естебан неочаквано стана от пейката и почти на бегом излезе от метрото. Хвана първото такси, което видя и даде адреса на хотела. Когато стигна, вече минаваше 1:00 след полунощ. На рецепцията му дадоха номера на стаята, която беше наела Анна.

♪♫♪

Анна лежеше в джакузито и пиеше чаша червено вино, когато получи смс от Естебан: "Къде си? Обичам те". Единственият път, когато в смс ѝ беше писал, че я обича, беше след като го беше видяла да прави стриптийз. Реши, че е време да сложи край на играта.

Написа му смс с адреса на хотела и излезе от джакузито. Направи няколко крачки, когато изведнъж ѝ прималя. Наметна се с халата и легна на леглото. Цял ден не беше яла нищо и явно от горещата вода и виното ѝ се беше замаяла главата. Полежа няколко минути, докато ѝ просветна. След това отиде в банята и наплиска лицето си със студена вода. Взе чашата с виното и я премести до другата чаша и бутилката на масата. Наля малко вино в другата чаша, която беше предвидена за Естебан.

Не мислеше, че Естебан ще дойде, но все пак беше предупредила на рецепция да му дадат номера на стаята ѝ, ако се появи.

Тъкмо се канеше да се облече, когато внезапно се почука на вратата. Анна застина. Естебан да не беше летял дотук? Предположи, че е някой служител от хотела и отвори. Беше Естебан.

Когато я видя, помисли, че ще колабира. Не можеше да повярва на очите си – Анна по халат в стая с огромно легло с омачкан от лежене кувертюр и отворено вино с две чаши на масата.

Беше му минало през ума, че може да не се овладее и да я удари, но в момента, в който я видя, осъзна, че не може да я нарани.

Откритието сякаш му помогна да запази самообладание. Той влезе и мълчаливо затвори вратата след себе си.

Анна разгада мислите на Естебан и се опита да измисли правдоподобно обяснение за ситуацията.

Естебан я гледаше и мълчеше.

– Няма ли да ме попиташ какво правя тук? – накрая вместо него попита Анна.

– Не съм сигурен, че мога да понеса отговора.

Гласът му беше съвършено спокоен. Чак не можеше да повярва, че е неговият глас.

– Не искам да знам какво е ставало тук – продължи Естебан. – Хайде, облечи се и се прибираме вкъщи. Там ще говорим. Аз ще те изчакам долу.

Анна изобщо не беше очаквала подобна реакция от негова страна и в своя защита каза:

– Ти си единственият мъж в живота ми.

Думите ѝ попаднаха точно в целта.

– Не ме лъжи! – изкрещя Естебан. Приближи се до нея, хвана я за раменете и я разтръска. Изгубил всякакъв контрол над себе си, той напълно изпусна нервите си – Само не ме лъжи! Уморих се да ме лъжеш, разбра ли? Откъде са тия пари? Какви са тия списания, реклами? Що за курвенски номера ми въртиш?

Внезапно я пусна. Анна седна разтреперена на леглото.

– Написах статията и исках да го отпразнуваме. Наех зала за танци близо до нас и ти пратих смс, помниш ли? Но ти не дойде и аз танцувах сама – започна с трепетещ глас тя. – Собственикът на школата ме видя как танцувам и ми направи предложение да стана рекламно лице на школата му. Прочете статията и я хареса. Каза, че можел да направи така, че да я публикуват и че статията и един клип с мое участие ще бъдат добра реклама на школата му. В замяна ми предложи 5000 евро. Сключихме договор. След заснемането на видеоклипа ми подари роклята и обувките.

– Даде ти 5000 евро ей така?

– 1000 взех със себе си. За хотела.

– И ти подари рокля и обувки ей така? –продължи Естебан, все едно не я беше чул.

– Откупи статията и танцовото ми изпълнение – твърдо каза Анна.

– Прочетох статията ти, не е някакъв шедьовър – саркастично отвърна Естебан. – Трябва да е било някакво неземно танцово изпълнение, за да пренебрегне всички професионални танцьорки и актриси, които можеха да рекламират школата му.

– Хареса мен – без да знае защо, настоя Анна, но думите ѝ окончателно го вбесиха.

– Явно, че е харесал теб. Явно има нещо, което всички мъже харесват в теб, когато танцуваш. Действаш ми на мен, действаш на Владимиров, на Васил, на някакви други, дето са ти навити. Аз работя на две места от сутрин до вечер, водя две групи и едва свързваме двата края. А ти – просто си танцуваш и ето че някакъв ти дава 5000 евро за пет минути. Как става така? Обясни ми как така действаш на всеки мъж?

Анна не отговори. С поразителна яснота прозря, че Естебан срещаше собствената си сянка в момента. Той действаше магнетично на всяка жена, когато танцуваше. Жените се побъркваха по него само докато го гледаха, камо ли ако се озовяха в ръцете му. Той използваше танца, за да привлича вниманието върху себе си и да флиртува, не тя.

Просто не си даваше сметка, че в този момент описваше не нея, а себе си.

Реши да не го предизвиква повече. Каза му истината, оттук нататък беше по-добре да мълчи. Изправи се и тръгна към банята да се облече.

– Искам да го видя – внезапно каза Естебан – Искам ми покажеш как танцуваш, за да ти предложат 5000 евро. А после искам да ми покажеш как се чукаш за 5000 евро. Затова не можа да свършиш с мен, нали? Била си с друг преди мен.

Анна видя как целият се разтрепери. Искаше ѝ се да го прегърне, да го успокои, но вместо това остана неподвижна срещу него.

– Какво чакаш – танцувай! – изкоманда я той. – А, може би искаш музика? Чакай да ти намеря музика. Да те видя колко чуваш тангото.

Естебан се разрови в телефона си. Анна не помръдна.

– Чакала пролетта? – продължи той. – Как точно я чакаш тая пролет? Толкова ли ти е цената – 5000 евро? Само в ръцете на учителя си по танци се почувствала жена. А в ръцете на Владимиров как се почувства? Защо танцува с него? И то след като ти настоя да остана там и да гледам.

Естебан спря за момент да рови в телефона си и я погледна в очите.

– Защо танцува с него, като знаеше, че те гледам? Защо ми причиняваш всичко това? Какво не ти дадох? Кажи какво не ти дадох? Правих стриптийз, за да ти плащам уроците по танци. Скъсвам се от работа, за да не работиш ти. Обичал съм те повече от всичко друго в живота си. Знаеш ли, че целият ми ден се осмисля само като се събудя и те видя до мен?

Сълзите на Анна обливаха лицето ѝ. За пръв път Естебан ѝ казваше всичко, което беше таял в себе си. Премълчаното, потиснатото.

Най-накрая го беше принудила да бъде искрен – без фалшиви маски, без арогантност, без невъзмутимия му сарказъм.

Никога не го беше виждала толкова уязвим. Стори ѝ се, че сълзи проблеснаха в очите му, но той ги сдържа.

– Нали щеше да ми даваш сила? – попита отчаяно той. – Нали до теб никога нямаше да съм слаб? Никой никога не ме е унижавал както ти. Никога не съм бил по-слаб в живота си. Щях да се побъркам от притеснение. Стоях като пълен глупак на метрото и те чаках да слезеш от някоя мотриса. Мислих, че е постановка. Че си изтеглила парите и си платила за клипа, за статията. Че играеш театър, защото се чувстваш пренебрегната. Не можех да си представя, че точно ти би ме предала.

Естебан замълча и сведе поглед към телефона си. Продължи да прехвърля музика.

Анна мълчаливо плачеше. Знаеше, че каквото и да му каже, нямаше да я чуе. Беше събудила ревността му. Отново. Той нямаше нужда от думи, а от доказателства за верността ѝ.

Можеше да му даде телефона на Лукас. Той щеше да потвърди, че не е спала с него. Но това щеше да го смаже. Никога не би го унижила така.

В един момент Естебан сложи телефона на масата и в стаята се разнесе танго на полски език. Анна никога не беше чувала тази песен – "Tango libido" на Мацией Маленчук.

– Танцувай! – грубо я подкани Естебан. – Да те видя колко чуваш тангото.

Анна не помръдна. В този момент съжаляваше, че вече разбира полски. Догади ѝ се още с първите фрази на песента:

Ona by chciała do trójkąta,
Ona by chciała jeszcze raz…

Тя би се навила и на тройка
тя би ме извъртяла още веднъж...

Никога в живота си не беше чувала по-вулгарен и гнусен текст на песен.

За миг Анна си помисли, че подобно нещо не можеше да се случва на нея. Реши мълчаливо да изчака музиката да спре. Само че тангото не приключваше. То сякаш беше безкрайно и описваше всичко, което винаги беше отричала в женското поведение, всичко, което я беше отвращавало в жената.

Не знаеше дали да мрази или да благодари на Естебан за това танго. То сякаш изваждаше наяве цялата ѝ неприязън към тип женско поведение, от което винаги се беше стремяла да избяга. Ами ако това беше нейната сянка?

Ако на несъзнателно ниво Анна беше същата тази жена?

Беше правила немалко глупости с мъже в живота си. Естебан беше първият мъж, който истински обичаше. Ами мъжете преди него? Ами нощта, в която пияна се предложи на Васил?

Можеше ли липсата на достатъчно осъзнатост да е оправдание за моментите, в които беше вървяла срещу себе си? В правото незнанието на закона не извиняваше нарушаването му. А в живота? Тесният мироглед оправдаваше ли деградацията или компромисите, които човек прави със себе си?

И сега чрез тази песен Анна се срещаше отново с петнадесетгодишното момиче в себе си, което някога си беше представяло какъв трябва да е мъжът на мечтите ѝ.

Ето го мъжът на мечтите ѝ. Стоеше пред нея и я мислеше за курва.

А по-лошото беше, че той никога не би я помислил за курва, ако дълбоко в себе си тя не се мислеше за такава.

Усети как, ако до този момент просто се стичаха по лицето ѝ, сега сълзите започнаха да текат като водопад. Но не направи опит да ги избърше.

Естебан беше зад гърба ѝ когато срещна светлината в себе си, а сега я гледаше в очите, когато се изправяше срещу собствената си сянка.

Стоеше замръзнал пред нея без да проронва и дума.

В ушите му като ехо отекваше гласът на Габриела – учителката му по танци от Севиля.

Естебан очакваше от Анна всичко – да го наругае, да го зашлеви, да счупи телефона, да направи нещо, каквото и да е. Но не и просто да стои пред него и да плаче безмълвно.

От нейните сълзи Анна не виждаше неговите – само че те не се стичаха по лицето му, те бяха под формата на разрушителен вътрешен плач, който дълбаеше яма в сърцето му.

Още няколко вулгарни фрази и тангото свърши. Анна и Естебан не помръдваха. Колко много ѝ се искаше сега отново да чуе: "Бяхте чудесна. Следващият път започваме с танго". Само че това, което чу, бяха собствените ѝ думи:

– Винаги си знаел как да ме унижиш – гласът ѝ сякаш не беше нейн.
– Сега отивам да се облека в банята. Като изляза, искам да те няма. Не искам да те виждам никога повече.

Сърцето ѝ сякаш примря от реакцията на егото ѝ. Явно не беше готова за свободата.

Но в тази битка тя не беше сама.

Като напълно полудял Естебан я дръпна за ръката, препречвайки ѝ пътя към банята.

– Ще ме виждаш – изкрещя той. – До края на живота си ще ме виждаш, разбра ли? Няма да се отделя от теб. Никога.

Анна го погледна шокирано, но неговото изражение беше по-шокирано и от нейното. Той я пусна и каза:

– Съжалявам. Заболя ли те?

Анна не отговори. И в най-ужасните си кошмари не си беше представяла такива грозни сцени помежду им.

– Побъркваш ме, знаеш ли? – опита да се защити той. – Ако това е истината, защо не ми каза? Защо не се посъветва с мен? Защо никога не ми вярваш? Защо когато имаш проблем, не споделяш с мен, а действаш зад гърба ми? Толкова ли нищо не знача за теб?

Анна мълчеше. Въпросите му бяха толкова абсурдни, че предпочиташе да ги остави да увиснат във въздуха.

– Наистина ли искаш да си тръгна? – накрая попита той.

– Не – отговори Анна. – Искам винаги да си до мен.

– И това, което ми казваш, е истината?

– Да.

– И не премълчаваш нищо?

– Не.

– Ако е имало нещо, кажи ми, моля те. Аз ще го понеса. Не искам да живея в лъжа.

Естебан капитулира пред нея. И за пръв път от началото на вечерта Анна почувства лекота в душата си, защото му беше казала всичко. Нямаше друго.

– Казах ти цялата истина – повтори тя.

– И това, че не свърши, не е защото си спала с друг преди мен?

Този въпрос ѝ се видя най-абсурдният от всички. Толкова ли егото му не можеше да преглътне, че веднъж не е получила оргазъм? Тя дори не се сещаше вече за това, докато той сякаш не преставаше да мисли за него.

– Не – отговори кратко тя.

– А защо се случи? Преди не се е случвало… Нали?

– Не, не се е случвало.

– А преди мен случвало ли ти се е?

Анна усети, че самата нощ ѝ идваше в повече.

– Изпих две кафета, докато те чаках да се прибереш. Бях превъзбудена и не можах да се отпусна. Съжалявам. Ти си ми казвал, че кафето ми пречи да танцувам. Явно блокира женствеността ми, не трябваше да го пия.

Цялото ѝ оправдание беше пълна измислица, но нито искаше да му дава обяснения за действителните причини, още по-малко да му разказва за миналото си.

Защо Естебан непрекъснато я принуждаваше да го лъже?

Естебан се приближи до Анна и неочаквано за нея я прегърна.

– И на мен кафето не ми се отразява добре.

Анна разбра, че нямаше предвид само напитката. А и работата си.

– Ще ми кажеш ли защо си полугола в този апартамент?

– Наех го за себе си. Исках да остана сама.

– Добре, обличай се, не искам да стоим повече тук. За леглото, виното и защо си полугола ще ми обясниш по пътя. И Анна, моля те, ако има нещо друго, искам да знам. Ако разбера, че си ме излъгала, всичко свършва. Така че искам истината. Не мога да понасям да ме лъжат.

– Цяла вечер ти казвам истината – каза Анна.

– Добре. Искам да е така.

XIV

ЕСТЕБАН

Въпреки студа, двамата се разходиха пеша до метростанцията.

– Исках да говоря с теб – призна Анна. – Но не намерих подходящ момент. А и ти имаше излизане вечерта. Реших, че най-добре е да прекарам нощта извън вкъщи.

– На хотел?

– Някаква част от мен се надяваше да ме потърсиш. Затова купих и виното. Взех си вана и ми прилоша. Предплагам, че от горещия въздух в банята ми е паднало кръвното. В друга ситуация можеше дори да празнуваме тази вечер.

– Кое да празнуваме, Анна? Лъжите ти или неподобаващия ти танц? Кой направи хореографията на този танц?

– От школата я направиха.

– Изглеждаш като проститутка, хваната от бордей в Буенос Айрес. Как можа да направиш подобно нещо зад гърба ми? Точно ти? След всичко, на което съм те учил и след всичко, което знаеш?

– Танцувам като жена, която е безкрайно самотна и иска внимание. Не е виновен хореографът, че се чувствам така.

Мълчаливо продължиха да вървят. Въпреки всичко Естебан не пусна ръката ѝ през цялото време.

Когато стигнаха до метрото наближаваше 6:00 часа.

– Обещай ми повече никакви тайни. – внезапно прекъсна тишината Естебан.

– Обещавам – каза Анна.

– Не искам да ходя на работа днес. Не искам да се отделям от теб.

– Можеш да напуснеш. Хотелската стая излезе само 500 евро, така че имаме 4500 евро, които ще ни стигнат за следващите три месеца. Три месеца ни издържа ти, следващите три ще ни издържам аз.

– Харчи си ги със здраве. Ще те издържам аз. – след което добави:

– Не съм спал с друга – почувства се длъжен да ѝ обясни Естебан. – Само танци.

– Знам – отвърна му Анна и допълни – Аз не съм танцувала с Лукас. Само обядвах с него.

Естебан усети как всичко му се сви. Казваше се Лукас. По малко име. Той спря и я обърна към себе си. Въпреки минусовите януарски температури усети как го избива пот.

– Продължавай – насърчи я Естебан. – Кажи ми всичко.

– Видя ме как танцувам. Покани ме на обяд. Приех. Прочете статията. И ми предложи работата. Няма повече.

– Анна, наистина ли не си имала нищо с него?

– Не съм.

Естебан я прегърна:

– Колко искам да е така.

– Така е.

Двамата влязоха в метростанцията. Анна усети как я побиха тръпки, когато до ушите ѝ достигна гласът на Лара Фабиан. Тя здраво стисна ръката на Естебан, но той пусна нейната. До тяхната мотриса оставаха 3 минути. Само че Естебан не гледаше изпълнението ѝ, а хората, които се бяха загледали в монитора.

Mais comment dire à qui, à quoi, à qui je suis
Quand de n'appartenir qu'à toi est le défi

Но как да кажа... на кого съм и коя съм...
когато предизвикателството е да принадлежа единствено на теб

Естебан погледна към Анна, неочаквано я придърпа към себе си и без и сам да знае защо, я поведе в ритъма на тангото

Всички погледи вмигом се обърнаха към тях, но за Естебан в този момент съществуваха само те двамата с Анна.

И под звуците на тангото изведнъж в съзнанието му като неясен спомен изплува образът на Майк, уличният цигулар от Арма. Сякаш отново се върна в онзи момент, когато Майк свиреше El Choclo, а той танцуваше с минаващите момичета.

Спомни си майка си, която му заръча никога да не спира да танцува.

Спомни си за фотографа, който на същата тази песен им беше направил фотосесия с пожелание за изобилие.

Изведнъж сякаш парчетата от пъзела се сглобиха.

Естебан разбра как щяха да печелят пари.

Още с появата си танго е бил танц, който се танцувал в претъпкани барове. Истинско майсторство било да умееш да водиш дамата си сред множество хора, осигурявайки безопасността ѝ и предразполагайки я да се чувства удобно в ръцете ти.

Той и Анна можеха да танцуват в метрото. Да правят шоу. Да бъдат свободни.

Нима отговорът е бил пред очите му от самото начало? Нима още с първите препечелени пари животът му беше показал пътя към свободата?

Тангото свърши. Едва в този момент забеляза, че ги бяха наобиколили хора. Някои от тях дори им подаваха дребни банкноти и монети. Естебан за първи път усети какво е парите сами да идват при теб.

♪♫♪

Когато се прибраха, минаваше 7:00 часа. Той се изкъпа и се приготви за работа, докато Анна му правеше закуска.

Бяха спечелили 210 злоти, близо 50 евро, не беше много, но и представлението беше непредвидено и напълно импровизирано, без концепция, без хореография, без костюми.

На излизане от апартамента Естебан взе списанието със статията на Анна. Искаше да я прочете на дневна светлина.

Видя как първите слънчеви лъчи засияха над хоризонта, поставяйки началото на един нов ден. Стори му се, че току-що беше изминала най-дългата нощ в живота му.

Когато слезе в метрото, подробно огледа цялото пространство на станцията – стълбите, ескалаторите, пейките, релсите, дори чакащите. Идеята за хореографията постепенно започна да се оформя в главата му.

Пристигна в кафето преди всички останали. Направи си чаша силно кафе, отвори списанието и се зачете. Не след дълго се появиха и колегите му от сутрешната смяна.

– Шоуто снощи беше велико. Трябваше да дойдеш.

Естебан изобщо не ги чу. Усещаше, че животът му се беше преобърнал на 180 градуса само за една нощ. Техният свят изведнъж му се стори безкрайно празен и безинтересен.

– Тази вечер ще компенсираме, нали? – попита Лех.

– Аз съм пас. Имам планове с приятелката ми – отсече невъзмутимо Естебан, без да вдига поглед от списанието.

– Ми така кажи – съгласи се Лех и се загледа в списанието – Между другото тази мацка е страшно яка...

Естебан разбра, че Лех имаше предвид Анна.

Усети как и другите се приближиха.

– За какво пише? – попита един от колегите му.

– За мен. – отговори кратко Естебан и им подаде списанието – Писала я е приятелката ми. Бях ѝ учител по танци. Платиха ѝ пет хиляди евро за тази статия.

В кафето влязоха първите посетители.

Докато онемелите му колеги четяха статията един през друг, Естебан отиде да обслужи клиентите, без да знае, че точно в този момент, в който пускаше машината за кафе, някъде из Вселената се подреждаха хиляди знайни и незнайни събития, които щяха да доведат него и Анна до истинската свобода.

ЧАСТ V

ПЪТЯТ КЪМ СВОБОДАТА

*Белите им обувки проблясваха и сякаш целият път
се състоеше във всяка стъпка, която двамата правеха.*

*Те не вървяха, те танцуваха,
но изминаваха също толкова далечни разстояния
в търсене на себе си, както и най-горещите поклонници,
следващи множеството пътища по света,
определяни като божествени.*

I

ЕСТЕБАН

Вече трета поредна нощ не можеше да спи спокойно. Непрекъснато сънуваше как майка му и Хавиер се карат.

Хавиер я обвиняваше, че се облича предизвикателно, че се гримира твърде силно или че кокетничи с този и онзи.

Естебан лежеше на леглото си, притиснал с длани уши, опитвайки се да не ги слуша, но гласовете им се чуваха толкова ясно, все едно бяха в стаята му.

После се събуждаше и осъзнаваше, че не е дете и не спи сам. Прегръщаше още по-силно Анна, сякаш тя имаше силата да го освободи от кошмарите му, но тогава пред очите му изникваше хотелската стая, чашите с вино, неоправеното легло и Анна по халат.

Цял живот Хавиер безпричинно беше ревнувал майка му и Естебан винаги беше заемал нейната страна. За пръв път му мина през съзнанието, че може би в някакъв момент Хавиер беше изгубил доверието към майка му.

Не можа да заспи и стана от леглото. Излезе на терасата, надявайки се, че свежият февруарски въздух ще избистри мислите му. Не можеше да повярва, че оправдава Хавиер. Освен това Анна му беше казала истината.

Наближаваше 3:00 часа.

Анна му беше казала истината... След всички неща, които беше натворила зад гърба му, как можеше да е сигурен, че му е казала истината.

Опита се да помисли трезво върху ситуацията. Може би наистина ѝ е прилошало и виното е било за двамата. Но как може някой ей така да ѝ плати 5000 евро?

Беше прочел статията ѝ поне 20 пъти, но така и не видя нещо гениално в нея. Просто разказана лична история с няколко извода. Повечето от изводите даже бяха негови, не нейни.

Той не познаваше друга жена, която да танцува с толкова чувство както Анна, но да ѝ платят 5000 евро за един танц... Тя беше никоя. Не беше звезда, не беше име в танците, не беше дори професионална танцьорка. Беше никоя.

Колкото повече мислеше, толкова по-неправдоподобно звучаха думите ѝ.

Внезапно влезе в спалнята и взе телефона на Анна. Отиде в дневната и прегледа всичките ѝ разговори и съобщения.

Видя, че продължаваше от време на време да си пише с Васил.

"Днес ми предложиха да участвам в рекламата на една школа по танци."

"Колко ще ти платят?"

"5000 евро."

"И какво ще правиш?"

"Ще танцувам."

"Та те някои за по-малко се ебат. Какъв ще да е тоя танц?"

"Не е чак толкова много. С Естебан за два танца ни дадоха 50 000 евро☺."

"А, то едното не беше съвсем танц..."

"Още не съм казала на Естебан. Бях му обещала решенията за парите да ги съгласувам с него."

"Как още дишаш, без да си го съгласувала с Естебан?"

"Защо изобщо ти споделям? Ти въобще не ме разбираш."

"Ти споделянето с мен съгласувала ли си го с него?"

"Той ревнува от теб."

"Защото е комплексар."

"А кой от нас не е ?

"Аз не съм. Никога не съм имал проблем приятелките ми да имат приятели мъже, да се развиват, да печелят пари, нито съм искал да напускат работа заради мен. Даже се радвам за тях като успяват. Това да затворя една жена вкъщи да ми чисти, да ми готви, да ѝ казвам с кого да се среща и с кого не, да ѝ проверявам телефона, че и да оттоварям вместо нея – каквото и да ми говориш, не е нормално."

"С телефона беше инцидент. Няма такива навици. А и не ме е затворил той, аз се чувствам добре по този начин."

"Ти си много заблудена. Тоя мъж ти промива мозъка, откакто се срещнахте. И щото отдавна беше сама, затова така хлътна. За мен твоето не е връзка, но ти си знаеш. Ако няма как да разбере за рекламата, изобщо не му казвай. Открий си сметка на твое име и сложи там парите. И си гледай живота. Няма какво да му се отчиташ за всичко."

"Когато ти разказах за пръв път мечтата му, ти зае неговата страна."

"Да имаш хлапашки мечти е едно, но да държиш човека до теб в клетка, манипулирайки го, е съвсем друго. Но не ми се спори с теб. Казах ти да го зарежеш и да си уредиш живота, а ти какво направи – продаде си апартамента и колата и сложи парите в обща банкова сметка. Катя всичко ми разказа. И за стриптийза ми разказа. И тя мисли, че не си наред. Знаеш ли как се казва твоето – неизживян пубертет."

"Не е било работа на Катя да ти разказва каквото и да е."

"Ами недей да ми искаш съвети, като не можеш да ги приемаш. Но, давай. Скарай се с мен, скарай се с Катя. Не съм очаквал, че можеш да се унижаваш толкова заради едното чукане. Винаги си била толкова разумна и разбрана, а сега на себе си не приличаш. Решението си е твое. Върви по гъза на Естебан и много успехи от мен."

Лукас фигурираше в телефона ѝ като "Лукас Анастази – реклама". Имаше само едно съобщение от него с дата. Датата, на която излизаше рекламата.

Докато търсеше, случайно попадна и на един чат по скайп с Катерина:

"Васко каза, че вече не искаш да виждаш нито мен, нито майка."

"Защо си му казала за апартамента и сметката ни с Естебан? И за стриптийза?"

"Защото се тревожа за теб."

"Не се тревожи занапред. Не искам никой да се тревожи за мен."

"Не приличаш на себе си, откакто спечелихте онзи конкурс. Тази връзка не ти се отразява добре."

Нямаше отговор. Явно Анна беше излязла.

Анна не му беше казала, че се е скарала с Васил и със сестра си.

Върна телефона ѝ на мястото и легна отново до нея.

Недоверието ѝ го смазваше. Изобщо не беше убеден, че му е казала истината. Ако я беше страх да му каже, че са ѝ предложили участие в реклама, как би му споделила за изневяра?

И за Васил, че продължаваха да си пишат, нищо не му беше казала.

Опита се да заспи, но не можа. Чудеше се доколко изобщо познава Анна. Той беше с нея такъв, какъвто е. А тя?

Васил и сестра ѝ изобщо не го интересуваха. Но ако му беше изневерила… И по-лошото, ако въпреки готовността му да ѝ прости, го беше излъгала…

Анна се размърда в леглото, явно беше усетила, че не спи.

– Добре ли си? – попита в просъница тя.

– Заспивай – каза ѝ Естебан, без да ѝ отговори.

Не беше добре. Трябваше да намери някакъв начин да си върне доверието в нея. Без нея нищо нямаше смисъл за него. Нито шоуто, което мислеше да направи, нито пътуванията, нито парите.

За първи път Естебан си даде сметка, че ако остане с Анна, щеше да се превърне в Хавиер – безпричинно ревнив, безпричинно ограничаващ, постоянно измъчващ се и тровещ с ревността си жената, която обича. А ако я напусне, щеше да се превърне в баща си – самотен, озлобен неудачник, вкопчен в мотора си, защото нямаше нищо друго.

Повъртя се в леглото още час-два и накрая се унесе. Сънуваше някакви неясни кошмари, когато Анна го събуди. Изобщо не му се ставаше, тази вечер и групи имаше да води. Безсънието го изнервяше допълнително.

Стана пряко сили и, въпреки зимното време, си взе студен душ, за да се разсъни. Едва стигна до работа. Цял ден се наливаше с кафе, за да издържи.

Колегите му пак се бяха дистанцирали от него, но вече не му пукаше. Явно така действаше на всички и не можеше да установява нормални отношения. Както му беше казала Саня.

Саня. Саня беше единственият човек, който никога не се беше преструвал пред него. С него беше по-истинска отколкото с всеки друг. Знаеше, че е повърхностна, на моменти доста лабилна и понякога откровено нагла, но никога не го беше лъгала. Тя беше тази, която можеше да му помогне.

Когато се прибра, Анна беше направила за вечеря паста с броколи и кедрово семе, салата от авокадо, моркови и кълнове и червено вино. При вида на червеното вино му стана още по-зле, взе го и директно го изхвърли. Анна не реагира, само наля в една кана минерална вода и я сложи на масата.

Естебан искаше да ѝ даде някакво обяснение, но тъй като нямаше такова, а и тя не го попита нищо, остави въпроса висящ.

Започнаха да вечерят в пълна тишина.

– Имам една идея – изведнъж наруши тишината той.

– Каква?

– Мисля да правим танцово шоу.

– Танцово шоу?!

– В метрото.

– В метрото?

– Да, ще намерим някой, който може да свири на цигулка и ще танцуваме в метрото. Както онази вечер, само че ще сме с костюми и ще имаме хореография.

Като каза идеята си на глас му прозвуча ужасно.

– Звучи прекрасно! – изненадващо за него се въодушеви Анна.

Естебан се почувства много по-добре. Анна беше единственият човек, който винаги безусловно вярваше в него. За миг си помисли, че снощи превратно е изтълкувал нещата. В крайна сметка тя избираше него пред приятелите си, пред семейството си. Нямаше никаква логика да му е изневерила.

– Мислиш ли, че ще се получи? – попита той, по-скоро за да чуе насърчението ѝ, отколкото защото имаше някакви съмнения.

– Да, ще се получи. Ти буквално хипнотизираш хората, когато танцуваш.

– Ще имаме нужда от добър хореограф – мина по същество Естебан. – Мисля да помоля Саня да ни стане хореограф.

– Саня? – озадачено попита Анна. – Защо Саня?

– Защото е добра.

И защото имаше нужда да поговори с нея.

– Заради нея те уволниха, принуди те да сриптизьорстваш и е душевно нечистоплътна – изтърси Анна.

Естебан се засмя.

– Физически е чистоплътна. Не знаех, че и душата можела да бъде нечистоплътна – пошегува се той.

Анна замълча и Естебан разбра. Тя ревнуваше от Саня.

– Знам, че ти е гадно заради секса, но това е минало. Освен това грешиш за нея. Тя не ме е принудила да ставам стриптизьор, аз не знаех по какъв начин да намеря парите, аз го реших, не тя. А за уволнението съм ѝ благодарен. Иначе щях да почна работа при оня задник Владимиров и ако само те беше докоснал, щях да го смачкам. Така че пак щяха да ме уволнят.

– Аз се скарах с Васил и повече няма да се чувам с него – призна си Анна, сякаш се опитваше да го разубеди за Саня.

– Не знаех, че още поддържате връзка – студено каза Естебан.

– Писахме си от време на време. Но приятелството ни не се получава. Вече аз и той сме много различни и той ме отхвърля.

– Не мога да ти забраня да общуваш с него, но на мен тоя ми е мегапротивен. Мисля, че има нещо към теб, което не ти казва. На мен Саня ми е приятелка, никога не ме е било грижа за отношенията им с Йордан. Знам, че не е щастлива с него, но какво мога да направя аз? Да не ходи с него, като не е щастлива. Никога не съм я съветвал да къса с него. От време на време ми се тръшкаше как цялата им връзка била фалшива, колко била самотна, никога не съм го вземал присърце. Не е мой проблем.

На Анна ѝ се стори, че Естебан знае повече, отколкото му беше споделяла.

– Мисля че по-скоро ме приема като по-малка сестра – опита се да разсее съмненията му тя, но сякаш още повече го предизвика.

– Много си наивна и понякога ме побъркваш, да знаеш – тонът му стана враждебен. – Изобщо не е загрижен за теб, нито те обича – иска да те чука и го играе на загрижен, за да се оправдава пред себе си.

Анна не искаше да го признае, но и тя вътрешно усещаше, че от самото начало Васко сякаш ревнуваше от Естебан. Още преди дори между нея и Естебан да има нещо.

Не беше съгласна с Естебан, че Васил не е загрижен за нея, знаеше, че по свой начин той ѝ мислеше доброто. Беше оправял делата ѝ по време на неплатения отпуск, прости ѝ когато ненадейно напусна, дори той я посъветва да не оспорва мечтата на Естебан.

Но нямаше как да обясни подобно нещо на Естебан. Естебан не би допуснал друг мъж освен него да е загрижен за нея, егото му беше прекалено силно, за да позволи на нейно бивше гадже да присъства в живота ѝ, още по-малко да я покровителства.

– Освен това той и сам призна, че ти е навит – в потвърждение на думите си каза Естебан. – Така че тия истории с брат и сестра не пред мене. Не съм идиот.

– Ти напълно ли си приключил със Саня? – върна го на темата Анна.

– Естествено, че съм приключил. Аз не си падам по паралелните връзки. Когато съм с една жена, съм с една жена.

– А кога за последно спа с нея? – съжали за въпроса си още при задаването му. Рискуваше и Естебан да започне с подобни въпроси и не се излъга.

– Откакто съм с теб, не съм я докоснал. – отговори Естебан, без да влиза в подробности и попита нещото, което него го интересуваше: – А ти кога за последно спа с друг мъж?

– Вече не си спомням – уклончиво отговори Анна. – Доста отдавна преди да те срещна. Дори бях се отказала от мисълта, че отново ще имам мъж в живота си.

Погледът му изведнъж се смекчи. Той стана от масата, хвана я за ръката и я отведе в спалнята. За няколко часа ѝ вярваше напълно и в тези мигове Хавиер и баща му бяха само сенки от миналото. А себе си чувстваше на своето собствено място.

II

ЕСТЕБАН

Самолетът кацна на летище София в 12:00 часа. Обратният му полет беше в 17:00 часа, а в 23:00 часа трябваше да е във Варшава. Естебан не искаше да да пренощува в София, за да не разстройва Анна. Знаеше, че тя го ревнува от Саня, така както той я ревнуваше от Васил.

Не беше предупредил Саня за идването си, мислеше да отиде директно до школата. Предполагаше, че именно тя го е издънила пред Жеков, след като не отговори на нито едно нейно обаждане и съобщение когато се бяха разделили с Анна. Нямаше откъде другаде Жеков да научи за връзката им, освен от самата Саня. Естебан се надяваше само да не засече Жеков там. Срещата нямаше да е приятна за никого от двамата.

Саня не беше в школата, но беше в ресторанта отсреща и за негов късмет беше сама. Въпреки това Естебан реши да я почака отвън. Доколкото познаваше темперамента на Жеков, допускаше, че той лично се е разпоредил да не го допускат в заведението, а точно сега не му беше до разправии. Не се наложи дълго да я чака. Саня съвсем скоро приключи и излезе навън.

Когато го видя, замръзна на място. Естебан ѝ се усмихна мило и ѝ предложи да я заведе на кафе. Саня му хвърли ядосан поглед и рязко отвърна:

– Сети се!

– Искам да говоря с теб – каза той.

– А аз не искам да говоря с теб – отсече Саня.

Ако не беше толкова отчаян, Естебан щеше да си тръгне в този момент. Но той знаеше как да влезе под кожата ѝ и реши да пусне в действие чара си.

– Предполагам, че на Жеков вече едва му става, откакто знае, че си била и с мен.

– Аз му казах за нас – с цел да го ядоса каза Саня, но Естебан само ѝ се усмихна чаровно.

– Ела да пием кафе и ще ми разкажеш. Аз не ти се сърдя.

Саня се вбеси. Той не ѝ се сърдел.

– Не мога да повярвам, че още ти се връзвам.

– И двамата знаем, че ще пием кафе, след като аз го искам. Хайде, ти повече от мен ги знаеш кафетата. Аз черпя.

Саня нямаше представа как Естебан продължаваше да ѝ действа. Можеше да му каже, че има часове, но вместо това го заведе в най-доброто кафе, за което се сети.

И за нейна изненада ѝ предстоеше да срещне истинския Естебан.

Двамата седнаха. Саня си поръча капучино, а Естебан – еспресо.

– Пропил си кафе? – изненадано отбеляза тя.

– Много неща се промениха при мен – примирено отговори Естебан.

– Е, 50 000 евро променят много неща – подкачи го Саня. – Доста арогантно беше да ми пратиш смс, че напускаш. И после изобщо да не вдигаш. Мислех, че сме приятели. Почувствах се като някоя безполезна играчка, която просто изхвърли, защото вече си имаш по-любима. Аз вложих много труд в Анна, в случай че не беше забелязал.

– Знам това. Но ми беше писнало от всичко. Не е било срещу теб.

– На теб често ти писва от всичко, цяло чудо е как Анна издържа на настроенията ти. Анна. Още си с Анна, нали?

– Да.

– Изглеждаш по-секси от преди. Явно те гледа добре.

– Старае се криво-ляво да ми угажда – опита се да се пошегува Естебан, но шегата му сякаш увисна във въздуха.

Саня веднага усети, че нещо не е наред и реши да поразведри атмосферата.

– Аз нямам нейните нерви. След онзи смс ужасно ти се вбесих. Казах си тоя за какъв се мисли и те наредих много хубаво. Разказах на Жеков, че си ме преследвал и си ми се натискал и аз не съм могла да устоя накрая. И след това се почувствах по-добре, което сигурно е гадно, но и ти постъпи гадно.

Естебан само я чакаше да приключи и да преминат по същество, но отбеляза:

– И той?

– Полудя. Каза, че ще прати мутри да те пребият. Естествено само ми се правеше на интересен. Като му казах да прати, той каза, че не искал да си цапа ръцете с теб. Щял да те уволни дисциплинарно.

– Значи за малко да го изям заради тебе? – ухили се Естебан. – И още ли си с него?

– Да. Той е влюбен в мен. Но без теб школата никак не върви и мисля, че даже отива на загуба.

В друга ситуация подобна новина би го развеселила, но сега му беше напълно безразлично какво се случва с Жеков и школата.

– Ти какво ще правиш, ако затвори?

– Не съм го решила още. Но и на мен ми писна от всичко. Дани ще ме издържа.

– Саня, искаш ли да работиш в Полша?

– В Полша?!

– В момента живея във Варшава. Има един мъж – Лукас Анастази, има школа по танци. Имам нужда от човек, който да ми свърши една услуга.

– Каква услуга?

– Да се сближи с него и да научи нещо.

– Какво да научи?

– Дали е спал с Анна.

Саня го погледна изумено. По лицето му нямаше никакъв цвят, все едно не беше той. Дори не смееше да я погледне в очите. Тя беше напълно онемяла и Естебан продължи:

– Ще полудея, не мога да спра да мисля за това. Анна твърди, че не са имали нищо, но аз не съм убеден. Как ли не го мислих, не мога да спя, не мога да работя.

– Защо мислиш, че са имали нещо?

– Ами Анна...

Той замълча и за около минута не отрони дума. Явно преценяваше доколко може да ѝ се довери.

Саня също мълчеше. За пръв път, откакто го познаваше, го виждаше уязвим.

– Видях я в една хотелска стая – полугола, неоправено легло, чаши вино. Този ѝ е платил 5000 евро, за да рекламира школата му и...

Естебан сложи глава в ръцете си и замълча. Саня не посмя да пита повече, само каза:

– Това нищо не значи.

Каза го, за да го успокои и явно успя, защото Естебан я погледна и ѝ се стори, че прочете в погледа му надежда.

– Саня, трябва да разбера истината – продължи той. –Дадох ѝ шанс да ми каже. Много пъти. Как ли не я молих и питах. Все едно и също – нищо не били имали помежду си.

– Защо не ѝ повярваш?

– Кой ще ти даде 5000 евро ей така? Тя дори не е професионална танцьорка. Никоя е.

– Беше никоя и като твоя ученичка. И въпреки това ти си я обучавал безплатно в апартамента си. Не е 5000 евро, но поне 5000 лева си ѝ ги дал ей-така.

– Това е друго.

– Защо да е друго?

– Защото тя искаше да се научи да танцува.

– А останалите хора, дето идват редовно в часовете и си плащат, не искат?

– Ще ми помогнеш ли?

– Как да стигна до този човек, че чак и да ми се довери. А и дори да каже, че е спал с нея, може да не е вярно. Някои мъже се фукат безпричинно.

– Ако ти каже, че е спал с нея, значи е така.

– Защо не я зарежеш, като се измъчваш?

– Веднъж се разделих с нея. Втори път няма да имам сили. Свикнах с нея. Не искам да съм сам. А ако се окаже, че не ме е предала, няма да мога да си го простя.

Естебан се сети за Иън. Неговото място му се видя толкова сенчесто, колкото на баща му и Хавиер. За пръв път осъзна, че всички мъже, които бяха играли ролята на баща в живота му, бяха с провален личен живот.

– Има и друго – каза Естебан. – Анна знае за нас. Не от мен, случайно научи от друго място.

– От Владимиров – каза Саня.

– Откъде знаеш? – изненадано я погледна Естебан.

Винаги се беше изумявал как в България хората от една професионална сфера винаги знаеха всичко един за друг.

– Нали ти казах, че има мъже, които просто се фукат?

– Какво се фука?

– Твърди, че е спал с победителката от "Spettacolo di ballo". Но аз знам, че не е вярно. Кремена ми каза, че Анна го е отрязала. Кремена му е любовница и той явно ѝ се е оплакал. Казал ѝ е, че Анна никога няма да си намери работа в тия среди.

Естебан мълчеше. Кремена беше отрязала Жеков, за да скочи в леглото на Владимиров.

Накрая каза:

– Ще ми помогнеш ли?

– Защо не отидеш да провериш в хотела? Сигурно имат книга за посетители. Някои хотели имат такива книги. Питай имала ли е посетител въпросната вечер.

– Дори и да имат, защо ще ми кажат на мен?

– Толкова дълго съм си мечтала да те видя такъв, какъвто си сега. Зависим от мен. Мечтаех си как ще те отрежа и ще те пратя по дяволите със същата арогантност и невъзмутимост, с която ти пращаше мен...

Естебан замълча с наведена глава.

– Мерси, че ме изслуша – студено отвърна и извади пари за сметката.

– Ще дойда в Полша – каза Саня, сякаш за да го задържи.

– Наистина ли?

– Имам нужда от промяна.

– Йордан ще те пусне ли?

– Той е много точен. Никога за нищо не ме спира. Но не знам дали ще мога да науча каквото искаш. И ако не можеш да вярваш на Анна, няма смисъл да си с нея.

– Затова го правя Саня. Ако не ми пукаше за нея, щях да я разкарам. Но без нея нищо няма смисъл. Искам да ѝ повярвам. В моментите, в които не се съмнявам, сякаш летя. Никоя жена не ми е действала така.

– На нея какво си ѝ казал за идването си тук?

– Това е другото. С Анна ще правим танцово шоу и искам да ни станеш хореограф. Ще ти платя и престоя.

Саня се усмихна.

– Твоите пари още си стоят в школата. С 2500 евро мога да започна. Все едно си ми платил.

– Благодаря ти. Ти не си толкова лоша, само понякога си нетърпима.

Саня се успокои, като видя, че се връща към заядливото си аз. Не можеше да го възприеме слаб и уязвим.

– Ти ли ще ме пазиш от Анна да не ми избоде очите? – шеговито подхвърли тя.

– Казват, че било много възбуждащо да гледаш как две жени се бият за теб – засмя се Естебан.

– Аз съм съгласна на тройка – вметна подканящо Саня.

– Ами, убеди Анна и можем да го уредим – върна ѝ го със същия тон Естебан. – Саня, трябва да тръгвам. Полетът ми е след час и половина. Ще те чакам във Варшава.

Той плати сметката и заедно се разходиха пеша до школата.

– Ти какво правиш в Полша? – позаинтересува се Саня.

– Работя в едно кафе и в една танцова школа. Но парите не са особено добри. Случайно ми хрумна с Анна да правим танцово шоу между хората, нали се сещаш?

– Не разбирам.

– Искам да правим шоу в метрото.

– Искаш ли да те закарам до летището?

– Да, може. Благодаря.

– Шоу в метрото ми звучи малко... недообмислено – меко изказа съмненията си Саня, но Естебан се засегна.

– Анна е много въодушевена – в противовес на мнението ѝ заяви той.

– Тя явно знае как да те прави щастлив.

Естебан замълча. Саня не настоя повече.

– Ще те чакам във Варшава – каза той на излизане от колата.

– Ще дойда – потвърди Саня.

III

АННА

Анна лежеше замислена на леглото в спалнята и чакаше Естебан. Вечерята беше готова. Беше направила вегетарианско къри с патладжан и картофи и салата от червено цвекло и целина.

За пиене беше приготвила домашна лимонада с мента. Изхвърлянето на неотворената бутилка червено вино "Пино Ноар" от страна на Естебан истински я беше озадачило.

Беше повече от ясно, че нещо се случваше с него и той отново не споделяше нищо с нея. Пак беше станал мълчалив и затворен. Понякога усещаше, че нощем се върти в леглото и не може да заспи.

Толкова ѝ се искаше да има някого, с когото да може да поговори за нейните чувства.

Нямаше приятели, нямаше среда, нямаше нито един човек, пред когото да се отпусне. Помисли си, че сега психотерапевтката, при която беше ходила, можеше да ѝ помогне, но ѝ беше неудобно да ѝ звъни.

Най-мъчно ѝ беше, че Естебан щеше да сподели със Саня какво го измъчва, но нямаше да каже на нея. Не можеше да разбере защо след като толкова много се обичаха, непрекъснато се пазеха един от друг. Сякаш цялата ѝ връзка с Естебан беше стратегическа игра, в която никога не можеше да се отпусне напълно.

Искаше ѝ се просто да му се довери. Но доверието не беше от силните ѝ страни. Предполагаше, че има връзка с раздялата на родителите ѝ, когато за пръв път в живота си осъзна, че трябва да избира между мама и татко, без да ѝ се дава шанс да избере да бъдат заедно.

Постепенно мислите започнаха да се разсейват и тялото ѝ напълно се отпусна.

"Готова си – не беше мисъл, по скоро информация, която ѝ се подаваше отвън. – ПЪРВА СТЪПКА: ДА СЕ ОТДАДЕШ КАТО ЗА ПЪРВИ ПЪТ".

Анна отново видя красивото червено божество от първата си медитация на открито. То не говореше, усмихваше ѝ се. Беше с червена кожа, дълги тъмни коси и бадемовидни очи. Цялото сияеше по неземен начин и излъчваше светлина и любов. Тя, червената богиня, не говореше, но до Анна достигаше информация с кристална яснота. Знаеше, че се казва Ейдея и беше ангел на изначалното.

Постепенно визията за ангела избледня и изчезна. Не получи никаква различна информация от отдаването като за първи път.

Отвори очи. Върна се обратно в дневната и провери колко е часът. 22:15 часа.

Самолетът на Естебан кацаше след 45 минути.

Усети неестествен прилив на енергия.

Зададе си въпроса какво щеше да направи, ако той никога не я беше наранявал, никога не я беше отхвърлял, никога не беше я изоставял. Щеше ли да стои и да го чака? Или щеше да тича към летището?

Взе си такси до летище Шопен и пристигна там десет минути преди кацането на самолета на Естебан. Минутите очакване ѝ се сториха часове.

Видя го, преди той да я забележи. Вървеше сериозен и замислен, сякаш изобщо не се радваше, че се връща.

До момента, в който я видя.

Изведнъж лицето му се озари от усмивка и той забърза към нея. Анна усети как собственото ѝ сърце се разтупти в момента, в който срещна погледа му.

Естебан дойде при нея и радостно я целуна.

– Как ти хрумна да ме посрещнеш?

– Не исках да се чувстваш сам. Липсваше ми.

– И ти на мен.

Прегърна я през рамо и я отведе до едно от такситата. Седна до нея на задната седалка и през целия път Анна лежеше на рамото му.

– Саня се съгласи да дойде, така че разходката не беше напразна – доволно отбеляза Естебан по време на вечерята.

– Мога ли да ти споделя нещо? – попита предпазливо Анна.

Естебан изведнъж стана изключително сериозен, сякаш очакваше някаква ужасна новина.

Анна за миг съжали за въпроса си.

Не познаваше по-непредразполагащ към себе си човек от Естебан.

– Не знам какво да правя с Васил – простичко изложи проблема си, но думите ѝ сякаш отвориха отново някакъв вече решен помежду им проблем. Естебан стана мрачен и сухо изтърси:

– Нали уж вече беше приключила с него?

Каза ú го така, сякаш Васил ú беше любовник, не приятел.

– Той ми е приятел, може би единственият ми приятел. Не ми е приятно, че съм скарана с него – каза извинително тя, но Естебан се затвори още повече.

– Ами сдобри се с него, като не искаш да сте скарани – предложи ú той с враждебен тон.

– Виждам, че приятелството ми с Васко те кара да се чувстваш зле.

Естебан я стрелна с толкова студен поглед, сякаш Анна изричаше на глас някаква дълбоко пазена тайна.

– Не искам да изгубя приятелството на Васко, но не искам и ти да се чувстваш зле.

Естебан замълча, сякаш беше поискала нещо, което той не можеше да ú даде. Анна също мълчеше. Изповяда се. Сега беше негов ред.

Тя знаеше, че егото на Естебан нямаше да му позволи да ú каже, че е съгласен да има отношения с Васил. Но същото това его нямаше и да му позволи да отдаде такава важност на Васил, че да ú забрани да общува с него като приятел.

– Защо приятелството с Васил е толкова важно за теб? – попита Естебан. – Нали самата ти ми каза, че вече сте много различни.

– Защото не искам да обръщам гръб на толкова дългогодишно приятелство – призна Анна. – Освен това и майка ми, и сестра ми – сякаш всичко е свързано.

– Какво ти дава Васил, което не мога да ти дам аз?

Анна не очакваше подобен въпрос. Сякаш беше невъзможно в живота ú да има друг мъж освен него.

– Различна гледна точка от моята – каза тя неубедително.

– Ако искаш неговата гледна точка, чети вестници и гледай телевизия – сряза я Естебан. – Това е неговата гледна точка – клише.

Анна замълча.

– Ти защо си така настроен срещу него? – думите ú попаднаха право в целта.

Естебан неочаквано избухна.

– Защо ли? Може би защото му разказваш неща, които не му е работа да знае, например как си ми отказала секс. Знаеш ли колко е унизително подобно нещо за един мъж? Или как си се снимала в реклама и не знаеш как да ми го споделиш.

Анна го гледаше като попарена. Отново се беше ровил в телефона ú. Дотук с отдаването.

– Ти правиш същото със Саня – студено каза Анна. – Не говориш с мен, какво те измъчва, говориш с нея. Нали затова са приятелите, да си споделяте и да търсите съвети. Те не са във филма, извън него са и могат да бъдат обективни.

– Когато имаш проблем с мен, искам да го споделяш с мен. Не с някой друг.

– Аз искам същото – каза Анна.

– Аз нямам проблеми с теб, Анна – каза напълно сериозно Естебан.

– Имам проблеми със себе си. И ако някога съм говорил нещо със Саня, то не е било да ѝ искам съвет как да ти кажа нещо или какво да правя с връзката ни. Защото аз, за разлика от теб, никога не съм се чувствал *ужасно*, когато сме заедно. Дори когато спахме на различни легла, след като се бяхме разделили, пак ми беше хубаво, че си наоколо. Дори в онази гадна хотелска стая, пак исках да сме заедно.

Ти си тази, на която ѝ беше ужасно пътуването, която изцяло се съобразяваше с мен, която се снима в разни реклами и не знае как да ми каже.

Аз не ти казах за стриптийза, защото не исках да превръщам парите в твой проблем, какъвто не бяха. Беше между мен и Саня.

Но винаги съм ти имал доверие и съм ти разказвал толкова лични неща, които на никого преди теб не съм разказвал.

Ако вярваше на мен, нямаше да имаш нужда от приятелството и гледната точка на някакъв смешник като Васил.

Но след като толкова те измъчва, че сте скарани – сдобри се с него.

Сдобри се със сестра си, с майка си, споделяй им колко те ограничавам, как съм те затворил да ми готвиш, да ми чистиш, как харча твоите пари.

Недей да им казваш как работя на две работи, за да можеш ти по цял ден да си стоиш вкъщи и да медитираш.

Не им казвай как летя до София и обратно в един и същи ден, за да не спя извън вкъщи и да съм при теб.

Аз изобщо не се чувам с моите родители.

Сам нося отговорност за решенията си, за живота си, за пътя си.

Достатъчно ми е, че върху мен са прехвърлили всичките си грешки и проблеми, и че може цял живот да не ми стигне да се освободя от тях.

Изобщо не ми трябват нито майка ми, нито баща ми, нито приятели.

Искам само теб в живота си. Ако между мен и теб всичко е наред, никой не ми трябва.

Разкажи го на *близките си* и *приятелите си.* За да могат да ти кажат да си хванеш *нормален* мъж, който има *нормални* възгледи за света.

Аз не съм нормален. Никога не съм бил като другите. И мисля, че това е най-хубавото в мен.

Отивам да спя, утре съм на работа.

Анна едва сдържаше сълзите си. Светът на логиката – мъжкият свят – в който тя никога нямаше да има толкова силни доводи, колкото той. Имаше много какво да каже по темата – как да му вярва, като винаги реагира така, как да му вярва, като чете личните ѝ съобщения зад гърба ѝ?

Искаше да му каже, че я интересува какви проблеми има той със себе си и защо ги доверява на Саня, а не на нея. Искаше да разбере какво точно се е случило с родителите му, да му изясни, че никога не е казвала на никого, че той харчел нейните пари и това е някакъв негов комплекс, защото за нея парите винаги са били общи. Че откакто работи на две работи, имаше време, в което по цяла нощ не му виждаше очите, докато той се забавляваше с приятелите, от които сега нямал нужда. Но дори не можеше да си представи колко още доводи щеше да ѝ изложи той, които да я разплачат напълно. Избра да постъпи умно и да замълчи.

Естебан влезе в спалнята и тръшна вратата след себе си. Анна не знаеше като успех или като провал да приема, че вече не се пазеше и избухваше спокойно пред нея.

Можеше сега да се разплаче, да му вмени вина, но не желаеше да влиза в ролята на жертва. Нито искаше да го прави безпомощен със сълзите си.

И напук на всякаква логика тази вечер реши да го предизвика докрай. Влезе в спалнята, седна от неговата страна на леглото и веднага го пренесе върху нейния терен – любовта.

– Искам да правим секс – каза гальовно тя. – Когато се скараме, после винаги много ми се прави секс, не знам защо.

Веднага подейства. Естебан я придърпа да легне до него и нежно я попита:

– А като не се карате, не ти ли се прави?

– Винаги ми се прави – продължи играта Анна и добави: – Вярвам ти.

– Не ми вярваш – обори я той. – Сякаш винаги се пазиш от мен.

Анна не можеше да повярва, че чува от устата му собствените си мисли.

– Кажи ми какво точно те измъчва.

– Не ми е приятно да общуваш с Васил, даже името му не мога да понасям. Гадно ми е, като знам, че си била с него, гадно ми е, като знам, че иска да ни скъса, гадно ми е, като знам, че е важен за теб. Виж, преди теб никога не съм имал проблем с такива неща. Саня беше и с мен, и с Жеков, и с Йордан – все ми беше тая с кого го прави. Но ти си различна. Теб не мога да те деля, никой не искам да се доближава до теб.

Анна се почувства по-добре от искреността му.

– Ревнувала ли си някога? – попита я Естебан. - Ужасно е. Измъчваш се, разяжда те отвътре и не знаеш как да го спреш. Сякаш си болен и няма лечение. Повтаряш си, че няма за какво да ревнуваш, но не е логично и нямаш власт над него. Много те ревнувам, Анна. От самото начало. Сякаш си нещо мое, което никой няма право да доближава, да докосва, да поглежда. Съзнавам, че не е нормално, но не знам как да спра да се измъчвам.

Анна не можеше да повярва, че беше стигнала толкова далеч.

– Аз мога да ти помогна – каза неочаквано за себе си Анна, макар че изобщо не знаеше как да се справи с ревността му.

– Сигурна ли си, че не си спала с друг, откакто си с мен? – отново я попита Естебан.

– Абсолютно. Щях да знам, ако се беше случило.

Анна му се усмихна и той отговори на усмивката ѝ.

Отдавна не беше спала така сладко, както тази нощ. Събуди се преди Естебан и известно време гледа лицето му.

Стори ѝ се, че единственото правилно решение беше да остави Васил да си отиде от живота ѝ. Васил винаги щеше да търси в нея умната, смела, силната, тази, която се съмнява, има повече въпроси, отколкото отговори, жената, която избира логиката и статуквото пред сърцето си. Нейната прекрасно заучена от книгите и филмите роля, с която Естебан от първия ден в танцовата зала започна да воюва.

Ролята, която тя самата изостави, когато избра единствено да танцува.

Последните им разговори с Васил бяха единствено спорове, в които той се опитваше да я убеди да се раздели с Естебан. Подобен тип комуникация не помагаше нито на връзката ѝ, нито на живота ѝ. И докато гледаше лицето на Естебан в тъмното, Анна избра да се отдаде изцяло. Без минало, без бивши любовници и без предубедени приятели.

Усети необясним прилив на радост. Спомни си детството си, когато не знаеше "какви са ѝ правата", но вярваше безусловно в грижата и любовта на родителите си към нея. Не воюваше с никого и нищо, а двете със сестра ѝ просто си играеха или рисуваха мотиви от "Снежанка" или "Спящата красавица". Когато в живота ѝ нямаше и нотка на страхове, скептицизъм, условности. Едно дълбоко чувство за безопасност, защитеност и любов. Усещане за истинско доверие.

Естебан се размърда и отвори очи.

– Не можеш да заспиш ли? – попита той и осъзна, че тази нощ не беше сънувал никакви кошмари.

– Не, наспах се – каза Анна.

– Колко е часът?

– Почти три и половина – каза Анна, като си погледна телефона. След което прилепи тялото си към неговото и добави: – Ако и на теб не ти се спи, можем да правим други неща.

Естебан се засмя и каза полусънено:

– Ще ме принудиш всяка вечер да ти вдигам скандали.

– Спомняш ли си как напуснах работа заради себе си?

– Да.

– Е, сега ще приключа с някои отношения пак заради себе си.

Естебан не я попита кои точно отношения, но знаеше, че Васил ще е сред тях и почувства как доверието му в Анна все повече и повече се възвръщаше. Докато я целуваше, тихо попита само: "Заради себе си?", на което Анна отговори: "Заради себе си."

IV

ЕСТЕБАН

Посрещна Саня на летището и я заведе в хотела ѝ. Апартаментът им с Анна беше съвсем малък и нямаше как да ѝ предложи да живее с тях. Но истинската причина беше, че не желаеше Саня да се меси в отношенията му с Анна. Саня можеше да бъде изключително досадна и обсебваща. А и Анна сигурно щеше да ревнува от нея.

След като Саня си качи багажа, седнаха да обядват в ресторанта на хотела и Естебан ѝ даде телефонния номер на Анастази, който беше взел от телефона на Анна.

– Ще направя каквото е по силите ми, но не обещавам нищо. Да сме наясно.

– Направи каквото можеш.

– Не съм казала на никого, че съм тук.

– Не каза ли поне на Дани?

– Не, оставих му бележка, че имам нужда от време да обмисля някои неща. Оставих същата бележка и в школата. Забавно, нали?

– Ако Анна ми остави подобна бележка ще се побъркам от притеснение.

– Ти нямаш никакво чувство за хумор.

– А ти може в съвсем скоро време да си без работа и без връзка.

– Разкажи ми за прословутата си идея за танцово шоу в метрото.

– Не е кой знае колко трудно за постигане – улични музиканти, костюми, хореография.

– Не знам... – започна колебливо Саня. – За такъв вид представление по-подходящо ми се вижда някое отворено пространство, например парк или площад. В метрото винаги има тълпи... Не знам дали ще се получи. Имаш ли някоя метростанция предвид?

– Да. Тази до нас.

След като се наобядваха отидоха на място.

– Пейки, колони, стълби, хора – отбеляза Саня. – Твърде много неща трябва да съобразим.

– Няма как да танцуваме на открито – възрази Естебан. – Февруари сме. Един сняг и сме заникъде. Поне до края на март няма да можем навън. Ако заледи, как да я водя, ще се претрепем.

– Ами закъде бързате?

– Искам да видя дали ще се получи. Ако не стане, както го мислим, ще мисля друго. Но ми писна да правя кафе и да си играя на учител по танци. Писна ми да работя за други.

– Направи си школа. Ще работиш за себе си. Аз съм съгласна да ми бъдеш шеф.

Естебан се засмя.

– Да ми оставиш някой ден бележка, че заминаваш да си обмисляш нещата и да се чудя какво да те правя.

– Сериозно, защо не направиш школа? Това с танцови шоута пак може да го правите с Анна, но ще имате реклама, клиенти. Колко мислиш, че ще спечелиш по тоя начин?

– Така никога няма да бъда свободен – сериозно отговори Естебан.

– Като работиш по разни кафенета също.

– Това е само пауза между миналата и бъдещата свобода в живота ми – използва думите от статията на Анна.

Може би тая статия не беше толкова лоша.

– Ти си знаеш, но според мен човек трябва да има първо сигурност, и после свобода. Не може да си свободен, като не знаеш дали ще има какво да ядеш и къде да спиш.

– Ти изобщо знаеш ли значението на думата "Свобода"? – впрегна се Естебан. – Какви глупости ми говориш? Или имаш сигурност, или имаш свобода.

– Аз не ги противопоставям. Според мен едното следва от другото. Няма как да не искаш сигурност – естествено е. Ти не искаш ли сигурност във връзката си с Анна? Защо не ú дадеш свобода да спи с когото ú се иска, а се измъчваш само при мисълта за това. Ако беше свободен, щеше да се радваш, че на нея ú е било хубаво.

Саня го удари по болното място и Естебан реагира на секундата:

– Аз не искам сигурност във връзката си с Анна – сряза я той. – Искам всеки да се чувства свободен в тази връзка. Но не мисля, че ако я направя курва, това ще направи мен или нея свободни. И ако ти мислиш обратното, изобщо не знам как ще ми помогнеш. Но за теб е естествено, нали? То в крайна сметка – един, втори, трети – на теб и футболен отбор да ти дадат, ти пак няма да си напълно задоволена, защото ще има нещо дето футболистите няма да могат да ти дадат, за да имаш оправдание да се наебеш и с треньора.

– Естебан, помисли – Саня пренебрегна думите му. – Сега имате парите за инвестиция. После като се находите след две години, ако искаш школа, ще трябва да се вътриш с кредити. Аз ще ти ударя едно рамо, знам как да работя с клиенти, добра съм в това. Не е ли по-добре две години да развиете нещата, а после ходете, където искате. Ще имаш инструктори, аз мога да движа нещата, докато ви няма, ако искате цял живот обикаляйте, аз ще ви превеждам парите от школата по банкова сметка. На мен ми се занимава с подобно нещо, но сама не мога да го направя. Нямам твоя усет и професионализъм.

– Искаш да пожертвам две години от живота си за някакъв мизерен дивидент? И да се върна отново в България?

Саня изобщо не можеше да разбере логиката му.

– Ще имаш сигурен доход всеки месец. И няма да ги пожертваш, а ще ги инвестираш тези две години в своето бъдеще. Аз не съм някакъв капацитет, но от години съм близо до Йордан и до Свилен.

На Естебан чак му се догади, като чу малкото име на Жеков.

– И от тях да се уча как да правя бизнес? – впрегна се Естебан. – Не ми говори какво иска един успешен бизнес. И да ми превеждаш тия смешници за пример. Бях до Иън Майер пет години. Ти не си била в истинска танцова школа, нямаш представа какво е стил и класа във всеки инструктор. Уроците ми вървяха по сто паунда за час. В България ресторантът на Жеков е нещо, защото в София се броят на пръсти добрите ресторанти. В една Италия, дето му е мечтата, щеше да е приключил още със започването си.

– Не си правил бизнес в България, не знаеш колко е трудно.

– И ти не си. Освен това, няма и да правя бизнес нито в България, нито където и да е. Аз искам свобода, Саня, и пари, които да идват при мен, когато съм свободен. Не искам бизнес.

– Къде е разликата? Всички хора с бизнес искат свобода.

– Не, хората с бизнес искат идентичност. Те се отъждествяват с бизнеса си. Той започва да живее техния живот. Не искам това.

– Не те разбирам. Нищо сигурно ли не искаш в живота си?

– Сигурността е за тези, които не знаят как да живеят. Те се окопават. Аз искам да живея живота си. Замисляла ли си се някога, че всеки ден от живота ти има значение? И че не можеш да си позволиш да го инвестираш.

– Опитвам се да ти помогна.

Естебан се изсмя.

– Направи нещо в живота си и тогава помагай на другите. Твоят живот е пример как не трябва да се живее.

Саня се засегна дълбоко от думите му и замълча. След малко се окопити и го уязви на свой ред:

– Аз поне спя, без да сънувам кошмари.

Естебан я прониза с поглед и ледено каза:

– Иска се дълбочина, за да сънуваш кошмари.

– Ако искаш да си свободен, освободи се първо от ревността си. И после ми проповядвай какво е свобода. Искаш от мен да си играя на частен детектив, а си седнал да ми говориш как всеки ден имал значение.

Саня не вярваше, че тонът на Естебан можеше да стане още по-леден, но той ѝ показа, че може.

– Направо си тръгвай обратно.

– Боли, нали? Боли, когато някой използва слабостите ти, за да те уязвява.

Той я погледна и промени тона:

– Поисках от теб приятелска услуга. Ти знаеш, че не съм ревнив. За пръв път ми се случва такова нещо.

– За каквато и свобода да ми говориш, в този живот свободата, както и любовта са само красиви думи.

– Аз не мисля така. С Анна съм изпитвал и двете.

– Но сега точно заради Анна не можеш да изпиташ никое от двете.

– Аз не мога да живея без свобода. Не мога да живея и без Анна.

Думите му не обориха нейните, но Саня не каза нищо повече. Премина на темата за хореографията и започна да му нахвърля идеи. Естебан я слушаше разсеяно и казваше ту да, ту не.

– Утре няма да може да се видим, на работа съм – каза ѝ, след като приключиха за деня.

– Може ли утре да дойда в кафето, където работиш?

– Защо?

– Искам да пия хубаво кафе, а ти какъвто си перфекционист, сигурно го правиш най-добре.

Естебан я погледна с насмешка и каза:

– Щом искаш.

Едва сега забеляза, че минава 20:00 часа. Обърна се към Саня и попита:

– Искаш ли да вечеряш вкъщи?

Саня му се усмихна сладко и се съгласи. Докато се изкачваха по стълбите, Естебан изведнъж спря, придърпа я към себе си и с танцова стъпка изкачи няколко стъпала. Саня се изненада, но го последва.

– Това е! – каза той, като я пусна. – Ще започнем горе и ще слезем по стълбите, като водя Анна.

– Естебан, на стълбите ще има хора – възрази Саня.

– Ще танцуваме в половината, в която няма.

Саня не можа да повярва на хрумването му.

– Кога ще се свържеш с Анастази? – смени темата той.

– Може би след седмица. Искам да се настроя към Варшава, да натрупам впечатления, за да има какво да си кажа с него.

– А кога ще провериш дали имат книга за посетители в хотела, в който беше Анна?

– Утре.

– Докато се настройваш, трябва да разработим хореографията и да я заучавате с Анна, когато съм на работа. И ако разбереш нещо в хотела, искам веднага да ми се обадиш. Или по-добре прати смс. Но незабавно. Много е важно за мен.

– Слушам, шефе – пошегува се Саня, но на тази тема Естебан нямаше чувство за хумор.

– И за пред Анна тук си, за да ни помагаш с хореографията.

Саня кимна. След две минути влязоха в сградата, в която беше апартаментът на Анна и Естебан.

♪♫♪

Анна не очакваше гости за вечеря, но нямаше избор. Двете със Саня се поздравиха. Анна беше приготвила испанска салата от карфиол и доматена тортиля с босилек.

Извади бира, само защото беше наясно, че Естебан напоследък имаше някаква непоносимост към виното.

– Харесва ли ти Варшава? – обърна се към Саня, за да поддържа някакъв разговор.

– Още нищо не съм видяла. Но огледах метростанцията, където ще правите шоуто си.

– Как ти се струва идеята?

– Определено, че е нещо нестандартно при такъв терен.

– Докато съм на работа, ще репетирате двете – разпореди се Естебан.

– Ще се съгласуваме с Анна – меко подходи Саня. Загледа се в колажа в дневната.

– Днес цял ден спорим с Естебан на абсурдни теми като свободата и сигурността. Виждам, че и теб те е запалил – пошегува се тя с намерение да разведри обстановката.

– Аз вярвам в това – сериозно отговори Анна.

– Да, романтично е да си въобразяваш, че можеш да живееш без никаква сигурност. Естествено заложено на човек е да се установява.

– Ако изобщо има нещо като сигурност – кротко се противопостави Анна. – Сигурността е илюзия. Нищо никога не ти е подсигурено. Аз познавам много хора, които привидно са успешни. Имат и домове, и коли, и бизнес, и доходи, и връзки. И всичко, което правят, е да се стремят към още повече сигурност. Защото вътрешно са ужасно несигурни.

Саня замълча.

– Стана много късно, а и тази тема едва ли ще я изчерпаме за една вечер. Благодаря за вечерята.

♪♫♪

– Саня не вярва, че танцовото шоу ще проработи. - каза Естебан, когато останаха насаме с Анна. - Цял ден ми обяснява как бизнесът искал отдаване. Посъветва ме да отворим школа, да я разработим и след това тя щяла да движи всичко, а ние ще имаме сигурен доход на месец.

– На мен идеята за танцово шоу в метрото ми харесва повече. Има оригиналност.

Естебан се усмихна:

– Ти вярваш в идеята, нали?

– Вярвам в теб.

– Не искам да се окопавам с танцова школа. Не го чувствам като мой път.

– Тогава следвай твоя път. Кой каквото иска да си мисли. Ако аз бях слушала другите, никога нямаше да се науча да танцувам. Радвам се, че послушах теб. Виж докъде стигнах аз, като те послушах. Представи си колко далеч можеш да стигнеш ти, ако се довериш на себе си.

Решиха да гледат филм преди да заспят. Анна едва изчака филма да свърши, за да заспи, но Естебан изобщо не можа да спи. В главата му беше единствено мисълта за утрешното посещение на Саня в хотела. Ако се окажеше, че Анна го е излъгала, целият му свят приключваше.

V

ЕСТЕБАН

Саня прекара повече от два часа в кафето, в което работеше Естебан. Естебан вече обслужваше свободно клиентите на полски.

Той нямаше фиксирана обедна почивка, но можеше да излиза три или четири пъти през деня за не повече от петнадесет минути.

В една от почивките си седна при нея.

– Не е толкова лошо, колкото ми го описа. Правите хубаво кафе.

– Липсата ти на вкус е направо отчайваща, знаеш ли?

– Днес видях рекламата с Анна.

Рекламата продължаваше да се излъчва, но вече веднъж на половин час.

– Нека чуя професионалното ти мнение.

– Професионалното ми мнение е... че е невероятна. Анна танцува превъзходно, осветлението е перфектно, а хореографията е въздействаща.

– Как изобщо са ти позволили професионално да се занимаваш с танци? – изненадано попита Естебан.

– Разбирам, че за теб е болна тема, но мен тази реклама ме заплени. Сега дори съм любопитна да се запозная със собственика на школата. Явно има стил.

– Радвам се, че подхождаш сериозно – студено вметна Естебан. – Аз трябва да се връщам на работа. Кафето ти е за сметка на заведението.

– Отивам до хотела – каза Саня. – По-късно ще ти пиша какво съм научила.

Естебан прекара деня в очакване на новини от Саня, но телефонът си остана безмълвен.

Потърси информация за ревността в Интернет и видя, че бяха описани какви ли не видове ревност и какви ли не причини за ревността. Повечето изтъкваха като причина липсата на любов към себе си и развиването на чувство за собственост към другия. Естебан не беше съгласен с тези причини. Спря да чете по темата, тъй като не мислеше, че информацията е адекватна на неговия проблем.

На него му се струваше, че ревността идваше именно от отношенията между майка му и Хавиер. Неслучайно ги сънуваше. Както и че сънят му беше най-голямото доказателство, че Анна не му беше изневерила, защото Хавиер винаги ревнуваше безпричинно майка му. Той никога не беше харесвал Хавиер, така и не го нарече татко. Хавиер беше едър мъж с не особено поддържана външност и като малък Естебан дори се плашеше при вида му, което може би завинаги отблъсна Хавиер от него. Не можеше да повярва, че му се налага да се връща към тази част от живота си. Времето, прекарано в Севиля, Естебан не помнеше с хубави чувства. Имаше няколко приятни спомена, но и те не бяха достатъчни, за да променят отношението му към тази част от живота му.

Чудеше се дали затруднената му комуникация с хората не се дължеше на липсата на навици за общуване в детството. Майка му и Хавиер имаха приятели, но Хавиер не го допускаше да общува с тях. Когато имаха гости, Естебан обикновено си играеше сам в стаята или трябваше да забавлява техните деца. Още тогава той се затвори в свой свят и стана неотзивчив и на моменти дори агресивен. Това накара майка му да го запише на танци.

Естебан не беше убеден, че някога ще поиска да има собствени деца. С Анна никога не бяха говорили по въпроса, но той знаеше, че като всяка жена и Анна искаше деца.

Децата винаги те караха твърде много да се тревожиш за бъдещето, а Естебан искаше животът да се случва в днешния ден. Но не знаеше как да се справи със сенките от миналото, които така или иначе бяха надвиснали над днешния ден. Колкото и да му беше неприятно, Саня беше права – той беше в плен на ревността си, как можеше изобщо да говори, че иска свобода.

След като Саня не му се обади, Естебан се прибра мрачен и потиснат. Не беше особено гладен и докато вечеряха, се улови, че мислено обвинява Анна за всичко, през което преминаваше. Незнаейки как да се справи със себе си, започна да се държи заядливо и сякаш само, за да я провокира, за пръв път откакто бяха заедно, я попита:

– Искаш ли деца?

Анна го погледна шокирано.

– Деца? – отговори на въпроса му с въпрос тя.

– Да, деца.

– Защо?

– Не може ли веднъж като те попитам нещо, да ми отговориш с "да" или с "не" без как, защо и прочие?

– Искам – призна тя.

– Аз може никога да не съм готов за такава стъпка – призна на свой ред той.

Анна замълча и след малко каза:

– Децата са невероятни учители. Те изваждат всичките ни грешки и сенчести страни наяве. Свалят маските ни и ни показват кои сме в действителност. Помагат ни да преживеем любовта в най-чистата ѝ и безусловна форма.

Естебан не очакваше подобен отговор, но попита:

– Ти да не си правила философски трактат по темата в Университета?

– Да, искам деца. Сега по-ясно ли ти е?

– А ако не можеш да се справиш със сенчестите си страни? Тогава не е ли несправедливо да създаваш друго човешко същество и да му прехвърляш бремето на собствените си грешки?

– Може би детето ти има нужда точно от тези твои грешки.

Естебан попита напълно сериозно:

– Ако никога не съм готов за такова нещо, ще бъдеш ли с мен?

Анна попита на свой ред:

– Защо мислиш, че никога няма да си готов?

– Защото не мога да ги впиша в картинката тия деца. Как ще пътуваме, ако ти си бременна? Как ще танцуваме? Ще искат грижи, внимание. Ти си възрастен човек и аз непрекъснато, докато сме на път, мисля дали не си гладна, как да не замръкнем на открито, къде да те заведа да ти е комфортно. Ако бях сам, щеше да ми е все едно къде спя. С баща ми като пътувахме, спахме само на открито. Палатка, спални чували. Къпахме се в реките. Децата са още по-голяма отговорност. Трябва да съобразявам хиляди неща, къде остава свободата в такъв момент?

Анна изобщо не допускаше, че Естебан е мислил такива неща. Предполагаше, че виновна за това е случката с дъжда преди Колико. Тя се изкуши да го попита за баща му, но се въздържа. Някога сигурно той сам щеше да ѝ се довери, както го беше направил за Иън. Имаше толкова неща, които не знаеше за живота му – как от Севиля се беше озовал в Арма и как от Арма беше заминал за България.

Естебан замълча и Анна се почувства длъжна да му каже нещо.

– Ако се почувстваш готов, ще ми кажеш, нали?

– Може никога да не се почувствам готов.

Тя му се усмихна нежно и подходи философски:

– Може пък в този живот само да практикуваме как се правят деца, а следващия да го оставим за самите деца.

Естебан се засмя.

– Това ме устройва, ако и теб те устройва.

– Устройва ме – каза Анна. – Но, ако размислиш, ще ми кажеш, нали?

– Няма да ти казвам, направо ще ти направя.

– Договорено.

Естебан видимо се поуспокои от развоя на разговора. Сякаш Анна винаги знаеше какво да му каже, за да го накара да се почувства по-добре. Тя отсервира и отиде да донесе десерта – ябълков крем с кокос.

И в този момент телефонът му звънна. Телефоните и на двамата бяха на масата, така че и тя, и той видяха, че го търси Саня. Във всяка друга ситуация Естебан щеше да реагира адекватно, но сега сякаш изведнъж спря да мисли. Грабна телефона и излезе извън апартамента, за да говори със Саня. За да е абсолютно сигурен, че Анна няма да чуе разговора му, слезе пред самата сграда. Навън беше ужасно студена февруарска вечер, но не го интересуваше.

– Какво става? – попита изнервено той.

– Отидох и проверих – отговори Саня.

– И?

– Имат такава книга – каза Саня, след което всичко му се сви.

– И?

– Казах, че съм ѝ сестра...

– Спести ми тази част. Какво научи?

– Имала е един посетител през нощта. Мъж. Останал е при нея близо четири часа.

Естебан наум пресметна, че ако е наела хотела около осем до полунощ бяха четири часа. Беше около 0:20 часа, когато получи смс от нея, а когато отиде в хотела, наближаваше един часа. Усети как му прималя. Край. Всичко свърши.

– Да ти кажа ли как се казва мъжът?

– Слушам те – вече не можеше да познае гласа си.

– Естебан Амаринго.

В първия миг не можа да реагира. В следващия му се прииска да убие Саня, но само се чу да казва:

– Ако беше тук щях да ти дам огромна прегръдка.

Саня се засмя отсреща.

– Още при пристигането си е казала на рецепцията, че я няма за никого освен за теб.

– Благодаря ти, Саня. Ти си истинска приятелка.

Влезе в магазина до тях, купи бутилка "Шафер Винеярдс" Върна обратно горе, където Анна мълчаливо го чакаше. Естебан влезе и не можеше да свали усмивката от лицето си.

Взе тирбушон, отвори виното, разля в две чаши и ѝ подаде нейната. Не ѝ каза нищо за Саня, вместо това намери музика в телефона си и я пусна високо на уейв уредбата.

Качи Анна върху масата, отдаде се на завладелия го импулс и на музиката. Въодушевен. Спонтанен. Щастлив.

Изгуби се напълно в малките ѝ ръце. Струваше му се, че единствено Анна имаше силата да го освободи от всичките му болки и страхове.

VI

АННА

Естебан беше вече отишъл на работа, когато Саня дойде у тях. Анна направи кафе и за двете, макар че не ѝ беше много ясно какво ще репетират, при положение че нямаше готова хореография.

Реши да подходи направо и попита Саня директно:

– Какво искаш от Естебан?

– Помагам му от приятелски чувства – каза истината Саня.

– Добре. Да започваме – студено предложи Анна.

– Мислиш се за повече от мен, нали? – попита Саня.

– Не се сравнявам с теб – отговори честно Анна.

Саня ѝ се усмихна. Реши, че най-добре е да сложи картите на масата.

– Аз познавам Естебан по-добре, отколкото предполагаш – каза тя.

– Бях до него, когато дойде в България. Запознахме се в интернет, докато работеше с Иън Майер. После внезапно ми каза, че иска промяна и аз го уредих при Жеков. Когато застъпи в школата, беше готов да работи денонощно, даваше всичко от себе си. Жеков на няколко пъти пресече ентусиазма му и тогава Естебан се насочи към "Spettacolo di ballo". Аз го издъних, защото не приемах насериозно конкурса.

– Защо ми разказваш тези неща?

– Защото откакто ти си в живота му, той е много различен. Ти можеш да го направиш щастлив. Аз опитах, но той така и не ми даде шанс. Докато бяхме заедно, изобщо не видях да се интересува от друга жена. Но и от мене не се заинтересува.

– Искаш да си честна с мен. ОК. Какво му каза снощи?

Саня изтръпна.

– Кога снощи? – попита уклончиво тя.

– Снощи. Звънна му и той изтича навън. После се върна съвсем различен.

– Казах му, че съм намерила музиканти – излъга Саня. – Две момчета, поляци, свирят много добре.

– И това беше толкова тайно, че Естебан трябваше да говори извън апартамента?

– За някои неща Естебан е много суеверен.

– Не съм забелязала да е суеверен – каза Анна.

– Ще забележиш, дай му време – неопределено каза Саня и добави:
– Не съм тук, за да се свалям на Естебан.

Анна се отпусна.

– Странно ми е, че изобщо си тук. Естебан можеше и сам да направи хореографията. По отношение на танците е с невероятно въображение.

– Не ти ли е самотно да градиш целия си живот около Естебан? – попита Саня, без да коментира думите ѝ.

– На теб самотно ли ти беше? – отговори с въпрос Анна.

– Аз винаги съм била много самотна вътре в себе си – призна Саня.
– Естебан е единственият човек, който знае коя съм. Бях много влюбена в него. Нищо не стана. Сякаш се беше заключил напълно. Дори когато правехме секс, сякаш не беше с мен. Понякога и аз не знам къде беше.

Анна почувства, че ѝ стана много зле само при споменаването на секс между Естебан и друга жена. И изведнъж прозря, че неговата ревност се захранваше от нейната собствена ревност.

Ревността не беше чувство, беше страх, консенсусна реалност, която и двамата поддържаха помежду си. Навсякъде любовта и ревността се свързваха, сякаш не можеше едното да съществува без другото. Твърде много се страхуваха да не останат един без друг, поради тази причина ревнуваха от всичко – от миналото, от настоящето, от бъдещето.

Прииска ѝ се да помедитира, но нямаше как да стане в присъствието на Саня.

– Докато те учеше в апартамента си изобщо ли не си спала с него? – внезапно попита Саня.

– Не – призна тя.

– Как успяваш да го постигнеш? – позаинтересува се Саня.

– Кое?

– Мъжете да правят това, което искаш, без да спиш с тях.

– Не разбирам.

– Естебан никога не ме е канил в апартамента си. Знаех, че го обзавежда като танцово студио, тъй като аз му дадох контакти на подходящи работници. Но нито веднъж не сме били у тях. Не знам дали изобщо е канил хора там. И изведнъж кани теб. И двете го познаваме – знаеш, че след като го е направил, е имал намерение да спи с теб. И все пак не е спал с теб. Видях рекламата в метрото. Попитах го и той ми каза, че са ти платили 5000 евро за нея. И е станало просто ей-така.

Анна се замисли. Саня не забеляза и следа от гузност или притеснение по лицето ѝ. Малко вероятно беше да се прикрива чак толкова добре.

– Когато една жена се свързва със себе си, мъжете започват да го усещат. И го уважават.

– Рекламата е страхотна – каза с възхищение Саня. – Явно е, че тук собствениците на школи имат повече стил.

– Срещала ли си някога истински джентълмен? – попита я по женски Анна. – Такъв, който все едно е излязъл от книга.

Анна направи още кафе и за миг усети Саня по някакъв неестествен начин близка. Дали защото тя познаваше Естебан и беше на негова страна за разлика от нейните близки и приятели.

– Разкажи ми за този мъж, че ми е много интересно – подкани я Саня.

– Казва се Лукас и е на около 45 години. Дори не съм разбрала, че ме е гледал, докато танцувам. После ме покани на обяд и ми предложи да рекламирам школата му. Никаква натрапчивост, никакви гадни намеци. Знаех, че мога да стигна докъдето поискам с него, но то беше по-скоро усещане.

– Не се ли изкуши?

– Не – призна Анна. – Беше галантен и интересен, но аз съм изключително моногамна и знаех, че не мога да допусна повече от обяд с този мъж. През цялото време се държах като адвокат. Но той дори не трепна. След рекламата ми подари роклята и обувките, отново без да поиска нещо в замяна. И след рекламата не съм се чувала с него. Получих само смс с датата на излъчването ѝ.

– Не ти ли е интересно да се видите пак – например на кафе?

– Не мога да ти го обясня, но аз нямам какво да правя при този мъж.

– Ти не си монахиня – настоя Саня. – Имаш право да контактуваш и с други мъже освен Естебан. Обяд, кафе, разговор – това не е изневяра. Понякога по-възрастните мъже имат по-интересен мироглед за света.

– Не е въпрос на възраст, а на узряване. В нашата връзка с Естебан винаги той е бил учителят, аз – ученикът. Винаги е знаел как да ме провокира да се надскоча. Васко, приятелят ми от университета, цял живот забелязва в мен само тази част, която му е удобна. Не знам коя видя Лукас, но не съм убедена, че успя да види мен. Естебан винаги е виждал мен. От самото начало. Бунтувах се, но не можех да не се съобразя с него. Бях убедена, че вървя срещу себе си, но после изкачвах някакво невидимо стъпало и гледката пред мен ставаше толкова красива, че аз не можех да се откажа да се изкачвам. Клише е, но Естебан е правилният мъж за мен, точният мъж.

Саня я слушаше с интерес.

– Искаш ли после двете да се поразходим из Варшава? – смени темата Анна. – Има чудесни магазини.

– Искам – каза с радост Саня и отбеляза: – Естебан също е изключително моногамен. И каквото и да ти говори, ти си най-важното нещо в живота му.

Анна поиска да се усмихне, но внезапно се разплака. Сякаш всичките ѝ най-съкровени чувства, всичко потиснато и несподелено изригна от нея. Саня седна до нея и я прегърна. Като жена. Като приятелка. Като сестра.

Когато се успокои, Анна ѝ каза: "Благодаря" и попита:

– Ти какво правиш, когато си много самотна?

– Секс – призна Саня.

– Аз медитирам – сподели Анна.

– Тези неща не са за мен – каза Саня. – За мен най-здравословното средство срещу самота е хубавият секс. Присъствието на друг човек ми помага да избягам от себе си в такива моменти. Ако срещна мъж, който ме среща със самата мен, аз ще избягам много надалеч от него.

– Толкова ли те е страх?

Анна забеляза, че очите ѝ се насълзиха.

– Да обиколим по магазините – каза ѝ тя.

Саня се зарадва и ѝ каза:

– Добре. А после ще те заведа на едно много хубаво кафе.

– Добре.

Двете обикаляха с часове. Анна ѝ показа какви ли не магазини, говореха си за козметика, парфюми и дрехи. Саня си набеляза някои от местата, за да дойде да поразгледа по-обстойно. Анна осъзна, че Саня носи някакъв много положителен заряд в себе си – винаги представяше нещата от забавната им страна. Изведнъж престана да гледа на нея като на съперница и установи, че дори ѝ допада.

– Далече ли е това кафе, че измръзнах – каза ѝ съвсем приятелски Анна.

– Близо сме – окуражи я Саня.

Отвън кафето ѝ се стори като закусвалня. Анна очакваше нещо далеч по-стилно. До момента, в който влезе вътре.

Естебан беше облечен с дънки и синьо-сива униформена риза и погълнат от опашката дори не ги забеляза. Анна се почувства като в небрано лозе. Беше допуснал Саня до работата си, а нея – не. И Саня знаеше, че тя не е идвала тук. За миг си помисли дали не ѝ се подиграва. Но Саня напълно естествено я подкани да седнат на една от масите.

– Аз изнахалствах да ме доведе тук – каза на Анна тя.

Анна не можа да ѝ отговори нищо. Загледа се в другите момчета зад бара – приятелите на Естебан. Естебан работеше абсолютно сам в едната част на бара, а те заедно бяха на другата. Явно отново се бяха дистанцирали от него. Предположи, че се е чувствал ужасно самотен и различен и е искал да се впише, за да направи живота си на работа по-поносим. Опашката пред Естебан беше също толкова голяма, колкото и пред останалите. Част от колегите му му подвикваха да побърза, той само се усмихваше и невъзмутимо приготвяше кафе след кафе, сандвич след сандвич.

Анна разбра защо не я беше довел тук нито веднъж. Не искаше да я прави съучастник в свят, който самият той едва понасяше.

– Саня, отведи ме оттук, моля те – каза ѝ тя. – Не искам Естебан да знае, че съм била тук.

Саня стана и заедно излязоха от кафето, без да се обадят на Естебан.

– Защо ме доведе тук? – попита я рязко Анна, когато излязоха.

– Защото трябва да разбереш едно нещо за Естебан – той няма нужда да пазиш мъжкото му достойнство, като се срамуваш заедно с него, Анна. Той има нужда от възхищението ти, каквото и да прави. Ти ми каза, че той винаги вижда теб, нали? Покажи му, че без значение дали е стриптизьор, барман или безработен, ти винаги ще виждаш него. Той има нужда ти да си на негова страна. Винаги. И когато е прав, и когато греши.

Анна я погледна и я разбра.

♪♫♪

Заедно отидоха до тях и тя облече роклята, с която беше на рекламата. Саня вдигна на кок косата ѝ и я гримира. Лек и ненатрапчив грим. Навън беше невероятно студено, но Анна излезе само по роклята и палто отгоре.

Когато влязоха, наближаваше 16:00 часа. Имаше даже по-голяма навалица от преди два часа. Анна се изненада колко натоварено е това малко кафе.

Тя знаеше, че всички тези хора бяха гледали рекламата в метрото. И че нейна задача беше да защити потенциала на своя мъж.

Саня извади уейв уредбата от малката чанта, в която я беше сложила. Сложи мобилния си телефон в нея и пусна "Танго" на Лара Фабиан.

Музиката започна. Изведнъж сякаш всички замръзнаха по местата си. Анна съблече палтото си и го остави да падне на пода. Позволи на тялото си да я води в синхрон с музиката.

Естебан стоеше като закован на мястото си. Никога не беше виждал Анна толкова красива. Приличаше на филмова звезда. Толкова естествена, без почти никакъв грим, но цялата сияеше. Хората я гледаха като омагьосани как с танцови движения вървеше право към него. Той забрави, че е с униформа и с едно движение премина от бара към естествено образувалата се сцена между хората. Анна се приближи до него, обхвана с две ръце лицето му и бавно се отблъсна от него. И от този момент нататък звездата вече беше той. Естебан прилепи тялото ѝ към неговото и пое танца изцяло в свои ръце.

Преди близо година Анна се беше качила на сцената и го беше целунала в устата като стриптизьор. Унизена, наранена, предадена.

Сякаш не няколко месеца, а светлинни години деляха онази Анна от тази Анна.

Тази Анна излъчваше гордост и красота, финес и обожание. Тази Анна знаеше как да покаже на целия свят, че нейният мъж е по-добър от всеки от присъстващите. Естебан танцуваше със заряд, който напълно го преобрази пред очите на всички. Вече никой не забелязваше униформата му, позицията му в кафето или дори самото кафе. С присъствието си на импровизираната сцена той покоряваше със своя магнетизъм и безупречност.

След танца Естебан нежно я целуна по бузата и ѝ каза "Здрасти". Кимна на Саня и се върна обратно зад бара. Анна и Саня седнаха на една от масите, като Анна се наметна с палтото си.

Вече нямаше две опашки в кафето. Имаше само една и тя беше пред Естебан. Нямаше навалица, а спокойно чакащи реда си хора. Останалите момчета и момичета отидоха да му помогнат, но всеки клиент, чийто ред дойдеше, посочваше Естебан и казваше: "Искам той да го направи". Някои, които бяха чели статията на Анна, дори го поздравяваха и му поискаха автограф. Оставяха му бакшиши със стойността на билети за танцов спектакъл, по-високи от цената на собствената им поръчка, сякаш чрез парите, които се озоваваха в ръцете му, Естебан имаше силата да направи свободни и хората, които му ги даваха.

След като Естебан приключи, ги заведе да отпразнуват деня с парите от бакшишите. Той знаеше, че оттук нататък статутът му в кафето щеше да е различен. Нямаше да търси приятелството и помощта на никого, защото вече имаше собствена клиентела и ако до момента всички виждаха униформата му, занапред всички щяха да забелязват него.

♪♫♪

През нощта Анна сънува червения ангел Ейдея. Отново беше неземно красива и озаряваше съня ѝ с усмивката си. Даде ѝ втората стъпка по пътя на нейното превръщане в истинска жена: "ДА ПРИСЪСТВАШ ЕМОЦИОНАЛНО ВЪВ ВСИЧКО, КОЕТО ПРАВИШ".

Естебан я събуди около пет часа, целувайки врата и раменете ѝ, обезумял от възбуда. Беше отместил косата ѝ и устните му така горещо се впиваха в кожата ѝ, че с цялото си същество Анна усещаше като възпламенено всяко докоснато от езика му местенце по тялото си. Тялото ѝ отговори на нежността му, сякаш досега беше почивало, за да може да посрещне с радост милувките му. И все още сънена Анна прозря, че е научила първия си урок – беше се отдала.

VII

АННА И ЕСТЕБАН

"Да присъстваш емоционално във всичко, което правиш".

Анна се опита отново да присъства емоционално във всяка минута. Нямаше минало и нямаше бъдеще. Нямаше свят извън периметъра на собственото ѝ полезрение. Нямаше мечти, планове и очаквания. Имаше павета, по които вървеше, пътни знаци, улични табели. Имаше небе над главата ѝ и земя под краката ѝ. Имаше живот във всяко нейно движение и присъствие във всяко нейно действие. Случайно се озова сред пазар за цветя.

Една възрастна жена ѝ подари малко букетче кокичета от градината си.

– Влюбена ли сте?

– Да – призна Анна.

– Ето – от градината ми са.

Жената ѝ подаде букет с кокичета.

– Знаете ли езика на цветята? – попита я тя.

– Не. Какво означават?

– Кокичетата символизират срамежлива и искрена любов. Нежна любов. Чиста любов.

Анна ги взе и написа смс на Естебан: "Току-що една жена ми подари букетче кокичета от градината си. Каза ми, че кокичетата символизират срамежлива и искрена любов".

Получи в отговор усмивка. Прибра се и цял ден медитира, усмихвайки се на кокичетата, които ѝ подариха. Струваше ѝ се, че те имаха силата да прогонят завинаги зимата от живота ѝ, защото за нея символизираха началото на пролетта.

Около четири часа следобед на вратата звънна куриер и ѝ достави малка кошничка, отрупана с кокичета. Анна никога не беше получавала цветя по куриер и се зарадва като малко дете. Вътре имаше картичка: "От Естебан". Без гръмки думи, без послания, без сърцераздирателни фрази. Както винаги Естебан ѝ подаряваше не думи, а чисто преживяване.

Анна набързо се преоблече и отиде да го вземе от кафето. Когато пристигна, го целуна страстно и му каза: "Не знаех как да изпратя целувка по куриер".

"Ела" – каза Естебан и я заведе пред корково табло, на което бяха забодени произволно корицата на списанието, нейната статия и тяхната обща снимка, отразяваща намеренията им. С жълт маркер върху статията беше отбелязан последният абзац от статията:

"Есента ни завари в Полша. Сега моят приятел работи на две места, за да изкараме зимата, а аз очаквам идването на пролетта. Това е нашата необходима пауза между нашето свободно минало и нашето свободно бъдеще.

Имали ли сте някога романтични мечти?

А имали ли сте куража да ги последвате?"

Едва сега Анна забеляза, че музиката в кафето е танго. Над статията имаше надпис: "Тук чуваме тангото"

– Собственикът на кафето ти е фен – каза той. – След това, което стана вчера, явно е и мой фен. Увеличи ми надницата и ме помоля да направя това. Днес доста хора се зачетоха в таблото и после идваха при мен и ме питаха наистина ли съм танцьор и обикаляме света на мотор.

– Как го приемат колегите ти? – попита Анна.

Естебан повдигна рамене и ѝ каза:

– Каквото и да мислят, го мислят зад гърба ми.

Анна се сгуши в ръцете му, сякаш нямаше нужда от повече думи. Собственикът на кафето отиде при тях и се запозна с нея. Предложи ѝ, ако иска и тя да започне работа при тях, но Естебан каза: "Нейната работа е да танцува". Анна разбра, че не желае да я въвлича в интригантската среда в кафето.

♪♫♪

След работа Естебан се видя със Саня.

Двамата седнаха на една от пейките на метрото.

– Какво стана? – попита я Естебан.

– Отидох в школата на Лукас Анастази. Подадох си документите за работа, заедно със CV и мотивационно писмо.

Естебан я погледна с недоверие.

– И ако те отрежат какво правим?

– Няма да ме отрежат.

– Откъде знаеш?

– В мотивационното си писмо писах откъде съм научила за школата.

– Какво си писала?

– Че моя приятелка, българка на име Анна ми е разказала чудесни неща за школата.

Естебан замълча. Ако подобно изречение е достатъчно да я назначат на работа, то явно Анна беше имала нещо със собственика на школата. Той изрази на глас притесненията си.

– Коя е Анна, че някой да те назначава заради нея?

– Точно това искам да разбера.

– Нищо не си свършила – каза Естебан.

– Аз говорих с Анна за Лукас.

– Какво? – попита в пълно недоумение Естебан.

– Поговорихме си по женски. Според мен ти е вярна.

– Какви глупости правиш? – вбеси се той. – Не искам да замесваш Анна, чу ли?

– Малко е късно за това. Тя е доста замесена.

Естебан се вкисна и я остави сама насред метрото, като си тръгна. Прибра се в ужасно настроение, каза на Анна, че иска да е сам и се затвори в спалнята.

Стоя там повече от час и накрая писа в скайп на Саня: "Какво точно ти каза Анна?".

"Каза ми, че Лукас е бил истински джентълмен и през цялото време е знаела, че няма да стигне до повече от обяд с него."

"Значи е имало предпоставки и за повече, така ли?"

"Естебан, не е спала с него. Нали това искаше да знаеш. Винаги между един мъж и една жена има предпоставки за всичко."

Естебан прекъсна връзката, без да ѝ отговори. Чувстваше се отвратително. Само че вече не желаеше да се потиска. Излезе и си го изкара на тази, която беше виновна за всичко това – Анна.

– Искам да спреш да идваш в кафето – грубо каза той.

Анна го погледна недоумяващо. Естебан продължи:

– Все едно ме контролираш. Аз не те питам какво правиш по цял ден.

– Разхождах се и медитирах – отчете се Анна.

– Сигурна ли си, че тези кокичета ти ги е подарила някаква жена. Да не са отдругаде?

– Естествено, че съм сигурна. Естебан, добре ли си?

– Не съм добре – рязко отговори той. – Изобщо не репетирате със Саня. Кой знае какви глупости правите двете, докато сте заедно.

Анна не можеше да разбере какво му става и реши, че може да е нервен, защото е гладен.

– Гладен ли си? – попита го тя.

– Какво има за ядене?

– Салата от карфиол, броколи и моркови и ориз по индийски.

Естебан каза равнодушно:

– Една колежка от школата по танци отдавна ме кани на пица. Не ме чакай, не знам кога ще се прибера.

И излезе. Отиде в хотела на Саня и я извика да пият долу. Саня отговори на поканата му, защото знаеше, че иска да говори с някого.

– Скарах се с Анна и излязох, за да не направя някоя глупост.

– Каква глупост?

– Не знам, понякога се страхувам, че като много ме боли, мога да я нараня.

– Няма от какво да те боли – сряза го Саня.

– Казах ѝ, че съм с някаква колежка от школата и няма да се прибирам. Исках да ѝ е гадно, но сега като си помисля, че може тя да се срещне с оня и...

– Няма да ходи никъде.

– Откъде знаеш?

– Знам. Според нея ти я развиваш. Каза, че не иска мъж, който да я носи на ръце, иска теб, който я развиваш.

– Аз не я нося на ръце, така ли? – озадачено попита Естебан. – Днес ѝ изпратих по куриер кошница с кокичета, защото ми каза, че някаква жена ѝ била подарила на улицата и значело любов. Блъскам се заради нея, какво иска от мен? Сякаш каквото и да направя, все не ѝ е достатъчно. Оня, Васил, ѝ давал различна гледна точка. Другият бил галантен и интересен. Изпълнявам всичките ѝ капризи, залепен съм за нея, от вкъщи на работа, от работа вкъщи. И пак не я нося на ръце.

– Просто приеми, че иска теб. Но за теб явно е по-лесно да приемеш, че приятелката ти ти изневерява, отколкото обратното.

– Не знам как да се справя с тая ревност. Ще се побъркам. Само като си помисля, че може дори да обърне внимание на друг мъж и полудявам. Искам я само за мен. Знам, че нямам такива права над нея и това още повече ме побърква. Чувствам го, сякаш аз не съм ѝ достатъчен, сякаш иска неща, които аз не мога да ѝ дам.

Естебан замълча.

– Мисля, че знам откъде идва. Вторият ми баща много ревнуваше майка ми и винаги без причина. И сега аз се държа точно като него. Наранявам я, защото не мога да понеса сам болката. Отвратително е. После се чувствам толкова виновен пред нея. Какво да правя, Саня? Как да ѝ повярвам?

В такива моменти се страхувам от себе си. Мисля си, че ако я докосна, ще съм груб и после няма да мога да си го простя никога.

А тя иска да имаме деца... Нея не я е страх да среща най-лошото у себе си, но то е, защото тя няма тъмна страна. Само си въобразява, че има. Толкова е силна, а аз понякога се чувствам толкова слаб. Не знам как да се справя с подобно нещо.

Страх ме е да съм до нея, страх ме е да съм далеч от нея. А не се оправям, даже се влошавам. С всеки ден все повече я искам само за мен.

За пръв път, откакто познаваше Естебан, Саня видя как по лицето му потекоха сълзи. Едва сега тя осъзна, че той наистина непоносимо се измъчваше.

Тя хвана ръката му, защото не знаеше как по друг начин да му покаже, че е до него.

– Ти сигурна ли си, че не е спала с него?

– Да – каза Саня. – Както съм сигурна, че ти никога не би я наранил.

– В хотела в един момент ми се стори, че съм способен на всичко. Щях да ѝ счупя ръката, с такава сила я дръпнах.

– Вторият ти баща посягал ли е на майка ти? – попита Саня. Едва днес научаваше, че Естебан имал втори баща.

– Не, само ѝ вдигаше скандали. Не искам да имам деца и да ги подлагам на подобно нещо. Никога. Но не искам и Анна да подлагам на такъв живот. Аз избягах от там. Отидох в Арма при истинския си баща. Но той беше още по-зле. Пълен кретен. Само моторът си признаваше за нещо. Сам, овълчен, злобен. Той ми е посягал.

Саня не можеше да повярва, че най-накрая беше свалил всичките си бариери. Не пред Анна, пред нея. Сякаш тя можеше да понесе тъмната му страна, а Анна – не.

– Защо не разкажеш всичко това на Анна? Тя ще те разбере.

– Не искам Анна да научава за това. Не искам да се страхува от мен.

– Искаш ли тази нощ да спиш горе в моята стая? Аз ще отида при Анна, да не е сама.

– Как ще ѝ обясниш защо отиваш?

– Много съм добра в оправданията. Ще измисля нещо по пътя.

– Благодаря ти! Какво да ѝ кажа утре, тя ще си помисли, че съм наебал някоя.

– Остави това на мен. Сега те покривам, но един ден ще трябва да се изправиш срещу това. Не знам, потърси професионална помощ, ако трябва. Не може цял живот да я следиш и да се съмняваш в нея. Тя според теб колко може да издържи?

– АЗ няма да издържа още дълго – каза Естебан и взе ключа от стаята ѝ.

– Утре ще дойда в кафето да си взема ключа.

– Няма нужда, ще го оставя на рецепцията.

Саня кимна, а Естебан се качи в стаята ѝ, легна на леглото ѝ и започна да преглъща сълзите си. Какво ставаше с него? Един ден на единия полюс, друг ден – на другия. Люшкаше се от безмерно щастие до пълна дупка. Чудеше се дали не е по-добре да се раздели с Анна? За каква свобода изобщо говореше? Той не беше в състояние да ѝ дава никаква свобода.

Опита се да заспи, но не можа. По едно време се унесе и отново сънува кошмар. Хавиер и баща му бяха един срещу друг и се гледаха с презрителни погледи. А между тях беше Анна. Събуди се плувнал в пот, като целият трепереше. Чувстваше едновременно вина и отвращение от слабостта си. Сега се сети, че няма никакви дрехи за през деня и трябва да се преоблече. Стана, излезе от хотела и си взе кафе от една кафемашина наблизо.

Беше три сутринта. Не му се спеше, но още беше много далечен момента, в който отваряше метрото. Тръгна към следващата метростанция поне, за да има някаква посока, в която да върви. Искаше да прати смс на Анна, не можеше да понася да са скарани. Вместо на нея прати смс на Саня: "Как е Анна?". Очакваше Саня да не му отговори, но тя му върна смс: "По-добре от теб. И двете сме будни. В 5:00 часа, като отвори метрото, ще танцуваме." Естебан ѝ написа "ОК."

Докато отвори метрото, той извърви разстоянието на три метростанции. Беше му адски студено и си представи как ако я няма Анна, целият му живот щеше да е такъв: празен, студен и самотен. Можеше да направи шоуто със Саня. Тя щеше да е до него, можеше дори отново да се чука с нея, да заживее с нея, за да не е напълно сам. След като беше дошла дотук заради него, сигурно щеше да го последва навсякъде. Нея не я обичаше, не я ревнуваше, нямаше да му пука дали има забежки, можеше дори и двамата да го правят с други от време на време. Саня го познаваше и винаги беше била лоялна към него. Щеше да освободи Анна. Без Анна щеше да е много по-спокоен, нямаше да се разкъсва от ревност. Саня беше капризна и на моменти много дразнеща, но той можеше да я контролира напълно. Щеше да му е корректив, да бъде себе си с него. Знаеше, че дори щеше да бъде щастлива с него. Със Саня, за разлика от с Анна, нямаше да изпитва такива безумни моменти на умопомрачително щастие, но нямаше и да изпада в подобни дупки. Щеше да е с разсъдъка си през цялото време.

После си помисли как Анна можеше да отиде при Васил или Анастази и усети как целият се разлюля вътрешно само при мисълта за нея и друг мъж. Сега си даде сметка, че може би не искаше свобода. Искаше да избяга от болката в този свят, искаше да избяга от собствената си болка. Защо трябваше Анна да изважда най-големите му болки и страхове наяве? Даде си сметка, че свободата е само някаква дума, която повтаряше като папагал, но нито вътрешно, нито външно беше свободен. Почувства страх от смъртта. Страх да си отиде от тоя свят, без изобщо да е живял.

Влезе в метрото и ги видя как танцуват. По-точно видя Анна. Саня сякаш изобщо не можеше да я разтанцува. Все едно не беше Анна. Дали и тя се чувстваше така изгубена без него, както той без нея?

Написа смс на Саня: "Зарежи, трагични сте. Аз ще поема Анна".

Саня погледна към него и му се усмихна. Естебан ѝ върна фалшива усмивка, но вътрешно осъзна, че каквото и да си мислеше, Саня изобщо не му беше близка. Дали щеше да е с нея или сам, беше все едно и също. Слезе от другата страна на стълбите и отиде при Анна. Тя го гледаше втренчено замръзнала на мястото си. Той с невъзмутимо изражение и наставнически тон ѝ каза:

– Няколко часа далеч от мен и забравяш как се танцува, а?

Анна мълчеше. Изведнъж се обърна с гръб към него и тръгна по стълбите нагоре. Естебан я застигна и каза шеговито:

– Не бързай толкова, в една посока сме.

Анна продължи да мълчи. Двамата влязоха у тях и Естебан я сграбчи и започна да я целува. Тя се опита да се отскубне, но той още по-настойчиво я притисна към себе си.

– Не мога да живея без теб – каза, докато я целуваше. – Не ме отблъсквай.

Анна го допусна до себе си и Естебан напълно се отдаде на чувствата си. Свърза се с тялото ѝ, все едно беше източник на светлина, който можеше да го излекува от всичко.

През цялото време Анна повтаряше: "Te amo, te quiero" (Обичам те) и гласът ѝ го отвеждаше в някакъв свят, където имаше безгранично блаженство. Докато я прегръщаше като обезумял, за пореден път си даде сметка, че не може да я нарани, всичко, което искаше, бе да я предпази, да я закриля, да я прави щастлива.

– Няма да се откажа от теб. Никога – неочаквано я чу да казва в ухото му. Въпреки че беше в състояние да се разплаче в ръцете ѝ, той се ухили и каза:

– Пак ще си говорим като те скъсам от тренировки. Днес със Саня бяхте като разпасана армия.

Анна се засмя и Естебан разбра: бяха се сдобрили.

VIII

АННА И ЕСТЕБАН

Когато Саня позвъни на вратата, Анна плачеше неудържимо, свила се на топка в леглото. Нищо не се получаваше. Медитираше, стараеше се, един ден Естебан беше в настроение, на следващия се държеше отвратително. Сега се оказа, че го била контролирала и отново я остави напълно сама.

Чувстваше как колкото повече се старае, сякаш толкова повече го губеше. Как може в един и същи ден да ѝ праща цветя и после да я обвинява в какво ли не?

Не ѝ се ставаше да отваря, но после си помисли, че може да е той и да си е забравил ключа. Опита се да прикрие следите от плача си, но очите ѝ бяха подпухнали и зачервени.

Не беше Естебан. Беше Саня. Анна само я видя и още по-силно се разплака. Саня влезе, прегърна я и двете дълго стояха така.

– Скарахме се с Естебан на метростанцията – каза Саня, сякаш, за да извини Естебан.

– Него го няма тук – каза сухо Анна.

– Знам. Дойде в хотела. Каза, че иска да е сам и го оставих да спи в моята стая. Затова идвам при теб.

– Каза, че ще излиза на пица с някаква колежка от школата.

– Чувства се гадно, че си го е изкарал на теб.

– Благодаря, Саня. Нали не го прикриваш?

– Наистина е в стаята ми. Ако искаш, може заедно да отидем, да се увериш. И между нас не е имало нищо – обясни Саня.

– Защо му е толкова трудно да казва какво чувства? – попита Анна.

– Предполагам травма от детството. Родителите му са се разделили и вторият брак на майка му е бил нещастен. Естебан е избягал в Арма при истинския си баща. Но и той не е бил стока.

Стори ú се редно да обясни на Анна всичко.

– Трябва да го обичаш много, Анна. – продължи тя. – Само ти можеш да го изправиш срещу всичко, което се случва в него.

– Какво се случва с него?

– Страхува се да не прецака цялата ви връзка. Понякога може да бъде много мрачен, направо непоносим. Точно в тези моменти той има нужда да бъде обичан.

– Той бяга от мен, аз какво мога да направя?

– Стой тук. Той не може без теб. Дори и да си мисли, че може. Преди малко се разплака пред мен. Аз наистина се безпокоя за него. Преминава през нещо, за което не е подготвен и върху което няма никакъв контрол.

– Какво нещо?

– Нараненото си детство предполагам.

Анна замълча.

– Какво да правя с тази връзка, Саня? Имам нужда от опора, а той сякаш непрестанно ме изкарва от равновесие.

– Нали не искахте сигурност? Ето сега сте свободни по вашите критерии – и двамата не знаете какво ви се пише. Радвайте се и се срещайте с непознатото.

Анна се засмя.

– Гладна ли си?

– Като вълк.

Анна наля и на двете червено вино и вечеряха.

– Никога не говори нищо за семейството си – каза Анна.

– И аз не знам много – опита се да я успокои Саня.

– Явно знаеш повече от мен.

– Е, това са шест години. Не е малко.

– Защо го правиш? Защо си на моя страна? Ето, имаме проблеми. Защо не се възползваш, явно е, че още го обичаш.

– Не очаквам да разбереш.

– Опитай. Интересно ми е.

– Собственият ми живот е каша. Развлича ме да оправям живота на другите, тъй като не знам как да оправя моя.

Анна знаеше, че това не е истина, но се усмихна в знак на съгласие.

– Анна мога ли да те помоля за нещо?

– Да, кажи.

– Днес си подадох документи за работа в школата на твоя джентълмен. Не искам да стоя без пари, докато съм тук. Ако те попита за мен, ще ми съдействаш ли?

– Няма проблем – мило каза Анна.

– Благодаря ти.

– Защо избра тази школа?

– Заради рекламата – излъга Саня. – Е, и заради твоите думи. Досега съм работила само при задник. Може, да работя при някой, който знае как да се държи на положение, да е освежаваща промяна.

– Ти няма да се върнеш в България, нали? – попита я Анна.

– Нямам какво да правя там. Имам гадже, което не обичам и шеф, който ме използва.

– Какво ще правиш с Дани?

– Ще му напиша имейл, че започвам отначало.

– А ако дойде тук и иска да се върнеш.

– Няма да го направи. Той не е нито чувствителен, нито спонтанен. Ще постъпи разумно и ще си намери друга.

– А с работата?

– Ще пратя смс, че напускам.

– Не прави глупости. Ще ти кажа какво да направиш, без да си навличаш проблеми.

– Много мило.

– Нали каза, че те е страх да си сама?

– Поляците са красиви. Все ще си намеря гадже.

– Саня, знам, че няма да ме послушаш, но защо за малко не поостанеш сама? Да обмислиш живота си и наистина да започнеш отначало.

– Да чакам мъжа?

– Не, да го привлечеш.

– Не знам. Аз отдавна не вярвам в половинки.

– Мога аз да звънна на Лукас и да му кажа за теб.

– Недей! – твърдо каза Саня. – Не го търси. Ако той те потърси, препоръчай ме.

– Мислих върху думите ти. Може би наистина твърде много се ограничавам. Толкова съм се вкопчила в Естебан, че сигурно си мисли, че го задушавам. Той знае, че нямам никаква среда и може да се чувства длъжен да стои до мен и това да ограничава него. Затова да става такъв. Може би, ако започна да създавам приятелства, ще се почувства по-добре. Да излизам на кафе, на обяд от време на време. Обядът с Лукас беше приятен. Мога пак да обядвам с него.

– Не е добра идея – каза меко Саня, защото почувства, че един такъв обяд ще довърши Естебан.

– Защо?

– Предстои ви шоу – измъкна се Саня. – Естебан ще иска да си напълно отдадена на танците. Ако разбере, че се шляеш по кафета и ресторанти, ще го изтълкува превратно. Повярвай ми, когато се готвихме за "Spettacolo di ballo", не ми даваше и да дишам без негово разрешение. Той очаква сега да си отдадена на танците. Познаваш го, там е безжалостен.

– Така е, права си.

– Аз ти предлагам утре да отидем на метрото още сутринта, като няма много хора и да почнем да репетираме.

– ОК.

– Искаш ли да гледаме филм? – попита Анна.

Саня разбра, че тя не искаше да си ляга без Естебан.

– Добре, искам.

Анна избра музикален филм и двете пренесоха чашите си с вино в спалнята. Дори не усетиха кога е станало три и половина. Внезапно телефонът на Саня иззвъня за получен смс. Тя го погледна и го подаде на Анна. Беше от Естебан – "Как е Анна?". Анна сякаш се успокои, като го видя, и ѝ върна телефона.

– Явно нощта не е безсънна само за теб – отбеляза Саня и отговори пред Анна: "По-добре от теб. И двете сме будни. В 5:00 часа като отвори метрото, ще танцуваме."

След като филмът приключи, Анна направи по едно силно кафе и на двете и заедно отидоха в метрото.

Заради безсънната нощ и напрежението Анна изобщо не можа да се съсредоточи. Внезапно видя Естебан да слиза по стълбите. Беше сложил маската на равнодушието и вървеше право към нея. Подметна ѝ как без него не можела да танцува, което я накара да се почувства безпомощна. Тя се обърна и понечи да си тръгне, но той я догони. Още с влизането ѝ се нахвърли да я целува, но Анна опита да се освободи от прегръдките му. Чувстваше се наранена и объркана от държанието му. Естебан изведнъж ѝ каза, че не може да живее без нея, което я обезоръжи и тя го прие. Докато правеха секс, беше много различен, на моменти ставаше по-груб от обикновено, на моменти се овладяваше. На Анна ѝ се стори, че сексът катализираше вътрешните му битки. Едва сега Анна разбра думите на ангела: да присъства емоционално във всичко, което прави. Не по принцип, а с Естебан. Нейното емоционално присъствие беше любовта. А теренът, на който щеше да го срещне с онова, от което се страхуваше, беше сексът.

IX

АННА

За нещастие на Анна Лукас реши да ѝ позвъни в първия от двата почивни дни на Естебан. Естебан и тя пиеха кафе и закусваха, когато телефонът ѝ звънна. Както обикновено телефоните им бяха на масата. Анна изобщо не се притесни, като видя обаждането му, но Естебан остана като вкаменен на стола. Дишането му се учести и едва успя да чуе името на Саня в разговора. Овладя се преко сили. Анна затвори телефона.

– Саня е кандидатствала за работа в школата му. Имаше нужда от съдействието ми.

– Защо ти ще я уреждаш? Какво влияние имаш ти над този мъж? – гласът му беше леден и Анна изтръпна.

– Аз не съм го търсила. Той ми се обади, защото ме е споменала в молбата си за работа. Препоръчах я. Лукас ме покани на обяд, но му казах, че няма да мога.

Тя се надяваше, че думите му ще го успокоят, но Естебан сякаш полудя.

– Защо те кани на обяд, нали уж само проверявал молбата? Лъжеш ли ме?

– Овладей се малко. Поканата му беше чиста любезност.

Естебан стана от масата, взе си якето и излезе. Когато се върна, Анна вече приготвяше обяд. Той не знаеше как да се държи с нея, а беше и премръзнал, така че влезе в банята да си вземе вана. Прекара повече от час във водата, борейки се със себе си. Излезе в непоносимо настроение, беше крайно потиснат и изнервен и искаше да си го изкара на Анна, само че тя не му даваше никакъв повод да избухне. Нищо не го питаше, правеше някаква салата.

– Още колко време ще се правиш, че ме няма? – заяде се с нея накрая той.

– Чакам да се успокоиш – каза тя.

– Кажи на Саня, че очаквам танцовото шоу да е на първо място за нея. Затова е тук. И повече да не те замесва в нищо такова. Ако този мъж звънне още веднъж тук, си сменяш номера.

Анна не можа да повярва на реакцията му.

Естебан стоеше като закован на мястото си, сякаш се страхуваше да я приближи.

Покорно се съгласи с него: "Добре". Естебан повтори: "Добре" и отиде да се облече.

Върна се след пет минути в още по-кисело настроение.

– Зарежи обяда. Време е да почнеш да учиш хореографията.

– Имаме ли готова хореография? Мислех, че със Саня още я създавате.

– Няма как и да мислиш друго, като времето със Саня го оползотворяваш с шляене по кафета и разговори за мъже. Анастази си е ОК, нали? Ти му направи пари, Саня ще му прави пари. Нашите планове къде отиват?

– Прав си. Ще проявим повече старание. Знам, че танцовото шоу е важно за теб.

– Нямам време, разбираш ли? Нямам време да ви стоя на главата и на двете, за да ви стягам. Не сте деца. Очаквам като сме се разбрали нещо, да го вършите.

– Готова съм, ако искаш да репетираме нещо – каза Анна примирено, за да смени темата.

– Стой с мен, Анна. Къде си?

– Тук съм.

– Изобщо не си тук. Разсеяна си, със Саня нищо не правите. Изобщо не те усещам. Искам да усетя ръката ти, тялото ти. Виж, няма никакъв тонус в прегръдката ти. Откакто танцува за онази реклама, сякаш не си ти като танцуваш.

Естебан спря музиката.

– Знаеш ли какво означава думата танц?

– Не.

– Идва от санскритската дума "тан" (tan), която се асоциира с радост. От немски "tanz" навлиза във френски "danse" и оттам в английски, испански и останалите езици.

Танц - това е усещане за радост, радост от единението на ум и сърце, тяло и чувства в едно. Разбираш ли ме?

Танго е танц.

Не е бизнес. Не е реклама. Не е евтин трик за привличане на клиенти.

Lenard Cohen. Dance with me to the end of love. Tango version

Приближи се до нея и каза много по-меко:

– Сега искам да танцувам танго с теб.

Анна усети как тангото го успокои и като с магическа пръчица в миг ги свърза отвъд всичките им грижи и страхове. В близкия хват на прегръдката на Естебан тя беше в пълна безопасност – откликваща на тялото му, докосваща сърцето му.

Естебан я изведе я на стълбищната площадка в сградата, в която живееха и започна да я води по тях, слизайки надолу.

Анна не можеше да повярва колко стабилно можеше Естебан да стои на краката си. Нито една грешна стъпка, нито потрепване, сякаш нямаше нищо по-лесно от това да води партньорката си с гръб по нанадолнището.

Анна забеляза как при всяка нейна грешка Естебан просто я задържаше в прегръдките си и връщаше танца отначало.

В отговор тя напълно се мобилизира и неусетно, без да забележи, започна с лекота да слиза по стълбите в ритъма на тангото. Естебан взе мобилния си и сложи едната слушалка в неговото ухо, другата в нейното и я поведе по стълбите в ритъма на музиката. Без грешка. Повториха го. Отново без грешка. Още веднъж. След петия път Естебан я качи до горе и вместо да я поведе по стълбите, я повдигна към себе си и я въведе в апартамента. Започна да я целува, изпълнен със страст и болка.

Целувките му започнаха да преминават в хапене и Анна осъзна, че моментът беше настъпил. Тя нежно прошепна в ухото му:

– Пусни всичко. Не ме е страх от теб

Вместо да го отпуснат, думите ѝ сякаш го парализираха.

Той я попита:

– Направих ли нещо? Нараних ли те?

– Не.

Естебан се отдели от нея, смотолеви, че е най-добре да поспи преди работа, но вместо в спалнята влезе в банята и заключи вратата. Изми лицето си със студена вода, обмисляйки какво е направил, за да му каже, че не я е страх от него. Ужаси се при мисълта, че може да е усетила какво се случва в душата му и най-вече страхът му, че може от болка да я нарани физически. И тъй като не знаеше какво да направи, реши, че е най-добре да отиде да поспи.

– Не ме е страх от теб – повтори тя, което го накара да замръзне.

– Защо да те е страх от мен?

– Защото ти сякаш се плашиш от самия себе си.

Анна обгърна врата му с ръце.

– През каквото и да преминаваш, ще преминем заедно.

Естебан не ѝ каза нищо, но се остави на възбудата, която го завладя. Нахвърли се върху нея като хищник върху парче месо, усещаше как тялото му беше проводник на вътрешната му болка и го правеше груб, рязък, необуздан.

Анна сякаш нямаше проблем с това, тя също стана по-твърда, ноктите ѝ започнаха да дерат гърба му, сякаш и двамата влязоха в някаква игра на сенки.

– Ако много те заболи искам да ме спреш.

– Позволи ми да бъда с теб в това, което преживяваш – гальовно каза Анна. – Предпочитам груб секс пред това да те виждам как се страхуваш да ме приближиш.

Естебан се остави да премине през собствената си сянка, само че веднъж осветена, сянката престана да съществува. Анна очакваше Естебан да стане агресивен, но вместо това той я завладяваше с нежност, топлота, любвеобилност.

– Не мога да съм груб с теб – облекчено прошепна в ухото ѝ. – Обичам те.

X

ЕСТЕБАН

– Изглеждаш много по-свеж днес – отбеляза Саня.

– Да кажем, че съм се наспал.

– Назначиха ме в школата.

– Да, Анастази вчера звъня на Анна.

– Съжалявам – извини се Саня.

– Ти докъде стигна с него?

– Запознах се с Лукас Анастази. Как да ти кажа... видя ми се почтен. Не ми изглежда от типа мъже, които искат да те избройкат или ще се занимават с обвързани жени. Фин. Интелигентен. С невероятен усет за бизнес.

– Ако се сближите достатъчно, му кажи или да си смени бизнеса, или екипа, защото от танци нищо не разбира. Особено от танго.

Едва сега Саня осъзна, че Естебан се чувстваше двойно предаден от Анна – не само като мъж, а и като професионалист.

– Има хора, които искат просто да се забавляват, Естебан. И да правят пари. Не всички са толкова задълбочени като теб.

– Той споменавал ли е Анна?

– Не – излъга Саня. Всъщност Лукас беше доста впечатлен от Анна, но Саня предпочете да запази тази част от разговора им за себе си.

– ОК.

– Може би е време да поговориш с Анна. Тя има право да знае какво става с теб.

– И какво да ѝ кажа? Любима, ако искаш да си с мен, недей никога повече да общуваш с мъже, защото не мога да го понеса.

– Естебан, твоето вече отива към болест.

Естебан замълча.

– Аз ѝ казах, че я ревнувам веднъж – сподели той. – Но не знам доколко ме разбра.

– Аз не съм убедена, че ако ти разбереш, че не е спала с Лукас, нещо изобщо ще се промени.

Естебан най-много се страхуваше именно от това. Че нищо нямаше да възвърне доверието му в Анна. Никога.

– Какво става с музикантите? – смени темата Естебан.

– Има две момчета от музикалната академия. Добри са и са съгласни да делите на четири.

– На какви инструменти свирят?

– Цигулка и тромпет.

– Кога мога да ги видя?

– Утре. Казах им да дойдат у вас. Нали няма да има проблем, че ще се срещнат и с Анна?

Естебан я изгледа кръвнишки.

– Мога ли да ти кажа нещо?

– Стига да е полезно.

– Анна е обаятелна, но определено не е типът жена, която от пръв поглед завладява всеки мъж. Няма нужда да я пазиш толкова.

– Има нещо в нея, не знам какво, но знам как действа на мен. Аз много трудно се впечатлявам от някоя жена, но тя... сякаш може едновременно да ти е най-близкото същество на света и да ти даде силата да сбъднеш всичките си мечти. И като танцува го излъчва.

Саня за пръв път осъзна по какъв начин Анна успяваше да въздейства на мъжете и да ги привлича да подпомагат нейните мечти. Тя излъчваше обаянието на жена, която може да сбъдва мечтите си. Жена, която желаеше да опознае света на мъжа, с когото общуваше. Анна успяваше да види мъжкия свят през очите на мъжете, без да губи женствеността си.

Саня се усмихна на Естебан.

– Опитай се да мислиш само за шоуто.

– Покани момчетата тази вечер вкъщи. Не искам да отлагаме повече.

♪♫♪

Мирослав и Андреа бяха силно ентусиазирани относно идеята на Естебан. Още същата вечер дойдоха с инструментите си и вече бяха разучили не само музиката на „El Tango de Roxanne", но и още поне десетина танга. Естебан остана очарован и от двамата. Те не просто усещаха музиката, те имаха също толкова ясна визия за изпълнението, както и той.

Пиха бира и обсъждаха детайлите до късно през нощта. Анна и Саня мълчаливо присъстваха на срещата. Момчетата бяха вдъхновени, че ще свирят на живо.

– Ако се получи в метрото – предложи Андреа. – Ще пробваме да започнем да свирим и по клубовете тук. Навит ли си?

– Естествено, че съм.

На сутринта в 5:00 часа петимата отидоха в метрото и Естебан и Саня показаха цялостната идея. Момчетата изсвириха тангото и Естебан изигра началото със слизане по стълбите с Анна, което впечатли както тях, така и Саня.

Направиха още няколко репетиции през следващите дни. Служителите от метрото също останаха впечатлени и им се радваха искрено.

♪♫♪

На 22.02., четвъртък, Естебан излезе от школата по танци в 19:30 часа. В 20:10 часа беше на метростанция "Plac Wilsona", където щеше да изиграят първото си танцово шоу. Метростанцията беше пълна с хора. Анна, Саня и момчетата го чакаха горе.

Нямаха нужда от повече думи. Саня слезе долу и остави калъфа от цигулката между хората. Някои я забелязаха, но не ѝ обърнаха внимание.

И в този момент Мирослав и Андреа засвириха "El Tango de Roxanne" и тръгнаха надолу по стълбите. Вървяха един след друг, без да пречат на слизащите по стълбите хора.

Звуците на тангото вече изпълваха цялата метростанция. Момчетата слязоха и застанаха с лице към стълбите и гръб към хората. В този момент се появиха Естебан и Анна, облечени в танцови костюми. Естебан уверено я поведе надолу по стълбите.

Хората им правеха място и сякаш никой не бързаше за никъде. В четирите минути на тангото всички се превърнаха в част от магията. Естебан и Анна напълно завладяха зрителите, вплетени в любовната игра на живото танго.

Когато приключиха, калъфът от цигулката вече беше пълен с банкноти.

Последваха "La cumparsita". След нея "El choclo", "Tango in the park", "Obvilion".

Дори не усетиха кога беше минал повече от час. Неуморно момчетата свиреха танго след танго. Краката му сякаш танцуваха сами, тялото му разговаряше с тялото на Анна по магичен и трудно изразим с думи начин, а умът му беше по-бистър от всякога. С периферното си зрение видя момчетата, които разпалено изпълняваха съвършено всяко танго, видя Саня, която развълнувано пляскаше, видя лицата на хората около тях, изпълнени със светлина и радост. Всички тези по принцип вглъбени в своя свят лица сега бяха приобщени към един различен свят – един свят, който говореше с езика на музиката, с езика на тялото, с езика на любовта, с езика на свободата. Свят, който говореше с езика на душата и светлината.

Парите отдавна преливаха от поставения за тях калъф, сякаш бяха живи същества, изразяващи своето съгласие за съществуването на един такъв свят.

След като приключиха, и четиримата се поклониха и заедно отидоха да отпразнуват първото си съвместно шоу.

– Хайде да ви водя в едно от най-добрите места във Варшава. Пиано бар. Изключително изискан. Точно като за теб и Анна. Ще ви представя на собственика.

На масата в пиано бара Естебан преброи парите – около 1000 злоти, близо 240 евро.

Раздаде ги между себе си, Анна, Андреа и Мирослав.

Раздели своята четвърт на две и даде половината на Саня.

– Чакай сега – намеси се Андреа – защо не ги делиш на пет направо?

– Тя помага само на мен – твърдо каза Естебан.

Анна не взе отношение, твърде добре познаваше Естебан.

– Както сте се разбрали – отвърна Андреа. – Ще извикам собственика. – Това са танцьорите – Естебан и Анна.

– Дамиан – представи се с малкото си име приятелят на Андреа. – Ако сте толкова добри, колкото Андреа ви описва, аз съм "за". След малко групата, която сега свири има 10 минути почивка, може да се включите.

– С удоволствие – каза Естебан.

– Ти откъде си? – попита Дамиан.

– Испания.

– Нека да видим как ще ви приемат клиентите тук.

Саня забеляза как няколко пъти по време на разговора, Естебан сложи ръката си върху ръката на Анна. Явно демонстрирайки, че тя е негова.

Саня се опита да привлече вниманието на собственика на пиано бара върху себе си, за да създаде още по-голямо вътрешно спокойствие у Естебан, докато Анна деликатно мълчеше през цялото време. Момчетата говориха предимно с Естебан, но въпреки това присъствието на Анна, макар и мълчалива, беше повече от осезаемо. Анна беше като кралица на масата, женствена и магнетична, прекрасна в танцовата си рокля за танго, като муза и ангелско творение едновременно. Дамиан хвърляше непрекъснати погледи върху нея, сякаш не можеше да повярва, че съществува подобна жена.

Дойде ред на тяхното изпълнение. Естебан поведе Анна на сцената и ритъмът на тангото изпълни заведението.

И сякаш единствено докато танцуваха, и двамата се докосваха до формулата на мъжкото и женското начало, на изначалното, на заложеното и вкорененото в тях. Дамиан окончателно беше завладян от Анна. Саня усети, че той щеше да ѝ се пробва още тази вечер, сякаш Анна пробуждаше у мъжете желанието да се съревновават за нея, да показват силата и превъзходството си по същия начин, по който в природата всеки мъжки екземпляр трябваше да отвоюва правото си да бъде с женската.

Естебан трябваше постоянно да защитава правото си да бъде с Анна, защото всеки мъж със силно его щеше да оспорва правата му върху нея. Нима беше възможно да се свържеш толкова дълбоко с чистата си женска природа? Саня не можеше да повярва с каква яснота виждаше невидимото за всички – силата на природата, която сякаш цивилизованият човек отричаше, арената на истинските мъжки двубои далеч от изкуствено създадените спортни рингове, далеч от интригите и игрите на политика и власт. Арената, на която мъжът трябваше да бъде единствено мъж и да срещне лице в лице своя противник без меч и без друго оръжие, различно от собствения си потенциал. Арената, на която мъжът трябваше да бъде ловец, за да може да понася отговорност и да среща непознатото.

Ревността на Естебан беше продиктувана от нежеланието да поеме отговорност като мъж. Подсъзнателно той се страхуваше от мъжката си природа, в която всеки друг мъж щеше да оспорва правата му на завоевател. Всеки друг мъж щеше да изисква от него да бъде по-добрият, по-силният, по-изобретателният. В свят, в който всеки мислеше, че жените и мъжете са безкрайно множество, от което можеш да избираш, какво се случваше с мъжа и жената, които срещаха своята единствена половинка?

Тангото свърши. Дамиан отиде при тях, стисна ръката на Естебан (хвърли му ръкавицата, помисли си Саня) и се наведе и целуна ръка на Анна (оспори завоеванието му).

Саня видя изгарящия поглед на Естебан и реши да се намеси.

– Виждам, че танцът ви харесва.

– Изключителни сте – отговори Дамиан с поглед, насочен към Анна.

– С удоволствие ще работим с вас – каза приветливо Саня.

Никой не я беше упълномощил да дава подобни изявления и Естебан беше готов да я унищожи с поглед. Но Саня знаеше, че именно тя в момента защитаваше мъжкото в Естебан - той трябваше да покаже превъзходството си, не да избяга.

През останалата част от вечерта момчетата, собственикът и Саня шумно обсъждаха подробностите около шоуто. Подобни преговори бяха стихията на Саня, беше го правила толкова пъти с клиентите на Жеков, че някак естествено се прояви като мениджър. Естебан мълчеше с невъзмутимо изражение и мрачен поглед, като дясната му ръката беше облегната на облегалката зад Анна, а тя спокойно следеше развоя на разговора, без да взема отношение по него.

– Може би е добре групата ви да си има име – каза Дамиан. – Нещо изискано, нещо което ще привлича към вас.

– Някой има ли лист и химикал? – попита Саня.

– Да, ей сега ще донеса – каза Дамиан и помоли един от сервитьорите да донесе.

Саня подаде листа и химикала на Естебан.

– Ти си добър в тези неща. Дай някоя добра идея.

Естебан изобщо не се поколеба.

"When El Tango begins to speak…" (Когато тангото проговори...) – танцов спектакъл на Естебан и Анна Амаринго под музикалния съпровод на Андреа Пудолски и Мирослав Валеса.

Анна Амаринго. Оригиналното заглавие на нейната статия и нейното име с неговата фамилия.

Без да имаха сключен брак, без дори да бъде изяснено, че някога ще сключат такъв, Естебан я представяше като своя съпруга.

Саня забеляза светещия поглед на Анна, която продължаваше да мълчи. Собственикът на пиано бара изглежда не очакваше Анна да е съпруга на Естебан и се отказа от намерението си да се пробва с нея. Саня го усети по факта, че започна да сваля нея.

Андреа и Мирослав също се съгласиха.

Всъщност нямаше нужда формално да се обявяват като група.

Имаше джентълменско споразумение между четиримата, всеки имаше право да е част или да се откаже от танцовото шоу.

Името на Саня не фигурираше – тя прекрасно разбра, че току-що Естебан ѝ беше показал червен картон заради намесата ѝ преди малко.

Но чисто по приятелски не съжаляваше за нищо – знаеше, че макар и егото му да му пречеше да види подтекста на нейните действия, тя му беше помогнала да направи първата малка крачка към отвоюването на собствената си свобода от капана на ревността.

Естебан щеше да се освободи от ревността си към Анна в момента, в който поемеше отговорността да бъде мъж.

Сянката на ревността беше неговият най-голям учител в този момент – самият живот, който изискваше от него да е завоевателят, рицарят, ловецът. Най-дълбоките и най-силните архетипни същности, очертаващи облика на истинския мъж.

XI

АННА И ЕСТЕБАН

В следващите две седмици Андреа ги уреди на редица участия в най-различни заведения във Варшава, което вече наложи съвсем различен тертип на работа помежду им. Беше необходимо да наемат зала за репетиции и да изработят стройна хореография с определен тип музикален фон, като самата хореография трябваше да има сюжет и преливащи се един в друг мини спектакли.

Саня се зае със сложната задача, а двата свободни дни на Естебан се превърнаха в дни за репетиции.

Момчетата се включваха след лекциите си, като Андреа и Естебан проявяваха към останалите смазващо отношение към качеството. Мирослав беше тих и изпълнителен, докато Андреа беше доста доминиращ и изключителен перфекционист. За разлика от Естебан, Андреа беше първичен и избухлив и когато нещо не се получеше според неговите критерии, започваше да псува и гласно да се ядосва.

Перфекционизмът на Андреа облекчаваше Естебан да следи за изпълнението на музиката и го съсредоточаваше върху изпълнението на танца. Мирослав от своя страна беше вглъбен само в своето изпълнение и въпреки че Андреа имаше много по-високи изисквания, Мирослав по-малко грешеше от двамата.

Саня вземаше отношение единствено по хореографията, като също оставяше окончателните решения на Естебан. Тя нахвърляше идея след идея, показваше какво има предвид и бързо и адекватно се променяше съгласно ситуацията.

Андреа и Мирослав изпитваха естетическо удоволствие, докато гледаха как Естебан и Анна танцуват, а Саня се възхищаваше до краен предел на покорството на Анна. Анна се учеше, не оспорваше авторитета на Естебан, не поставяше нито за миг под съмнение дори елемент от професионализма му.

Изведнъж на Саня ѝ хрумна концепцията за изцяло нов спектакъл.

– Имам идея за нещо – сподели тя по време на една от почивките. – Нещо различно.

– Какво? – попита Естебан.

– В момента правим множество миниспектакли, а ако направим един грандиозен цялостен спектакъл.

– Слушам те.

– За светлините и сенките във всеки от нас.

Естебан изтръпна. Не искаше да играе такъв спектакъл, но Анна се въодушеви:

– Веднъж, докато бях студентка, моя приятелка от Художествената Академия ме покани да присъствам на дипломната ѝ работа. Художествената академия е точно до Ректората на СУ, където е Юридическия факултет, така че ми беше удобно и се съгласих. Имаше много творчески проекти – някои бяха платна, други – скулптури. Една от скулптурите ме впечатли особено – изобразяваше везна под формата на детска люлка. Дървено столче и дървена дъска, сложена върху му. От едната страна имаше скулптура, която изразяваше едно голямо "ДА", а от другата – скулптура, изобразяваща "НЕ". Тежестта на двете фигури беше напълно уравновесена. Само че върху скулптурата на "ДА" имаше изписани множество малки "не", а върху скулптурата на "НЕ" множество малки "да". На мен ми се стори изключително – сякаш авторът на творбата беше уловил колко много премълчани "не" се съдържат във всяко наше "да" и обратното – колко много пренебрегнати "да" има във всяко изказано "не".

Анна замълча. Остави мъжете да вземат решение.

– Какво е оригиналното в такъв спектакъл? – попита Естебан. – Темата за борбата между доброто и злото е клише.

– Няма да има борба между доброто и злото – обясни Саня. – Ще се разкрие красотата на общуването между мъжа и жената. Мъжът ще бъде мъж, а жената – жена. И двамата заедно ще преминават през светлината и сянката. Всяка сянка ще съдържа множество малки светлини, а всяка светлина ще включва множество неразгадани сенки.

Анна никога не беше чувствала Саня по-близка. Сякаш тя беше там, за да чете в душата ѝ и да облича в думи вътрешните ѝ търсения. Естебан се замисли и се обърна към Анна:

– Направете го двете. Аз ще го доизчистя накрая.

♪♫♪

През следващите седмици, докато Естебан беше на работа и когато Саня беше свободна от ангажиментите си при Лукас, двете с Анна се посветиха на новата хореография.

От своя страна момчетата и Естебан започнаха да излизат на по бира и просто да си говорят по мъжки.

Съвсем неусетно Анна и Саня намериха в лицето една на друга приятелката и довереницата, за която толкова копнееше всяка от тях, а мъжете преоткриха един в друг единомишлениците, съотборниците, приятелите с обща визия за света.

Докато беше в компанията на Мирослав и Андреа, Естебан не се измъчваше от ревност, което беше странно за него, но не и за Саня – ревността произтичаше от неосъзнатата необходимост Естебан да заяви превъзходството и стойността си като мъж, а с двете момчета от музикалната академия, той нямаше такъв проблем. И двамата бяха впечатлени от личността и историята му, от обикалянето на мотор, от приключенския му дух и от отношенията му с Анна. Те от своя страна му разказаха за собствените си преживявания и мечти. Андреа беше авантюрист, обичаше ралитата, високите скорости, бънджи скоковете и парашутизма. Зимата обичаше да кара ски, а лятото – сърф. Беше обиколил половината свят и твърдеше, че с цигулката си има по-интимни отношения от с която и да е жена в живота му. Обожаваше да пътува и идеята за обикаляне на света му допадна изключително. Мирослав беше наследствен тромпетист, дядо му и баща му бяха свирили във Филхармонията и същото се очакваше и от него. Той беше любител на книгите и фотографията.

Андреа хвърляше неимоверни усилия в уговарянето на техни участия, а Мирослав винаги излъчваше такава стабилност и спокойствие, че покрай него човек можеше наистина да повярва, че всичко е възможно.

За пръв път в живота си Естебан имаше истинска кауза и път пред себе си. Имаше психологически комфорт и на двете места, на които работеше – протекцията на собственика на кафето, която тушираше цялата неприязън на колегите му и верните му клиенти в танцовата школа, които малко по малко напредваха и съставляваха стабилно ядро на двете му групи.

Парите от уговорените участия все повече се увеличаваха, а самите шоута продължаваха най-късно до 23:00 часа, така че до полунощ двамата с Анна се прибираха. Ако не се измъчваше от ревността си, Естебан би могъл да каже, че е открил формулата на щастието. Само че дори сега, когато имаше всичко, за което беше мечтал, щастието му се виждаше като недостижим мираж.

XII

АННА

– Коя според теб е собствената ти сянка? – попита Саня, докато създаваха концепцията за хореографията.

– Мислих върху това – призна Анна. – Моята недоверчивост, ревността ми.

– От какво ревнуваш? – попита тя изненадано.

– Странно е – отговори Анна. – Хем вътрешно съм убедена във верността на Естебан, поне се старая да съм, хем понякога се страхувам, че ако го прихване нещо, ще преспи с друга. Понякога е така дистанциран от мен, сякаш нямам достъп до него и в такива моменти очаквам да ми поднесе всичко.

– Работи върху женствеността си – каза неочаквано за себе си Саня.

– Аз не спирам да работя върху това – призна Анна.

– Той няма да ти изневери. Но аз имам моя теория за ревността – според мен е несигурност в половата ти идентичност. Ако ти се чувстваш несигурна като жена, ще ревнуваш от друга, която мислиш, че те превъзхожда в нещо, ако той е несигурен като мъж, той ще ревнува.

– Това е интересна теория. Как си стигнала до нея?

"Като наблюдавах вас" помисли си Саня, но рече:

– Може сянката да е ревността, а светлината – любовта.

Анна разгърна въображението си.

– Светлината ще е намирането на себе си – жената ще е жена, мъжът – мъж. Ще може ли да се изтанцува?

– Естествено – каза Саня. – Всичко може да се изтанцува. Тя ще търси себе си, той – също. Ще се срещнат, когато са се открили. В началото сцената ще има съвсем малко светлина, но колкото повече се изпълват те двамата със светлина, толкова повече светлина ще изпълва сцената.

– А може и по друг начин – измисли го Анна – половината сцена тъмна, другата половина светла. И те ще преминават от едната в другата половина. Ще се люшкат, ще се хващат и отблъскват.

Идеите за спектакъла малко по малко оформиха сюжета, който Саня щеше да облече в танци. Тя познаваше Анна и Естебан достатъчно добре, за да може да ги накара да изиграят собствените си битки между светлината и сянката.

– Ще се чуем скоро – каза Саня на тръгване.

Анна се усмихна, прегърна я и я изпрати. Написа смс на Естебан "Обичам те" и получи в отговор усмивка. Минута по-късно получи още един: "Не спирай да ме обичаш. Никога ☺"

XIII

АННА И ЕСТЕБАН

"ТРЕТА СТЪПКА: ДА ДАРЯВАШ УТЕХА, ВДЪХНОВЕНИЕ И РАДОСТ"

Естебан се прибра около 21:00 часа. Днес беше една от малкото им вечери без участие. Беше изморен и ѝ предложи да се поглезят и да си вземат вана заедно. Следващите два дни Естебан почиваше и от сутринта щяха да започнат да репетират.

– Докъде стигнахте двете със Саня? – попита я във ваната.

– Саня мисли, че е хубаво на дансинга всеки от нас да се срещне с реален проблем, който има.

– Какъв проблем? – попита привидно незаинтересувано Естебан. Идеята за такъв спектакъл все по-малко му се нравеше.

– Аз си помислих как преди време ми беше споделил, че много ме ревнуваш. Ако изиграеш ревността си, можеш да я преживееш и да я освободиш.

Естебан се затвори в себе си, без да каже нищо. Анна усети, че е на прав път.

– От какво ме ревнуваш?

Беше готов да я излъже, че вече му е минало и не я ревнува, но неочаквано за себе си каза:

– От всичко.

Притисна я силно към себе си, показвайки ú, че му е трудно да говори за това.

– Ще ми помогнеш ли? – попита той, сякаш от предишния му отговор всичко беше пределно ясно.

Анна не беше подготвена за подобен развой на разговора им, но вместо да го попита какво означава "от всичко", отговори напълно честно:

– Ти си най-силният човек, когото познавам. Аз винаги ще бъда до теб.

Естебан не знаеше дали той може завинаги да бъде до нея, ако не успееше да се освободи от ревността си.

– Ще ме излекуваш ли? – попита той. – Ти можеш да го направиш, знам, че можеш.

Анна нямаше отговор на въпроса му. Нямаше как тя да излекува душата му, той единствен можеше да излекува сам себе си. Част от нея искаше да го обвини, че я нагърбва с подобен тип отговорност, друга – искаше да повярва в думите му, че тя има силата да направи всичко. Дори и наглед невъзможното.

– Аз те познавам – каза Анна. – Ти не си ревнив. Това е само някакъв етап, през който трябва да преминеш. Баща ти ревнив ли е бил?

Естебан не искаше да говори за семейството си, затова поде предишните ѝ думи.

– Наистина никога преди не ми се е случвало. И аз знам, че не съм ревнив. Може би прекалено много те обичам.

Анна нямаше представа откъде дойдоха думите ѝ в този разговор. Сякаш не беше тя. Съзнанието ѝ работеше пределно ясно.

Тя се обърна с лице към него и го целуна нежно.

– Нали съм ти обещала да те науча да обичаш? В истинската любов няма ревност.

Естебан сякаш се поразведри.

– Този спектакъл – смени темата той. Анна беше навлязла по-дълбоко, отколкото той беше готов да стигне. – Необходимо ли е да го играем? Не може ли да изберем по-оптимистична тема? Кой би искал да гледа сенки?

– Хората са пристрастени към драмата – отговори Анна.

– Аз не съм. И никога не съм бил.

– Не е ли по-добре да преживееш сянката си по време на танц, отколкото да я влачиш със себе си?

– Ти какъв проблем ще решаваш?

Анна искаше да каже – същият, но нещо отвъд нея я възпря да отговори честно. Ако щеше да го учи да обича, предполагаше се, че тя знае как да обича без ревност.

– Надявах се ти да ми кажеш. Ти ме познаваш най-добре и винаги си виждал кое ми пречи по-ясно, отколкото аз.

Естебан се усмихна:

– Така е.

Той се замисли.

– Понякога си твърде импулсивна и правиш нещата на своя глава, без да съобразяваш последиците.

– Така ли?

– Да. На единия ден прекъсваш тренировката си и хукваш да оправяш някакво дело, на следващия зарязваш всичко и си навличаш куп проблеми. Зад гърба ми участваш в някакви реклами, а след това вместо да ми кажеш какво става, се затваряш сама в хотел. Да изброявам ли още?

– Ако бях отишла на работа, ти нямаше да искаш да ме учиш повече... – оправда се Анна.

Естебан я притисна към себе си, целуна я по косата и се засмя.

– Аз бях луд по теб. Щях да те уча, каквото и да беше направила.

Анна също се засмя.

– Изобщо не ти личеше.

– Повече от ясно е, че нямаш добра преценка.

– Нали имам теб?

– Не искам повече да правиш нищо зад гърба ми. Ясно?

– Да. Ти ще преживееш ревността, а аз – липсата на яснота.

– Двете със Саня много се размотавате. Ако ще правите нещо, правете го.

– Работим по въпроса.

– Саня е много туткава и мързелива понякога. Само аз мога да я стегна.

– Саня е заета и с ангажиментите си в школата – оправда я Анна.

– Да, заета е да се сваля с новия си шеф.

Естебан проследи реакцията на Анна, но не забеляза тя да се впечатли от думите му. Даже му се стори загрижена за Саня.

– Тя само изглежда такава, но според мен по този начин прикрива вътрешната си чувствителност – защити я Анна.

– Ти наистина нямаш никаква ясна преценка. Саня се пуска на всеки. Такава си е. Ако мине – мине.

Анна не беше съгласна с мнението му, но реши да замълчи. Поведението ѝ обаче значително успокои Естебан.

♪♫♪

На следващия ден заедно с останалите се събраха в импровизираната им тренировъчна зала.

Саня изложи концепцията си за шоуто.

– Червени костюми, тъмна сцена. Вие достигате до светлината и сцената става все по-светла. Следиш ли мисълта ми? – попита Саня.

– Много добре я следя. Сега ли да започна със забележките или имаш още за разказване? – остро реагира Естебан.

– Слушам.

– Червеното е клише. Освен това е пълна глупост сцената да е тъмна в началото, какво изобщо ще се вижда?

На Анна ѝ се стори, че Естебан нарочно саботира концепцията заради нежеланието си да играе в подобен спектакъл.

Саня само повдигна рамене и каза:

– Отворена съм за нови идеи.

– Забрави – каза Естебан. – По-добре отивай на работа. Ясно е, че умът ти е другаде.

Саня се извини и излезе, без да възрази. Тя безпогрешно разбра Естебан – той очакваше резултати от работата ѝ с Лукас, каквито тя все още нямаше.

– И музиката не става – продължи Естебан. – Ако ще правим наше танцово шоу, трябва музиката да е авторска.

Андреа веднага пое предизвикателството.

– Като трябва да е авторска, такава ще я направим. Колко му е?

– Ще подготвим хореографията едва когато имаме музиката.

– Само ми кажи какъв да е точния концепт?

– Какво ти трябва?

– Тема. Заглавие.

– "Светлини и Сенки"

– Ето, това ще бъде шоу.

– Звънни като имате нещо готово.

– Разбрано.

Естебан и двамата с Анна оставиха момчетата да работят.

Анна се надяваше да прекарат деня заедно с Естебан, но още при излизането той ѝ каза:

– Искам да поработя, трябва да обмисля някои неща. Ще се видим довечера.

На Анна ѝ стана мъчно, но не го показа.

– Ти какво ще правиш? – попита я Естебан.

– Ще се поразходя и ще слушам музика.

– Добре. Дръж си телефона до теб.

Анна му се усмихна, Естебан леко я целуна и двамата поеха в различни посоки.

♪♫♪

Когато остана сама със себе си Анна си пусна музика и външният свят изчезна за нея.

Утеха, вдъхновение и радост.

Утеха. Дали беше утешила Естебан? Видя ú се тъжен и затворен, когато се разделиха. Дали изобщо можеше да го утеши. Какво означаваше да утешиш – да вдъхнеш надежда, изход, спокойствие? Тя дори не разбираше проблема му – какво означаваше да я ревнува от всичко, кое всичко?

Тя вече не поддържаше отношения с Васил. Два дни след като се бяха скарали, Васил ú беше пратил смс: "Как си, сръдливке?", на което Анна беше отговорила: "Ти ме помоли да избера и аз избрах – Естебан". Оттогава не ú беше писал.

Остави темата за утешението. Вдъхновение. За Анна нямаше по-голяма помощ от способността да вдъхновиш някого. Само че от двамата, Естебан беше по-креативният, по-изобретателният, този, който имаше по-ясна визия и по-добра представа. Как да го вдъхнови тя?

Стори ú се, че от мислене главата ú щеше да се пръсне. Толкова много думи, игри на думи, които сякаш замъгляваха вместо да проясняваха съзнанието ú.

И радост... Радост...

Анна се опита да спре потока от мислите си. Тя седна на една пейка и се отпусна. Затвори очи и се остави на звуците. Нейната най-силна медитация.

Съзнанието ú се изчисти от всичко. Останаха преливащите се звуци, мелодията, красотата на музиката. Стори ú се, че има и играещи цветове, като съчетание на светлини и сенки.

Остана само една дума: "Подкрепа".

"Подкрепа". "Безусловна подкрепа". "До всеки успял мъж стои една подкрепяща го жена".

Анна премина отвъд мислите и отвъд логиката.

Ейдея ú беше дала формулата на подкрепата – да утешиш, да вдъхновиш, да зарадваш.

Да зарадваш. Очите ú се напълниха със сълзи. Връзката ú с Естебан беше изпълнена с много страст и почти никаква радост.

Излезе от медитацията си и изтри сълзите си. Стори ú се неуместно да плаче в центъра на Варшава.

Загледа се в мартенското слънце, обливащо със светлината си улиците и сградите, подсказвайки скорошното идване на пролетта.

Как да утеши Естебан, как да го вдъхнови, как да го зарадва, като самата тя винаги беше толкова замислена и сериозна?

Затвори отново очи. Отпусна се и остави музиката да я отведе до радостта.

Изведнъж видя огромна цветна градина с най-различни ярки пролетни цветя. Теменужки, нарциси, зюмбили, лалета, рози, иглика. Ароматът им беше невероятно силен. В градината влезе малко момиченце. Анна го позна. Това беше самата тя. Беше на не повече от година и половина със синьолилава рокличка с ръкави тип пеперудка. Анна отиде при момиченцето. Очакваше то да ѝ се зарадва, да се усмихне, но детето стоеше със замислен поглед и сериозно изражение. Гледаше я с големите си кафяви очи, сякаш не беше дете, а възрастен човек. Анна погледна през очите на детето. И видя на година и половина как стои наказана.

Върна се отново при детето и му подаде ръка. Момиченцето стоеше и я гледаше. "Довери ми се" – каза тя.

Детето продължи да я гледа. "Обичам те". Никаква реакция. Анна се почувства толкова безпомощна от погледа на малкото и наранено дете вътре в нея. Детето, което не можеше да повярва. На никого и най-вече на нея.

Сякаш разбрала, че думите не помагат, Анна се усмихна. Малкото момиченце също ѝ се усмихна.

Срамежливо и недоверчиво.

Тя му изпрати по-голяма усмивка и то ѝ се усмихна отново.

"Какво искаш?"

"Подарък" – отговори детето. - "Какъвто аз искам"

"Какъв подарък искаш?"

"Пиано"

Пренесе в детската градина и мечтата си да свири на пиано. Спомни си как на един куклен театър с участието на Дядо Коледа беше изкрещяла с цяло гърло, че иска пиано. Само че не получи пиано. Не само тази година, а никога.

Тя отвори очи. Изненада се, че беше напълно сама. Нямаше нито един човек около нея, което беше необичайно. Прие го като знак – че трябва да подаде ръка на самата себе си.

Преди да дари утеха, вдъхновение и радост на Естебан, трябваше да ги дари на детето в душата си.

Отиде в първия детски магазин, който видя. Купи едно детско пиано и партитури с няколко музикални мелодии.

Прибра се и старателно разучи как се свири "Ода на радостта" – едно от предложенията в комплект с пианото. Когато се научи да я свири, се отпусна на стола и затвори очи. Пренесе се в цветната градина с малкото момиченце. Подаде му пианото, банана и шоколадовото яйце. То истински се зарадва. Анна седна до детето и го научи да свири "Ода на радостта". То се смееше искрено, докато разучаваха заедно мелодията.

Отвори очи, обляна в сълзи. Никога като дете никой не беше ѝ обяснявал значението на думата любов.

Родителите ѝ се бяха погрижили да има подслон, да бъде нахранена и облечена. Тревожеха се за нея, трепереха над нея, страхуваха се за нея.

От страх контролираха детството ѝ, оценките ѝ, приятелите ѝ, не ѝ позволяваха да излиза и да се забавлява.

Бяха я възпитавали с огромно чувство за дълг и вина.

Никой не беше я научил, че схемата "любов-наказание" е погрешна схема, която я беше лишила от свободата да има здрави емоционални устои.

Оттам идваше нейната недоверчивост, нейната безрадостност и нейната самота – от прекалния контрол, който я беше затворил в самата нея.

Спомни си, че обеща на Естебан да държи телефона си близо до нея и отиде да го вземе от чантата си. Имаше 4 непрочетени съобщения. От него.

"Къде си?"

"Защо не оттоваряш?"

"Анна, пиши ми, като си видиш телефона."

"Какво става?"

Любов-наказание. Нима пренасяше подсъзнателно модела във връзката си?

Естебан я контролираше по същия начин, по който я бяха контролирали родителите ѝ и всеки път, когато тя не оттовореше на очакванията му, я наказваше.

Дали ревността му не беше просто проекция на страха от загубата на контрол? Дали не я предизвикваше тя с подсъзнателните си модели? Дали Естебан беше този, който беше спрял емоционалното си развитие? Дали не го беше спряла тя?

Анна затвори очи и се върна към малкото дете в медитацията си.

– Време е да пораснеш – каза нежно тя.

Вътрешното ú дете я погледна с големите си кафяви очи и ú отговори:

– Ти също.

Отвори очи и каза на себе си: "Аз също".

Погледна към телефона и написа на Естебан: "Медитирах. Идвай си вече. Липсваш ми."

Естебан ú отговори с усмивка.

XIV

ЕСТЕБАН

Естебан отиде до школата, в която обучаваше. Собствениците му бяха дали ключ и нямаха нищо против той да ползва залата за тренировки.

Преоблече се, сложи кърпа на очите си и си пусна "El Tango de Roxanne". Заради ревността, която беше основен мотив. Беше го страх да се изправи срещу ревността си за пръв път по време на спектакъла. Предпочиташе да го направи насаме.

Анна му беше помогнала снощи. Той вярваше, че тя може да го освободи от всички страхове и проблеми.

Но въпреки всичко искаше да опита сам. Никога преди нея не беше ревнувал. Но и никога преди нея не беше обичал. Наистина ли можеше да обичаш, без да ревнуваш?

Тангото започна. Тъмнина. За първи път усети как тъмнината може да те смаже, да те унищожи.

Той остави тялото си да проговори. То се сля с музиката. Ревността сякаш завладя изцяло душата му. Върна се отново в детството си. Спеше в своята стая, докато Хавиер вдигаше скандали на майка му. Толкова пъти беше искал да стане и да я защити. Никога не го направи. Заспиваше с надеждата да спре да чува краясъците им. Дори когато порасна, нито веднъж не се опълчи на Хавиер. Избяга от него. Избяга от майка си, без да защити правото си да бъде неин син.

Стори му се, че вижда Хавиер, който му се надсмиваше. Тялото му танцуваше все по-динамично, сякаш всеки мускул изживяваше по своему агонията, която произтичаше от душата му.

Тангото свърши и започна отначало. Естебан нямаше сили да спре. Беше сам. И същевременно не беше. В главата му имаше хиляди спомени, които не му позволяваха да остане сам. Хавиер, който му се надсмиваше, майка му, която никога не го упрекна, че избяга от нея. Чувството за вина, че не се беше противопоставил.

Колко смели постъпки беше извършил от този момент нататък? Колко пъти се беше срещал със страховете си? Колко пъти ги беше надмогвал?

Колко още пъти трябваше да го направи, за да убеди себе си, че не е страхливец?

Тялото му бясно танцуваше. Целият беше плувнал в пот, но този път искаше да стигне докрая. Искаше да премине отвъд болката, отвъд кошмарите, отвъд страха.

Искаше да го направи сам. Без Анна, без Саня, без патерици, без алкохол.

Стори му се, че може да полудее. Нима човек можеше да полудее от болка?

Умът се блъскаше в съзнанието му, затворник на спомените му, чувството за вина, мислите и света, който го подлудяваше.

Какво правеше Анна в този момент? Къде беше Анна?

Нима щеше да избяга от Анна, както от всичко в живота си?

Бягството беше неговата схема. Избяга от Севиля, от Арма, от София. Избяга от Хавиер, от Иън, от Владимиров. Никога в живота си не беше влизал в открит конфликт с никого. Освен с баща си, когато му беше отвърнал на онзи шамар.

Никога не се беше бил с никого, смазваше останалите с хладнокръвие и невъзмутимост. Винаги беше мислил, че в това е силата му.

Трябваше да се противопостави на Хавиер. Майка му не беше сама, имаше него.

Трябваше да каже в лицето на Иън, че е страхливец, който нямаше доблестта да живее, заради което проповядваше на другите как да живеят.

Слушай тялото си, Естебан.

Преодолей страховете си, Естебан.

Оценка – 8.2.

Трябваше да му върне лично фалшивата диплома, която отразяваше цялото лицемерие на философията му.

Трябваше да смачка Владимиров в момента, в който беше докоснал Анна.

Не да бяга и да повръща в тоалетната.

И сега пак действаше като страхливец. Караше Саня да се внедрява при Лукас Анастази, вместо да отиде като мъж при него, да му върне 5000 евро и да му каже да стои настрана от жена му.

Ревността беше неговото оправдание. Криеше се зад нея, както цял живот се беше крил от поемането на отговорност.

Може би ако в онзи ден беше отишъл и беше защитил Кремена от Жеков, сега тя нямаше да бъде любовница на Владимиров. Можеше да смаже Жеков, да го заплаши, че ще го приключи с едно медийно участие, което бащата на Милена можеше да уреди. Кремена щеше да остане на работа, а Жеков никога повече нямаше да се прави на велик пред него. Нямаше да има възможността да го уволни дисциплинарно, нито да направи така, че да не може да си намери работа в никоя школа в България.

Още тогава можеше да го постави на колене, но не направи нищо.

Избра да не се намесва. Изборът, който правеше цял живот – да не се намесва.

Тялото му вече едва издържаше на бързината, с която душата му го изправяше пред собствената му сянка.

Сега му се искаше да е луд, сега му се искаше да може да полудее. Но умът му беше напълно бистър, а съвестта му – безпределно безпощадна.

Много по-лесно беше да приеме, че е луд, отколкото че е страхливец. Не можа да стигне по-далеч. Тялото му се отпусна от изтощение и Естебан дори не можа да се задържи седнал на пода, легна и остана вцепенен няколко минути. Музиката продължаваше да трещи, но дори когато махна превръзката от очите си, в залата нямаше никаква светлина. Взе телефона си и написа смс на Анна: "Къде си?". Никакъв отговор.

"Защо не отговаряш?". Никакъв отговор.

Беше ѝ казал да държи телефона си до нея, но след всичко, което откри за себе си, не можеше дори да ѝ се разсърди.

Стана и светна крушката. От светлината очите му се заслепиха. Толкова беше свикнал с тъмнината, че осветената зала му се видя неестествена.

Нима човек можеше до такава степен да свикне със сянката си, че да се отъждестви с нея?

Написа още един смс: "Анна, пиши ми, като си видиш телефона."

Влезе да се изкъпе. Водата сякаш му помогна да се върне на себе си. Когато излезе от банята, всичко, което искаше, беше да се прибере вкъщи, да хапне нещо топло, да гушне Анна и да забрави за днешния ден.

"Какво става?" написа ú на тръгване от школата. След като отново не получи оттовор, помисли, че може би спи и затова не оттоваря. Усети как ревността отново се прокрадна под формата на лавина от въпроси и съмнения в душата му, но успя да се овладее.

След няколко минути получи отговора на Анна: "Медитирах. Идвай си вече. Липсваш ми"

Върна ú усмивка.

За първи път трябваше да преодолява не страха си, а страхливостта си. Но поне нямаше занапред да обвинява Анна, нито да очаква тя да решава проблемите му. Беше успял да направи от Анна жена, значи имаше силата да превърне и самия себе си в мъж.

♪♫♪

Вторият му почивен ден мина в спане, ядене и секс. След вчерашните си преживявания, Естебан не можеше да се откъсне от Анна.

Получи смс от Андреа, че с Мирослав са готови с композицията.

Когато всички бяха налице, двамата дадоха старт на изпълнението си.

Тангото изпълни стаята и още с първия си звук даде власт на тъмнината. Битката между светлината и тъмнината беше изобразена чрез преминаването от нежен към динамично-агресивен стил и отново завръщане към по-лежерен и мелодичен ритъм.

Естебан неочаквано хвана ръката на Анна и я поведе в средата на залата. Остави тялото му да състави хореографията в движение. Саня ги гледаше и нахвърляше идеи в главата си.

Цялата композиция продължи повече от 50 минути. Спектакъл, който щеше да се излее на един дъх.

Още докато танцуваха, Андреа разбра, че с Мирослав се бяха справили добре. Сега оставаше по-трудната част – да наемат зала и да продадат билети за спектакъла. Подобен род представление изискваше специална зала, нямаше как да го изпълняват по клубовете.

– Аз ще уредя залата – предложи Мирослав. – Баща ми ще ми удари едно рамо.

– Трябва да видим как ще го популяризираме – включи се Андреа. – Не сме достатъчно известни.

Анна и Саня знаеха, че благодарение на връзките на Лукас можеше да се направи подходяща реклама, но нито една от двете не посмя да го изрече гласно.

– Нека да го обмисля – каза Естебан. – Жалко, че не е достатъчно топло. В такива моменти много ми помага просто да се кача на мотора и да се махна за малко от всичко. Имам нужда от ясна визия.

– Ето – Андреа му подаде ключовете от собствената си кола. – Действай.

Естебан приятелски хвана ръката му, взе ключовете и излезе.

♪♫♪

Докато шофираше, видя как подмина табелата за Варшава и тръгна по магистралата. Караше бързо и шофирането сякаш подреждаше мислите му. Не знаеше къде отива, нито кога ще се върне.

Всичките му мисли бяха насочени към хореографията. Играта на светлини и сенки, която Анна и Саня бяха измислили, изискваше определен вид сцена и можеше да оскъпи повече от необходимото представлението.

Дори и Мирослав да уредеше зала, оставаше въпроса с рекламата. Можеха да ползват парите на Анна, но не му се виждаше удачно още от сега да заделят бюджет за реклама.

Предпочиташе да се намери алтернативен начин. Клубовете ги правеха популярни сред прекалено малък на брой хора.

Ако искаха да пълнят зали, трябваше да станат по-достъпни. Естебан беше сигурен, че те предлагаха нещо различно и оригинално и стига да имаше подходящата публична изява, можеха да напълнят която и да е зала във Варшава. Дори и сега всяко тяхно шоу имаше главозамайващ успех.

Помисли за създаването на интернет страница на шоуто. Анна пишеше добре. Тя можеше да я разпише. Щеше да съдържа кратка визитка на всеки от четиримата, както и цялостната концепция на спектакъла.

Можеха да качат видео с изпълнението им от "Spettacolo di ballo", както и рекламата с участието на Анна и нейната статия.

Анна щеше да я напише на английски език, а Мирослав щеше да я преведе на полски. Мирослав имаше много добър изказ, вероятно заради увлечението си да чете книги.

Беше добре да направят и някакъв вид регистрация, с тези подробности можеше да се заеме също Анна, а той и Саня щяха да изпипат напълно хореографията.

Бяха изиграли шоуто "When the tango begins to speak…" в минимум двадесетина клуба във Варшава. То вече беше достатъчно популярно, но не беше достатъчно оригинално, че да могат да го поставят на самостоятелна сцена. Истинският им дебют щеше да е със "Светлини и сенки".

Реши, че е време да се връща. Звънна на Андреа:

– Връщам се след малко. Дай ми адреса си да ти докарам колата.

– Ами ние всички всъщност сме у вас. Анна ни покани на вечеря. Чакаме те.

На връщане мина покрай Plac Zamkovi (Площада на замъците) и изведнъж му хрумна точно как щяха да се рекламират. Щяха да изиграят "When the tango begins to speak…" на площада.

По време на спектакъла Саня можеше да раздава флайери за новото им танцово шоу с кратка презентация и уеб страницата.

Plac Zamkovi беше изключително оживен и много често използван като неформална сцена на музикални и танцови импровизации.

♪♫♪

Когато се прибра, Естебан разказа на всички идеята си. Начерта се план за действие.

– Аз ще поема сайта – каза Андреа. – Имам близък приятел програмист.

– Аз и Мирослав ще направим оформлението на флайерите, Анна, ти разпиши концепцията за шоуто – включи се Саня.

– Да, разбира се.

– Каквото и да правим, за да се съгласят да дойдат, хората трябва да ни видят – заключи Естебан.

– Те и сега ни виждат – каза Мирослав. – Аз ще поема телефонните обаждания и ще видя дали няма някакъв начин да разкажа тук и там за това, което правим. Има много хора от музикалните среди тук, които биха проявили интерес да ни гледат.

– Добре. Направи го. – съгласи се Естебан, след което се обърна към Саня – Сменяме хореографията. Никакви игри с осветлението. Искам семпла сцена, добре осветена и напълно достъпна. Изчистена хореография, изчистени костюми. Танго е танц, който свързва. Искам хората да го видят, да го преживеят, да го усетят. Да се свържат с него. Това е моят начин да правя нещата. Преподавам танго повече от десет години. Научил съм стотици хора да танцуват. За пръв път в живота си имам възможността аз да определям правилата. Така че ще заложа на това, което съм се убедил, че работи. На танца.

XV

ЕСТЕБАН И АННА

Организацията на спектакъла се оказа изключително експедитивна. В рамките на седмица сайтът беше напълно готов, залата – уговорена и проектът – задвижен.

Саня и Естебан заедно подготвиха декорите и поръчаха при шивач танцовите костюми.

Първото им шоу на открито с "When tango begins to speak…" беше следващия вторник.

Продажбата на билети беше започнала още с поставянето на първите флайери в кафето, където работеше Естебан.

Уговорената зала беше доста голяма, една от най-големите във Варшава, но Естебан беше абсолютно сигурен, че ще успеят да я напълнят. Знаеше как двамата с Анна въздействаха на зрителите, докато танцуваха.

Във вторник сутринта Естебан отиде на работа, както обикновено. През последните дни от ангажиментите покрай новото шоу не беше имал време да се замисля за глупости.

Анна се беше справила блестящо с разписването на сайта. Още по-блестяща беше кратката презентация на шоуто върху флайерите:

"Всеки от нас има страни от себе си, които се страхува да погледне в очите. Страх ни е, че те имат силата да ни превърнат в нещо, което всъщност не сме, защото дълбоко в себе си ние имаме нужда да вярваме, че сме добри и честни хора. Дори когато грешим, дори когато се препъваме, дори когато не можем да се познаем.

В този спектакъл няма думи, но има истини, които крещят. Може да сте преживяли вече тази среща, но може и тепърва да ви предстои да я преживеете. Тя е специална, както е специален всеки човек. Това е срещата на мъжа с жената, на светлината с тъмнината, на човека със самия себе си.

Един спектакъл, който възприемаме с очите и ушите си, за да установим, че всъщност сме го изгледали с душата си."

♪♫♪

Около 12:00 часа получи смс от Саня: "Имам оттовор по твоя въпрос. Искаш ли да дойда в кафето?" Естебан изтръпна. Стори му се, че за миг изгуби звук и картина. В последно време беше започнал да възвръща доверието си в Анна. Дори не притискаше Саня, защото в самото очакване имаше надежда, че един ден Саня ще му каже, че между Анна и Лукас Анастази не е имало нищо и като с магическа пръчица ревността му щеше да изчезне. Той знаеше, че се потиска, като си забраняваше да мисли за ревността си, но не виждаше как да се освободи от нея. Сега сякаш Саня изскубна земята изпод краката му. Не знаеше от кое го беше повече страх – от оттовора, че Анна му е вярна, който не решаваше нищо или от оттовора, че не е. И в двата случая пред него щеше да се отвори пропаст, от която нямаше да знае как да излезе.

Вече не беше сам, с новия спектакъл бяха ангажирани и други хора, които напълно се раздаваха, като Андреа и Мирослав. Не можеше да ги предаде заради някакво нейно залитане. От друга страна не можеше да ѝ прости изневяра, нито щеше да може да танцува с нея. Саня никога нямаше да може да заеме мястото на Анна, никоя не можеше да го следва както Анна.

А ако му беше вярна и въпреки това не му минеше. Ако цял живот се измъчваше, как щеше да продължи?

Чудеше се дали да не остане в неведение. Не беше ли по-добре никога да не узнава истината. Само че се познаваше добре. Неведението не беше неговата игра. Никога в живота си не беше толерирал самозаблуждаването, нямаше да започне сега.

Излезе в почивка и се обади на Саня.

– Кажи ми истината – каза той.

– Не искаш ли първо да дойда при теб?

– Слушам те, Саня – гласът му беше станал леден. Естебан усещаше как ледът в гласа му сякаш покриваше със същата обвивка и сърцето му.

– Записала съм разговора на диктофон. Може би е по-добре лично да го чуеш.

– Къде си?

– На 20-тина минути от теб.

– Пусни ми го по телефона. Не мога да те чакам 20 минути.

– Добре.

Саня натисна копчето на диктофона. Разговорът между нея и Лукас беше на английски език, което изцяло го улесни.

– Анна е много красива – започваше Саня. – Интересно ми е, не се ли изкуши да я свалиш? Все пак предложението ти е било повече от щедро.

Естебан различаваше думите, но не беше сигурен, че вече можеше да остане с ясно съзнание, за да чуе смисъла. Стоеше с безизразно изражение и бунтуваща се душа, примрял в очакване на няколко метра от кафето.

– Интересуваш се дали не съм бройкаджия? Успокой се, не съм – отговори ѝ Лукас. На Естебан му стана ясно, че Саня вече е спала с него.

– Значи нищо не е имало помежду ви? Можеш да ми кажеш, няма да направя сцена на ревност, аз съм голямо момиче.

– Опитах няколко пъти, но тя ми показа, че не е готова. Предполагам, че е влюбена в приятеля си. Още като я видях как танцува, разбрах, че танцува за някого. Танцуваше за този, който ѝ беше вързал тенекия и я беше оставил сама в празната зала с бутилка вино и две пластмасови чаши. Не исках да се похабява виното и затова я поканих на обяд.

– И наистина нищо не се случи между вас?

– Би трябвало да ми имаш малко повече доверие. Не бих те излъгал.

– Много малко мъже биха оставили в сила предложението си след отказ.

– Предложението ми беше бизнес сделка, и то изгодна. Анна увеличи три пъти клиентите ми, в рамките на месец и половина. Спечелих много чрез нея, но аз имам нюх за бизнес инвестициите.

– А защо Анна? Има толкова актриси и танцьорки, които са професионалистки.

– Защото не е професионалистка. Исках всяка клиентка, която я види, да си помисли, че може да се научи да танцува така. Статията ѝ беше много силно послание – тангото ще ви направи свободни. Ще ме разпитваш ли още, за да знам дали да не повикам адвоката си?

Саня прекъсна записа. Естебан стоеше напълно онемял на слушалката. Не изпитваше онази еуфорична радост, която беше почувствал, когато му беше казала за хотела. Всъщност не чувстваше нищо. Вътрешно той беше вече узнал истината – чрез поведението на Анна, която нито веднъж не му беше дала индикация, че му е изневерила с Лукас. Беше я тествал толкова пъти и тя винаги беше напълно уверена и спокойна, когато му казваше, че е единственият мъж в живота ѝ. Записът просто потвърди онова, което знаеше.

– Добре – каза сухо той и отсече. – До довечера.

Затвори телефона, но не можа да се върне на работа. Тръгна по улицата без яке, както беше с униформата. Нямаше представа как щеше да танцува тази вечер. Анна беше негова, само че нищо не се промени в душата му. С действията си тя беше отворила кутията на Пандора и дори истината вече нямаше силата да освети сянката му.

Не му мина, не му олекна, не се почувства по-добре. Седна на една пейка и остана така. Може би трябваше да спре да мисли, да се концентрира върху тазвечершното им представяне, но не знаеше как да освободи душата си от болката. Сякаш Саня току-що му бе поднесла новината, че болестта му е нелечима.

Не знаеше колко време е стоял така, когато усети как няколко дъждовни капки паднаха върху му. Стори му се, че сякаш времето беше в заговор със съдбата, за да открадне всичките му надежди, сякаш Господ му отмъщаваше лично, задето си беше повярвал, че може да е щастлив.

Изведнъж всичко изгуби значение – шоуто, връзката му с Анна, целият свят. Предстоеше му да направи най-тъжния избор в живота си – изборът между мястото на баща си и мястото на Хавиер. Ако останеше до Анна, щеше да отрови живота ѝ, ако я напуснеше – щеше да предаде всички, които в момента вярваха в него. Дъждът вече капеше, но Естебан не помръдваше от мястото си.

Тази вечер трябваше да убеди стотици хора да дойдат на спектакъл, на който щеше да се срещне със сянката си, а не можеше да убеди дори себе си, че е подготвен за такава среща.

Стана и механично тръгна обратно към кафето. Вътре го чакаше Саня, която явно се беше притеснила от реакцията му. Той ѝ направи знак да си тръгва, каза ѝ, че иска да е сам. Саня не можеше да разбере защо не е щастлив, нали именно това искаше – Анна му беше вярна. Естебан не ѝ отговори. Вече не ставаше въпрос за Анна, а за самия него, но нямаше как да ѝ го обясни.

Саня си тръгна, като малко преди да излезе го попита: "Нали ще дойдеш тази вечер?". Естебан ѝ каза честно: "Не знам".

Саня почувства как очите ѝ се насълзяват, но не настоя. Тя беше избрала днешния ден, защото очакваше, че новината ще го накара да полети, но той изглеждаше смазан. Сякаш беше очаквал обратното. Ако тази вечер се провалеше, всичко, което досега бяха създали, отиваше на кино. Естебан щеше да изгуби авторитета си пред Мирослав и Андреа и те никога повече нямаше да го приемат насериозно. Но дори това не я притесняваше толкова, колкото възможността Естебан да приключи с Анна. Без да знае защо, почувства, че той е на път да го направи. Дъждът все повече се усилваше и Саня се замисли дали да не използва времето за предтекст и да предложи на всички да изберат друг по-подходящ момент за шоу навън. Но после се отказа. Естебан трябваше да вземе решение днес.

♪♫♪

Наближаваше 16:10 часа, когато Анна получи смс от Лукас: "Трябва да те видя спешно.". Тя се изненада от съобщението, дори се поколеба дали да приеме, помисли си, че подобно действие може да повлияе на отношенията им с Естебан. Написа ответен смс "За какво става дума?" и получи в оттовор: "Не е за по телефона. Отнася се до Саня".

Анна реши да отиде. Притесни се дали Саня не е направила някоя глупост. Но с какво можеше да ѝ помогне тя? Взе дрехите си за шоуто, нямаше да има време да се върне да се преоблече. Помисли си дали да не го обсъди предварително с Естебан – беше му обещала да не прави нищо зад гърба му.

Звънна му, но телефонът му беше изключен, сигурно му беше паднала батерията. Дали не беше по-добре да мине през кафето, не искаше нещо да влияе на отношенията им? Но после се върна в мислите си към медитацията, в която беше обещала на детето в себе си, че ще бъде свободна. Не можеше да живее в непрекъснат страх, че ще изгуби Естебан, ако постъпва, както счита за редно.

Влезе в школата на Лукас в 18:17 часа. Точно един час и тринадесет минути преди старта на тазвечершното им шоу. Мислеше да се преоблече в съблекалнята на школата и така да тръгне. Щеше да обясни на Лукас, че няма никакво време, което беше самата истина.

Лукас я посрещна със сериозно изражение и я покани в кабинета си.

– Колко близка приятелка ти е Саня? – директно започна той.

– Какво е станало? – попита Анна.

– Искам да ти пусна нещо – каза Лукас.

– Добре – съгласи се Анна.

Лукас извади някакво записващо устройство.

– *Докъде стигна с Анастази?* – гласът беше на Естебан.

– *Имам нужда от още време* – сега беше на Саня.

– *Добре, не се пресирай. Изчакай момента.*

– *Ти как си?*

– *Трябва да затварям.*

– Този запис е отпреди три седмици – каза Лукас. – А този е от днес:

– *Кажи ми истината* – отново гласът на Естебан.

– *Не искаш ли първо да дойда при теб.*

– *Слушам те, Саня.*

– *...*

Когато записът с целия разговор между Естебан и Саня приключи, Анна засрамена и безмълвна гледаше Лукас.

– Познаваш ли този мъж? – попита я той.

– Да, приятелят ми – едва чуто каза Анна.

– Имаш ли обяснение за всичко това?

– Как се сдоби с тези записи? – попита, без да му отговори. Все още беше в шок, за да може да даде адекватен отговор на въпроса му. Нима през цялото време Саня беше разигравала театър заради Естебан? И какво ставаше с Естебан, четеше съобщенията ѝ, беше извикал Саня от България, за да я провери? Внезапно Анна си помисли, че онова, което Естебан наричаше ревност, всъщност беше патология, която граничеше с болестно състояние. Колко далеч беше стигнал в недоверието си към нея?

– Саня се появи от нищото в моя живот – заобяснява Лукас. – Понякога се държеше странно, прекалено лесно влезе под кожата ми. Исках да съм сигурен, че е правилната жена. Имам познати при мобилния оператор, към който е абонирана, и направих справка. Номерът на твоя приятел се повтаряше непрекъснато. Помислих, че има гадже и реших да се уверя. Използвах преводач за разговорите. Ти можеш ли да ми дадеш някакво смислено обяснение, защото аз лично нищо не разбирам.

Анна се чувстваше толкова унизена, че едва сдържаше сълзите си.

– Вината не е в Естебан, моя е – Мислите ѝ се блъскаха в главата ѝ в тръсене на някакво звучащо правдоподобно обяснение. – Той се съмняваше, че между мен и теб е имало нещо заради рекламата.

– Това не е нормално, нали знаеш? – загрижено каза Лукас. – Да изпрати твоя приятелка да те разузнава.

– Не е нормално и да подслушваш жена, която уж харесваш – сухо каза Анна.

– Добре – съгласи се Лукас. – За мен е достатъчно, че не ѝ е любовник. Мога да ѝ простя предателството, макар че не мога да си обясня действията ѝ.

– Саня ми е приятелка. Тя се е опитвала да ми помогне – излъга Анна. – Саня знаеше, че между нас никога не е имало нищо, просто се е опитвала да го докаже на Естебан.

– Явно наистина ти е добра приятелка. Много малко хора биха рискували по този начин. На мен ми се стори, че наистина ме харесва.

– Тя наистина те харесва – призна Анна. Беше го усетила по начина, по който Саня говореше за Лукас. – Съжалявам, че си се оказал замесен в моите проблеми.

– Ето записът – подаде ѝ го Лукас. – На мен не ми е необходим. Ти реши какво ще правиш с него. Както и с връзката си. Но дори да го оправдаваш, и ти вътрешно знаеш, че приятелят ти има нужда от професионална помощ.

– Не, няма – категорично каза Анна. – Аз направих всичко зад гърба му. Всеки на неговото място щеше да се усъмни. Бях му ядосана за това, че онзи ден не дойде в залата и го предизвиках.

– Ти си знаеш – каза неубедено Лукас.

– Да, знам – почувства се длъжна да продължи Анна. – Дори подозирам, че може да не е негов план, а на Саня. Най-вероятно ѝ е споделил, че се измъчва, че не може да ми повярва, защото съм направила всичко зад гърба му, казал ѝ е, че се чувства предаден и тя понеже работеше при теб и знаеше истината, му е предложила да му го докаже. Сигурна съм, че е станало така. Ако ти беше на негово място, нямаше ли да се съгласиш?

– Щях – призна Лукас.

– Саня е добра приятелка и невероятна жена – каза в заключение Анна.

– Аз наистина я харесвам – каза Лукас.

Анна му се усмихна, взе записа, стиснаха си ръцете и излезе. Във всяка друга ситуация щеше да го помоли да използва съблекалнята, но сега подобна молба щеше да я унижи.

Тръгна в посока най-близкото заведение, влезе в тоалетната, за да се преоблече, но в момента, в който затвори вратата зад гърба си, се разплака. Дори когато беше видяла Естебан да се съблича, не се беше почувствала толкова унижена.

Опитвайки се да се събере, погледна часовника на телефона си. 18:47 часа. Нямаше време да се чувства зле. Щеше да го остави за после.

Преоблече се, гримира се и излезе, молейки се да запази спокойствие, когато види Естебан и Саня очи в очи.

Пристигна на площада в 19:14 часа. Имаше 15 минути до спектакъла.

♪♫♪

Андреа и Мирослав се бяха скрили под една козирка и ги очакваха. Зарадваха се, когато видяха Анна. Дъждът се изливаше като из ведро.

Нямаше ги нито Естебан, нито Саня. Стана 19:20 часа. Саня дойде и видимо се изплаши, когато не видя Естебан. Андреа попита Анна дали знае нещо повече. Беше му звънял и също като нея беше попаднал на съобщението, че телефонът на абоната е изключен. Анна излъга, че са се видяли с Естебан, но са го задържали от работа, а батерията на телефона му паднала.

– Веднъж да потръгнат нещата и повече няма да му се налага да работи по скапани кафенета.

Мирослав попита Анна как се чувства Естебан, като предположи, че сигурно е бесен. Саня наблюдаваше безучастно фиаското, което се разиграваше пред нея. Тя беше сигурна, че Анна лъжеше. Но и тя като нея не можеше да си представи какво би станало, ако Естебан изобщо не се появеше.

19:28 часа. Нямаше почти никакви хора на площада. Само те и отделни минувачи, бързащи да се приберат. Дъждът беше студен и четиримата усещаха как започват да измръзват.

– Какво ще правим, ако не дойде? – попита Мирослав. – Може би тая вечер не е удачно да го правим. Естебан го задържаха, времето е отвратително, изобщо не минават хора. Сигурно е знак да го отложим.

Андреа започна да псува времето и метеоролозите, които нищо не познавали. Саня мълчеше, очакваше Анна да се съгласи с предложението.

Анна обаче реагира точно обратното на очакваното.

– Естебан е без телефон. Ще дойде тук и ако ни няма, ще се почувства още по-ужасно.

Саня не можеше да повярва на ушите си. После си помисли, че Анна нищо не знаеше, но нямаше и какво да ѝ обясни. Помисли си, че Анна в момента имаше нужда да вярва, че Естебан са го задържали от работа, макар че никога не го задържаха от работа.

Андреа се съгласи с Анна:

– То и без това няма хора. Дай да изчакаме Естебан. Дали ще почнем в седем и половина или в десет, няма никакво значение.

– Да, гадно е да си тръгнем – повтори думите му и Мирослав.

Анна се надяваше никой да не вижда сълзите в очите ѝ. Къде беше Естебан? Нали знаеше, че не му е изневерила. Тя трябваше да е ядосаната, наранената, обидената. Защо отново той се превръщаше в жертвата и как можеше да върже тенекия на толкова хора?

Наближи 20:00 часа.

– Да взема да отида да го взема с колата от кафето – предложи Андреа. – Той докато дойде, ще стане 100 часа.

– Да не се разминете – каза Саня, за да го задържи.

– Ако го няма, веднага се връщам. Но да стоя така, изнервям се. Ти защо не му даде твоя телефон, като се видяхте? – обърна се към Анна.

– За да мога да ви предупредя, ако стане нещо и се забавя заради времето.

– То хубаво, ама... – беше му толкова студено, че не довърши изречението си.

Мирослав отиде до най-близкото кафе и взе четири чая. Върна се и няколко минути всеки пиеше мълчаливо чая си, затворен в собствените си мисли.

Анна усети, че докато пиеше чая си, се молеше. На Господ, на Ейдея, на Вселената Естебан да дойде и да не предава всички.

Саня се чувстваше виновна и реши, че е най-добре да разкаже всичко на Анна. Но не знаеше как да го направи пред останалите двама. Накрая извади телефона си и ѝ написа смс: "Той може и да не дойде. Искаше от мен да се сближа с Лукас и да проверя дали си спала с него. Казах му, че не си, но той сякаш полудя. Извинявай."

Звукът от получен смс накара Андреа и Мирослав да се обърнат с надежда към Анна. Тя прочете смс-а на Саня и каза:

– От Естебан е. Идва.

Момчетата въздъхнаха с облекчение, а погледите на Саня и Анна се срещнаха. Анна написа ответен смс:

"Естебан ще дойде."

Саня погледна телефона си, прочете смс-а ѝ и също каза: "Идва".

Андреа предложи на Мирослав да загреят, като започнат да свирят, а Анна, въпреки студа, свали палтото си, за да покаже, че Естебан наистина идва. Музиката изпълни празния площад и накара няколко души да се обърнат в недоумение какво правеха тези деца, луди ли бяха да свирят в този дъжд.

Андреа и Мирослав започнаха да разгряват с определени класически парчета, но Анна не можеше да ги почувства. Тя извади телефона си, намери "Aquarius" на "Within Temptation" и си я пусна високо, като сложи слушалките на ушите си.

Все едно се пееше за нея. Чувстваше се по същия начин. Омагьосана. Подвластна на сили, които не разбираше. Копнееща и нуждаеща се. От опасността, от свободата, от победата... Сякаш съдбата ѝ беше да стои до края в този дъжд, защото нямаше право на бягство.

Усети как Саня я потупа по рамото. Анна свали слушалките си. Момчетата свиреха "Tango to Evora" Анна помисли, че Саня ú даваше знак да започне да танцува, за да се стрее и тя.

Но в този момент го видя. Естебан стоеше пред нея в танцов костюм, мокър до кости и с ръка, подадена към нея. Сълзите обляха лицето ú, преди да може да реагира. Той ги видя, но не и останалите. Тя хвана ръката му и му позволи плачеща да я изведе под дъжда. Застанаха един срещу друг и само се гледаха в очите докато тангото свърши. Анна не можеше да спре да плаче. Естебан я гледаше с такава нежност, каквато отдавна не беше разчитала в очите му. Не я прегърна, за да не позволи на никой друг да види сълзите ú. Минаваше девет часа. Повече от час и половина го бяха чакали, въпреки времето. Дъждът продължаваше да се изсипва като водопад отторе им, студен, пронизващ, безпощаден.

Момчетата засвириха "Argentino Paso". Тангото, на което Анна му беше казала, че иска да се научи да танцува. Сякаш времето спря и тя отново се върна в онази сутрин, когато преобърна живота си. Сякаш Естебан отново танцуваше с Милена под звуците на тангото, а тя стоеше пред залата в очакване да ú обърне внимание. Естебан пое ръката ú. Той не искаше Милена, не искаше друга, искаше само нея.

Дъждът се изсипваше отторе им, но нямаше власт нито над движенията им, нито над чувствата им. Нямаше власт над двете момчета, които свиреха под козирката с риск да измокрят инструментите си, оставащи верни на мечтите си.

Естебан все по-уверено водеше Анна, създавайки неописуем с думи танцов спектакъл. Не се придържаше нито към хореографията, нито към изнасяните до момента представления. Цялата прелест на тангото беше в импровизацията. И на почти празния площад, пред кралския дворец, Естебан демонстрираше красотата на аржентинското танго.

Саня забеляза как няколко души спряха и се загледаха в Анна и Естебан. Постепенно хора започнаха да се приближават и да ги заобикалят. Дъждът продължаваше да вали, сякаш тази нощ беше решил да отмие с все сила всичко, натрупано през последните месеци.

Когато тангото свърши, Анна и Естебан не бяха сами. Вдъхновени Андреа и Мирослав преминаха към "Asi se baila el tango". Саня излезе между хората и започна да им раздава флайери. Естебан беше впрегнал цялото си въображение, дори на "Spettacolo di ballo" не беше толкова концентриран. Анна се намираше в някакъв паралелен свят, в който нямаше усещане нито за време, нито за пространство. Андреа и Мирослав преминаха към чувственото танго на Рита Павоне - "Tango lambada" .

На площада вече почти нямаше празно място от множеството хора, които сякаш от нищото бяха изникнали специално, за да гледат Естебан и Анна.

Повече от час мина неусетно, но никой не можеше да спре. Нито тези, които свириха, нито тези, които танцуваха. Саня видя как шоуто на Естебан и Анна беше привлякло дори журналисти. Някъде сред тълпата, сред множеството, което снимаше с телефоните си, някой ги заснемаше с професионална телевизионна камера.

Но Анна и Естебан не забелязваха нищо и никого. Танцуваха, сякаш нямаше свят извън тях самите. Андреа и Мирослав бяха влезли в някакъв собствен транс, погълнати от звуковата симфония на собствените си инструменти, сякаш инструментите им бяха живи същества, които можеха да ги сгреят, да ги насочат, да ги извисят.

Саня вече дори не се налагаше да обикаля. Флайерите се разграбваха от ръцете ѝ.

Мирослав и Андреа засвириха "Tango flamenco". Естебан влезе в ритмиката на испанското фламенго, което протече като ток през вените му, свързвайки го със собствените му корени. Музиката на майка му, която го беше благословила да танцува. Анна беше като част от самия него, повече от жена, повече от благословия.

Някаква жена с микрофон попита Саня коя е тази група, но тя не ѝ отговори, а сложи флайер в ръката ѝ. Жената прочете имената на Естебан и Анна от флайера с коментара, че мартенският дъжд е повече от горещ на "Plac Zamkovi".

Наближаваше полунощ, когато дъждът спря. Дрехите на Естебан и Анна бяха напълно слепнали с телата им, но те сякаш нямаха проблем, дори и да бяха напълно голи в тази мартенска вечер.

Андреа и Мирослав спряха да свирят точно четири минути преди настъпването на първи април. Естебан и Анна се поклониха на всички. Журналистката подаде визитката си на Естебан и ги покани в сутрешния блок на телевизията, към която работеше. Естебан чаровно ѝ се усмихна и прие.

Журналистката се представи на Анна, Андреа и Мирослав и възхитено поздрави и четиримата за уникалното шоу. Аплодисментите не спряха още поне петнадесет минути. Хората искаха бис и Мирослав и Андреа изсвириха още две мелодии. Постепенно всички се разотидоха. На площада останаха само петимата, но бяха твърде изтощени, за да могат да се зарадват на успеха си. Разбраха се утре в 07:00 часа да се срещнат в кафето, където работеше Естебан. Оттам директно щяха да отидат в телевизията.

Андреа предложи да откара Анна и Естебан до тях. Мирослав щеше да откара Саня.

Докато вървеше към колата на Андреа, Анна незабележимо изхвърли записващото устройство, което Лукас ѝ беше дал в една от близките кофи за боклук. В колата Естебан и Анна подложиха връхните си дрехи под себе си, за да не измокрят седалките на колата, на което Андреа реагира като наду до дупка климатика.

♪♫♪

Още с влизането си в апартамента, Анна пусна горещата вода, за да напълни ваната. В банята изтри смс-ите на Лукас.

Анна набързо метна във фурната по едно разполовено на две авокадо с пълнеж от тофу, кедрови ядки и копър, обели четири картофа и ги сложи да се сварят за картофено пюре и направи горещ чай.

Ваната и яденето станаха готови по едно и също време. Анна остави храната във фурната, за да не изстива и двамата с Естебан се отпуснаха във ваната. Не говореха, просто общуваха чрез телата си. Също като онази вечер, когато бурята ги беше застигнала малко преди Колико, двамата сякаш нямаше какво да си кажат. Естебан беше смъртно уморен, но въпреки това потърси близостта ѝ. Отнесе я на ръце гола в спалнята, където Анна беше надула климатика на 30 градуса. Само че не стигнаха до никъде. И двамата заспаха още щом помирисаха възглавниците. Спаха напълно голи, притискайки се един в друг, сякаш бяха двете половини на едно цяло, което можеше да съществува само докато са един с друг.

Събудиха се от само себе си към три и половина сутринта. Отдадоха се един на друг, след което изядоха изстиналата вечеря.

Докато се хранеха, Естебан я гледаше, без да ѝ каже нищо. Анна разбра, че Саня му е казала, че ѝ е признала истината.

– Къде беше? – започна Анна.

Естебан продължи да мълчи.

– Липсваше ми – продължи Анна.

– И ти на мен.

– И какво сега?

Естебан замълча. След около минута проговори отново:

– Цял живот бягам, самозаблуждавайки се, че бягството ще ме направи свободен. Този път реших да остана. Дори да се измъчвам цял живот, оставам тук.

"Утеха, вдъхновение и радост" спомни си думите на ангела Анна.

Тя хвана ръката му и каза нежно:

– Аз ще те науча да ме обичаш без болка.

Естебан я погледна:

– Просто ми обещай, че ще бъдеш до мен. Достатъчно ми е да знам, че няма да се откажеш от мен.

– Винаги ще съм до теб.

– Днес шоуто си го биваше, а? – смени темата той.

– Определено.

Естебан се усмихна.

– Докато бях сам, прочетох отново презентацията на новото ни шоу. Тя успя да ме върне. Ти успя да ме върнеш.

Анна се засмя и се хвърли на врата му. Повече нямаше нужда от думи. Нито от обяснения.

Целуваха се дълго като ученици, които за пръв път срещаха тръпката на влюбването. След като се нацелуваха, Анна направи кафе, но Естебан ѝ направи знак да го изхвърли и направи фреш от цитрусови плодове.

– Кафето ти пречи да танцуваш, забрави ли? – каза шеговито той.

Отидоха до работата на Естебан хванати за ръце. Шефът му възторжено го посрещна. Беше го гледал в новините. Колегите му както обикновено му хвърлиха завистливи погледи, без да кажат нищо.

Анна седна на една от масите и Естебан ѝ направи още един фреш – този път от моркови и ябълка. В този момент се появиха Андреа, Мирослав и Саня. Андреа се държеше, сякаш за една нощ беше станал звезда.

– Нямате си и на идея колко хора ми поискаха автографи днес.

– Съквартирантът ти и съседите? – пошегува се Мирослав.

– Смейте се, но признанието на близките се завоюва по-трудно от на непознатите.

XVI

АННА И ЕСТЕБАН

За тяхна най-голяма изненада водещите на сутрешния блок се бяха подготвили изключително добре. Бяха прочели внимателно сайта им, бяха обърнали внимание на личните им истории, дори бяха направили задълбочено проучване относно "Spettacolo di ballo" и в двете години, в които Естебан се беше явявал – веднъж със Саня, веднъж с Анна.

След като се изчерпаха биографичните въпроси, засягащи личните взаимоотношения между Естебан и Анна, страстта към екстремни спортове на Андреа, родословното дърво на Мирослав и функцията на Саня като хореограф, а не като танцьор в шоуто, те се насочиха към концепцията на новия спектакъл на неформалната група.

Дадоха думата на Естебан.

– "Светлини и сенки" е много интересен спектакъл, тъй като предизвиква човек да се срещне със слабостите, страховете, болките си – нещата, които обикновено предпочитаме да избягваме, а не да срещаме очи в очи.

– Не се ли страхувате, че спектакълът може да извади наяве собствените ви страхове и слабости?

Неочаквано думата взе Андреа:

– Аз мога да кажа, че страхът винаги е на една ръка разстояние от нас. И колкото повече се опитваме да избягаме от него, толкова повече той ни застига.

Отговорът изненада другите от групата. Никога не бяха говорили помежду си за отношението си към страховете.

– Вярвам, че подобен тип шоу има вид терапевтичен ефект – взе думата Мирослав. – Защото няма директни послания и всеки може да открие в него, каквото му е нужно. Доказано е, че музиката има силата да лекува, както и съпреживяването.

– Докато подготвяхме спектакъла, аз самият преминах през доста неща – неочаквано сподели Естебан. – Наистина извади от мен неща, които никога не съм подозирал, че съществуват. И сигурно ще извади още много. Но аз винаги съм искал да бъда свободен, което е невъзможно, докато не се научиш да се срещаш със себе си. Правил съм какви ли не промени в живота си – сменял съм места, хора, работи. В крайна сметка винаги остават невидими затвори, от които не можеш да избягаш – собственият ти ум, собственото ти минало, нещата, които си направил и тези, които не си направил.

– Най-силният ни страх е страхът от болката – продължи Анна. – Ние се страхуваме, че колкото повече навлизаме в себе си, толкова повече ще ни боли. Ще трябва да срещнем множество наранени свои същности, които не знаем как да излекуваме. Аз също вярвам в силата на съпреживяването. Всички ние, които сме на сцената, ще преживеем собствените си сенки, за да може да дадем по някакъв начин сила на хората в залата също да се срещнат със самите себе си.

Саня довърши:

– През последните месеци аз открих какво значи една дума, която много често се използва, но не се разбира добре – приятелство. Понякога е достатъчно да се научиш да виждаш светлината у другите, за да ти я покажат у теб.

Водещите нямаше какво да добавят по темата. Поздравиха ги за снощното шоу под дъжда и им пожелаха успех.

До края на деня всички билети за новия им спектакъл бяха изкупени. Сякаш хората им бяха гласували доверие, че шоуто може да им посочи пътя към светлината.

♪♫♪

Представлението започна точно в 19:30 часа на 14.04. в претъпканата зала на един от най-големите частни музикални театри във Варшава. Собственикът беше приятел с бащата на Мирослав и се беше съгласил да им предостави сцената на театъра за тазвечершното им представление.

На сцената имаше един огромен бял параван, който я разделяше на две. В дъното на частта, незасегната от паравана, беше поставена малка кръгла черна платформа с три стъпала – две бели и едно черно по средата.

И нищо друго.

Светлините изгаснаха. Настана абсолютна тъмнина.

И тишина, която продължи около минута.

В тъмнината се чу плачещият стон на цигулката на Андреа, която изпълни залата с мелодия, създаваща асоциация за агонизираща човешка душа.

Мирослав се включи със своя тромпет, от който извади звуци, подобни на сподавен плач.

Постепенно прожектор освети и двамата. Облечени с черни шлифери с вдигнати яки и черни шапки Андреа и Мирослав слязоха от двата различни края на сцената и се събраха върху малката платформа. Андреа застана на най-горното бяло стъпало, а Мирослав – на най-долното.

Двамата продължиха да свирят своето танго на плача, когато на сцената се появиха Естебан и Анна. Анна беше облечена с черно вталено сако и черна пола, която плътно се спускаше по тялото ѝ до около педя над коляното, след което се разкрояваше на вълни. Косата ѝ беше стегната в здрав кок. Естебан беше облечен като останалите момчета – черен шлифер с вдигната яка, черна шапка. Под шлифера носеше широк черен панталон. И двамата с Анна бяха обути с бели обувки, които веднага насочиха вниманието към краката им.

Двамата започнаха да танцуват своето танго на плача. Андреа и Мирослав продължиха със звуците си да достигат до най-дълбинните измерения на човешките стенания, които Естебан и Анна пресъздаваха чрез вплитащите и разплитащите се тела в ритъма на тангото.

Белите им обувки проблясваха като бисери на сцената, показвайки красотата на движенията и създаващи единствена оптимистична нотка на фона на тъмнината. Сцената вече беше изцяло осветена, но черните краски на облеклата на четиримата сякаш успяваха да затъмнят светлината.

От време на време залата избухваше в мощни аплодисменти при изпълнението на някоя от сложните фигури, които съставляваха хореографията.

Естебан държеше здраво в прегръдките си Анна, сякаш търсеше в тях опора за всичко, което му предстоеше да преживее тази вечер. Малката ѝ ръка, която го държеше, докато танцуваха, му даваше повече сила от което и да е в живота му.

Анна се беше потопила в по-дълбока медитация, отколкото някога беше предполагала, че е възможно. Привидно тя танцуваше с Естебан, следваше го, търсеше го, но някаква част от съзнанието ѝ беше много далеч от случващото се в залата. Макар и облечена изцяло в черно, Анна искаше да се свърже със светлината, копнееше да излъчва светлина.

Тя видя Ейдея. ЧЕТВЪРТА СТЪПКА: "ДА СЪЗДАВАШ КРАСОТА". В момента, в който я получи, Анна се върна на сцената.

Тялото ѝ красиво откликваше на повика на тялото на Естебан и Анна почувства каква сила всъщност имаше красотата. Дори в тази зала, в която в момента се беше възцарило царството на сенките, красотата на тангото ги спасяваше. То разсейваше и най-отчайващите нотки в музикалната композиция на Андреа и Мирослав, давайки надежда, че има път към светлината.

Белите им обувки проблясваха и сякаш целият път се състоеше във всяка стъпка, която двамата правеха. Те не вървяха, те танцуваха, но изминаваха също толкова далечни разстояния в търсене на себе си, както и най-горещите поклонници, следващи множеството пътища по света, определяни като божествени.

Внезапно тангото на плача премина в танго на вътрешните търсения. Звуците рисуваха картина на бушуващи човешки страсти, преминаващи през обърканост, копнеж, страх и самота. Естебан и Анна се отделиха един от друг. Всеки от тях изразяваше с тялото си човека, който се бореше сам със себе си, единствен и откъснат от света, сякаш беше част от някакво изгубено и недостижимо цяло. Между двамата все едно имаше пропаст, която напълно ги разделяше, сякаш ненадейно бяха станали невидими един за друг. Разминаваха се по сцената, ръцете им се протягаха, но докосването се превръщаше в неосъществим блян.

Андреа и Мирослав се бяха обърнали с гръб един към друг, сякаш светлината на сцената всъщност беше огромна мъгла, която заслепяваше хората и им пречеше да се срещат. Всеки беше сам със себе си, затворен в своя филм.

Звуците на цигулката самостоятелно изпълниха сцената, а Мирослав наведе глава и остана като застинал на своето стъпало. После се смениха и Андреа потъна в себе си. Сякаш в редуването на двата инструмента се събираше разминаването на хиляди човешки съдби, които никога не намираха общ път.

Естебан и Анна отразяваха серията на музикантите. Когато той танцуваше, тя застиваше, когато тя танцуваше – той застиваше. Половинките, които никога не се срещаха и никога не се откриваха. И смазващата самота, която изкарваше на показ всичките им страхове.

Ненадейно и четиримата извадиха по една бяла кърпа и завързаха очите си. Двата музикални инструмента възстановиха синхрона си. Анна и Естебан затанцуваха едновременно, като продължиха да се разминават на сцената, показвайки нагледно как може да не виждаш никой, когато си затворен в себе си.

Внезапно Естебан мина зад паравана, а Анна остана пред него. Телата им застанаха плътно едно срещу друго – неговото като сянка, нейното наяве, но обагрено в краските на тъмнината. Ръцете им се срещаха през паравана, краката им се движеха огледално едни на други, откликвайки си в безупречен синхрон.

И четиримата продължаваха да са с превръзка на очите, което изправи публиката на крака.

В кулминацията на тангото на вътрешните търсения Анна и Естебан застанаха на колене един пред друг. Челата им се допряха едно в друго през паравана – неговото от вътрешната страна, нейното – от външната. И двамата изглеждаха изгубени, молещи се, откъснати, забравени. Мъжкото и женското начало, които си противоречаха, без да могат да постигнат целостта, за която бяха предназначени. Светът отвън и светът отвътре, разделен от огромен параван, който разкъсваше човека между блянове и действителност, намерение и осъществяване, истинско аз и многобройни маски.

Цигулката на Андреа отново самотно извиси гласа си, а Мирослав бавно свали кърпата от очите си. Със своя тромпет след Андреа той постави началото на тангото на пробуждането.

Предстоеше на Анна да изиграе своята собствена история – пътят от объркаността към яснотата, от импулсивността към спокойствието, от разпокъсаността към оцелостяването.

Тромпетът завладя сцената със своя вик за осъзнаване. Гласът му се извиси високо и сякаш беше камбанен звън, имащ за цел да достигне до самия Бог.

Анна постепенно се изправи и остави Естебан, коленичил, с превръзка на очите и чело, допряно в паравана като сянка, да напомня за липсващата ѝ половинка. Нейният танц започна със завързани очи под извисяващите се звуци на тромпета на Мирослав.

Тя сякаш изживяваше цялата болка на жената и пресъздаваше собственото си раждане. Краката ѝ едва докосваха пода, толкова динамични бяха движенията ѝ. Импулсивна, неспокойна, агресивна – жената-мъж, облечена в костюм с прибрана назад коса, която живееше в свой измислен свят, откъсната от сърцето си.

В един и същи миг Естебан се изправи зад паравана и Андреа свали превръзката от очите си. Неговата цигулка, която проговори с езика на женската душа, сякаш повика Естебан и го извади иззад паравана и той, въпреки че още беше с превръзка на очите, намери безпогрешно Анна с едно движение в центъра на сцената.

Двамата застанаха с лице един към друг и свалиха превръзките от очите си. Изтанцуваха своето различно танго, в което той се опитваше да води, но тя не знаеше как да го следва и се опитваше също да води. Мъжът и жената, които не знаеха местата си. Гледаха един в друг и изобщо не се виждаха.

Естебан се опитваше да вземе контрола, но Анна доминиращо поемаше мъжката партия и за него оставяше женската. Той отново се опитваше да бъде мъж, но Анна засичаше плахите му опити, застъпвайки всеки път мъжката партия, когато доловеше и най-малка несигурност от негова страна. С нейната безупречна делова прическа и изискан тъмен костюм, Анна се беше превърнала в желязната лейди, която отнемаше силата на мъжа си, превръщайки себе си в мъж. Плахите опити на Естебан да отстои своята мъжка природа оставаха като глас в пустиня и накрая, за да не бъде подчинен напълно, той просто пусна ръката ѝ и я остави сама. Върна се зад своя параван, където остана прав, с гръб към нея, застинал като сянка от нейното минало.

Желязната лейди просто махна с ръка, сякаш отхвърляше гласа на цигулката, символизиращ нейната крехка женска душа, търсеща закрила, възхищение и любов.

Сега тя беше силна, нямаше защо да се обръща назад, нямаше защо да дава никому сила, тя търсеше мъжа, който беше по-силен от нея, за да може да източи и неговата сила с неспособността си да се отдава и да бъде жена.

И сякаш го извика – силният мъж. Естебан излезе от паравана – невъзмутим, арогантен, железен. Той я дръпна към себе си и всеки път, когато тя се опитваше да поеме контрола, с едно движение я поставяше на колене пред него.

Желязната лейди се беше превърнала в просякиня за любов, само че нейният железен мъж не беше в състояние да я обича. Естебан изигра своето отегчение от нейната неадекватна емоционалност и отново се върна зад паравана си. Сега стоеше горд и недостижим, мъжът, който тя щеше да търси и сънува и който беше отблъснала с неумението си да бъде жена. Просякинята за любов като пеперуда, привлечена от пламъка на огъня, танцуваше около паравана, без да знае защо не може да открие принца на мечтите си. Да, тя знаеше, че този мъж съществува. Той имаше определени качества, искаше да гледа света през нейните очи, беше галантен като принц, храбър като рицар, съвършен любовник и истински приятел.

Само че просякинята за любов беше напълно сама. Нейният Идеален мъж стоеше зад паравана и сякаш с надменното си безразличие искаше да ѝ покаже, че съществуваше единствено в нейното въображение.

Гласът на тромпета внезапно утихна. Остана едва чуващият се глас на цигулката. Най-женският, най-дълбокият, най-чувствителният от всички музикални инструменти, който дори с формата си показваше красотата на женското тяло.

Андреа извади наяве най-нежната и проникновена страна на цигулката. Тя ридаеше под натиска на неосъзнатата женственост, търсеща начин да свърже Анна с жената в нея.

Анна, която беше застинала при спирането на звука на тромпета, сякаш започна да долавя стенанието на цигулката. Цигулката извиси своя глас високо и постепенно изпълни цялата зала. И Анна напълно ѝ се отдаде.

Пусна русата си коса, която под формата на водопад от чиста светлина се разпиля по раменете ѝ. Тя започна своето танго на женствеността под акомпанимента на Андреа. Той я насочваше с гласа на цигулката си и сякаш звуците очертаваха пред нея пътя на истинската Анна, освобождаваща се от маските на "желязната лейди" и "просякинята на любов".

Тя създаваше красота. Черното сако падна на пода и Анна остана по бяло боди с хиляди блестящи орнаменти, които показваха красотата на извивките на женското ѝ тяло. Естебан продължаваше да стои застинал зад паравана като недостижим идеал, чакащ Анна окончателно да се освободи от сенчестата си природа.

Анна вече не гледаше паравана, тя беше обърната към цигулката, беше с лице към жената в себе си и танцуваше с цялата страст, на която беше способна, отхвърляйки всеки и всичко, което посмееше да я отдели от истинската ѝ природа.

Пробудена от гласа на цигулката на Андреа, залата отново усети тромпета на Мирослав. Сякаш неговият глас беше гласът на мъжа, който излизаше от сянката и поемаше по пътя на светлината. Естебан излезе и обхвана Анна през кръста. С едно движение свали полата ѝ и бодито се превърна в чисто бяла, изцяло прилепнала по тялото рокля, разкриваща прелестта на женското тяло, подчертаваща краката ѝ, тънката ѝ талия, бюста и ханша ѝ. Разпиляната по раменете ѝ коса я правеше да изглежда като неземно ангелско творение, изцяло подвластно на светлината.

Естебан я поведе в едно танго на светлини и сенки, в което той беше черното, а тя – бялото, той – мъжът, тя – жената, той – завоевателят, тя – трофеят.

Двамата танцуваха с изящество и красота, а Андреа и Мирослав напълно уравновесиха звуците на инструментите си, сега мъжкото и женското начало вървяха ръка за ръка на сцената. Анна гледаше с обожание Естебан, сега тя вече му даваше сила, беше неговата жена, тази, която не го плашеше, а го омагьосваше с емоционалността си. Сега той беше привлечен от нейната светлина като среднощна пеперуда, търсеща пламъка, той изглеждаше запленен от нежността ѝ, от красотата ѝ, от отдадеността ѝ.

Накъдето и да я отведеше, Анна напълно го следваше, а чистотата на искрящо бялото ѝ присъствие обръщаше погледите на всички към тях. Тя беше красива, творение на красотата, творение на съзиданието, творение на светлината.

Внезапно Андреа и Мирослав напуснаха стъпалата си и тръгнаха към Естебан и Анна. Естебан още танцуваше с нея, но ненадейно Андреа коленичи пред Анна и започна да ѝ изнася серенада с цигулката си. Мирослав застана от другата ѝ страна и ѝ показа превъзходството на тромпета.

Естебан със сила рязко придърпа Анна към себе си, сякаш забранявайки ѝ да поглежда встрани. Но неговата Анна неусетно затанцува сама сред трите мъжки фигури, облечени в черни шлифери с вдигнати яки и черни шапки.

Андреа и Мирослав препречиха пътя между Анна и Естебан и засвириха, обърнати към нея, тангото на ревността. Естебан остана сам в центъра на сцената, докато другите двама мъже принудиха Анна да танцува на заден ход и да изкачи малката платформа, като заеха първоначалните си места. Анна изцяло в бяло танцуваше върху платформата, а Естебан в центъра на сцената се изправи срещу най-големите сенки в душата си.

Тялото му изчака Анна да остане неподвижна, за да преживее агонизиращата болка на тангото на ревността. Премина зад паравана и се превърна в сянка, която бясно търсеше изход от собствения си затвор. Нямаше път към Анна, нямаше изход, нямаше никой, освен неговата смазваща агония.

Ако някой някога беше срещал лицето на ревността, със сигурност успя да го разпознае. В недоверието, в бясното лутане между четири невидими стени, в раздиращия се плач на цигулката, в ужасения вик на тромпета, в замъгленото съзнание и неоправданата агресия.

Естебан излезе от паравана и като в унес тръгна с ужасяващо изражение към Анна. Премина между двамата мъже и изпълнен с недоверие и болка я подчини върху тъмната платформа. Анна танцуваше уплашено, като дете, което наказваха несправедливо, но колкото по-уплашена ставаше тя, толкова по-агресивно я подчиняваше Естебан. Нейният страх се разчиташе като признание за вина. Тя се отскубна от ръцете му и танцувайки тръгна по стъпалата.

Анна слезе на стъпалото на Андреа и се скри зад него от пристъпващия към нея Естебан. Андреа остави цигулката си на земята и я придърпа към себе си, правейки няколко стъпки в ритъма на тангото под съпровода на Мирослав. Естебан като обезумял танцуваше сам на платформата, а тромпетът сякаш пресъздаваше мъжкото съперничество помежду им с Андреа. Анна свали шапката на Андреа, той се завъртя и остави шлифера си да падне в краката му. Сега той беше в бяло също като нея. Естебан сякаш не издържа на гледката. Той слезе на стъпалото и тръгна право към Анна, но Андреа с едно движение я свали на средното стъпало между него и Мирослав. Естебан отново се насочи към Анна, но сега Андреа вдигна цигулката си и застана с лице към него. Звукът на цигулката се извиси над тромпета като непоносимо ридание, което заличи всичко останало. Естебан отмести Андреа и с танцово движение се насочи към Анна, която този път се озова в прегръдките на Мирослав. Тя заобиколи Мирослав, сякаш се опитваше да се скрие зад гърба му, свали шлифера му и също го превърна в ангел от чиста светлина. Той се обърна към нея, сваляйки шапката си и галантно ѝ се поклони... Анна не можа да танцува с него. Естебан застанал зад гърба ѝ, я стисна силно в обятията си и с танцова стъпка я свали на пода. Двамата започнаха да танцуват бясно под ритъма на тангото на ревността и Естебан изглеждаше още по-ужасяващо като единствената черна фигура на сцената.

Анна и Естебан на няколко пъти си смениха местата зад паравана. Той се превръщаше в сянка, която принуждаваше нея също да бъде сянка. Двамата се срещнаха като сенки зад паравана, след което с едно завъртане се озоваха пред него и продължиха да танцуват.

Инструментите на Андреа и Мирослав отразяваха разкъсващата и кървяща мъжка душа, смазваща се от ревност и недоверие. Естебан до такава степен беше влязъл в роля, че лицето му напълно се беше обезобразило. Вече не знаеше дали погледът на Анна беше ужасен заради ролята, която играеше, или защото виждаше истинската му сянка.

За всички останали неговата ревност беше просто театър, но само той знаеше, че в момента осветява най-съкровените си страхове. Пред пълната със зрители зала и пред Анна, която сякаш единствена четеше в душата му.

Двамата се въртяха в ритъма на тангото в схватка, която сякаш никога нямаше да приключи. Изведнъж Естебан осъзна, че не помни края на представлението, което напълно го обърка. Стори му се, че греши стъпките, нещо, което никога не му се беше случвало. Не, не му се струваше, стъпките не бяха тези. Сякаш беше забравил как се танцува танго.

Ужаси се от гротеската, която се развиваше на сцената. Ето че сега наистина срещаше сянката си. Присмиваше се на тези, които черпеха идентичност от бизнеса си. А нима беше по-различен от тях, след като черпеше идентичност от танца?

Почувства се уязвим, разголен, нищожен. Това беше неговото собствено шоу. Не някакъв композиран от други конкурс, а реализацията на неговата собствена идея. Беше се доказал на толкова много нива в живота си. Нима сега точно трябваше да се провали, когато сбъдваше своя собствен проект?

Не смееше да погледне към Андреа и Мирослав. Те бяха гледали толкова пъти представлението, със сигурност виждаха как греши. В залата имаше толкова хора, които разбираха от танго. Те също отчитаха как той се проваляше.

Усети как излезе извън всякакъв ритъм. Дори се изненадваше, че Андреа и Мирослав продължаваха да свирят ритъма на ревността. Вече трябваше да са преминали към следващата част. Само че Естебан не помнеше коя беше следващата част. Имаше някаква част от произведението, която беше изходът от ревността.

Преди тангото на светлината, с което завършваше шоуто. Опитваше се да си спомни коя беше следващата част. Стори му се, че ще полудее от болка. Краката му следваха някакъв свой измислен ритъм, който нямаше връзка нито с тангото, нито с който и да е от познатите му стилове. Дори не беше танц, а гротеска на всичко, което се случваше в душата му.

Искаше да спре, да избяга, да изчезне. Унижението, ревността, провалът предначертаха пътя на лузъра, в който го превръщаше собственото му шоу. Беше напълно убеден, че никога не беше чувал тази част от композицията. Или беше забравил и нея. Може би точно тази част беше изходът, но тя му беше толкова непозната.

Усети, че по вените му сякаш не течеше никаква кръв. Дишаше учестено, а сърцето му биеше на пресекулки. Помисли, че ще колабира. Нямаше връзка нито с тялото си, нито с душата си. Единствено умът му безпощадно му показваше собствената му нищожност.

Изведнъж забеляза Анна. Анна още танцуваше в ръцете му. Тя грешеше заедно с него. Как беше възможно да следва стъпки, които той в момента измисляше? Усети как малката ѝ ръка се беше вкопчила в неговата, сякаш беше готова да умре, но не и да се отдели от него.

Стори му се, че в публиката видя лицето на Хавиер, което му показваше, че беше направил грешния избор. Беше избрал агонията, която цял живот щеше да го преследва, беше се отказал от правото си да бъде свободен. Сега завинаги щеше да е обвързан с източника на своето страдание, вкопчил се здраво в него, отнемайки силата и желанието му за живот. Трябваше да пусне Анна. Трябваше да я освободи. Анна му пречеше да танцува. Тя следваше грешките му, тя беше причината за грешките му. Хавиер стоеше пред него и го насърчаваше да направи избора, който той самият никога не беше успял да направи.

Естебан усети, че ще полудее. Анна вече не му изглежаше нито чиста, нито невинна. Точно обратното – тя беше предизвикала сянката му, тя беше поискала този спектакъл и сега тя щеше да го загуби. Опита се да я пусне, но Анна още по-силно стисна ръката му.

Ноктите ѝ така се бяха впили в кожата под кокалчетата му, че му причиняваха физическа болка. Хавиер стоеше пред него и го насърчаваше да я пусне, да се освободи от болката, да избере другият път.

Опита се да игнорира Хавиер и да се върне към шоуто. Умът му трескаво започна да си припомня всички елементи на хореографията. Започваха с танго на плача. После танго на вътрешните търсения. След това идваше серията на Анна. Танго на пробуждането. Танго на женствеността. И после идваше неговата серия – танго на ревността и танго на… танго на… Бяха ги измислили да са огледални едни на други. Плач – светлина; вътрешни търсения… Имаше още нещо преди светлината. Да, търсене – намиране. Сега си спомни имаше и танго на преоткриването. Него с Анна го танцуваха, когато вече и двамата бяха в бяло. А преди него? Когато той сваляше черните дрехи. Пробуждане, зов за пробуждане, осъзнаване. Ревност, изгубване, неосъзнаване.

Женственост. Огледалното на женствеността. Жена – мъж. Танго на мъжкото начало. Танго на мъжкото начало...

Изведнъж си спомни. Танго на отговорността. Сега трябваше да поеме отговорност. Изведнъж музиката му се стори толкова позната. Краката му отново овладяха ритъма. Спомни си.

Сянката на Хавиер се превърна в безплътна материя, която се дематериализира във въздуха.

Беше избрал да остане с Анна. И трябваше да поеме отговорността за избора си. Беше избрал да спре да бяга. И трябваше да поеме отговорността за избора си. Беше избрал да бъде свободен. И трябваше да поеме отговорността за избора си.

Сега беше на собствената си сцена, със собствената си жена, със собствената си група. Правеше своето шоу. Всеки друг можеше да се провали, но не и той. Всеки друг можеше да греши, но не и той.

Трябваше да поеме отговорността. Дори ако трябваше милиони пъти да премине през ревността, хиляди пъти да срещне Хавиер и баща си, ежеминутно да му се навира в лицето всяка негова грешка. Той беше мъж и трябваше да поеме отговорност.

Вече танцуваше, както трябва. Усети как Анна първо свали шапката му, след това шлифера му, а накрая самият той с едно движение свали черния си широк панталон, захванат с капси от двете страни. Остана по бял тесен панталон и бяла риза с черен ревер, напомнящ интегрираната сянка, отстъпила пред светлината.

Двамата започнаха да се преоткриват на сцената. Тангото на преоткриването. Когато познаваш напълно човека до себе си и все пак знаеш, че можеш винаги да пробудиш светлината в него.

Тангото, в което краката им се кръстосваха, телата им се въртяха, танцуваха заедно напред и назад, тангото в неговата класичека и най-чиста форма. Тангото, в което мъжът просто беше мъж, а жената – жена.

Накрая зазвучаха финалните акорди – тангото на светлината. Естебан и Анна танцуваха с погледи, изпълнени с блясък и топлина, в разтапящите ритми на най-нежното и чувствително танго.

Естебан я качи на малката платформа, две бели фигури върху черния танцов дансинг. Двете момчета изкачиха стъпалата и застанаха от двете им страни.

Естебан повдигна Анна високо над главата си, след което я завъртя няколко пъти преди самия завършек. Наведе я и Андреа и Мирослав изсвириха финалния акорд.

Публиката изригна в мощни аплодисменти, сякаш всеки зрител беше преминал през собствената си сянка чрез тяхното танго. Няколко пъти ги върнаха на бис, преди спектакълът наистина да завърши.

♪♫♪

През нощта Естебан сънува баща си, който бащински го потупа по рамото и тръгна нанякъде с мотора си. Анна сънува Ейдея, която ѝ даде петата и последна стъпка: "ДА ОСЪЗНАЕШ ЛЮБОВТА КАТО СИЛА". Този път Ейдея беше съвършено различна. Дойде при нея като обикновена жена и докосна с пръсти сърцето ѝ, утробата ѝ и междувеждието ѝ. До Анна като знаене достигна, че тя благослови съкровищницата на чувствата ѝ, центъра на женствеността ѝ и връзката ѝ със самата Вселена. След като ѝ даде благословията си, Ейдея си отиде.

Естебан се събуди, сякаш за пръв път в живота си усещаше какво е да си наспан – отпочинал, освежен и с желание за живот. Снощи Саня и двете момчета го поздравиха за новия двуминутен елемент, който бил изключително силен. Естебан се изуми как цялата вътрешна драма, през която премина, всъщност е продължила едва-две минути.

Единствено следите от нокти в областта на кокалчетата му напомняха, че Анна беше разбрала какво се случва в него. И го беше задържала. Тя не му каза нищо след края на шоуто, но и двамата знаеха, че той се беше освободил от демона на ревността.

Събуди я с целувка по челото, сякаш беше дете, което благославя. Никога не беше изпитвал такава нежност и такава признателност към човешко същество.

Анна го погледна с нейния дълбок и изпълнен със светлина поглед. За първи път, откакто я познаваше, Естебан видя, че тя наистина му вярва.

– Беше чудесна – каза ѝ вместо "Добро утро".

Анна го целуна вместо отговор. Стори ѝ се, че цяла вечност беше чакала да чуе точно тези думи.

XVII

ЕСТЕБАН

Вече трета седмица играеха "Светлини и сенки" и шоуто набираше лавинообразна популярност. Отзивите в пресата бяха невероятно ласкави, и въпреки че се беше освободил от ревността си, всяко излизане на сцената още му носеше усещането за изминатия твърде дълъг път на порастването.

Понякога чувстваше леко гадене минути преди срещата с публиката, усещайки горчивия привкус от първата истинска среща със страховете си. Но когато се озовеше на сцената, вече не чувстваше, че играе личната си история, по-скоро имаше усещането за чужда роля, която твърде дълго беше припознавал като своя идентичност.

Освобождаването от ревността му донесе повече от спокойствие по отношение на връзката му с Анна. Даде му възможността за пръв път да погледне на Анна като на отделно и различно от самия него човешко същество. Мисъл, която в първия момент истински го шокира. Никога досега не си беше давал сметка, че предназначението на Анна в живота му не е да го спаси от екзистенциалната вътрешна самота, която винаги беше изпитвал. Замисли се за всички моменти, в които тя самата се е чувствала смазващо самотна в тяхната връзка.

Когато стана достатъчно топло, Естебан реши да открие сезона с мотора си.

– Мисля тези дни да направя едно кръгче с мотора – отдалече започна Естебан.

– Супер – зарадва се Анна.

– Иска ми се замалко да се махна от целия шум тук – продължи той.

Забеляза как лицето ѝ започна да помръква.

– Анна, искаш ли да ме спреш? Искаш ли да остана тук при теб?

– Ако го поискам, ще останеш ли? – попита на свой ред Анна.

Естебан се усмихна. И кимна вместо отговор.

Анна също се усмихна.

– Саня и Лукас ме поканиха да отида на театър с тях – предпазливо започна Анна.

Естебан погледна към нея, сякаш беше малко дете и нежно каза:

– Няма нужда да ми искаш позволение. Имаш право да имаш приятели и да излизаш с тях.

– Да не са те подменили с някой друг? – шеговито го попита тя.

– Не, но за пръв път в живота си се чувствам свободен. И искам и ти да се чувстваш така. Знам какво направи на спектакъла. Можеше да пуснеш ръката ми, но ме задържа. Спря ме да проваля всичко и да избягам. Показа ми как да стигна до истинската свобода. Сега аз правя същото за теб. Съзнавам, че много от нещата, които поисках от теб, нямах право да ги искам. Съжалявам.

– Всички решения, които взех, ги взех аз. Не ти. И знам как да поема отговорността за тях.

– Откакто те познавам, ти винаги си била в преразход на отговорност. Толкова много книги прочете по темата, а сякаш не си научила нищо. Няма как да поемеш отговорността за моите решения и за моите грешки. Ако го направиш, нарушаваш баланса между даване и получаване. И винаги ще си от страната на даващата страна.

Анна замълча. Очите ѝ се насълзиха и без дори да разбере, как просто каза:

– Исках да бъда идеалната жена за теб. Искам да съм идеалната жена за теб.

Естебан я прегърна силно и осъзна, че няма нужда да остава повече сам. Имаше нужда да поговори с Анна. Открито. Без игри на думи и без правила. Не като с любима, не като с дете, което обгрижва и закриля, а като с приятелка.

– Докато се измъчвах от ревност, Саня беше до мен, но винаги съм искал ти да бъдеш до мен. Мислех, че ако говоря с теб, ще те разочаровам и никога няма да ме погледнеш отново така, както ме гледаш сега. Колкото и да се дънех, ти продължаваше да стоиш до мен и аз все повече се ожесточавах, защото знаех, че нямам такива права над теб, Анна. Нямам правото да искам ти да си съвършена, за да компенсираш собствената ми несъвършеност. Никой ги няма. Веднъж Иън ми каза, че никой няма право да раздава присъди за живота на другите. Откакто се помня, не съм спрял да раздавам присъди.

Чувствал съм се много по-лош от другите и всичко, което искам, е да им докажа, че всъщност съм по-добър от тях. Онова интервю, което те доведе при мен... Искаха да говоря за връзките. Нямаше как да им кажа, че никога не съм имал връзка, че с никого не съм се чувствал свързан в живота си. Казах им това, на което ме беше учил Иън: че за да имаш връзка, трябва да умееш да танцуваш.

Мислиш си, че аз съм те научил да танцуваш танго – ти ме научи да танцувам танго. Ти си единствената жена, с която съм се свързвал по време на танц. Първият път, когато изпитах танда, беше с теб. Никога не се осмелих да те питам за мъжете преди мен в живота ти. Беше ме страх да чуя, че може да си била щастлива с друг мъж, че може да не съм толкова специален за теб, колкото си ти за мен.

Естебан замълча за миг.

– Обещай ми, че всичко, което ти казвам сега, никога няма да го използваш срещу мен, дори ужасно много да съм те вбесил.

– Обещавам – каза Анна.

– Прощавам ти – накрая каза той.

– За какво? – смаяно попита Анна.

– За всичко, което сама не можеш да си простиш. За всичко, което знам и за всичко, което никога няма да имаш смелостта да признаеш пред мен, но вътрешно още стои като конфликт в душата ти. Прощавам ти, че не си идеална, Анна.

Тя го погледна и напълно изгуби контрол върху себе си. Разплака се неудържимо и го остави да я гушне. Плака дълго, сгушена в обятията му.

– Искам да знам всичко за теб, Анна – накрая каза той. – Искам да те опозная. Такава, каквато си.

– Благодаря – тихо каза тя.

– Знаеш ли какво символизира прегръдката в танго? – попита Естебан.

Анна само се усмихна.

– Жената, която се обляга на мъжа, защото знае, че той може да я преведе през всичко. Тангото е и за двамата, нито е само за нея, нито е само за него.

Не знам всички отговори, никой не ги знае. Но винаги съм знаел как да те водя. Наречи го интуиция, наречи го вътрешен усет, както искаш. Абсолютно съм сигурен, че, ако можеш да се облегнеш на нещо в живота си, можеш да се облегнеш на мен.

– Ако формулата да имаш успешна връзка е толкова проста, защо е толкова трудно да създадеш такава?

– Защото хората не умеят да танцуват.

Анна се засмя.

– А ние умеем ли? – попита шеговито.

– В момента се учим – по същия начин отговори Естебан. – Но нека да не казваме на другите за това.

XVIII

АННА

Събуди се преди Естебан и се притисна още по-силно в ръцете му. За първи път Естебан беше мъжът, за който винаги беше мечтала. Той я беше освободил от ролята на "безупречната" в тяхната връзка. И за пореден път я беше поставил пред въпроса коя всъщност е тя. През каквито и проблеми да преминаваха, Анна винаги се изправяше пред една и съща ситуация за самата себе си – да открие своята идентичност.

Върна се мислено към онзи следобед, когато се беше зародила мечтата ѝ да танцува танго. Дали подсъзнателно не беше разчела символиката и дълбочината, които се криеха зад движенията на самия танц?

Прииска ѝ се още веднъж да изгледа интервюто. Искаше ѝ се да види как беше танцувала Милена, чийто движения напълно я бяха запленили. Стана и намери предаването в YouTube.

Когато видя Естебан, все едно не беше той. Зад думите му сега наистина прочете заучените фрази от Иън, а в излъчването – дори лека подигравка. Милена танцуваше на едно начално ниво и омагьосващият им танц ѝ се видя единствено като синхронизирани стъпки и движения, примесени с най-елементарни фигури. Видя респекта и притеснението на Милена, докато танцуваше с Естебан. Прегледа го още няколко пъти.

Беше станало време да приготви закуска на Естебан, но вместо да се заеме със закуската, се върна обратно в леглото при него.

– Какво става? – попита я Естебан, като Анна отново легна при него.

– Мислех да приготвя закуска, но се отказах – каза тя и се сгуши в него.

– Добре, излежавай се – нежно каза Естебан. – Аз ще приготвя закуска. Как си предпочиташ ябълката – цяла или нарязана?

Анна се засмя.

Естебан се върна след минути с табла, на която беше подредил измити ябълки и орехови ядки. И кана с минерална вода.

– Дори не си нарязал ябълките – подкачи го Анна.

– Така са по-вкусни – оправда се той. – Утре е твой ред да правиш закуска.

– Сигурно е прекрасно от малък да знаеш какво искаш да правиш – смени темата Анна. – Аз искам да имам същото... да знам коя съм.

– Ти си Анна – отговори ѝ Естебан. – До която мога да постигна всичко. И на която мястото ѝ е до мен.

Анна замислено го погледна.

– Аз го мислех по този начин, докато една сутрин в Колико се събудих напълно сама. Никоя. Знаеш ли какво е да си никой? Без професия, без път, без никакви опори. Знаеш ли какво е да стоиш и да гледаш в една точка часове наред и да се побъркваш от собствените си мисли? Всички отвън ми казваха да организирам живота си. Аз вече веднъж бях организирала живота си. Спрях да танцувам, върнах се на работа, поех вината, че съм решила да следвам мечтите си, доказвах се пред хора, които никога не са имали истински мечти и... станах съдружник. И като те видях, всичко друго беше безсмислено. Всичко друго винаги е било безсмислено. Като ме видя как танцувах с теб, Васил ми предложи да прекараме нощта заедно. Не исках Васил, никога не съм искала Васил, никога никой не съм искала, освен теб. Ако ти кажа, че не съм се влюбвала преди теб, ще те излъжа. Увличала съм се, влюбвала съм се, но никой мъж преди теб не ме е карал да се чувствам на мястото си. Дори и без покрив над главата ни, с теб винаги съм се чувствала "у дома".

Когато останах сама, отидох на терапевт, защото не исках да организирам живота си. Всичко, което исках, беше да спре да ме боли. Тя ми каза, че след като те обичам, мога да те върна при мен. Часове гледах снимката ни, онази, която после те помолих да вземем, за да повярвам, че може да сме заедно, че ме искаш, както те искам аз.

Знаеш ли какво е приятелите ти, близките ти да те мислят за безволева, слабохарактерна, с промит мозък, защото искаш само и единствено мъжа до себе си? Аз обичам така. Мога да зарежа всичко, да приемам всичко, да преглътна всичко, да простя всичко, когато обичам. Не ми се е случвало преди, но не знам как по друг начин да те обичам.

Естебан я гледаше сякаш никога досега не я беше виждал.

– Проблемът не е в това, че ти не знаеш как да обичаш, Анна – каза накрая той. – Проблемът е, че никой освен теб не знае как да обича. Никоя друга не ме е допълвала както ти. Танците, сексът, храната, пътуванията, парите. За каквото и да се сетя... ти знаеш как да бъдеш с мен. И искаш мен, не някой друг, което е... няма такова усещане... да знам, че искаш мен. Сигурно съм ужасен човек, но искам винаги да си такава.

Анна се засмя и го прегърна.

– Утре ще те разведа с мотора. Ще те заведа в Краков, в двореца Вавел, Мирослав ми разказа, че е нещо като Полския Камелот. Искам да го видя.

– Искам и аз да мога да си простя, че не съм съвършена – каза накрая Анна.

– Ако искаш, аз ще изляза за малко, ще звънна на Андреа или на Саня и ще те оставя сама. За да можеш да си простиш. ЧЕ СИ СЪВЪРШЕНА. И го казвам напълно сериозно, защото наистина си.

Естебан набра Андреа и се разбраха да се видят.

Анна го погледна как се приготвя за излизане и внезапно каза:

– Искам да дойда с теб. Не искам повече да стоя сама. Уморих се да анализирам и подреждам мислите си. Тук се чувствам като отшелник. Искам да се почувствам свързана с хората и живота си.

Естебан се засмя.

– Хайде, оправяй се. Искам навсякъде да си с мен. Няма да те изпускам от поглед повече.

Анна също се засмя.

– Толкова отдавна не сме се забавлявали истински.

– Какво забавно ти се прави?

– Плува ми се в залив с делфини.

– Добре, нека да изчакаме да се стопли достатъчно. И ще те закарам до някой залив.

Двамата излязоха в приповдигнато настроение, размечтани за предстоящите пролет и лято. Андреа се зарадва като видя Анна. Беше направил проучване за всички милонги в Полша и им показа дните и местата, на които се правеха.

– Оказва се, че учудващо много хора танцуват танго – каза изненадано той. – Може някоя вечер да направим открита милонга на "Plac Zamkovi", ако искате. Аз и Мирослав ще свирим на живо и всички ще танцуват. Ще е супер.

Анна и Естебан се присъединиха към идеята.

Естебан видя в заведението свои ученици от школата и за малко остави Анна и Андреа, за да ги поздрави.

– Днес изглеждаш много по-весела от обикновено – отбеляза Андреа.

– Така ли?

– Обикновено си все сериозна и умислена. Отива ти да се усмихваш.

– С Естебан имаме планове да отидем някой ден в залив с делфини и да плуваме с тях.

– Отидете в Акароа. Близо е до Крайстчърч в Нова Зеландия. Малко рибарско селце, див живот, идеално е за целта. Делфините там са изключително редки като вид. Казват се Хектор.

– Той иска да отидем с мотора – засмя се Анна. – За него, ако не сме на мотора, все едно не сме пътували.

– Ами транспортирайте мотора и прескочете до Нова Зеландия. После си обикаляйте с него. Там наистина ще ви хареса.

– Имам чувството, че си бил навсякъде.

– Е, има още няколко планети, които ме чакат да ги опозная.

Анна се засмя. И ѝ се стори, че смехът има по-силно освобождаващо действие от сълзите. Сякаш прогони всичките ѝ негативни мисли като с магическа пръчица.

Естебан се върна на масата им с клиентите си от школата. Беше ги поканил да се присъединят към тях. Бяха две възрастни жени, които не спираха да го хвалят как напълно е променил живота им. Оказаха се много забавни и големи фенове на представлението им.

Докато вървяха към мотора на излизане от заведението Естебан внезапно попита Анна:

– Искаш ли още сега да тръгнем за Краков?

– Без багаж? Просто ей така? – попита Анна.

– Просто ей така.

– Да. Искам.

– Качвай се. – каза Естебан и добави: – Ето, че дочакахме пролетта.

XIX

ЕСТЕБАН

Делия Амаринго отиде да си купи билет за шоуто на сина си. Беше прочела, че шоуто на Естебан има главозамайващ успех в цяла Европа. След две седмици щяха да бъдат в Мадрид и тя искаше да отиде лично да го гледа. Беше изпълнена с гордост и възхищение, особено когато видя снимката на жена му, която изглеждаше добра жена. Хавиер не беше съгласен да я придружи, той винаги си беше съперничил с Естебан. Делия не се позаинтересува от мнението му. Тя отдавна не се интересуваше какво се случва в душата на съпруга ѝ. От момента, в който заради него си тръгна Естебан. Делия всяка нощ благославяше Естебан в мислите си и всяка неделя се молеше за здравето и благоденствието му. Знаеше, че Бог може да надниква в чистото ѝ майчино сърце и да дава подкрепата си на детето ѝ. Когато видя Естебан на корицата на едно от най-тиражираните испански списания, едва се въздържа да не изкупи всички броеве. Естебан беше пораснал, беше станал истински мъж. Не го беше виждала повече от десет години, но веднага различи светлината у него. Погледът му беше ведър и спокоен, нямаше го предизвикателното и агресивно излъчване, което винаги толкова много я беше плашило у него.

Делия знаеше, че няма да се свърже с Естебан. Не го беше направила през всичките тези години, защото уважи избора му да има свой собствен път. Искаше само да го види и да може да го благослови с цялата си душа. Някои от съседките и приятелките ѝ бяха видяли списанието, но нарочно не говореха за Естебан, тъй като мислеха, че така уважават страданието ѝ по него. Никоя нямаше да разбере, че виждайки корицата на списанието и успеха на детето си, Делия беше изпълнена единствено с гордост и любов.

Когато се върна, видя, че Хавиер разглеждаше списанието с Естебан.

– И какво толкова е направил? Само танцува. Това професия ли е? Как се издържа семейство с танци?

Делия не му обърна внимание. Щастието ѝ не можеше да бъде помрачено от мрачните му коментари. Тя взе списанието от ръцете му, не искаше Хавиер да се докосва до нищо, свързано с Естебан, след което излезе от стаята.

Хавиер остана сам. Изсумтя недоволен. Цял живот Естебан му беше напомнял за първата любов на жена му – Стивън Морган. И сега, след толкова години, малкият натрапник продължаваше да е на първо място за нея.

Но беше късно да прави каквито и да е промени в брака си. Отпусна се на дивана и за да се разсее, включи телевизора. Скоро забрави за Естебан. Новините го унесоха и той задряма.

♪♫♪

Стивън Морган случайно беше попаднал на едно предаване с участието на сина си. Значи все пак беше успял. От интервюто с Естебан, разбра, че обикалял света на мотор, имал жена и група, с която правели уникални танцови шоута. Никога не беше разбирал сина си, но поне беше намерил поприще, в което да се реализира. Прииска му се да се свърже с него, да му каже нещо, но после си даде сметка, че нямаше какво да му каже. Домъчня му, че нямаше да опознае сина си, както никога не беше опознал баща си. По някакъв начин Естебан беше взел най-хубавото от неговия живот – любовта към моторите и авантюризмът му. Прие, че и това не е малко. Баща му и толкова не му беше дал. И въпреки че се беше провалил като баща на Естебан, Стивън се почувства по-добре като осъзна, че е по-добър баща от своя собствен.

♪♫♪

Васил Касабов прегледа сутрешната преса. Имаше голяма статия за Анна, която покоряваше Европа с невероятното си танцово шоу. Гледаше снимката на жената, която беше във вестника и не можеше да я свърже с тихата и прилежна Анна, която беше взел под крилото си веднага след Университета. Стори му се, че изобщо не познава тази жена. Тази жена беше невероятно красива, самоуверена и недостижима. Намерила себе си и толкова различна от Анна, с която всеки ден пиеха кафето си само допреди година. Чудеше се дали живее добре с Естебан, щастлива ли е или само изглежда щастлива? Имаше ли изобщо щастливи хора? Надяваше се тя да е щастлива. Той лично би изгледал спектакъла им, ако дойдат в София, което обаче силно го съмняваше. Естебан и Анна никога не се връщаха назад. Те явно бяха от малкото хора, които можеха да вървят само напред.

Затвори вестника и насочи вниманието си към далеч по-важните и неотложни задачи – делата, които го очакваха на бюрото му.

♪♫♪

Мирослав донесе постера на новия спектакъл, който планираха да играят след "Светлини и сенки":

"LIBERTAD" (СВОБОДА).

Идеята за подобно танцово шоу беше на Естебан. Успехът на "Светлини и сенки" го вдъхнови да създават все по-смели и по-смели проекти. Някога Анна му беше казала, че двамата могат да продават нова философия за живеене на хората. Тогава той беше погледнал скептично на такава идея, но в момента все повече се убеждаваше в различността на гледната точка, която представяха.

Хората бяха впечатлени от личните им истории, промените, които бяха направили в живота си и успешния краен резултат, който им се представяше. След всички дадени интервюта и изиграни танцови шоута, Естебан се беше убедил, че интересът относно извървяния път се пораждаше, едва когато можеш да покажеш на останалите докъде те е довел той. Сега фактите се оказваха изцяло в тяхна полза – сега незавършеното средно образование на Естебан, отказът на Анна от правото, продажбата на цялото им имущество, неговата работа на две места бяха смели постъпки, докато само преди месеци същите тези действия бяха заклеймени като неразумни до проява на чиста лудост.

Той имаше много, което да каже по въпроса за свободата. Откакто се беше освободил от чувството на ревност, Естебан усещаше Анна по съвсем различен начин. Преди имаше потребност да се грижи за нея, да я закриля, да я притежава, докато сега в отношенията помежду им имаше една непозната и за двамата лекота и свобода. Той дори нямаше нужда от физическото ѝ присъствие, за да знае, че тя е само негова. Продължаваше да бъде водещият, тя – тази, която да го следва, но сега Естебан умееше да поема отговорност и се усещаше изпълнен със свобода и сила до Анна. Анна от своя страна се чувстваше обичана и щастлива до Естебан. Срещата на сенките ги беше свързала на едно много по-дълбоко ниво, като духовни спътници, които бяха част от цяло, невидимо за останалите...

За първи път в живота си Естебан се чувстваше свързан изцяло с потока на Вселената. Непрекъснато имаха покани да играят шоуто на различни места, което естествено беше превърнало Саня в техен мениджър. Решение на Саня беше да даде приоритет на тяхната група пред проектите на школата на Лукас, там се изявяваше по-скоро като съветник. Саня беше влюбена в Лукас и по нейните думи така можела да бъде жената до него. В групата Саня правеше нещата, които ѝ се отдаваха най-добре – реклама, уговаряне на участия, хореография. За първи път, откакто я познаваше, Естебан я виждаше с желание да се развива. Лукас, също както Йордан, ѝ даваше пълна финансова свобода, но за разлика от преди, сега Саня не носеше маска, а беше самата себе си.

Мирослав и Андреа бяха прекъснали образованието си по собствено усмотрение. Също както Естебан, Анна и Саня, и те бяха напълно отдадени на спектаклите. Считаха, че те ги развиват и обогатяват.

През трите месеца, в които им предстоеше да направят творческа пауза – януари, февруари и март следващата година – Естебан беше решил двамата с Анна да отидат в Аржентина и да изучат някои автентични стилове на аржентинското танго. Мислеше двамата да направят нещо като собствено пътуване по пътя на тангото – да изучават историята му и начина, по който се танцува в различните региони. Докато са в Южна Америка, Анна искаше да посетят и някои южноамерикански племена. Естебан нямаше нищо против, стига да останеше време.

Той лично имаше голямо желание дори да поостанат повечко време там, но стратегията на Саня беше, че е добре поне веднъж на шест месеца да излизат с ново представление. Според нея така щяха да бъдат истински актуални и интересни.

Когато разказаха идеята си на останалите, Мирослав и Андреа казаха, че идват с тях – вярваха, че подобно пътуване щеше да ги направи по-креативни относно новите музикални композиции. Саня също поиска да дойде. Естебан знаеше, че го правеше не толкова заради обогатяващото от гледна точка на хореографските ѝ умения преживяване, колкото защото за първи път в живота си и тя като него имаше сродна среда.

Саня го попита дали би имал нещо против Лукас да идва от време на време при нея, защото много щеше да ѝ липсва. Естебан нямаше нищо против. За него сега Лукас беше просто гаджето на Саня. За Саня Лукас беше първата истинска връзка в живота ѝ.

Идеите за танцови спектакли сякаш се сипеха като от небето. Всеки сядаше и нахвърляше проблемите, които го вълнуваха и заедно избистряха концепцията за бъдещите си проекти. Петимата си бяха станали невероятно близки и сякаш можеха всичко да си кажат и през всичко да преминат заедно.

На Анна спектаклите ѝ даваха възможност да прави двете неща, които най-силно искаше – да танцува и да опознава светлината в себе си. На Естебан му даваха свободата да бъде себе си, да танцува и да прави пари от това. На Саня ѝ позволяваха да съчетава хореографските с организационните си умения, на Мирослав да обедини в едно всичките си хобита – музиката, книгите и фотографията, а на Андреа – да развива професионалните си умения в съчетание с пътуването, приключенията, славата и момичетата.

♪♫♪

Естебан и Анна бяха поканени да бъдат жури на тазгодишния "Spettacolo di ballo". След него мислеха да обявят новия си спектакъл "LIBERTAD".

Като подзаглавие бяха измислили: "Там, където свършва сигурността, започва свободата".

Цялото шоу беше посветено на свободата като доверие, отдаване, присъствие. Състояние, в което няма нужда да задържаш или контролираш абсолютно нищо – твоят собствен път те свързва с най-доброто за теб и съхранява най-ценните неща в живота ти.

Естебан хареса снимката, която Мирослав беше избрал. В момента петимата се намираха в едно кафене в Мадрид, градът, в който им предстоеше да играят утре вечер. Имаше още много детайли за изпипване по следващия им спектакъл, но според Саня още от сега трябваше да имат стройна концепция, която да промотират в сайта. Идеята беше спектакълът да стартира през септември и да се играе до Нова година. Следваше тримесечното им пътуване и подготвянето на още един спектакъл.

♪♫♪

Естебан и Анна продължаваха да пътуват на мотор и целият им багаж беше един куфар със сценични дрехи и принадлежности и още по един чифт дрехи и бельо. Спяха само в хотели, като пътуваха според уговорените участия. Стигаха много по-бавно от останалите, които ползваха самолетните услуги, но имаха възможност да бъдат насаме и да изживяват своите малки приключения по пътя.

За разлика от преди, Естебан изобщо не се тревожеше за пари. Беше се убедил, че животът има своя логика и различна траектория на сбъдване на мечтите от предварително заплануваното. Ако нямаше толкова нещастно детство, което да го затвори в него самия, майка му нямаше да го насочи към танците, ако не бяха проблемите ѝ с Хавиер, нямаше да избяга в Арма и нямаше да срещне истинския си учител, ако баща му не му беше забранил да танцува, нямаше да избяга от вкъщи, нямаше да срещне Майк и да спечели пари, като танцува на улицата. Ако Иън не го беше прогонил, нямаше да замине в София и да открие Анна. Ако Анна не беше участвала в онази реклама, Естебан нямаше да потърси помощта на Саня и да я доведе в Полша и можеше никога да не срещнат Андреа и Мирослав.

Естебан не можеше да забрави как с Анна бяха прекарали първата си нощ във Варшава като в затвор и как впоследствие Варшава се беше превърнала в първия им истински дом. Градът, от който никой не бягаше и градът, в който винаги можеше да се върнат. Собственикът на кафето и собствениците на школата го бяха изпратили с отворени сърца и с поканата отново да работи при тях, ако поиска. Варшава се оказа едновременно дом и за петимата – родният град на Мирослав и Андреа и градът, в който Саня беше срещнала любовта.

Интересно нещо беше свободата. Преди Естебан виждаше цялото си минало като поредица от погрешно взети решения. Сега всяко решение му се струваше по своему най-правилното. Не искаше да променя нищо в живота си, което беше индикация, че най-накрая се беше помирил със себе си. Беше си простил. Вече дори грешките на Хавиер и баща му му се виждаха правилни от гледна точка на собствения му път. Може би Анна беше права и наистина всеки човек сам избираше целия си живот – родината си, семейството си, определени ситуации в живота си. Може би го правеше по същия начин, по който те създаваха идеята и хореографията на тяхното шоу. Разигравайки много варианти, избирайки най-големите предизвикателства и колкото и подготвени да се чувстваха, никога не можеха да предвидят какво ще се случи, когато излязат на сцената.

♪♫♪

В деня, в който Естебан и Анна изтанцуваха своя спектакъл "Светлини и сенки" в Мадрид, Делия наблюдаваше с гордост сина си. По време на представлението тя плака много. Стори ѝ се, че те не пресъздаваха някаква измислена постановка, а сякаш изиграха пред очите ѝ собствената ѝ драма с Хавиер.

Тя благослови сина си с цялата си душа и се върна при Хавиер, изпълнена със светлина и сила. Приготви му специална вечеря и докато се хранеха му сподели, че по време на шоуто, е осъзнала как Хавиер всъщност е единственият мъж, когото истински е обичала в живота си. Когато чу това, Хавиер, мъж на петдесет и седем години, преминал през какво ли не в живота си, се разплака като малко дете. Делия го прегърна и утеши.

Докато танцуваше, на Естебан му се стори, че видя майка си. Майка му го благославяше с очи, пълни със сълзи и сърце, преливащо от любов. Той също мислено я благослови и ѝ пожела с цялата си душа, дори досега да не е познала щастието, занапред да бъде много щастлива.

На другата сутрин в присъствието на всички промени подзаглавието на "LIBERTAD" от "Там, където свършва сигурността, започва свободата" на "Пътят към свободата започва от любовта".

17:26 часа, 16.02.2013г., Хотел "Зорница" – Рибарица

Нарастваща луна "Телец"

СЪДЪРЖАНИЕ

Галия Георгиева
СВЕТЛИНИ И СЕНКИ

Българска. Първо издание

ISBN 978-1-9997365-1-4

Печатница "Симолини'94"
1510 София, бул. Владимир Вазов 15
тел. 02/840 34 97, info@simolini.com